이것이 자바다

2권

이것이 자바다(3판)

교육 현장에서 가장 많이 쓰이는 JAVA 프로그래밍 기본서

초판 1쇄 발행 2015년 1월 5일
3판 1쇄 발행 2024년 4월 1일
3판 2쇄 발행 2024년 8월 1일

지은이 신용권, 임경균 / **펴낸이** 전태호
펴낸곳 한빛미디어(주) / **주소** 서울시 서대문구 연희로2길 62 한빛미디어(주) IT출판1부
전화 02-325-5544 / **팩스** 02-336-7124
등록 1999년 6월 24일 제25100-2017-000058호
ISBN 979-11-6921-228-1 94000 / 979-11-6921-229-8(세트)

총괄 배윤미 / **책임편집** 이미향 / **기획 · 편집** 박새미
디자인 박정화, 최연희 / **전산편집** 김현미
영업 김형진, 장경환, 조유미 / **마케팅** 박상용, 한종진, 이행은, 김선아, 고광일, 성화정, 김한솔 / **제작** 박성우, 김정우

이 책에 대한 의견이나 오탈자 및 잘못된 내용은 출판사 홈페이지나 아래 이메일로 알려주십시오.
파본은 구매처에서 교환하실 수 있습니다. 책값은 뒤표지에 표시되어 있습니다.

한빛미디어 홈페이지 www.hanbit.co.kr / 이메일 ask@hanbit.co.kr
독자 Q&A cafe.naver.com/thisisjava
동영상 강의 youtube.com/user/HanbitMedia93
예제 소스 www.hanbit.co.kr/src/11229

이것이 자바다

3판 2권

교육 현장에서 가장 많이 쓰이는 JAVA 프로그래밍 기본서

신용권, 임경균 지음

한빛미디어 Hanbit Media, Inc.

지은이의 말

자바 언어에 입문하는 모든 분들에게

2015년에 출간된 『이것이 자바다』 초판을 통해 많은 분들이 자바 언어를 접했고, 지금은 훌륭한 개발자로서 다방면에서 활약하고 계실 것입니다. 『이것이 자바다』 3판은 최신 자바 언어의 특징을 추가했으며, 필수로 알아야 할 내용은 책 본문으로, 선택적으로 알아야 할 내용은 부록 PDF로 도움을 드리고자 합니다.

자바는 객체지향 언어이기 때문에 이 책은 여러분이 객체지향 프로그래밍 기법을 빠르게 익히는 데 중점을 두고 있습니다. 객체지향 프로그래밍을 확실히 이해하면, 무료로 제공되는 방대한 라이브러리를 이용해서 원하는 프로그램을 얼마든지 쉽게 개발할 수 있습니다.

필자는 강의를 할 때 많은 그림을 활용합니다. 어려운 개념을 서술식으로 설명하는 것보다는 간략한 그림으로 설명하는 것이 더 효과적이기 때문입니다. 그래서 이 책에서도 객체지향 프로그래밍 요소와 기능들을 쉽게 이해할 수 있도록 많은 그림을 통해 보여주고자 노력했습니다.

샘플 코드를 수없이 반복 코딩하면서 언어의 코딩 패턴을 익히는 것이 프로그래밍 언어를 학습하는 가장 좋은 방법입니다. 처음에는 100% 이해가 되지 않아도 샘플 코드를 작성하고 실행하면서 결과를 분석하는 과정을 반복하다 보면 이해가 되지 않았던 부분이 나중에는 저절로 이해가 되곤 합니다. 따라서 이 책에서는 여러분이 직접 실습할 수 있도록 수많은 샘플 코드를 주석과 함께 제공합니다.

책으로 학습하다 보면 잘 이해가 되지 않는 부분도 있기 마련입니다. 그래서 동영상 강의를 제작해서 여러분께 제공하려고 합니다. 또한 필자가 운영하는 카페에 여러분의 질문을 올려 주시면 성심껏 답변해 드리도록 하겠습니다.

이 책으로 학습하시는 여러분의 노력이 헛됨 없이 실력 향상으로 이어지길 바랍니다. 지속적으로 사랑받는 책으로 남을 수 있도록 부족한 부분을 보완하고 새로운 자바 기술을 포함시켜 나가도록 노력하겠습니다.

자바 개발자는 충분히 도전해 볼 만한 직업이라고 생각합니다. 문득 최초로 자바를 개발한 제임스 고슬링이 한 말이 가슴에 와닿는군요. "미래는 그냥 일어나는 것이 아니라 선택하는 것입니다." 여러분의 미래는 여러분이 선택해야 합니다. 개발자를 꿈꾸고 계시다면 처음 시작하는 프로그래밍 언어로 자바를 선택해 보시는 것은 어떨까요? 자바와 함께 무한한 개발 분야에서 성공하시길 바랍니다.

신용권 교수

한국소프트웨어산업협회

▶ 지은이의 말

소프트웨어는 항상 변화한다
변화에 대응하는 자바 프로그래밍의 명저

『이것이 자바다』 3판은 객체지향 언어인 자바를 입문자도 쉽게 이해할 수 있도록 개념적인 설명을 통해 접근한 책입니다. 체계적인 학습 순서를 바탕으로 단계적인 학습이 가능하도록 구성되어 있으며, 배운 내용을 실습하는 다양한 샘플 코드를 제공함으로써 객체지향 프로그래밍의 초석을 쌓는 데 도움이 되고자 했습니다.

또한 다양한 코드 문법을 그림으로 보다 명확하게 설명하였습니다. 코드를 기반으로 하는 이해와 관련 이미지 학습을 통한 2차원적인 접근 방법을 통해 단편적인 지식 습득보다는 프로그래밍 전반의 절차를 머릿속으로 그리면서 이해할 수 있도록 구성하였습니다.

샘플 코드는 기본적인 자바 문법뿐만 아니라 SW 산업체에서 프로그램을 개발할 때 사용하는 코딩 패턴을 적용하여 만들었습니다. 따라서 자바 문법의 다양한 패턴을 이 한 권으로 익힐 수 있습니다. 여기에서 학습한 코드 패턴은 실무 프로젝트에서도 자주 사용되므로 현업 개발자들에게도 좋은 참고 서적이 될 것입니다.

소프트웨어 아키텍처 설계에 기반하는 프로그래밍을 구현한다는 것은 쉬운 일이 아닙니다. 처음 시작은 어려울 수 있지만, 포기하지 않고 끝까지 나아가다 보면 어느 순간 프로그래밍의 즐거움과 재미를 느끼고, 내 손을 통해 작은 초가집이 99평짜리 기와집으로 구현되어 가는 모습을 보게 되실 겁니다.

어떤 분야든 전문가가 되기 위해서는 오랜 시간과 많은 노력이 필요합니다. 함께 갈 동반자가 있으면 더욱 좋습니다. 자바 프로그래밍의 시작과 끝을 함께 할 동반자로 『이것이 자바다』는 어떨까요? IT 전문가가 되기 위한 항해에서 태풍과 비바람으로부터 지켜 줄 든든한 동반자가 되도록 노력하겠습니다.

이제 여러분의 꿈을 향한 항해를 시작하세요. 그리고 그 꿈을 이루시길 바랍니다. 당신의 상상을 현실로 만들 『이것이 자바다』 3판으로 그 시작을 함께해 볼까요?

임경균 교수
한국소프트웨어산업협회

이 책의 내용

『이것이 자바다』 3판은 필수 학습 내용인 본문과 선택적 학습 내용인 부록으로 구성되어 있습니다. 본문은 5개의 파트로 구성되어 있으며, 자바 프로그래밍에서 필수로 알아야 할 내용을 다루고 있기 때문에 반복적으로 학습하면서 개념 및 코드 작성 패턴을 익혀 두어야 합니다. 본문을 1회 독파했다면 3회 정도 반복하여 학습하는 것을 추천합니다. 반복할 때마다 몰랐던 부분이 저절로 이해되는 경험을 할 수 있을 것입니다.

■ **본문**

- Part 01(01장~04장): 자바 언어의 기본 문법을 다룹니다.
- Part 02(05장~11장): 객체지향 프로그래밍 기법을 다룹니다.
- Part 03(12장~17장): 표준 라이브러리를 사용하는 방법을 다룹니다.
- Part 04(18장~20장): 데이터를 읽고 저장하는 방법을 다룹니다.
- Part 05(21장): 최신 자바에서 강화된 언어 및 라이브러리를 다룹니다.

자바는 웹 프로그래밍에 필요한 주요 언어이기 때문에 책의 본문만 학습하더라도 웹 프로그래밍 개발에는 전혀 문제가 없습니다. 그러나 필수 지식 외에도 특별히 관심 있는 분야가 있거나 과제 및 프로젝트를 진행할 때 필요한 영역이 있다면 부록을 참고해서 학습하실 수 있도록 별도 PDF를 제공합니다.

■ **부록**

- 01: MySQL을 이용한 데이터베이스 입출력(본문 20장의 Oracle 대체용)
- 02: Java UI – Swing
- 03: Java UI – JavaFX
- 04: NIO

* 부록 PDF는 한빛미디어 홈페이지 자료실(https://www.hanbit.co.kr/src/11229)과 온라인 서점에서 [무료 특별판]으로 제공합니다.

다음 사진은 국내 드론 산업체의 요청으로 드론 임무 계획을 설정하고, 5G 환경에서 원격 제어할 수 있도록 필자와 개발자들이 공동 개발한 지상제어시스템(Ground Control System) 화면입니다. 여기에서 사용한 기술이 바로 JavaFX와 NIO입니다. 부록을 잘 활용하면 이처럼 다양한 분야의 자바 개발도 가능합니다.

▲ JavaFX와 NIO를 활용해 개발한 지상제어시스템 실행 화면

Chapter 01

자바 시작하기

이 장에서 배울 내용

해당 장에서 배울 내용을 한눈에 살펴봅니다.

확인문제

1. 조건문과 반복문에 대해 잘못 설명한 것은 무엇입니까?

❶ if 문은 조건식의 결과에 따라 실행 흐름을 달리할 수 있다.
❷ switch 문에서 사용할 수 있는 변수의 타입은 int, double이 될 수 있다.
❸ for 문은 카운터 변수로 지정한 횟수만큼 반복시킬 때 사용할 수 있다.
❹ break 문은 switch 문, for 문, while 문을 종료할 때 사용할 수 있다.

2. 왼쪽 switch 문을 Expression(표현식)으로 변경해서 오른쪽에 작성해 보세요.

```
String grade = "B";

int score1 = 0;
switch (grade) {
case "A":
  score1 = 100;
  break;
  case "B":
  int result = 100 - 20;
  score1 = result;
  break;
default:
  score1 = 60;
}
```

3. for 문을 이용해서 1부터 100까지의 정수 중에서 3의 배수의 총합을 출력하는 코드를 작성해 보세요.

4. while 문과 Math.random() 메소드를 이용해서 두 개의 주사위를 던졌을 때 나오는 눈을 (눈1, 눈2) 형태로 출력하고, 눈의 합이 5가 아니면 계속 주사위를 던지고, 눈의 합이 5이면 실행을 멈추는 코드를 작성해 보세요. 눈의 합이 5가 되는 경우는 (1, 4), (4, 1), (2, 3), (3, 2)입니다.

5. 중첩 for 문을 이용하여 방정식 4x + 5y = 60의 모든 해를 구해서 (x, y) 형태로 출력하는 코드를 작성해 보세요. 단, x와 y는 10 이하의 자연수입니다.

확인문제

본문에서 다뤘던 내용을 잘 이해했는지 문제로 확인합니다. 확인문제의 정답은 별도 PDF로 제공합니다.

>>> **Hello.java**

```
1    package ch01.sec06;                           //바이트코드 파일이 위치할 패키지 선언
2
3    public class Hello {                          //Hello 클래스 선언
4      public static void main(String[] args) {  //main() 메소드 선언
5        System.out.println("Hello, Java");       //콘솔에 출력하는 코드
6      }
7    }
```

실행 결과

```
Hello, Java
```

예제 코드와 실행 결과

이론을 실습하기 위한 예제 코드와 실행 결과를 확인할 수 있습니다.

NOTE VSCode(Visual Studio Code, https://code.visualstudio.com)와 같은 개발 전문 텍스트 에디터를 설치해서 작성하는 것이 편리하다.

NOTE

학습을 진행하면서 알아 두면 좋은 팁이나 혼동하기 쉬운 내용을 짚어 줍니다.

여기서 잠깐

이클립스의 버전

JDK 21을 지원하는 이클립스 최소 버전은 Eclipse IDE 2023-12이므로 이보다 낮은 버전을 다운로드하면 안 된다. 가능하면 가장 최근에 릴리즈된 이클립스를 사용하는 것이 좋다.

여기서 잠깐

더 알아 두면 좋은 보충 설명, 참고 사항, 관련 용어 등을 안내합니다.

▶ 학습 지원 안내

동영상 강의

https://www.youtube.com/user/HanbitMedia93

한빛미디어 유튜브 채널에서 『이것이 자바다』의 저자 직강 동영상을 만나 보세요! 채널 내부 검색창에서 '이것이 자바다'를 검색하면 쉽고 빠르게 동영상 강의를 찾을 수 있습니다.

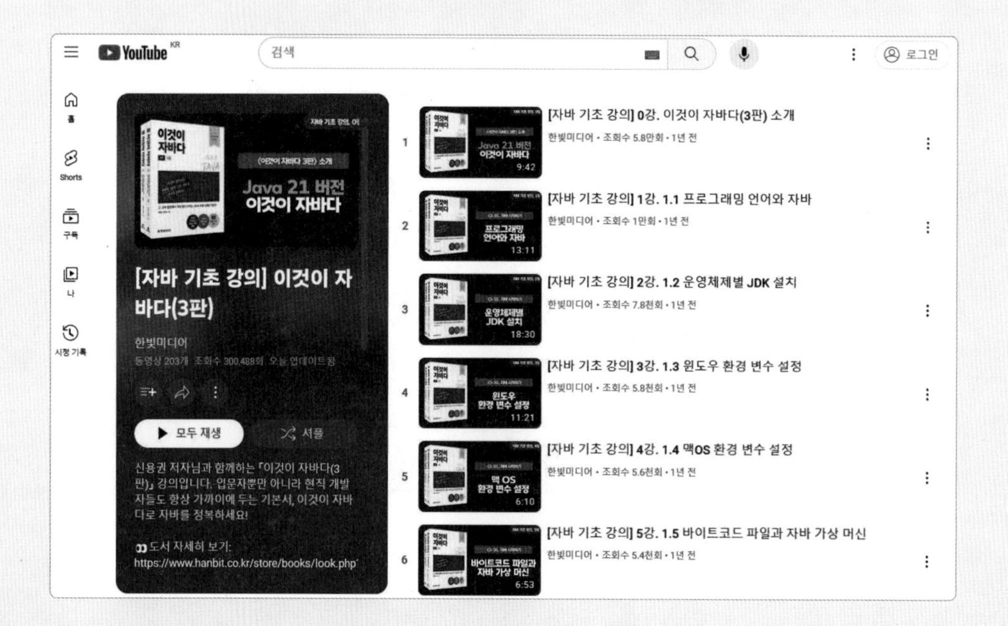

예제 소스

https://www.hanbit.co.kr/src/11229

책에서 진행하는 모든 예제의 소스코드와 학습에 참고할 만한 내용을 자료실에서 확인할 수 있습니다. 직접 작성한 소스코드가 제대로 실행되지 않는다면 자료실에서 제공되는 소스코드와 비교하면서 학습해 보세요.

독자 Q&A

https://cafe.naver.com/thisisjava

〈이것이 자바다〉 네이버 카페에서 독자 Q&A를 제공합니다. 저자와 함께 하는 책 밖의 또 다른 공간에서 고민과 궁금증을 다른 독자들과 함께 공유해 보세요!

목차

Part 01 자바 언어의 기초

Chapter 01 | 자바 시작하기

Chapter 02 | 변수와 타입

Chapter 03 | 연산자

Chapter 04 | 조건문과 반복문

Part 02 객체지향 프로그래밍

Chapter 05 | 참조 타입

Chapter 06 | 클래스

Chapter 07 | 상속

Chapter 08 | 인터페이스

Chapter 09 | 중첩 선언과 익명 객체

Chapter 10 | 라이브러리와 모듈

Chapter 11 | 예외 처리

Part 03 라이브러리 활용

Chapter 12 | java.base 모듈

Chapter 13 | 제네릭

Chapter 14 | 멀티 스레드

Chapter 15 | 컬렉션 자료구조

Chapter 16 | 람다식

Chapter 17 | 스트림 요소 처리

Part 04 데이터 입출력

Chapter 18 | 데이터 입출력

Chapter 19 | 네트워크 입출력

Chapter 20 | 데이터베이스 입출력

Part 05 최신 자바의 강화된 언어 기능

Chapter 21 | 자바 21에서 강화된 언어 및 라이브러리

부록

* 부록은 선택적 학습 내용이므로 한빛미디어 홈페이지 자료실(https://www.hanbit.co.kr/src/11229)에서 별도의 PDF로 제공합니다.

Part 03

Chapter 12 java.base 모듈

Chapter 13 제네릭

Chapter 14 멀티 스레드

Chapter 15 컬렉션 자료구조

Chapter 16 람다식

Chapter 17 스트림 요소 처리

라이브러리 활용

세 번째 파트는 자바 표준 라이브러리를 API 도큐먼트에서 찾아보고 활용하는 방법을 다룬다. 자바 언어는 방대한 표준 라이브러리를 제공하고 있기 때문에 그중에서도 최소한 알아야 할 표준 라이브러리가 무엇이 있고, 어떻게 사용하는지에 대해 알아본다. 또한 고급 라이브러리를 활용해서 멀티 스레드, 컬렉션, 람다식, 스트림으로 요소를 처리하는 방법을 학습한다. 본 파트에서 다루는 내용은 대부분의 자바 프로그램에서 요구되는 기술이다. 다양한 응용 프로그램을 개발하려면 본 파트의 내용을 잘 다룰 수 있어야 한다.

Chapter

12

java.base 모듈

12.1 API 도큐먼트

자바 표준 모듈에서 제공하는 라이브러리는 방대하기 때문에 쉽게 찾아서 사용할 수 있도록 도와주는 API[Application Programming Interface] 도큐먼트가 있다. 라이브러리가 클래스와 인터페이스의 집합이라면, API 도큐먼트는 이를 사용하기 위한 방법을 기술한 것이다.

다음 URL을 방문하면 JDK 버전별로 사용할 수 있는 API 도큐먼트를 볼 수 있다.

```
https://docs.oracle.com/en/java/javase/index.html
```

자바 버전을 선택하고 왼쪽 메뉴에서 [API Document] 버튼을 클릭하면 다음과 같이 각 버전에 따른 API 도큐먼트 페이지가 열린다.

String 도큐먼트를 통해 API 도큐먼트를 읽는 방법을 알아보자.

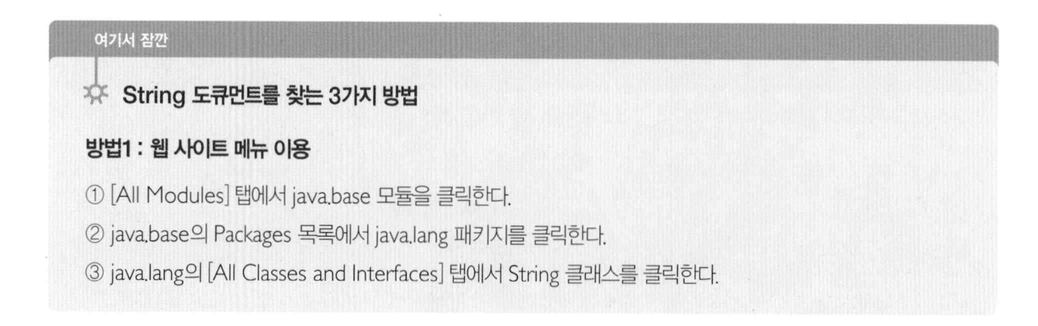

여기서 잠깐

String 도큐먼트를 찾는 3가지 방법

방법1 : 웹 사이트 메뉴 이용

① [All Modules] 탭에서 java.base 모듈을 클릭한다.

② java.base의 Packages 목록에서 java.lang 패키지를 클릭한다.

③ java.lang의 [All Classes and Interfaces] 탭에서 String 클래스를 클릭한다.

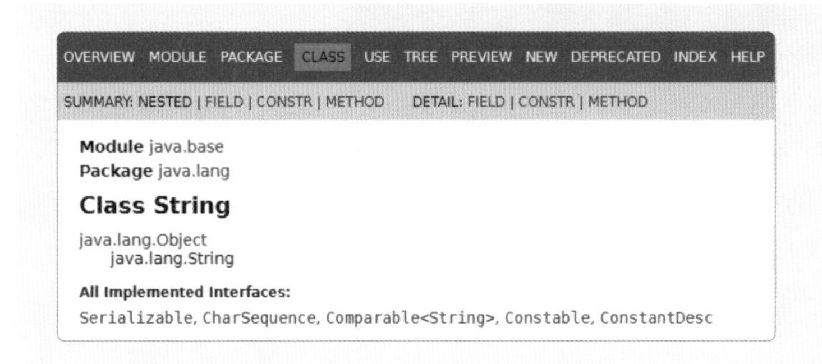

방법2 : 웹 사이트 검색 이용

① 오른쪽 상단의 Search 검색란에 'String'을 입력한다.

② 드롭다운 목록에서 java.lang.String 항목을 선택한다.

방법3 : 이클립스 이용

① 자바 코드에서 String 클래스를 마우스로 선택한 다음 F1 키를 누르면 Help 뷰가 나타난다.

② Help 뷰에서 Javadoc for 'java.lang.String' 링크를 클릭하면 String 도큐먼트로 이동한다.

클래스 선언부 보기

API 도큐먼트에서 String 클래스가 어떻게 정의되었는지 보려면 ① 선언부를 보면 된다. 여기서는 클래스가 final인지 추상(abstract)인지를 알 수 있고, 부모 클래스와 구현 인터페이스를 볼 수 있다. 전체 상속 관계를 보려면 ② 상속 계층도를 보면 된다.

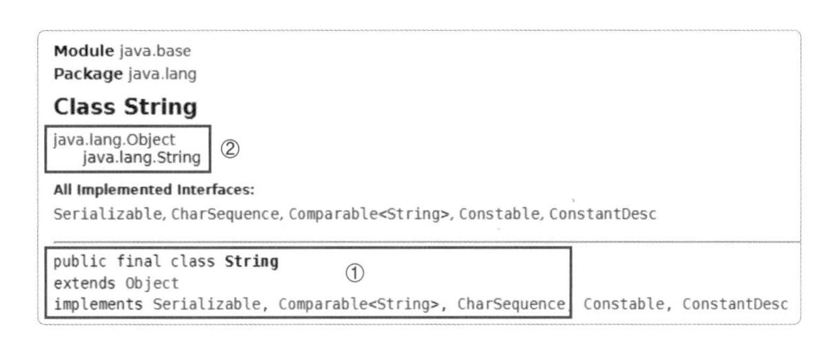

구성 멤버 보기

String이 가지고 있는 멤버를 보려면 상단 메뉴의 SUMMARY를 활용한다. SUMMARY는 선언된 멤버별로 이동하는 링크를 제공한다. 링크가 있으면 공개된(public, protected) 멤버가 있다는 뜻이고, 링크가 없으면 공개된 멤버가 없다는 뜻이다.

OVERVIEW MODULE PACKAGE CLASS USE TREE PREVIEW NEW DEPRECATED INDEX HELP

SUMMARY: NESTED | FIELD | CONSTR | METHOD DETAIL: FIELD | CONSTR | METHOD

- **NESTED**: 중첩 클래스/중첩 인터페이스 목록으로 이동하는 링크
- **FIELD**: 필드 목록으로 이동하는 링크
- **CONSTR**: 생성자 목록으로 이동하는 링크
- **METHOD**: 메소드 목록으로 이동하는 링크

필드 보기

SUMMARY에서 FIELD 링크를 클릭하면 필드 목록으로 이동한다.

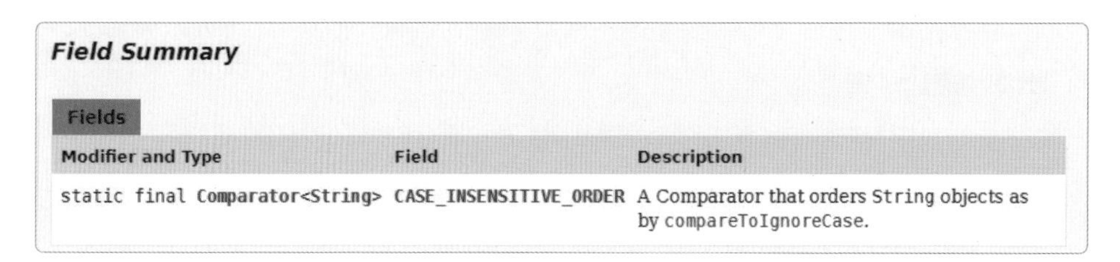

Field Summary

Fields

Modifier and Type	Field	Description
static final Comparator<String>	CASE_INSENSITIVE_ORDER	A Comparator that orders String objects as by compareToIgnoreCase.

Modifier and Type에서는 static 여부와 필드 타입을 알 수 있고, Field와 Description은 필드명과 그에 대한 간단한 설명이다. 필드명을 클릭하면 필드 선언부와 상세한 설명이 나온다. 관례적으로 필드 이름이 모두 대문자이면 public static final로 선언된 상수 필드이다.

생성자 보기

SUMMARY에서 CONSTR 링크를 클릭하면 생성자 목록으로 이동한다.

Constructor Summary

Constructors

Constructor	Description
String()	Initializes a newly created String object so that it represents an empty character sequence.
String(byte[] bytes)	Constructs a new String by decoding the specified array of bytes using the platform's default charset.

Constructor에서는 생성자의 매개변수 타입을 알 수 있고, Description은 이에 대한 간단한 설명이다. String 클래스는 매개변수 타입과 개수를 달리한 10개가 넘는 생성자들이 오버로딩되어 있다. 이 생성자들 중 하나를 이용해서 String 객체를 생성할 수 있다.

메소드 보기

SUMMARY에서 METHOD 링크를 클릭하면 메소드 목록으로 이동하는데, 다음과 같이 서브 목록으로 가는 버튼들을 볼 수 있다.

Method Summary

All Methods | Static Methods | Instance Methods | Concrete Methods | Deprecated Methods

Modifier and Type	Method	Description
char	charAt(int index)	Returns the char value at the specified index.
IntStream	chars()	Returns a stream of int zero-extending the char values from this sequence.
int	codePointAt(int index)	Returns the character (Unicode code point) at the specified index.

- All Methods: 모든 메소드 목록을 보여 준다.
- Static Methods: 정적 메소드 목록을 보여 준다.
- Instance Methods: 인스턴스 메소드 목록을 보여 준다.
- Concrete Methods: 완전한 실행부를 갖춘 메소드 목록을 보여 준다.
- Deprecated Methods: 향후 제거될 메소드 목록을 보여 준다.

Modifier and Type에서는 static 여부와 리턴 타입이 무엇인지 알 수 있다. Method에서는 메소드명과 매개변수 타입 및 개수를 알 수 있고, Description은 그에 대한 간단한 설명이다. 각 메소드명을 클릭하면 상세 설명을 읽을 수 있다.

12.2 java.base 모듈

java.base는 모든 모듈이 의존하는 기본 모듈로, 모듈 중 유일하게 requires하지 않아도 사용할 수 있다. 이 모듈에 포함되어 있는 패키지는 대부분의 자바 프로그램에서 많이 사용하는 것들이다. 다음은 java.base 모듈에 포함된 주요 패키지와 용도를 설명한 표이다.

패키지	용도
java.lang	자바 언어의 기본 클래스를 제공
java.util	자료 구조와 관련된 컬렉션 클래스를 제공
java.text	날짜 및 숫자를 원하는 형태의 문자열로 만들어 주는 포맷 클래스를 제공
java.time	날짜 및 시간을 조작하거나 연산하는 클래스를 제공
java.io	입출력 스트림 클래스를 제공
java.net	네트워크 통신과 관련된 클래스를 제공
java.nio	데이터 저장을 위한 Buffer 및 새로운 입출력 클래스 제공

우리가 지금까지 사용한 String, System, Integer, Double, Exception, RuntimeException 등의 클래스는 java.lang 패키지에 있고, 키보드 입력을 위해 사용한 Scanner는 java.util 패키지에 있다.

java.lang은 자바 언어의 기본적인 클래스를 담고 있는 패키지로, 이 패키지에 있는 클래스와 인터페이스는 import 없이 사용할 수 있다. 다음은 java.lang 패키지에 포함된 주요 클래스와 용도를 설명한 표이다.

클래스		용도
Object		– 자바 클래스의 최상위 클래스로 사용
System		– 키보드로부터 데이터를 입력받을 때 사용 – 모니터(콘솔)로 출력하기 위해 사용 – 프로세스를 종료시킬 때 사용 – 진행 시간을 읽을 때 사용 – 시스템 속성(프로퍼티)을 읽을 때 사용
문자열 관련	String	– 문자열을 저장하고 조작할 때 사용
	StringBuilder	– 효율적인 문자열 조작 기능이 필요할 때 사용
	java.util.StringTokenizer	– 구분자로 연결된 문자열을 분리할 때 사용
포장 관련	Byte, Short, Character Integer, Float, Double Boolean	– 기본 타입의 값을 포장할 때 사용 – 문자열을 기본 타입으로 변환할 때 사용
Math		– 수학 계산이 필요할 때 사용
Class		– 클래스의 메타 정보(이름, 구성 멤버) 등을 조사할 때 사용

12.3 Object 클래스

클래스를 선언할 때 extends 키워드로 다른 클래스를 상속하지 않으면 암시적으로 java.lang.Object 클래스를 상속하게 된다. 따라서 자바의 모든 클래스는 Object의 자식이거나 자손 클래스이다.

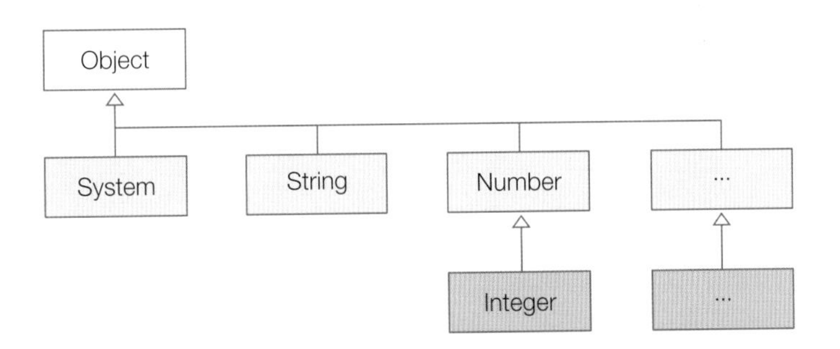

그렇기 때문에 Object가 가진 메소드는 모든 객체에서 사용할 수 있다. 다음은 Object가 가진 주요 메소드를 설명한 표이다.

메소드	용도
boolean equals(Object obj)	객체의 번지를 비교하고 결과를 리턴
int hashCode( )	객체의 해시코드를 리턴
String toString( )	객체 문자 정보를 리턴

객체 동등 비교

Object의 equals() 메소드는 객체의 번지를 비교하고 boolean 값을 리턴한다.

```
public boolean equals(Object obj)
```

equals() 메소드의 매개변수 타입이 Object이므로 자동 타입 변환에 의해 모든 객체가 매개값으로 대입될 수 있다. equals() 메소드는 비교 연산자인 ==과 동일한 결과를 리턴한다. 두 객체가 동일한 객체라면 true를 리턴하고, 그렇지 않으면 false를 리턴한다.

```java
Object obj1 = new Object();
Object obj2 = obj1;
boolean result = obj1.equals(obj2);  ─┐ 결과가 동일
boolean result = (obj1 == obj2) ◀────┘
```

일반적으로 Object의 equals() 메소드는 재정의해서 동등 비교용으로 사용된다. 동등 비교란 객체가 비록 달라도 내부의 데이터가 같은지를 비교하는 것을 말한다. 예를 들어 String은 equals() 메소드를 재정의해서 내부 문자열이 같은지를 비교한다.

다음 예제는 Member 객체의 동등 비교를 위해서 equals() 메소드를 재정의한다. Member 타입이면서 id 필드값이 같을 경우는 true를 리턴하고, 그 이외의 경우는 모두 false를 리턴한다.

>>> Member.java

```java
1   package ch12.sec03.exam01;
2
3   public class Member {
4     public String id;
5
6     public Member(String id) {
7       this.id = id;
8     }
9
10    @Override
11    public boolean equals(Object obj) {
12      if(obj instanceof Member target) {
13        if(id.equals(target.id)) {
14          return true;
15        }
16      }
17      return false;
18    }
19  }
```

- Object의 equals() 메소드 재정의
- obj가 Member 타입인지 검사하고 타입 변환 후 target 변수에 대입
- id 문자열이 같은지 비교

>>> EqualsExample.java

```
1   package ch12.sec03.exam01;
2
3   public class EqualsExample {
4     public static void main(String[] args) {
5       Member obj1 = new Member("blue");
6       Member obj2 = new Member("blue");
7       Member obj3 = new Member("red");
8
9       if(obj1.equals(obj2)) {   // 매개값이 Member 타입이고 id도 동일하므로 true
10        System.out.println("obj1과 obj2는 동등합니다.");
11      } else {
12        System.out.println("obj1과 obj2는 동등하지 않습니다.");
13      }
14
15      if(obj1.equals(obj3)) {   // 매개값이 Member 타입이지만 id가 다르므로 false
16        System.out.println("obj1과 obj3은 동등합니다.");
17      } else {
18        System.out.println("obj1과 obj3은 동등하지 않습니다.");
19      }
20    }
21  }
```

실행 결과

```
obj1과 obj2는 동등합니다.
obj1과 obj3은 동등하지 않습니다.
```

객체 해시코드

객체 해시코드란 객체를 식별하는 정수를 말한다. Object의 hashCode() 메소드는 객체의 메모리 번지를 이용해서 해시코드를 생성하기 때문에 객체마다 다른 정수값을 리턴한다. hashCode() 메소드의 용도는 equals() 메소드와 비슷한데, 두 객체가 동등한지를 비교할 때 주로 사용한다.

```
public int hashCode()
```

equals() 메소드와 마찬가지로 hashCode() 메소드 역시 객체의 데이터를 기준으로 재정의해서 새로운 정수값을 리턴하도록 하는 것이 일반적이다. 객체가 다르다 할지라도 내부 데이터가 동일하다면 같은 정수값을 리턴하기 위해서이다.

자바는 두 객체가 동등함을 비교할 때 hashCode()와 equals() 메소드를 같이 사용하는 경우가 많다. 우선 hashCode()가 리턴하는 정수값이 같은지를 확인하고, 그 다음 equals() 메소드가 true를 리턴하는지를 확인해서 동등 객체임을 판단한다(HashSet, HashMap의 동등 객체를 판단하는 방법은 15.3~4절에서 자세히 설명한다).

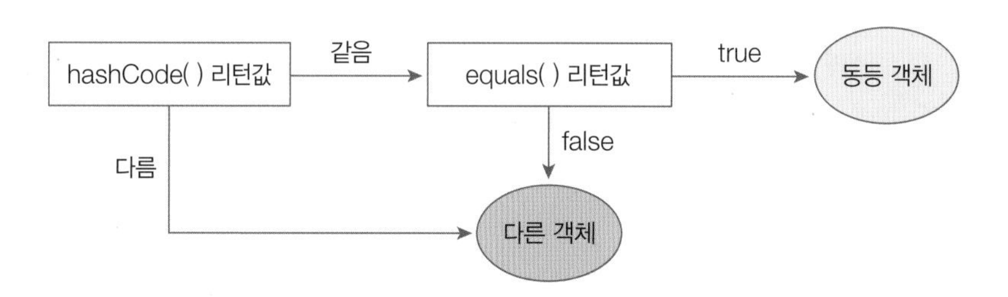

다음 예제는 Student 객체를 동등 비교하기 위해 hashCode()와 equals() 메소드를 재정의했다. 학생 번호와 이름으로 해시코드를 생성하고, 학생 번호와 이름이 동일할 경우에만 equals()가 true를 리턴하도록 했다.

>>> Student.java

```
1   package ch12.sec03.exam02;
2
3   public class Student {
4     private int no;
5     private String name;
6
7     public Student(int no, String name) {
8       this.no = no;
9       this.name = name;
10    }
11
12    public int getNo() { return no; }
13    public String getName() { return name; }
14
15    @Override
```

```
16    public int hashCode() {
17      int hashCode = no + name.hashCode();
18      return hashCode;
19    }
20
21    @Override
22    public boolean equals(Object obj) {
23      if(obj instanceof Student target) {
24        if(no == target.getNo() && name.equals(target.getName())) {
25          return true;
26        }
27      }
28      return false;
29    }
30  }
```

Object의 hashCode() 메소드를 재정의해서 학생 번호와 이름 해시코드를 합한 새로운 해시코드를 리턴하도록 함(번호와 이름이 같으면 동일한 해시코드가 생성됨)

Object의 equals() 메소드를 재정의해서 Student 객체인지를 확인하고, 학생 번호와 이름이 같으면 true를 리턴하도록 함

>>> HashCodeExample.java

```
1   package ch12.sec03.exam02;
2
3   public class HashCodeExample {
4
5     public static void main(String[] args) {
6       Student s1 = new Student(1, "홍길동");
7       Student s2 = new Student(1, "홍길동");
8
9       if(s1.hashCode() == s2.hashCode()) {
10        if(s1.equals(s2)) {
11          System.out.println("동등 객체입니다.");
12        } else {
13          System.out.println("데이터가 다르므로 동등 객체가 아닙니다.");
14        }
15      } else {
16        System.out.println("해시코드가 다르므로 동등 객체가 아닙니다.");
17      }
18    }
19  }
```

해시코드가 동일한지 검사

데이터가 동일한지 검사

실행 결과

```
동등 객체입니다.
```

15장에서 배울 컬렉션에 속하는 HashSet은 동등 객체를 중복 저장하지 않는 특징이 있다. HashSet은 hashCode()와 equals() 메소드를 이용해서 동등 객체인지 판단한다. 다음 예제에서 Student 객체를 HashSet에 저장하고, 저장된 개수를 확인해 보자.

>>> HashSetExample.java

```
1   package ch12.sec03.exam02;
2
3   import java.util.HashSet;                       // HashSet java.util 패키지에 있으므로 import해야 함
4
5   public class HashSetExample {
6     public static void main(String[] args) {
7       HashSet hashSet = new HashSet();            // HashSet 컬렉션 생성
8
9       Student s1 = new Student(1, "홍길동");
10      hashSet.add(s1);                            // HashSet에 Student 객체 저장
11      System.out.println("저장된 객체 수: " + hashSet.size());
12
13      Student s2 = new Student(1, "홍길동");
14      hashSet.add(s2);                            // HashSet에 Student 객체 저장
15      System.out.println("저장된 객체 수: " + hashSet.size());
16
17      Student s3 = new Student(2, "홍길동");
18      hashSet.add(s3);                            // HashSet에 Student 객체 저장
19      System.out.println("저장된 객체 수: " + hashSet.size());
20    }
21  }
```

실행 결과

```
저장된 객체 수: 1
저장된 객체 수: 1      // 동등 객체는 중복 저장되지 않음
저장된 객체 수: 2
```

s1 객체와 s2 객체는 학생 번호와 이름이 같기 때문에 동등 객체이다. 따라서 s2가 저장될 때 이미 s1이 저장되어 있으므로 중복 저장되지 않는다. Student 클래스에서 hashCode() 재정의 코드를 주석으로 처리하고 HashSetExample.java를 다시 실행해 보자.

```
/*
@Override
public int hashCode() {
  int hashCode = no + name.hashCode();
  return hashCode;
}
*/
```

hashCode()를 재정의하지 않으면 객체 번지로 해시코드를 생성하므로 객체가 다를 경우 해시코드도 달라진다. 따라서 s1, s2는 동등 객체가 아니므로 따로 저장된다. 실행 결과는 다음과 같다.

```
저장된 객체 수: 1
저장된 객체 수: 2
저장된 객체 수: 3
```

객체 문자 정보

Object의 toString() 메소드는 객체의 문자 정보를 리턴한다. 객체의 문자 정보란 객체를 문자열로 표현한 값을 말한다. 기본적으로 Object의 toString() 메소드는 '클래스명@16진수해시코드'로 구성된 문자열을 리턴한다.

```
Object obj = new Object();
System.out.println(obj.toString());
```

➡ java.lang.Object@de6ced

객체의 문자 정보가 중요한 경우에는 Object의 toString() 메소드를 재정의해서 간결하고 유익한 정보를 리턴하도록 해야 한다. 예를 들어 Date 클래스는 현재 날짜와 시간을, String 클래스는 저장된 문자열을 리턴하도록 toString() 메소드를 재정의하고 있다.

다음 예제는 StmartPhone 객체의 문자 정보로 제조회사 및 운영체제를 리턴하도록 toString() 메소드를 재정의한다.

>>> SmartPhone.java

```
1   package ch12.sec03.exam03;
2
3   public class SmartPhone {
4     private String company;
5     private String os;
6
7     public SmartPhone(String company, String os) {
8       this.company = company;
9       this.os = os;
10    }
11
12    @Override
13    public String toString() {
14      return company + ", " + os;
15    }
16  }
```

Object의 toString() 메소드를 재정의해서 제조사와 운영체제가 결합된 문자열을 리턴하도록 함

>>> ToStringExample.java

```
1   package ch12.sec03.exam03;
2
3   public class ToStringExample {
4     public static void main(String[] args) {
5       SmartPhone myPhone = new SmartPhone("삼성전자", "안드로이드");
6
7       String strObj = myPhone.toString();
8       System.out.println(strObj);
9
10      System.out.println(myPhone);
11    }
12  }
```

toString() 메소드 호출

toString() 메소드 호출

실행 결과

```
삼성전자, 안드로이드
삼성전자, 안드로이드
```

System.out.println() 메소드는 매개값이 기본 타입(byte, short, int, long, float, double, boolean)이거나 문자열일 경우 해당 값을 그대로 출력한다. 만약 10라인처럼 매개값이 객체가 되면 객체의 toString() 메소드를 호출해서 리턴값을 출력한다.

레코드 선언

데이터 전달을 위한 DTO^Data Transfer Object^를 작성할 때 반복적으로 사용되는 코드를 줄이기 위해 Java 14부터 레코드^record^가 도입되었다. 예를 들어 사람의 정보를 전달하기 위한 Person DTO가 다음과 같다고 가정해 보자.

```
public class Person {
  private final String name;
  private final int age;

  public Person(String name, int age) {
    this.name = name;
    this.age = age;
  }

  public String name() { return this.name; }
  public int age() { return this.age; }

  @Override
  public int hashCode() { … }

  @Override
  public boolean equals(Object obj) { … }

  @Override
  public String toString() { … }
}
```

Person의 데이터(필드)는 읽기만 가능하도록 필드를 private final로 선언하였으며, 필드 이름과 동일한 Getter 메소드(name(), age())를 가지고 있다. 그리고 동등 비교를 위해 hashCode(), equals() 메소드를 재정의하고 있고, 의미 있는 문자열 출력을 위해 toString() 메소드를 재정의하고 있다.

다음 코드는 위와 동일한 코드를 생성하는 레코드 선언이다. class 키워드 대신에 record로 대체하고 클래스 이름 뒤에 괄호를 작성해서 저장할 데이터의 종류를 변수로 선언하였다.

```
public record Person(String name, int age) {
}
```

이렇게 선언된 레코드 소스를 컴파일하면 변수의 타입과 이름을 이용해서 private final 필드가 자동 생성되고, 생성자 및 Getter 메소드가 자동으로 추가된다. 그리고 hashCode(), equals(), toString() 메소드를 재정의한 코드도 자동으로 추가된다.

다음은 레코드로 선언된 Member를 이용하는 방법을 보여 준다.

>>> Member.java

```
1   package ch12.sec03.exam04;
2
3   public record Member(String id, String name, int age) {
4   }
```

>>> RecordExample.java

```
1   package ch12.sec03.exam04;
2
3   public class RecordExample {
4     public static void main(String[] args) {
5       Member m = new Member("winter", "눈송이", 25);
6       System.out.println(m.id());
7       System.out.println(m.name());      // Getter 메소드 호출
8       System.out.println(m.age());
9       System.out.println(m.toString());
10      System.out.println();
11
12      Member m1 = new Member("winter", "눈송이", 25);
13      Member m2 = new Member("winter", "눈송이", 25);
14      System.out.println("m1.hashCode(): " + m1.hashCode());
```

```
15        System.out.println("m2.hashCode(): " + m2.hashCode());
16        System.out.println("m1.equals(m2): " + m1.equals(m2) );    // 동등 비교
17    }
18  }
```

실행 결과

```
winter
눈송이
25
Member[id=winter, name=눈송이, age=25]

m1.hashCode(): 306065155
m2.hashCode(): 306065155
m1.equals(m2): true
```

NOTE Java 21에서는 레코드 패턴 기능이 추가되었다. 자세한 내용은 [부록1] '최신 자바의 강화된 언어 및 라이브러리'에서 설명한다.

롬복 사용하기

롬복Lombok은 JDK에 포함된 표준 라이브러리는 아니지만 개발자들이 즐겨 쓰는 자동 코드 생성 라이브러리이다. 롬복은 레코드와 마찬가지로 DTO 클래스를 작성할 때 Getter, Setter, hasCode(), equals(), toString() 메소드를 자동 생성하기 때문에 작성할 코드의 양을 줄여 준다.

레코드와의 차이점은 필드가 final이 아니며, 값을 읽는 Getter는 getXxx(또는 isXxx)로, 값을 변경하는 Setter는 setXxx로 생성된다는 것이다.

NOTE getXxx와 setXxx는 자바빈즈(JavaBeans)의 정식 Getter와 Setter이다.

이클립스에서 롬복을 사용하려면 설치 과정이 필요하다. 다음 URL로 가서 최신 버전의 롬복 설치 파일(lombok.jar)을 다운로드한다.

https://projectlombok.org/download   Download 1.18.30

명령 프롬프트(윈도우) 또는 터미널(맥OS)에서 다운로드받은 lombok.jar 파일이 있는 곳으로 이동해서 다음 명령어를 실행한다. 만약 'C:\Program Files'의 하위 디렉토리에 이클립스가 설치되어 있다면 관리자 권한이 필요하다. 따라서 이클립스 위치에 상관없이 롬복을 설치할 수 있도록 명령 프롬프트를 실행할 때 관리자 권한으로 실행해야 한다는 점에 주의하자.

```
java -jar lombok.jar
```

롬복이 실행되면 자동으로 운영체제에 설치된 이클립스를 검색해서 찾을 것이다. 하지만 우리 책 1장을 따라서 윈도우에 이클립스를 설치했다면(C:\ThisIsJava\eclipse) 다음과 같이 이클립스를 찾지 못한다.

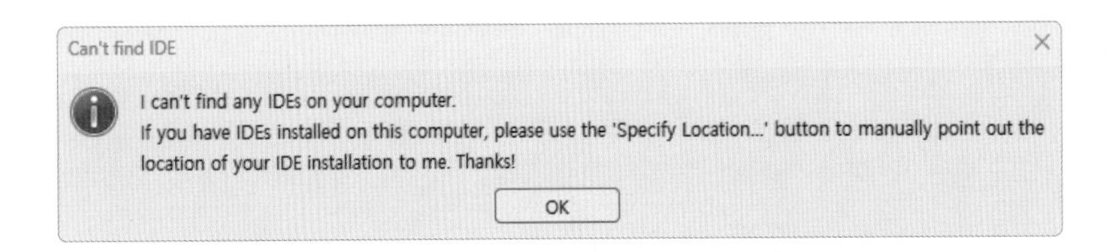

이 경우에는 [Specify location] 버튼을 클릭해서 수동으로 이클립스를 지정하면 된다. 설치될 이클립스를 확인했다면 [Install/Update] 버튼을 클릭해서 롬복을 설치한다.

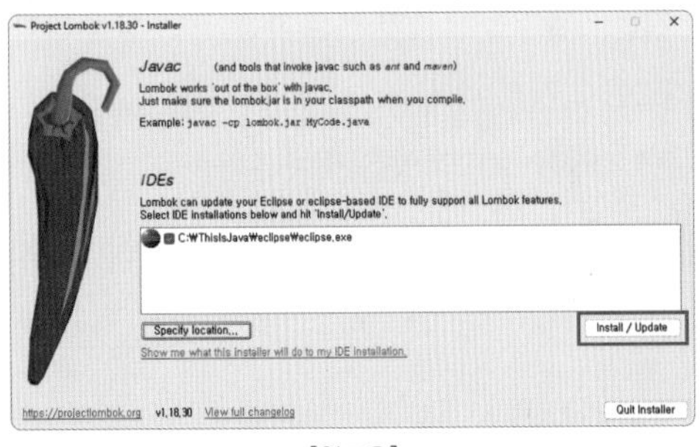

[윈도우] [맥OS]

설치가 끝나면 [Quit Installer] 버튼을 클릭해서 닫는다. 그리고 이클립스가 롬복 기능을 인식하도록 이클립스를 재시작한다.

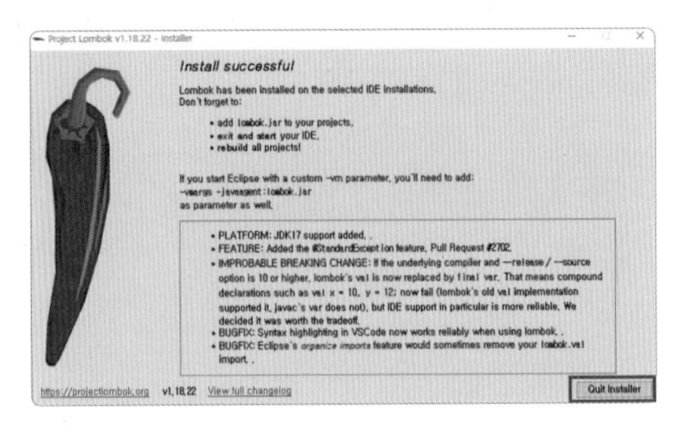

이클립스가 재시작되었다면, Package Explorer 뷰에서 thisisjava 프로젝트를 선택

한 다음 마우스 오른쪽 버튼으로 클릭해 [New] – [Folder] 메뉴를 선택하고 lib 폴더를 생성한다. 그리고 다운로드한 lombok.jar 파일을 lib 폴더로 복사한다.

마지막으로 thisisjava 프로젝트에서 lombok 라이브러리를 사용할 수 있도록 lombok.jar 파일을 선택한 다음 마우스 오른쪽 버튼으로 클릭해 [Build Path] – [Add to Build Path]를 선택해 준다.

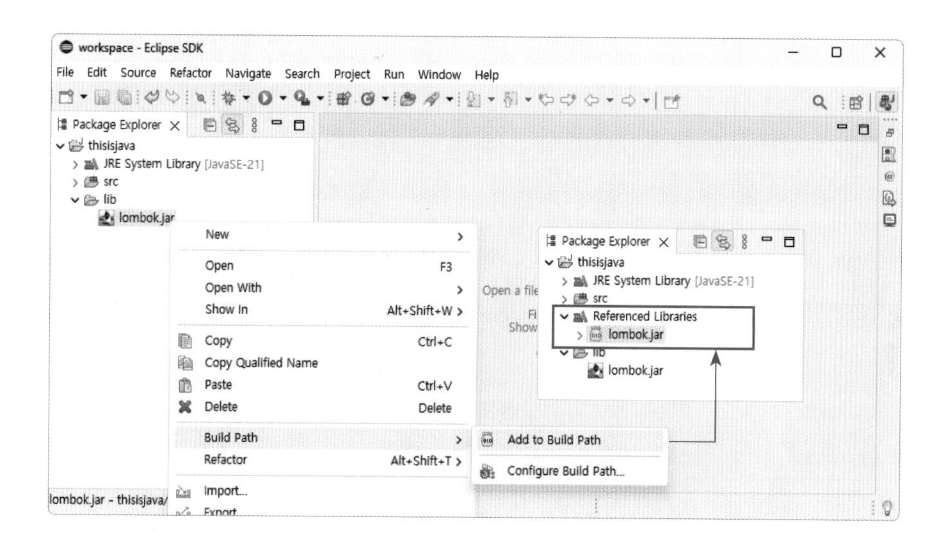

이제 롬복 라이브러리를 사용해 보자. 먼저 다음과 같이 Member 클래스를 선언한다. 3개의 필드를 선언하고 class 선언 위에 @Data를 붙인다. 이 @Data는 어노테이션이라고 하는데, 어노테이션은 12.12절에서 자세히 설명한다.

>>> **Member.java**

```
1   package ch12.sec03.exam05;
2
3   import lombok.Data;
4
5   @Data
6   public class Member {
7     private String id;
8     private String name;
9     private int age;
10  }
```

@Data가 붙게 되면 컴파일 과정에서 기본 생성자와 함께 Getter, Setter, hashCode(), equals(), toString() 메소드가 자동 생성된다. Package Explorer 뷰에서 Member 클래스를 확장해보면 알 수 있다.

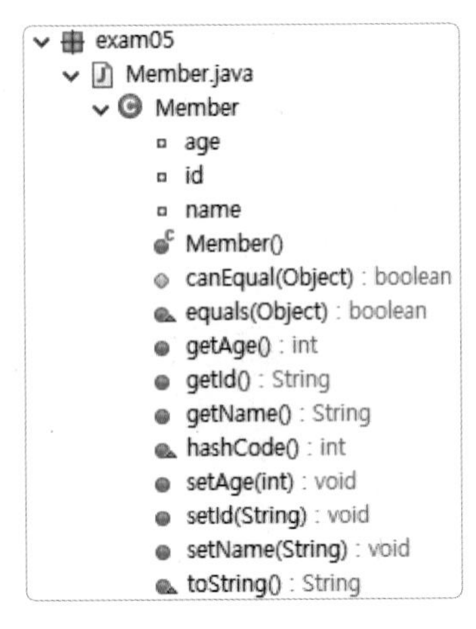

@Data 외에도 다음과 같은 어노테이션을 사용할 수 있다.

어노테이션	설명
@NoArgsConstructor	기본(매개변수가 없는) 생성자 포함
@AllArgsConstructor	모든 필드를 초기화시키는 생성자 포함
@RequiredArgsConstructor	기본적으로 매개변수가 없는 생성자 포함. 만약 final 또는 @NonNull이 붙은 필드가 있다면 이 필드만 초기화시키는 생성자 포함
@Getter	Getter 메소드 포함
@Setter	Setter 메소드 포함
@EqualsAndHashCode	equals( )와 hashCode( ) 메소드 포함
@ToString	toString( ) 메소드 포함

NOTE ▸ @Data는 @RequiredArgsConstructor, @Getter, @Setter, @EqualsAndHashCode, @ToString 어노테이션들이 합쳐진 것과 동일한 효과를 낸다.

다음은 매개변수가 없는 기본 생성자뿐만 아니라 모든 필드를 초기화하는 생성자까지 포함시키는 예제이다.

>>> **Member.java**

```
1   package ch12.sec03.exam05;
2
```

```
3   import lombok.AllArgsConstructor;
4   import lombok.Data;
5   import lombok.NoArgsConstructor;
6
7   @Data
8   @NoArgsConstructor
9   @AllArgsConstructor
10  public class Member {
11    private String id;
12    private String name;
13    private int age;
14  }
```

Member.java
Member
age
id
name
Member()
Member(String, String, int)

@Data에 포함되어 있는 @RequiredArgsConstructor는 기본적으로 매개변수가 없는 생성자를 포함시키지만, final 또는 @NonNull이 붙은 필드가 있다면 이 필드만 초기화시키는 생성자를 포함시킨다.

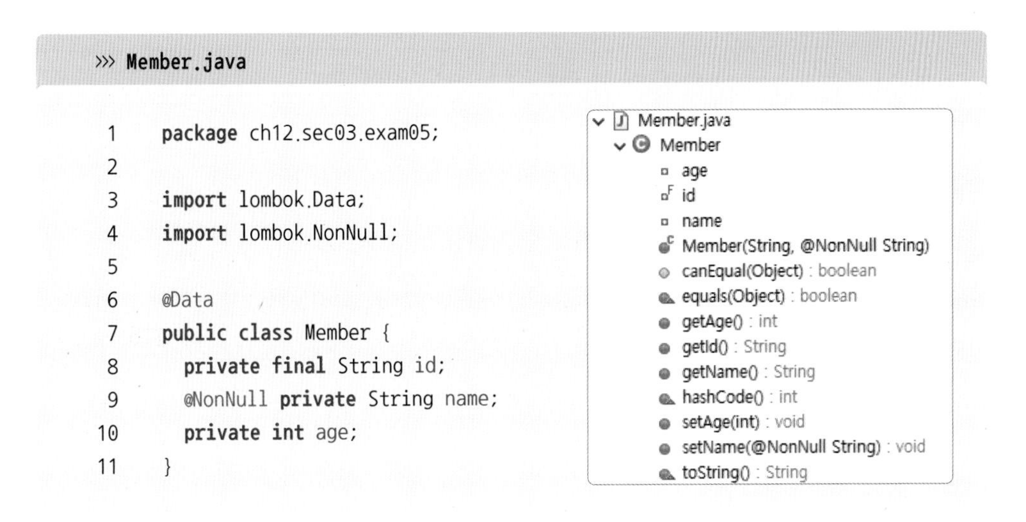

»> **Member.java**

```
1   package ch12.sec03.exam05;
2
3   import lombok.Data;
4   import lombok.NonNull;
5
6   @Data
7   public class Member {
8     private final String id;
9     @NonNull private String name;
10    private int age;
11  }
```

final과 @NonNull의 차이점은 초기화된 final 필드는 변경할 수 없지만(Setter가 만들어지지 않음), @NonNull은 null이 아닌 다른 값으로 Setter를 통해 변경할 수 있다는 것이다.

12.4 System 클래스

자바 프로그램은 운영체제상에서 바로 실행되는 것이 아니라 자바 가상 머신(JVM) 위에서 실행된다. 따라서 운영체제의 모든 기능을 자바 코드로 직접 접근하기란 어렵다. 하지만 java.lang 패키지에 속하는 System 클래스를 이용하면 운영체제의 일부 기능을 이용할 수 있다.

System 클래스의 정적static 필드와 메소드를 이용하면 프로그램 종료, 키보드 입력, 콘솔(모니터) 출력, 현재 시간 읽기, 시스템 프로퍼티 읽기 등이 가능하다.

정적 멤버		용도
필드	out	콘솔(모니터)에 문자 출력
	err	콘솔(모니터)에 에러 내용 출력
	in	키보드 입력
메소드	exit(int status)	프로세스 종료
	currentTimeMillis( )	현재 시간을 밀리초 단위의 long 값으로 리턴
	nanoTime( )	현재 시간을 나노초 단위의 long 값으로 리턴
	getProperty( )	운영체제와 사용자 정보 제공
	getenv( )	운영체제의 환경 변수 정보 제공

콘솔 출력

out 필드를 이용하면 콘솔에 원하는 문자열을 출력할 수 있다. 이미 우리는 2.12절에서 콘솔로 출력하는 방법을 학습한 바 있다. err 필드도 out 필드와 동일한데, 차이점은 콘솔 종류에 따라 에러 내용이 빨간색으로 출력된다는 것이다. 다음은 err 필드의 println() 메소드로 에러 내용을 출력하는 예제이다.

>>> ErrExample.java

```
1    package ch12.sec04;
2
3    public class ErrExample {
4
5      public static void main(String[] args) {
```

```
6            try {
7              int value = Integer.parseInt("1oo");
8            } catch(NumberFormatException e) {
9              System.err.println("[에러 내용]");
10             System.err.println(e.getMessage());
11           }
12         }
13     }
```

실행 결과

```
[에러 내용]
For input string: "1oo"
```

키보드 입력

자바는 키보드로부터 입력된 키를 읽기 위해 System 클래스에서 in 필드를 제공한다. 다음과 같이 in 필드를 이용해서 read() 메소드를 호출하면 입력된 키의 코드값을 얻을 수 있다.

```
int keyCode = System.in.read();
```

키 코드는 각 키에 부여되어 있는 번호로, 다음과 같다.

0 = 48	A = 65	N = 78	a = 97	n = 110	[Windows]
1 = 49	B = 66	O = 79	b = 98	o = 111	Enter = 13, 10
2 = 50	C = 67	P = 80	c = 99	p = 112	
3 = 51	D = 68	Q = 81	d = 100	q = 113	[macOS]
4 = 52	E = 69	R = 82	e = 101	r = 114	Enter = 10
5 = 53	F = 70	S = 83	f = 102	s = 115	
6 = 54	G = 71	T = 84	g = 103	t = 116	
7 = 55	H = 72	U = 85	h = 104	u = 117	
8 = 56	I = 73	V = 86	i = 105	v = 118	
9 = 57	J = 74	W = 87	j = 106	w = 119	
	K = 75	X = 88	k = 107	x = 120	
	L = 76	Y = 89	l = 108	y = 121	
	M = 77	Z = 90	m = 109	z = 122	

read() 메소드는 호출과 동시에 키 코드를 읽는 것이 아니라, Enter 키를 누르기 전까지는 대기 상태이다가 Enter 키를 누르면 입력했던 키들을 하나씩 읽기 시작한다. 단, read() 메소드는 IOException을 발생할 수 있는 코드이므로 예외 처리가 필요하다.

다음은 숫자 키 1과 2를 입력함에 따라 speed 변수값을 증감하는 예제이다. 그리고 숫자 키인 3을 입력하면 while 문을 종료하도록 했다.

>>> **InExample.java**

```
1   package ch12.sec04;
2
3   public class InExample {
4     public static void main(String[] args) throws Exception {
5       int speed = 0;
6       int keyCode = 0;
7
8       while(true) {
9         //Enter 키를 읽지 않았을 경우에만 실행
10        if(keyCode != 13 && keyCode != 10) {
11          if (keyCode == 49) {           //숫자 1 키를 읽었을 경우
12            speed++;
13          } else if (keyCode == 50) {    //숫자 2 키를 읽었을 경우
14            speed--;
15          } else if (keyCode == 51) {    //숫자 3 키를 읽었을 경우
16            break;
17          }
18          System.out.println("-----------------------------");
19          System.out.println("1. 증속 | 2. 감속 | 3. 중지");
20          System.out.println("-----------------------------");
21          System.out.println("현재 속도=" + speed);
22          System.out.print("선택: ");
23        }
24
25        //키를 하나씩 읽음
26        keyCode = System.in.read();
27      }
28
29      System.out.println("프로그램 종료");
30    }
31  }
```

실행 결과

```
-----------------------------
1. 증속 | 2. 감속 | 3. 중지
-----------------------------
현재 속도=0
선택: 1
-----------------------------
1. 증속 | 2. 감속 | 3. 중지
-----------------------------
현재 속도=1
선택: 2
-----------------------------
1. 증속 | 2. 감속 | 3. 중지
-----------------------------
현재 속도=0
선택: 3
프로그램 종료
```

프로세스 종료

운영체제는 실행 중인 프로그램을 프로세스process로 관리한다. 자바 프로그램을 시작하면 JVM 프로세스가 생성되고, 이 프로세스가 main() 메소드를 호출한다. 프로세스를 강제 종료하고 싶다면 System.exit() 메소드를 사용한다.

```
System.exit(int status)
```

exit() 메소드는 int 매개값이 필요한데, 이 값을 종료 상태값이라고 한다. 종료 상태값으로 어떤 값을 주더라도 프로세스는 종료되는데 정상 종료일 경우 0, 비정상 종료는 1 또는 -1로 주는 것이 관례이다.

여기서 잠깐

종료 상태값의 활용

종료 상태값은 System에 설정되는 SecurityManager에서 활용되는데, 종료 상태값에 따라 특정 행위를 할 수 있도록 코딩할 수 있다. 하지만 Java 17에서 SecurityManager가 Deprecated(더 이상 사용되지 않음)됨에 따라 여기에서 활용 코드에 대한 설명은 생략한다.

다음 예제는 i가 5가 되면 프로세스를 정상 종료한다.

>>> ExitExample.java

```
1   package ch12.sec04;
2
3   public class ExitExample {
4     public static void main(String[] args)  {
5       for(int i=0; i<10; i++) {
6         //i값 출력
7         System.out.println(i);
8         if(i == 5) {
9           //JVM 프로세스 종료
10          System.out.println("프로세스 강제 종료");
11          System.exit(0);
12        }
13      }
14    }
15  }
```

실행 결과

```
0
1
2
3
4
5
프로세스 강제 종료
```

진행 시간 읽기

System 클래스의 currentTimeMillis() 메소드와 nanoTime() 메소드는 1970년 1월 1일 0시부터 시작해서 현재까지 진행된 시간을 리턴한다.

메소드	용도
long currentTimeMillis()	1/1000 초 단위로 진행된 시간을 리턴
long nanoTime()	$1/10^9$ 초 단위로 진행된 시간을 리턴

이 두 메소드는 프로그램 처리 시간을 측정하는 데 주로 사용된다. 프로그램 처리를 시작할 때 한 번, 끝날 때 한 번 읽어서 그 차이를 구하면 프로그램 처리 시간이 나온다. 다음 예제는 for문을 사용해서 1부터 1000000까지의 합을 구하는데 걸린 시간을 출력한다.

>>> **MeasureRunTimeExample.java**

```
1   package ch12.sec04;
2
3   public class MeasureRunTimeExample {
4     public static void main(String[] args) {
5       long time1 = System.nanoTime();
6         int sum = 0;
7         for(int i=1; i<=1000000; i++) {
8           sum += i;
9         }
10      long time2 = System.nanoTime();
11
12      System.out.println("1~1000000까지의 합: " + sum);
13      System.out.println("계산에 " + (time2-time1) + " 나노초가 소요되었습니다.");
14    }
15  }
```

실행 결과

```
1~1000000까지의 합: 1784293664
계산에 1933400 나노초가 소요되었습니다.
```

시스템 프로퍼티 읽기

시스템 프로퍼티System Property란 자바 프로그램이 시작될 때 자동 설정되는 시스템의 속성을 말한다. 예를 들어 운영체제 종류 및 사용자 정보, 자바 버전 등의 기본 사양 정보가 해당한다. 다음은 시스템 프로퍼티의 주요 속성 이름key과 값value에 대해 설명한 것이다.

속성 이름(key)	설명	값(value)
java.specification.version	자바 스펙 버전	17
java.home	JDK 디렉토리 경로	C:\Program Files\Java\jdk-17.0.3
os.name	운영체제	Windows 10
user.name	사용자 이름	xxx
user.home	사용자 홈 디렉토리 경로	C:\Users\xxx
user.dir	현재 디렉토리 경로	C:\ThisIsJavaSecondEdition \workspace\thisisjava

다음은 운영체제 이름, 사용자 이름, 〈사용자 홈〉 디렉토리를 따로 출력하고, 모든 시스템 프로퍼티의 속성 이름과 값을 출력하는 예제이다. 20라인의 Properties와 21라인의 Set은 15장에서 학습한다. 여기서는 출력 결과를 보고 어떤 속성 이름과 값이 있는지만 확인하자.

>>> GetPropertyExample.java

```
1    package ch12.sec04;
2
3    import java.util.Properties;
4    import java.util.Set;
5
6    public class GetPropertyExample {
7      public static void main(String[] args) {
8        //운영체제와 사용자 정보 출력
9        String osName = System.getProperty("os.name");
10       String userName = System.getProperty("user.name");
11       String userHome = System.getProperty("user.home");
12       System.out.println(osName);
13       System.out.println(userName);
14       System.out.println(userHome);
15
16       //전체 키와 값을 출력
17       System.out.println("---------------------------------");
18       System.out.println(" key:  value");
19       System.out.println("---------------------------------");
20       Properties props = System.getProperties();
21       Set keys = props.keySet();
```

```
22          for(Object objKey : keys) {
23            String key = (String) objKey;
24            String value = System.getProperty(key);
25            System.out.printf("%-40s: %s\n", key, value);
26          }
27        }
28      }
```

실행 결과

```
Windows 10
blueskii
C:\Users\blueskii
--------------------------------
 key:  value
--------------------------------
java.specification.version : 17
sun.cpu.isalist            : amd64
sun.jnu.encoding           : MS949
java.class.path            : C:\ThisIsJavaSecondEdition\workspace\thisisjava\bin
...
```

12.5 문자열 클래스

자바에서 문자열과 관련된 주요 클래스는 다음과 같다.

클래스	설명
String	문자열을 저장하고 조작할 때 사용
StringBuilder	효율적인 문자열 조작 기능이 필요할 때 사용
StringTokenizer	구분자로 연결된 문자열을 분리할 때 사용

String 클래스

String 클래스는 문자열을 저장하고 조작할 때 사용한다. 문자열 리터럴은 자동으로 String 객체로 생성되지만, String 클래스의 다양한 생성자를 이용해서 직접 객체를 생성할 수도 있다.

프로그램을 개발하다 보면 byte 배열을 문자열로 변환하는 경우가 종종 있다. 예를 들어 네트워크 통신으로 얻은 byte 배열을 원래 문자열로 변환하는 경우이다. 이때는 String 생성자 중에서 다음 두 가지를 사용해 String 객체로 생성할 수 있다.

```
//기본 문자셋으로 byte 배열을 디코딩해서 String 객체로 생성
String str = new String(byte[] bytes);
```

```
//특정 문자셋으로 byte 배열을 디코딩해서 String 객체로 생성
String str = new String(byte[] bytes, String charsetName);
```

다음 예제는 문자열을 byte 배열로 변환시키고 다시 문자열로 복원하는 방법을 보여 준다.

>>> BytesToStringExample.java

```
1   package ch12.sec05;
2
3   import java.util.Arrays;
4
5   public class BytesToStringExample {
6     public static void main(String[] args) throws Exception  {
7       String data = "자바";
8
9       //String -> byte 배열(기본: UTF-8 인코딩)
10      byte[] arr1 = data.getBytes();  //byte[] arr1 = data.getBytes("UTF-8");
11      System.out.println("arr1: " + Arrays.toString(arr1));
12
13      //byte 배열 -> String(기본: UTF-8 디코딩)
14      String str1 = new String(arr1);  //String str1 = new String(arr1, "UTF-8");
15      System.out.println("str1: " + str1);
16
17      //String -> byte 배열(EUC-KR 인코딩)
```

```
18          byte[] arr2 = data.getBytes("EUC-KR");
19          System.out.println("arr2: " + Arrays.toString(arr2));
20
21          //byte 배열 -> String(EUC-KR 디코딩)
22          String str2 = new String(arr2, "EUC-KR");
23          System.out.println("str2: " + str2);
24      }
25  }
```

실행 결과

```
arr1: [-20, -98, -112, -21, -80, -108]
str1: 자바
arr2: [-64, -38, -71, -39]
str2: 자바
```

한글 1자를 UTF-8로 인코딩하면 3바이트가 되고, EUC-KR로 인코딩하면 2바이트가 된다. 따라서 인코딩할 때 사용한 문자셋으로 디코딩을 해야만 한글이 올바르게 복원될 수 있다.

StringBuilder 클래스

String은 내부 문자열을 수정할 수 없다. 다음 코드를 보면 다른 문자열을 결합해서 내부 문자열을 변경하는 것처럼 보이지만 사실 'ABCDEF'라는 새로운 String 객체를 생성하는 것이다. 그리고 data 변수는 새로 생성된 String 객체를 참조하게 된다.

```
String data = "ABC";
data += "DEF";
```

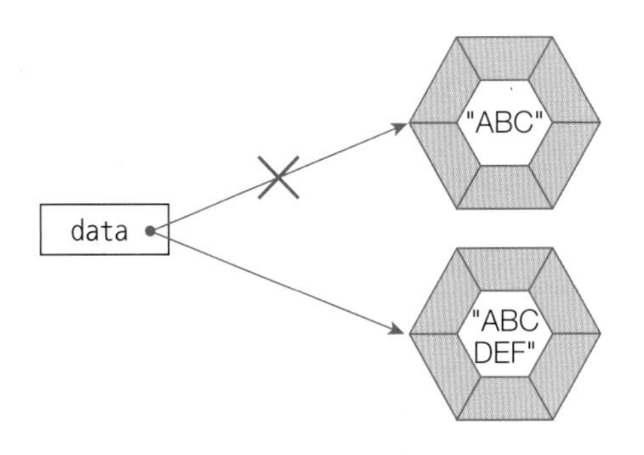

문자열의 + 연산은 새로운 String 객체가 생성되고 이전 객체는 계속 버려지는 것이기 때문에 효율성이 좋다고는 볼 수 없다. 잦은 문자열 변경 작업을 해야 한다면 String보다는 StringBuilder를 사용하는 것이 좋다.

StringBuilder는 내부 버퍼(데이터를 저장하는 메모리)에 문자열을 저장해두고 그 안에서 추가, 수정, 삭제 작업을 하도록 설계되어 있다. 따라서 String처럼 새로운 객체를 만들지 않고도 문자열을 조작할 수 있다. StringBuilder가 제공하는 조작 메소드는 다음과 같다.

리턴 타입	메소드(매개변수)	설명
StringBuilder	append(기본값 | 문자열)	문자열을 끝에 추가
StringBuilder	insert(위치, 기본값 | 문자열)	문자열을 지정 위치에 추가
StringBuilder	delete(시작 위치, 끝 위치)	문자열 일부를 삭제
StringBuilder	replace(시작 위치, 끝 위치, 문자열)	문자열 일부를 대체
String	toString()	완성된 문자열을 리턴

toString()을 제외한 다른 메소드는 StringBuilder를 다시 리턴하기 때문에 연이어서 다른 메소드를 호출할 수 있는 메소드 체이닝chaining 패턴을 사용할 수 있다.

>>> StringBuilderExample.java

```
1   package ch12.sec05;
2
3   public class StringBuilderExample {
4     public static void main(String[] args) {
5       String data = new StringBuilder()
6           .append("DEF")
7           .insert(0, "ABC")
8           .delete(3, 4)
9           .toString();
10      System.out.println(data);
11    }
12  }
```

메소드 체이닝 패턴

실행 결과

```
ABCEF
```

StringTokenizer 클래스

문자열이 구분자delimiter로 연결되어 있을 경우, 구분자를 기준으로 문자열을 분리하려면 String의 split() 메소드를 이용하거나 java.util 패키지의 StringTokenizer 클래스를 이용할 수 있다. split은 정규 표현식으로 구분하고, StringTokenizer는 문자로 구분한다는 차이점이 있다.

다음과 같은 문자열에서 &, 쉼표(,), 하이픈(-)으로 구분된 사람 이름을 뽑아낼 경우에는 정규 표현식으로 분리하는 split() 메소드를 사용해야 한다. 정규 표현식을 작성하는 방법은 12.10절에서 학습한다.

```
String data = "홍길동&이수홍,박연수,김자바-최명호";
String[] names = data.split("&|,|-");
```

그러나 다음과 같이 여러 종류가 아닌 한 종류의 구분자만 있다면 StringTokenizer를 사용할 수도 있다. StringTokenizer 객체를 생성할 때는 첫 번째 매개값으로 전체 문자열을 주고, 두 번째 매개값으로 구분자를 주면 된다. 만약 구분자를 생략하면 공백이 기본 구분자가 된다.

```
String data = "홍길동/이수홍/박연수";
StringTokenizer st = new StringTokenizer(data, "/");
```

StringTokenizer 객체가 생성되면 다음 메소드들을 이용해서 분리된 문자열을 얻을 수 있다.

리턴 타입	메소드(매개변수)	설명
int	countTokens()	분리할 수 있는 문자열의 총 수
boolean	hasMoreTokens()	남아 있는 문자열이 있는지 여부
String	nextToken()	문자열을 하나씩 가져옴

nextToken() 메소드는 분리된 문자열을 하나씩 가져오고, 더 이상 가져올 문자열이 없다면 예외를 발생시킨다. 그래서 nextToken()을 사용하기 전에 hasMoreTokens() 메소드로 가져올 문자열이 있는지 먼저 조사하는 것이 좋은 방법이다.

>>> StringTokenizerExample.java

```
1   package ch12.sec05;
2
3   import java.util.StringTokenizer;
4
5   public class StringTokenizerExample {
6     public static void main(String[] args) {
7       String data1 = "홍길동&이수홍,박연수";
8       String[] arr = data1.split("&|,");
9       for(String token : arr) {
10        System.out.println(token);
11      }
12      System.out.println();
13
14      String data2 = "홍길동/이수홍/박연수";
15      StringTokenizer st = new StringTokenizer(data2, "/");
16      while (st.hasMoreTokens()) {
17        String token = st.nextToken();
18        System.out.println(token);
19      }
20    }
21  }
```

실행 결과

```
홍길동
이수홍
박연수

홍길동
이수홍
박연수
```

12.6 포장 클래스

자바는 기본 타입(byte, char, short, int, long, float, double, boolean)의 값을 갖는 객체를 생성할 수 있다. 이런 객체를 포장wrapper 객체라고 한다. 값을 포장하고 있다고 해서 붙여진 이름이다.

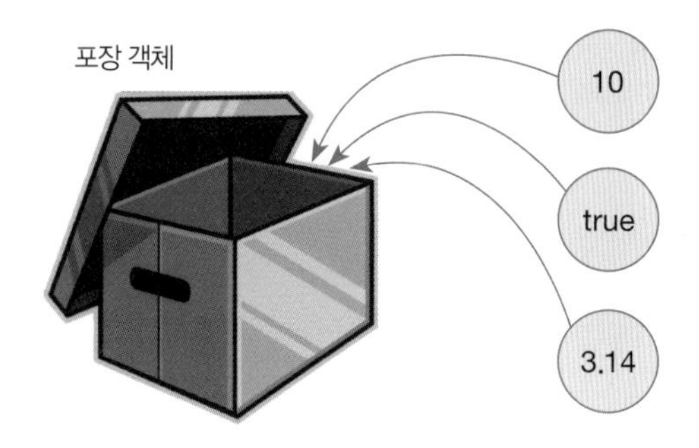

포장 객체를 생성하기 위한 클래스는 java.lang 패키지에 포함되어 있는데, char 타입과 int 타입이 각각 Character와 Integer인 것만 제외하고는 기본 타입의 첫 문자를 대문자로 바꾼 이름을 가지고 있다.

기본 타입	포장 클래스
byte	Byte
char	Character
short	Short
int	Integer
long	Long
float	Float
double	Double
boolean	Boolean

포장 객체는 포장하고 있는 기본 타입의 값을 변경할 수 없고, 단지 객체로 생성하는 데 목적이 있다. 이런 객체가 필요한 이유는 컬렉션 객체 때문이다. 15장에서 학습할 컬렉션 객체는 기본 타입의 값은 저장할 수 없고, 객체만 저장할 수 있다.

박싱과 언박싱

기본 타입의 값을 포장 객체로 만드는 과정을 박싱boxing이라고 하고, 반대로 포장 객체에서 기본 타입의 값을 얻어내는 과정을 언박싱unboxing이라고 한다.

박싱은 포장 클래스 변수에 기본 타입 값이 대입될 때 발생한다. 반대로 언박싱은 기본 타입 변수에 포장 객체가 대입될 때 발생한다.

```
Integer obj = 100;    //박싱
int value = obj;      //언박싱
```

언박싱은 다음과 같이 연산 과정에서도 발생한다. obj는 50과 연산되기 전에 언박싱된다.

```
int value = obj + 50;    //언박싱 후 연산
```

››› **BoxingUnBoxingExample.java**

```
1   package ch12.sec06;
2
3   public class BoxingUnBoxingExample {
4     public static void main(String[] args) {
5       //Boxing
6       Integer obj = 100;
7       System.out.println("value: " + obj.intValue());
8
9       //Unboxing
10      int value = obj;
11      System.out.println("value: " + value);
12
13      //연산 시 Unboxing
14      int result = obj + 100;
15      System.out.println("result: " + result);
16    }
17  }
```

intValue() 메소드는 Integer 객체 내부의 int 값을 리턴한다.

실행 결과

```
value: 100
value: 100
result: 200
```

문자열을 기본 타입 값으로 변환

포장 클래스는 문자열을 기본 타입 값으로 변환할 때도 사용된다. 대부분의 포장 클래스에는 'parse+기본타입' 명으로 되어있는 정적static 메소드가 있다. 이 메소드는 문자열을 해당 기본 타입 값으로 변환한다(2.10절 참조).

포장 값 비교

포장 객체는 내부 값을 비교하기 위해 ==와 != 연산자를 사용할 수 없다. 이 연산은 내부의 값을 비교하는 것이 아니라 포장 객체의 번지를 비교하기 때문이다. 예를 들어 다음 두 Integer 객체는 300이라는 동일한 값을 갖고 있지만 == 연산의 결과는 false가 나온다.

```
Integer obj1 = 300;
Integer obj2 = 300;
System.out.println(obj1 == obj2);
```

예외도 있다. 포장 객체의 효율적 사용을 위해 다음 범위의 값을 갖는 포장 객체는 공유된다. 이 범위의 값을 갖는 포장 객체는 ==와 != 연산자로 비교할 수 있지만, 내부 값을 비교하는 것이 아니라 객체 번지를 비교한다는 것을 알아야 한다.

타입	값의 범위
boolean	true, false
char	\u0000 ~ \u007f
byte, short, int	-128 ~ 127

포장 객체에 정확히 어떤 값이 저장될 지 모르는 상황이라면 ==과 !=은 사용하지 않는 것이 좋다. 대신 equals() 메소드로 내부 값을 비교할 수 있다. 포장 클래스의 equals() 메소드는 내부의 값을 비교하도록 재정의되어 있다.

>>> ValueCompareExample.java

```
1    package ch12.sec06;
2
3    public class ValueCompareExample {
4      public static void main(String[] args) {
5        //-128~127 초과값일 경우
6        Integer obj1 = 300;
7        Integer obj2 = 300;
8        System.out.println("==: " + (obj1 == obj2));
9        System.out.println("equals(): " + obj1.equals(obj2));
10       System.out.println();
11
12       //-128~127 범위값일 경우
13       Integer obj3 = 10;
14       Integer obj4 = 10;
15       System.out.println("==: " + (obj3 == obj4));
16       System.out.println("equals: " + obj3.equals(obj4));
17     }
18   }
```

실행 결과

```
==: false
equals(): true

==: true
equals: true
```

12.7 수학 클래스

Math 클래스는 수학 계산에 사용할 수 있는 메소드를 제공한다. Math 클래스가 제공하는 메소드는 모두 정적static이므로 Math 클래스로 바로 사용이 가능하다. 다음은 Math 클래스가 제공하는 주요 메소드이다.

구분	코드	리턴값
절대값	int v1 = Math.abs(-5); double v2 = Math.abs(-3.14);	v1 = 5 v2 = 3.14
올림값	double v3 = Math.ceil(5.3); double v4 = Math.ceil(-5.3);	v3 = 6.0 v4 = -5.0
버림값	double v5 = Math.floor(5.3); double v6 = Math.floor(-5.3);	v5 = 5.0 v6 = -6.0
최대값	int v7 = Math.max(5, 9); double v8 = Math.max(5.3, 2.5);	v7 = 9 v8 = 5.3
최소값	int v9 = Math.min(5, 9); double v10 = Math.min(5.3, 2.5);	v9 = 5 v10 = 2.5
랜덤값	double v11 = Math.random( );	0.0<=v11<1.0
반올림값	long v14 = Math.round(5.3); long v15 = Math.round(5.7);	v14 = 5 v15 = 6

>>> MathExample.java

```
1   package ch12.sec07;
2
3   public class MathExample {
4     public static void main(String[] args) {
5       //큰 정수 또는 작은 정수 얻기
6       double v1 = Math.ceil(5.3);
7       double v2 = Math.floor(5.3);
8       System.out.println("v1=" + v1);
9       System.out.println("v2=" + v2);
10
11      //큰값 또는 작은값 얻기
12      long v3 = Math.max(3, 7);
13      long v4 = Math.min(3, 7);
14      System.out.println("v3=" + v3);
15      System.out.println("v4=" + v4);
16
17      //소수 이하 두 자리 얻기
18      double value = 12.3456;
19      double temp1 = value * 100;
20      long temp2 = Math.round(temp1);
```

```
21            double v5 = temp2 / 100.0;
22            System.out.println("v5=" + v5);
23        }
24    }
```

실행 결과

```
v1=6.0
v2=5.0
v3=7
v4=3
v5=12.35
```

random() 메소드는 0.0과 1.0 사이의 double 타입 난수를 리턴한다. 이 값을 이용해서 start부터 시작하는 n개의 정수(start<=…<(start+n)) 중 하나의 정수를 얻기 위한 공식을 만들면 다음과 같다. 예제와 공식 설명은 4.2절을 참고하길 바란다.

```
int num = (int) (Math.random() * n) + start;
```

난수를 얻는 또 다른 방법으로 java.util.Random 클래스를 이용할 수 있다. 이 클래스를 이용하면 boolean, int, double 난수를 얻을 수 있다. 다음은 Random 객체를 생성하기 위한 생성자이다.

객체 생성	설명
Random()	현재 시간을 이용해서 종자값을 자동 설정한다.
Random(long seed)	주어진 종자값을 사용한다.

종자값(seed)이란 난수를 만드는 알고리즘에 사용되는 값으로, 종자값이 같으면 같은 난수를 얻는다. 다음은 Random 클래스가 제공하는 메소드이다.

리턴값	메소드(매개변수)	설명
boolean	nextBoolean()	boolean 타입의 난수를 리턴
double	nextDouble()	double 타입의 난수를 리턴(0.0<= ~ < 1.0)
int	nextInt()	int 타입의 난수를 리턴(-2^{32}<= ~ <=$2^{32}-1$);
int	nextInt(int n)	int 타입의 난수를 리턴(0<= ~ <n)

다음 예제는 로또의 6개 숫자를 얻는 방법을 보여 준다. 로또는 1~45 범위의 정수 숫자만 선택할 수 있으므로 nextInt(45)+1 연산식을 사용했다.

>>> RandomExample.java

```
1   package ch12.sec07;
2
3   import java.util.Arrays;
4   import java.util.Random;
5
6   public class RandomExample {
7     public static void main(String[] args) {
8       //선택번호
9       int[] selectNumber = new int[6];
10      Random random = new Random(3);
11      System.out.print("선택번호: ");
12      for(int i=0; i<6; i++) {
13        selectNumber[i] = random.nextInt(45) + 1;
14        System.out.print(selectNumber[i] + " ");
15      }
16      System.out.println();
17
18      //당첨번호
19      int[] winningNumber = new int[6];
20      random = new Random(5);
21      System.out.print("당첨번호: ");
22      for(int i=0; i<6; i++) {
23        winningNumber[i] = random.nextInt(45) + 1;
24        System.out.print(winningNumber[i] + " ");
25      }
26      System.out.println();
27
28      //당첨여부
29      Arrays.sort(selectNumber);
30      Arrays.sort(winningNumber);
31      boolean result = Arrays.equals(selectNumber, winningNumber);
32      System.out.print("당첨여부: ");
33      if(result) {
34        System.out.println("1등에 당첨되셨습니다.");
35      } else {
```

선택번호 6개가 저장될 배열 생성

선택번호를 얻기 위한 Random 객체 생성

선택번호 6개를 얻어 배열에 저장

당첨번호 6개가 저장될 배열 생성

당첨번호를 얻기 위한 Random 객체 생성

당첨번호 6개를 얻어 배열에 저장

비교하기 전에 배열 항목을 정렬시킴

배열 항목 비교하기

```
36            System.out.println("당첨되지 않았습니다.");
37         }
38      }
39   }
```

실행 결과

```
선택번호: 15 21 16 17 34 28
당첨번호: 18 38 45 15 22 36
당첨여부: 당첨되지 않았습니다.
```

선택번호 6개를 얻기 위해 Random 객체의 종자값으로 3을 주었고, 당첨번호 6개를 얻기 위해 Random 객체의 종자값으로 5를 주었다. 서로 다른 종자값을 주었기 때문에 선택번호와 당첨번호는 다르게 나온다. 만약 종자값을 동일하게 주면 동일한 난수를 얻기 때문에 선택번호와 당첨번호는 같게 나온다.

12.8 날짜와 시간 클래스

자바는 컴퓨터의 날짜 및 시각을 읽을 수 있도록 java.util 패키지에서 Date와 Calendar 클래스를 제공하고 있다. 또한 날짜와 시간을 조작할 수 있도록 java.time 패키지에서 LocalDateTime 등의 클래스를 제공한다.

클래스	설명
Date	날짜 정보를 전달하기 위해 사용
Calendar	다양한 시간대별로 날짜와 시간을 얻을 때 사용
LocalDateTime	날짜와 시간을 조작할 때 사용

Date 클래스

Date는 날짜를 표현하는 클래스로 객체 간에 날짜 정보를 주고받을 때 사용된다. Date 클래스에는 여러 개의 생성자가 선언되어 있지만 대부분 Deprecated(더 이상 사용되지 않음)되어 Date() 생성자만 주로 사용된다. Date() 생성자는 컴퓨터의 현재 날짜를 읽어 Date 객체로 만든다.

```
Date now = new Date();
```

현재 날짜를 문자열로 얻고 싶다면 toString() 메소드를 사용할 수 있지만 영문으로 출력되기 때문에 우리가 원하는 형식이 아니다. 원하는 문자열로 얻고 싶다면 SimpleDateFormat 클래스와 함께 사용해야 한다. 다음 예제는 '년.월.일 시:분:초' 형식으로 문자열을 얻는 방법을 보여 준다.

>>> **DateExample.java**

```
1   package ch12.sec08;
2
3   import java.text.*;
4   import java.util.*;
5
6   public class DateExample {
7     public static void main(String[] args) {
8       Date now = new Date();
9       String strNow1 = now.toString();
10      System.out.println(strNow1);
11
12      SimpleDateFormat sdf = new SimpleDateFormat("yyyy.MM.dd HH:mm:ss");
13      String strNow2 = sdf.format(now);
14      System.out.println(strNow2);
15    }
16  }
```

실행 결과

```
Sun Nov 28 19:29:51 KST 2021
2021.11.28 19:29:51
```

SimpleDateFormat()에 대한 자세한 내용은 12.9절에서 학습하기로 하고, 여기서는 현재 날짜와 시간 정보를 가진 Date 객체를 만드는 방법만 알아두자.

Calendar 클래스

Calendar 클래스는 달력을 표현하는 추상 클래스이다. 날짜와 시간을 계산하는 방법이 지역과 문화에 따라 다르기 때문에 특정 역법(曆法, 날짜와 시간을 매기는 방법)에 따르는 달력은 자식 클래스에서 구현하도록 되어 있다.

특별한 역법을 사용하는 경우가 아니라면 직접 하위 클래스를 만들 필요는 없고 Calendar 클래스의 정적 메소드인 getInstance() 메소드를 이용하면 컴퓨터에 설정되어 있는 시간대TimeZone를 기준으로 Calendar 하위 객체를 얻을 수 있다.

```
Calendar now = Calendar.getInstance();
```

Calendar가 제공하는 날짜와 시간에 대한 정보를 얻기 위해서는 get() 메소드를 이용한다. get() 메소드의 매개값으로 Calendar에 정의된 상수를 주면 상수가 의미하는 값을 리턴한다.

```
int year   = now.get(Calendar.YEAR);              //년도를 리턴
int month  = now.get(Calendar.MONTH) + 1;         //월을 리턴
int day    = now.get(Calendar.DAY_OF_MONTH);      //일을 리턴
int week   = now.get(Calendar.DAY_OF_WEEK);       //요일을 리턴
int amPm   = now.get(Calendar.AM_PM);             //오전/오후를 리턴
int hour   = now.get(Calendar.HOUR);              //시를 리턴
int minute = now.get(Calendar.MINUTE);            //분을 리턴
int second = now.get(Calendar.SECOND);            //초를 리턴
```

>>> CalendarExample.java

```
1   package ch12.sec08;
2
3   import java.util.*;
4
5   public class CalendarExample {
6     public static void main(String[] args) {
7       Calendar now = Calendar.getInstance();
8
9       int year  = now.get(Calendar.YEAR);
10      int month = now.get(Calendar.MONTH) + 1;
11      int day   = now.get(Calendar.DAY_OF_MONTH);
12
```

```
13          int week   = now.get(Calendar.DAY_OF_WEEK);
14          String strWeek = null;
15          switch(week) {
16            case Calendar.MONDAY:      strWeek = "월"; break;
17            case Calendar.TUESDAY:     strWeek = "화"; break;
18            case Calendar.WEDNESDAY:   strWeek = "수"; break;
19            case Calendar.THURSDAY:    strWeek = "목"; break;
20            case Calendar.FRIDAY:      strWeek = "금"; break;
21            case Calendar.SATURDAY:    strWeek = "토"; break;
22            default:                   strWeek = "일";
23          }
24
25          int amPm   = now.get(Calendar.AM_PM);
26          String strAmPm = null;
27          if(amPm == Calendar.AM) {
28            strAmPm = "오전";
29          } else {
30            strAmPm = "오후";
31          }
32
33          int hour    = now.get(Calendar.HOUR);
34          int minute = now.get(Calendar.MINUTE);
35          int second = now.get(Calendar.SECOND);
36
37          System.out.print(year + "년 ");
38          System.out.print(month + "월 ");
39          System.out.println(day + "일 ");
40          System.out.print(strWeek + "요일 ");
41          System.out.println(strAmPm + " ");
42          System.out.print(hour + "시 ");
43          System.out.print(minute + "분 ");
44          System.out.println(second + "초 ");
45        }
46      }
```

실행 결과

```
2021년 11월 28일
일요일 오후
7시 47분 54초
```

Calendar 클래스의 오버로딩된 다른 getInstance() 메소드를 이용하면 미국/로스앤젤레스와 같은 다른 시간대의 Calendar를 얻을 수 있다. 알고 싶은 시간대의 TimeZone 객체를 얻어, getInstance() 메소드의 매개값으로 넘겨주면 된다.

```
TimeZone timeZone = TimeZone.getTimeZone("America/Los_Angeles");
Calendar now = Calendar.getInstance( timeZone );
```

>>> LosAngelesExample.java

```
1     package ch12.sec08;
2
3     import java.util.Calendar;
4     import java.util.TimeZone;
5
6     public class LosAngelesExample {
7       public static void main(String[] args) {
8         TimeZone timeZone = TimeZone.getTimeZone("America/Los_Angeles");
9         Calendar now = Calendar.getInstance( timeZone );
10
11        int amPm = now.get(Calendar.AM_PM);
12        String strAmPm = null;
13        if(amPm == Calendar.AM) {
14          strAmPm = "오전";
15        } else {
16          strAmPm = "오후";
17        }
18        int hour     = now.get(Calendar.HOUR);
19        int minute   = now.get(Calendar.MINUTE);
20        int second   = now.get(Calendar.SECOND);
21
22        System.out.print(strAmPm + " ");
23        System.out.print(hour + "시 ");
24        System.out.print(minute + "분 ");
25        System.out.println(second + "초 ");
26      }
27    }
```

실행 결과

```
오전 2시 58분 12초
```

America/Los_Angeles와 같은 시간대 ID는 TimeZone.getAvailableIDs() 메소드가 리턴하는 값 중 하나를 사용하면 된다. 다음 예제는 TimeZone.getAvailableIDs() 메소드가 리턴하는 시간대 ID를 모두 출력한다.

>>> PrintTimeZoneID.java

```
1   package ch12.sec08;
2
3   import java.util.TimeZone;
4
5   public class PrintTimeZoneID {
6     public static void main(String[] args) {
7       String[] availableIDs = TimeZone.getAvailableIDs();
8       for(String id : availableIDs) {
9         System.out.println(id);
10      }
11    }
12  }
```

실행 결과

```
Africa/Abidjan
Africa/Accra
Africa/Addis_Ababa
...
```

날짜와 시간 조작

Date와 Calendar는 날짜와 시간 정보를 얻기에는 충분하지만, 날짜와 시간을 조작할 수는 없다. 이때는 java.time 패키지의 LocalDateTime 클래스가 제공하는 다음 메소드를 이용하면 매우 쉽게 날짜와 시간을 조작할 수 있다.

메소드(매개변수)	설명
minusYears(long)	년 빼기
minusMonths(long)	월 빼기
minusDays(long)	일 빼기
minusWeeks(long)	주 빼기
plusYears(long)	년 더하기
plusMonths(long)	월 더하기
plusWeeks(long)	주 더하기
plusDays(long)	일 더하기
minusHours(long)	시간 빼기
minusMinutes(long)	분 빼기
minusSeconds(long)	초 빼기
minusNanos(long)	나노초 빼기
plusHours(long)	시간 더하기
plusMinutes(long)	분 더하기
plusSeconds(long)	초 더하기

LocalDateTime 클래스를 이용해서 현재 컴퓨터의 날짜와 시간을 얻는 방법은 다음과 같다.

```
LocalDateTime now = LocalDateTime.now();
```

다음 예제는 현재 시간에서 년, 월, 일을 연산하는 방법이다.

>>> DateTimeOperationExample.java

```
1    package ch12.sec08;
2
3    import java.time.LocalDateTime;
4    import java.time.format.DateTimeFormatter;
5
6    public class DateTimeOperationExample {
7      public static void main(String[] args) {
```

```
 8         LocalDateTime now = LocalDateTime.now();
 9         DateTimeFormatter dtf = DateTimeFormatter.ofPattern("yyyy.MM.dd a
               HH:mm:ss");
10         System.out.println("현재 시간: " + now.format(dtf));
11
12         LocalDateTime result1 = now.plusYears(1);
13         System.out.println("1년 덧셈: " + result1.format(dtf));
14
15         LocalDateTime result2 = now.minusMonths(2);
16         System.out.println("2월 뺄셈: " + result2.format(dtf));
17
18         LocalDateTime result3 = now.plusDays(7);
19         System.out.println("7일 덧셈: " + result3.format(dtf));
20     }
21 }
```

실행 결과

```
현재 시간: 2021.11.28 오후 21:13:37
1년 덧셈: 2022.11.28 오후 21:13:37
2월 뺄셈: 2021.09.28 오후 21:13:37
7일 덧셈: 2021.12.05 오후 21:13:37
```

9라인의 DateTimeFormatter는 날짜와 시간을 주어진 문자열 패턴으로 변환할 때 사용한다. LocalDateTime의 format() 메소드 호출 시 매개값으로 제공하면 문자열 패턴과 동일한 문자열을 얻을 수 있다. 문자열 패턴은 12.9절에서 자세히 설명한다.

날짜와 시간 비교

LocalDateTime 클래스는 날짜와 시간을 비교할 수 있는 다음 메소드도 제공한다.

리턴 타입	메소드(매개변수)	설명
boolean	isAfter(other)	이후 날짜인지?
	isBefore(other)	이전 날짜인지?
	isEqual(other)	동일 날짜인지?
long	until(other, unit)	주어진 단위(unit) 차이를 리턴

비교를 위해 특정 날짜와 시간으로 LocalDateTime 객체를 얻는 방법은 다음과 같다. year부터 second까지 매개값을 모두 int 타입 값으로 제공하면 된다.

```
LocalDateTime target = LocalDateTime.of(year, month, dayOfMonth, hour, minute,
second);
```

다음 예제는 2021년 1월 1일과 2021년 12월 31일을 비교한다.

>>> DateTimeCompareExample.java

```
1   package ch12.sec08;
2
3   import java.time.LocalDateTime;
4   import java.time.format.DateTimeFormatter;
5   import java.time.temporal.ChronoUnit;
6
7   public class DateTimeCompareExample {
8     public static void main(String[] args) {
9       DateTimeFormatter dtf = DateTimeFormatter.ofPattern("yyyy.MM.dd a
          HH:mm:ss");
10
11      LocalDateTime startDateTime = LocalDateTime.of(2021,  1, 1, 0, 0, 0);
12      System.out.println("시작일: " + startDateTime.format(dtf));
13
14      LocalDateTime endDateTime = LocalDateTime.of(2021,  12, 31, 0, 0, 0);
15      System.out.println("종료일: " + endDateTime.format(dtf));
16
17      if(startDateTime.isBefore(endDateTime)) {
18        System.out.println("진행 중입니다.");
19      } else if(startDateTime.isEqual(endDateTime)) {
20        System.out.println("종료합니다.");
21      } else if(startDateTime.isAfter(endDateTime)) {
22        System.out.println("종료했습니다.");
23      }
24
25      long remainYear = startDateTime.until(endDateTime, ChronoUnit.YEARS);
26      long remainMonth = startDateTime.until(endDateTime, ChronoUnit.MONTHS);
27      long remainDay = startDateTime.until(endDateTime, ChronoUnit.DAYS);
```

```
28          long remainHour = startDateTime.until(endDateTime, ChronoUnit.HOURS);
29          long remainMinute = startDateTime.until(endDateTime, ChronoUnit.MINUTES);
30          long remainSecond = startDateTime.until(endDateTime, ChronoUnit.SECONDS);
31          System.out.println("남은 해: " + remainYear);
32          System.out.println("남은 월: " + remainMonth);
33          System.out.println("남은 일: " + remainDay);
34          System.out.println("남은 시간: " + remainHour);
35          System.out.println("남은 분: " + remainMinute);
36          System.out.println("남은 초: " + remainSecond);
37      }
38  }
```

실행 결과

```
시작일: 2021.01.01 오전 00:00:00
종료일: 2021.12.31 오전 00:00:00
진행 중입니다.
남은 해: 0
남은 월: 11
남은 일: 364
남은 시간: 8736
남은 분: 524160
남은 초: 31449600
```

12.9 형식 클래스

Format(형식) 클래스는 숫자 또는 날짜를 원하는 형태의 문자열로 변환해주는 기능을 제공한다. Format 클래스는 java.text 패키지에 포함되어 있는데, 주요 Format 클래스는 다음과 같다.

Format 클래스	설명
DecimalFormat	숫자를 형식화된 문자열로 변환
SimpleDateFormat	날짜를 형식화된 문자열로 변환

DecimalFormat

DecimalFormat은 숫자를 형식화된 문자열로 변환하는 기능을 제공한다. 원하는 형식으로 표현하기 위해 다음과 같은 패턴을 사용한다.

기호	의미	패턴 예	1234567.89 → 변환 결과
0	10진수(빈자리는 0으로 채움)	0 0.0 0000000000.00000	1234568 1234567.9 0001234567.89000
#	10진수(빈자리는 채우지 않음)	# #.# ##########.#####	1234568 1234567.9 1234567.89
.	소수점	#.0	1234567.9
–	음수 기호	+#.0 –#.0	+1234567.9 –1234567.9
,	단위 구분	#,###.0	1,234,567.9
E	지수 문자	0.0E0	1.2E6
;	양수와 음수의 패턴을 모두 기술할 경우, 패턴 구분자	+#,### ; –#,###	+1,234,568(양수일 때) –1,234,568(음수일 때)
%	% 문자	#.# %	123456789 %
\u00A4	통화 기호	\u00A4 #,###	₩1,234,568

패턴 정보와 함께 DecimalFormat 객체를 생성하고 format() 메소드로 숫자를 제공하면 패턴에 따른 형식화된 문자열을 얻을 수 있다.

```
DecimalFormat df = new DecimalFormat("#,###.0");
String result =  df.format(1234567.89);  //1,234,567.9
```

» **DecimalFormatExample.java**

```
1    package ch12.sec09;
2
3    import java.text.DecimalFormat;
```

```
 4
 5  public class DecimalFormatExample {
 6    public static void main(String[] args) {
 7      double num = 1234567.89;
 8
 9      DecimalFormat df;
10
11      //정수 자리까지 표기
12      df = new DecimalFormat("#,###");
13      System.out.println( df.format(num) );
14
15      //무조건 소수 첫째 자리까지 표기
16      df = new DecimalFormat("#,###.0");
17      System.out.println( df.format(num) );
18    }
19  }
```

실행 결과

```
1,234,568
1,234,567.9
```

SimpleDateFormat

SimpleDateFormat은 날짜를 형식화된 문자열로 변환하는 기능을 제공한다. 원하는 형식으로 표현하기 위해 다음과 같은 패턴을 사용한다.

패턴 문자	의미	패턴 문자	의미
y	년	H	시(0~23)
M	월	h	시(1~12)
d	일	K	시(0~11)
D	월 구분이 없는 일(1~365)	k	시(1~24)
E	요일	m	분
a	오전/오후	s	초
w	년의 몇 번째 주	S	밀리세컨드(1/1000초)
W	월의 몇 번째 주		

패턴에는 자릿수에 맞게 기호를 반복해서 작성할 수 있다. 예를 들어 yyyy는 년도를 4자리로, MM과 dd는 각각 월과 일을 2자리로 표시하라는 의미이다. 패턴 정보와 함께 SimpleDateFormat 객체를 생성하고 format() 메소드로 날짜를 제공하면 패턴과 동일한 문자열을 얻을 수 있다.

```
SimpleDateFormat sdf = new SimpleDateFormat("yyyy년 MM월 dd일");
String strDate = sdf.format(new Date());  //2021년 11월 28일
```

››› SimpleDateFormatExample.java

```
1    package ch12.sec09;
2
3    import java.text.SimpleDateFormat;
4    import java.util.Date;
5
6    public class SimpleDateFormatExample {
7      public static void main(String[] args) {
8        Date now = new Date();
9
10       SimpleDateFormat sdf = new SimpleDateFormat("yyyy-MM-dd");
11       System.out.println( sdf.format(now) );
12
13       sdf = new SimpleDateFormat("yyyy년 MM월 dd일");
14       System.out.println( sdf.format(now) );
15
16       sdf = new SimpleDateFormat("yyyy.MM.dd a HH:mm:ss");
17       System.out.println( sdf.format(now) );
18
19       sdf = new SimpleDateFormat("오늘은 E요일");
20       System.out.println( sdf.format(now) );
21
22       sdf = new SimpleDateFormat("올해의 D번째 날");
23       System.out.println( sdf.format(now) );
24
25       sdf = new SimpleDateFormat("이달의 d번째 날");
26       System.out.println( sdf.format(now) );
27     }
28   }
```

실행 결과

```
2021-11-28
2021년 11월 28일
2021.11.28 오후 20:33:28
오늘은 일요일
올해의 332번째 날
이달의 28번째 날
```

12.10 정규 표현식 클래스

문자열이 정해져 있는 형식으로 구성되어 있는지 검증해야 하는 경우가 있다. 예를 들어 이메일이나 전화번호를 사용자가 제대로 입력했는지 검증할 때이다. 자바는 정규 표현식Regular Expression을 이용해서 문자열이 올바르게 구성되어 있는지 검증한다.

정규 표현식 작성 방법

정규 표현식은 문자 또는 숫자와 관련된 표현과 반복 기호가 결합된 문자열이다. 다음은 정규 표현식을 구성하는 표현 및 기호에 대한 설명이다.

<table>
<tr><th>표현 및 기호</th><th colspan="3">설명</th></tr>
<tr><td rowspan="3">[ ]</td><td rowspan="3">한 개의 문자</td><td>[abc]</td><td>a, b, c 중 하나의 문자</td></tr>
<tr><td>[^abc]</td><td>a, b, c 이외의 하나의 문자</td></tr>
<tr><td>[a-zA-Z]</td><td>a~z, A~Z 중 하나의 문자</td></tr>
<tr><td>\d</td><td colspan="3">한 개의 숫자, [0-9]와 동일</td></tr>
<tr><td>\s</td><td colspan="3">공백</td></tr>
<tr><td>\w</td><td colspan="3">한 개의 알파벳 또는 한 개의 숫자, [a-zA-Z_0-9]와 동일</td></tr>
<tr><td>\.</td><td colspan="3">.</td></tr>
<tr><td>.</td><td colspan="3">모든 문자 중 한 개의 문자</td></tr>
<tr><td>?</td><td colspan="3">없음 또는 한 개</td></tr>
<tr><td>*</td><td colspan="3">없음 또는 한 개 이상</td></tr>
<tr><td>+</td><td colspan="3">한 개 이상</td></tr>
<tr><td>{n}</td><td colspan="3">정확히 n개</td></tr>
<tr><td>{n,}</td><td colspan="3">최소한 n개</td></tr>
<tr><td>{n, m}</td><td colspan="3">n개부터 m개까지</td></tr>
<tr><td>a | b</td><td colspan="3">a 또는 b</td></tr>
<tr><td>( )</td><td colspan="3">그룹핑</td></tr>
</table>

다음은 02-123-1234 또는 010-1234-5678과 같은 전화번호를 위한 정규 표현식이다.

```
(02|010)-\d{3,4}-\d{4}
```

다음은 white@naver.com과 같은 이메일을 위한 정규 표현식이다.

```
\w+@\w+\.\w+(\.\w+)?
```

주의할 점은 \.과 .은 다르다는 것이다. \.은 문자로서의 점(.)을 말하지만 .은 모든 문자 중에서 한 개의 문자를 뜻한다.

Pattern 클래스로 검증

java.util.regex 패키지의 Pattern 클래스는 정규 표현식으로 문자열을 검증하는 matches() 메소드를 제공한다. 첫 번째 매개값은 정규 표현식이고, 두 번째 매개값은 검증할 문자열이다. 검증한 후의 결과는 boolean 타입으로 리턴된다.

```
boolean result = Pattern.matches("정규식", "검증할 문자열");
```

다음 예제는 전화번호와 이메일을 검증하는 코드를 보여 준다.

>>> PatternExample.java

```
1    package ch12.sec10;
2
3    import java.util.regex.Pattern;
4
5    public class PatternExample {
6      public static void main(String[] args) {
7        String regExp = "(02|010)-\\d{3,4}-\\d{4}";
8        String data = "010-123-4567";
9        boolean result = Pattern.matches(regExp, data);
10       if(result) {
```

```
11             System.out.println("정규식과 일치합니다.");
12           } else {
13             System.out.println("정규식과 일치하지 않습니다.");
14           }
15
16           regExp = "\\w+@\\w+\\.\\w+(\\.\\w+)?";
17           data = "angel@mycompanycom";
18           result = Pattern.matches(regExp, data);
19           if(result) {
20             System.out.println("정규식과 일치합니다.");
21           } else {
22             System.out.println("정규식과 일치하지 않습니다.");
23           }
24         }
25       }
```

실행 결과

```
정규식과 일치합니다.
정규식과 일치하지 않습니다.
```

16라인의 \\는 이스케이프 문자로 역슬래시(\) 하나를 문자열로 포함시킨다. 실행 결과에서 이메일 검증이 실패한 이유는 @ 뒤에 최소한 하나의 점이 와야 하기 때문이다. 따라서 mycompany.com이라고 해야 맞다.

12.11 리플렉션

자바는 클래스와 인터페이스의 메타 정보를 Class 객체로 관리한다. 여기서 메타 정보란 패키지 정보, 타입 정보, 멤버(생성자, 필드, 메소드) 정보 등을 말한다. 이러한 메타 정보를 프로그램에서 읽고 수정하는 행위를 리플렉션reflection이라고 한다.

프로그램에서 Class 객체를 얻으려면 다음 3가지 방법 중 하나를 이용하면 된다.

```
① Class clazz = 클래스이름.class;                          ┐ 클래스로부터 얻는 방법
② Class clazz = Class.forName("패키지…클래스이름");        ┘
③ Class clazz = 객체참조변수.getClass();                   — 객체로부터 얻는 방법
```

①과 ②는 클래스 이름만 가지고 Class 객체를 얻는 방법이고, ③은 객체로부터 Class 객체를 얻는 방법이다. 셋 중 어떤 방법을 사용하더라도 동일한 Class 객체를 얻을 수 있다. 예를 들어 String 클래스의 Class 객체는 다음과 같이 얻을 수 있다.

```
Class clazz = String.class;

Class clazz = Class.forName("java.lang.String");

String str = "감자바";
Class clazz = str.getClass();
```

패키지와 타입 정보 얻기

패키지와 타입(클래스, 인터페이스) 이름 정보는 다음 메소드를 통해 얻을 수 있다.

메소드	용도
Package getPackage()	패키지 정보 읽기
String getSimpleName()	패키지를 제외한 타입 이름
String getName()	패키지를 포함한 전체 타입 이름

다음 예제는 Car 클래스의 Class 객체를 얻고, 패키지와 클래스의 이름을 얻어 출력한다.

››› **Car.java**

```
1    package ch12.sec11.exam01;
2
3    public class Car {
4    }
```

>>> GetClassExample.java

```
1   package ch12.sec11.exam01;
2
3   public class GetClassExample {
4     public static void main(String[] args) throws Exception {
5       //how1
6       Class clazz = Car.class;
7
8       //how2
9       //Class clazz = Class.forName("ch12.sec11.exam01.Car");
10
11      //how3
12      //Car car = new Car();
13      //Class clazz = car.getClass();
14
15      System.out.println("패키지: " + clazz.getPackage().getName());
16      System.out.println("클래스 간단 이름: " + clazz.getSimpleName());
17      System.out.println("클래스 전체 이름: " + clazz.getName());
18    }
19  }
```

실행 결과

```
패키지: ch12.sec11.exam01
클래스 간단 이름: Car
클래스 전체 이름: ch12.sec11.exam01.Car
```

멤버 정보 얻기

타입(클래스, 인터페이스)가 가지고 있는 멤버 정보는 다음 메소드를 통해 얻을 수 있다.

메소드	용도
Constructor[] getDeclaredConstructors()	생성자 정보 읽기
Field[] getDeclaredFields()	필드 정보 읽기
Method[] getDeclaredMethods()	메소드 정보 읽기

메소드 이름에서 알 수 있듯이 각각 Constructor 배열, Field 배열, Method 배열을 리턴한다. Constructor, Field, Method 클래스는 모두 java.lang.reflect 패키지에 있는데 각각 생성자, 필드, 메소드에 대한 선언부 정보를 제공한다. 다음은 Car 클래스에서 선언된 생성자, 필드, 메소드의 선언부 정보를 얻고 출력하는 예제이다.

>>> Car.java

```
1   package ch12.sec11.exam02;
2
3   public class Car {
4     //필드
5     private String model;
6     private String owner;
7
8     //생성자
9     public Car() {
10    }
11    public Car(String model) {
12      this.model = model;
13    }
14
15    //메소드
16    public String getModel() { return model; }
17    public void setModel(String model) { this.model = model; }
18    public String getOwner() { return owner; }
19    public void setOwner(String owner) { this.owner = owner; }
20  }
```

>>> ReflectionExample.java

```
1   package ch12.sec11.exam02;
2
3   import java.lang.reflect.*;
4
5   public class ReflectionExample {
6     public static void main(String[] args) throws Exception {
7       Class clazz = Car.class;
```

```
8
9        System.out.println("[생성자 정보]");
10       Constructor[] constructors = clazz.getDeclaredConstructors();
11       for(Constructor constructor : constructors) {
12         System.out.print(constructor.getName() + "(");
13         Class[] parameters = constructor.getParameterTypes();
14         printParameters(parameters);
15         System.out.println(")");
16       }
17       System.out.println();
18
19       System.out.println("[필드 정보]");
20       Field[] fields = clazz.getDeclaredFields();
21       for(Field field : fields) {
22         System.out.println(field.getType().getName() + " " + field.getName());
23       }
24       System.out.println();
25
26       System.out.println("[메소드 정보]");
27       Method[] methods = clazz.getDeclaredMethods();
28       for(Method method : methods) {
29         System.out.print(method.getName() + "(");
30         Class[] parameters = method.getParameterTypes();
31         printParameters(parameters);
32         System.out.println(")");
33       }
34     }
35
36     private static void printParameters(Class[] parameters) {
37       for(int i=0; i<parameters.length; i++) {
38         System.out.print(parameters[i].getName());
39         if(i<(parameters.length-1)) {
40           System.out.print(",");
41         }
42       }
43     }
44   }
```

생성자 및 메소드의 매개변수 정보를 출력

실행 결과

```
[생성자 정보]
```

```
ch12.sec11.exam02.Car()
ch12.sec11.exam02.Car(java.lang.String)

[필드 정보]
java.lang.String model
java.lang.String owner

[메소드 정보]
getOwner()
setOwner(java.lang.String)
getModel()
setModel(java.lang.String)
```

리소스 경로 얻기

Class 객체는 클래스 파일(*.class)의 경로 정보를 가지고 있기 때문에 이 경로를 기준으로 상대 경로에 있는 다른 리소스 파일(이미지, XML, Property 파일)의 정보를 얻을 수 있다. 이때 사용하는 메소드는 다음과 같다.

메소드	용도
URL getResource(String name)	리소스 파일의 URL 리턴
InputStream getResourceAsStream(String name)	리소스 파일의 InputStream 리턴

getResource()는 경로 정보가 담긴 URL 객체를 리턴하고, getResourceAsStream()은 파일의 내용을 읽을 수 있도록 InputStream 객체를 리턴한다(InputStream은 18장에서 학습한다). 다음과 같이 Car.class 파일과 이미지 파일들이 저장되어 있다고 가정해 보자.

```
C:\app\bin
        ¦ - Car.class
        ¦ - photo1.jpg
        ¦ - images
              ¦ - photo2.jpg
```

프로그램에서 이미지 파일(photo1.jpg, photo2.jpg)의 절대 경로가 필요할 경우, Car.class가 있는 곳에서 상대 경로로 다음과 같이 얻을 수 있다.

```
String photo1Path = clazz.getResource("photo1.jpg").getPath();
                                            //C:\...\bin\photo1.jpg

String photo2Path = clazz.getResource("images/photo2.jpg").getPath();
                                            //C:\...\bin\images\photo2.jpg
```

여기서 getPath()는 URL 객체의 메소드로 절대 경로를 리턴한다. 실습을 통해서 확인해 보자.

예제 소스에서 photo1.jpg와 photo2.jpg를 각각 복사한 다음 Package Explorer 뷰에 있는 src/ch12/sec11/exam03에 photo1.jpg를 붙여넣기 하고, src/ch12/sec11/exam03/images에 photo2.jpg를 붙여넣기 한다. 그러면 자동으로 bin/ch12/sec11/exam03에 복사가 된다.

>>> Car.java

```
1    package ch12.sec11.exam03;
2
3    public class Car {
4    }
```

>>> GetResourceExample.java

```
1    package ch12.sec11.exam03;
2
3    public class GetResourceExample {
4      public static void main(String[] args) {
5        Class clazz = Car.class;
6
7        String photo1Path = clazz.getResource("photo1.jpg").getPath();
8        String photo2Path = clazz.getResource("images/photo2.jpg").getPath();
9
10       System.out.println(photo1Path);
11       System.out.println(photo2Path);
12     }
13   }
```

실행 결과

```
…/workspace/thisisjava/bin/ch12/sec11/exam03/photo1.jpg
…/workspace/thisisjava/bin/ch12/sec11/exam03/images/photo2.jpg
```

12.12 어노테이션

코드에서 @으로 작성되는 요소를 어노테이션Annotation이라고 한다. 어노테이션은 클래스 또는 인터페이스를 컴파일하거나 실행할 때 어떻게 처리해야 할 것인지를 알려주는 설정 정보이다. 어노테이션은 다음 세 가지 용도로 사용된다.

① 컴파일 시 사용하는 정보 전달

② 빌드 툴이 코드를 자동으로 생성할 때 사용하는 정보 전달

③ 실행 시 특정 기능을 처리할 때 사용하는 정보 전달

컴파일 시 사용하는 정보 전달의 대표적인 예는 @Override 어노테이션이다. @Override는 컴파일러가 메소드 재정의 검사를 하도록 설정한다. 정확히 재정의되지 않았다면 컴파일러는 에러를 발생시킨다.

어노테이션은 자바 프로그램을 개발할 때 필수 요소가 되었다. 웹 개발에 많이 사용되는 Spring Framework 또는 Spring Boot는 다양한 종류의 어노테이션을 사용해서 웹 애플리케이션을 설정하는 데 사용된다. 따라서 자바 개발자라면 어노테이션의 사용 방법을 반드시 알아야 한다.

어노테이션 타입 정의와 적용

어노테이션도 하나의 타입이므로 어노테이션을 사용하기 위해서는 먼저 정의부터 해야 한다. 어노테이션을 정의하는 방법은 인터페이스를 정의하는 것과 유사하다. 다음과 같이 @interface 뒤에 사용할 어노테이션 이름이 온다.

```
public @interface AnnotationName {
}
```

이렇게 정의한 어노테이션은 코드에서 다음과 같이 사용된다.

```
@AnnotationName
```

어노테이션은 속성을 가질 수 있다. 속성은 타입과 이름으로 구성되며, 이름 뒤에 괄호를 붙인다. 속성의 기본값은 default 키워드로 지정할 수 있다. 예를 들어 String 타입 prop1과 int 타입의 prop2 속성은 다음과 같이 선언할 수 있다.

```
public @interface AnnotationName {
  String prop1();
  int prop2() default 1;
}
```

이렇게 정의한 어노테이션은 코드에서 다음과 같이 사용할 수 있다. prop1은 기본값이 없기 때문에 반드시 값을 기술해야 하고, prop2는 기본값이 있기 때문에 생략 가능하다.

```
@AnnotationName(prop1= "값");
@AnnotationName(prop1= "값", prop2=3);
```

어노테이션은 기본 속성인 value를 다음과 같이 가질 수 있다.

```
public @interface AnnotationName {
  String value();
  int prop2() default 1;
}
```

value 속성을 가진 어노테이션을 코드에서 사용할 때에는 다음과 같이 값만 기술할 수 있다. 이 값은 value 속성에 자동으로 대입된다.

```
@AnnotationName("값");
```

하지만 value 속성과 다른 속성의 값을 동시에 주고 싶다면 value 속성 이름을 반드시 언급해야 한다.

```
@AnnotationName(value= "값", prop2=3);
```

어노테이션 적용 대상

자바에서 어노테이션은 설정 정보라고 했다. 그렇다면 어떤 대상에 설정 정보를 적용할 것인지, 즉 클래스에 적용할 것인지, 메소드에 적용할 것인지를 명시해야 한다. 적용할 수 있는 대상의 종류는 ElementType 열거 상수로 정의되어 있다.

ElementType 열거 상수	적용 요소
TYPE	클래스, 인터페이스, 열거 타입
ANNOTATION_TYPE	어노테이션
FIELD	필드
CONSTRUCTOR	생성자
METHOD	메소드
LOCAL_VARIABLE	로컬 변수
PACKAGE	패키지

적용 대상을 지정할 때에는 @Target 어노테이션을 사용한다. @Target의 기본 속성인 value는 ElementType 배열을 값으로 가진다. 이것은 적용 대상을 복수 개로 지정하기 위해서이다. 예를 들어 다음과 같이 적용 대상을 지정했다고 가정해 보자.

```
@Target( { ElementType.TYPE, ElementType.FIELD, ElementType.METHOD } )
public @interface AnnotationName {
}
```

이 어노테이션은 다음과 같이 클래스, 필드, 메소드에 적용할 수 있고 생성자는 적용할 수 없다.

```
@AnnotationName •-------------- TYPE(클래스)에 적용
public class ClassName {
  @AnnotationName •----------- 필드에 적용
  private String fieldName;

  //@AnnotationName •--------- @Target에 CONSTRUCT가 없으므로 생성자에는 적용 못함
  public ClassName() { }

  @AnnotationName •----------- 메소드에 적용
  public void methodName() { }
}
```

어노테이션 유지 정책

어노테이션을 정의할 때 한 가지 더 추가해야 할 내용은 @AnnotationName을 언제까지 유지할 것인지를 지정하는 것이다. 어노테이션 유지 정책은 RetentionPolicy 열거 상수로 다음과 같이 정의되어 있다.

RetentionPolicy 열거 상수	어노테이션 적용 시점	어노테이션 제거 시점
SOURCE	컴파일할 때 적용	컴파일된 후에 제거됨
CLASS	메모리로 로딩할 때 적용	메모리로 로딩된 후에 제거됨
RUNTIME	실행할 때 적용	계속 유지됨

유지 정책을 지정할 때에는 @Retention 어노테이션을 사용한다. @Retention의 기본 속성인 value는 RetentionPolicy 열거 상수 값을 가진다. 다음은 실행 시에도 어노테이션을 설정 정보를 이용할 수 있도록 유지 정책을 RUNTIME으로 지정한 예이다.

```
@Target( { ElementType.TYPE, ElementType.FIELD, ElementType.METHOD } )
@Retention( RetentionPolicy.RUNTIME )
public @interface AnnotationName {
}
```

어노테이션 설정 정보 이용

어노테이션은 아무런 동작을 가지지 않는 설정 정보일 뿐이다. 이 설정 정보를 이용해서 어떻게 처리할 것인지는 애플리케이션의 몫이다. 애플리케이션은 12.11절에서 학습한 리플렉션을 이용해서 적용 대상으로부터 어노테이션의 정보를 다음 메소드로 얻어낼 수 있다.

리턴 타입	메소드명(매개변수)	설명
boolean	isAnnotationPresent(AnnotationName.class)	지정한 어노테이션이 적용되었는지 여부
Annotation	getAnnotation(AnnotationName.class)	지정한 어노테이션이 적용되어 있으면 어노테이션을 리턴하고, 그렇지 않다면 null을 리턴
Annotation[ ]	getDeclaredAnnotations( )	적용된 모든 어노테이션을 리턴

다음 예제는 적용 대상을 METHOD, 유지 정책을 RUNTIME으로 하고 구분선에 대한 설정 정보를 속성으로 가지고 있는 @PrintAnnotation을 정의한다.

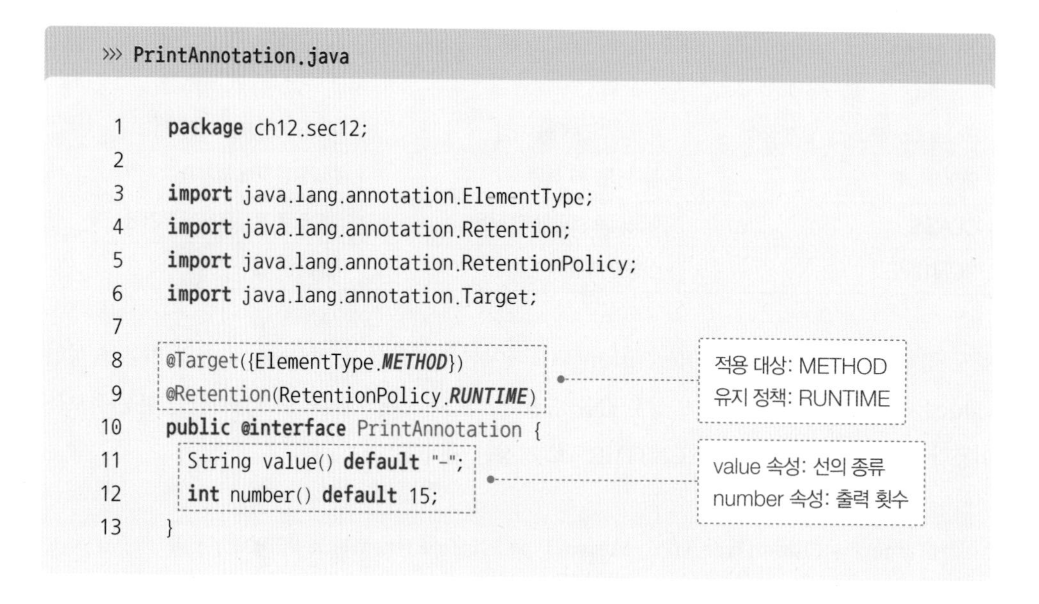

››› PrintAnnotation.java

```java
package ch12.sec12;

import java.lang.annotation.ElementType;
import java.lang.annotation.Retention;
import java.lang.annotation.RetentionPolicy;
import java.lang.annotation.Target;

@Target({ElementType.METHOD})
@Retention(RetentionPolicy.RUNTIME)
public @interface PrintAnnotation {
  String value() default "-";
  int number() default 15;
}
```

@PrintAnnotation을 Service 클래스의 메소드에 적용하면 다음과 같다.

>>> Service.java

```
1   package ch12.sec12;
2
3   public class Service {
4     @PrintAnnotation                                    PrintAnnotation 적용
5     public void method1() {
6       System.out.println("실행 내용1");
7     }
8
9     @PrintAnnotation("*")                               PrintAnnotation 적용
10    public void method2() {
11      System.out.println("실행 내용2");
12    }
13
14    @PrintAnnotation(value="#", number=20)              PrintAnnotation 적용
15    public void method3() {
16      System.out.println("실행 내용3");
17    }
18  }
```

실행 클래스인 PrintAnnotationExample에서는 Service 클래스에 선언된 메소드를 리플렉션해서 @PrintAnnotation 설정 정보를 얻어낸 후, 구분선을 출력하고 해당 메소드를 호출시킨다.

>>> PrintAnnotationExample.java

```
1   package ch12.sec12;
2
3   import java.lang.reflect.Method;
4
5   public class PrintAnnotationExample {
6     public static void main(String[] args) throws Exception {
7       Method[] declaredMethods = Service.class.getDeclaredMethods();
8       for(Method method : declaredMethods) {
9         //PrintAnnotation 얻기
10        PrintAnnotation printAnnotation = method.getAnnotation
11          (PrintAnnotation.class);
12
```

```
13            //설정 정보를 이용해서 선 출력
14            printLine(printAnnotation);
15
16            //메소드 호출
17            method.invoke(new Service());
18
19            //설정 정보를 이용해서 선 출력
20            printLine(printAnnotation);
21          }
22        }
23
24        public static void printLine(PrintAnnotation printAnnotation) {
25          if(printAnnotation != null) {
26            //number 속성값 얻기
27            int number = printAnnotation.number();
28            for(int i=0; i<number; i++) {
29              //value 속성값 얻기
30              String value = printAnnotation.value();
31              System.out.print(value);
32            }
33            System.out.println();
34          }
35        }
36      }
```

실행 결과

```
---------------
실행 내용1
---------------
####################
실행 내용3
####################
***************
실행 내용2
***************
```

1. API 도큐먼트에 대한 설명으로 틀린 것은 무엇입니까?

❶ 자바 표준 라이브러리를 프로그램에서 어떻게 사용할 수 있는지를 설명하고 있다.

❷ 클래스의 상속 관계 및 자식 클래스들이 무엇이 있는지 알 수 있다.

❸ 생성자 선언부, 필드의 타입, 메소드의 선언부를 확인할 수 있다.

❹ public, protected, default, private 접근 제한을 가지는 멤버들을 확인할 수 있다.

2. java.base 모듈에 대한 설명으로 틀린 것은 무엇입니까?

❶ 모든 표준 모듈이 의존하는 기본 모듈이다.

❷ 모듈 기술자에 requires를 하지 않아도 사용할 수 있는 모듈이다.

❸ java.base의 패키지에는 java.lang, java.util, java.io, java.net, java.sql 등이 있다.

❹ java.lang 패키지를 제외한 다른 패키지는 import 문을 필요로 한다.

3. Object 클래스에 대한 설명 중 틀린 것은 무엇입니까?

❶ 모든 자바 클래스의 최상위 부모 클래스이다.

❷ Object의 equals() 메소드는 == 연산자와 동일하게 번지를 비교한다.

❸ Object의 hashCode() 메소드는 동등 비교 시 활용된다.

❹ Object의 toString() 메소드는 객체의 필드값을 문자열로 리턴한다.

4. 객체의 동등 비교를 위해 Object의 equals()와 hashCode() 메소드를 오버라이딩했다고 가정할 경우, 메소드 호출 순서를 생각하고 다음 ( ) 안을 채워 보세요.

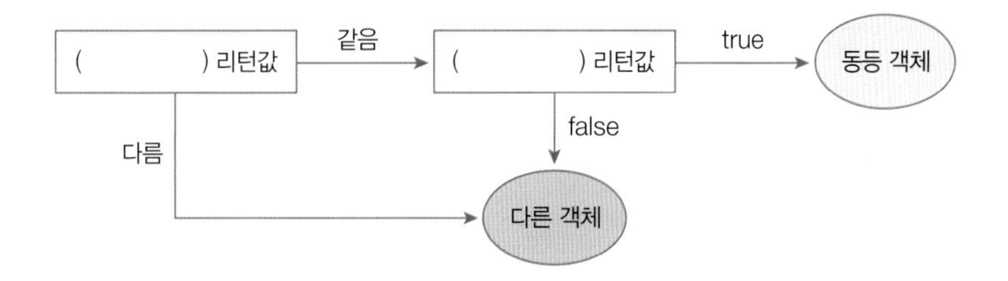

확인문제

5. Object의 equals()와 hashCode() 메소드를 오버라이딩해서 Student의 학번(studentNum)이 같으면 동등 객체가 될 수 있도록 Student 클래스를 작성해 보세요(hashCode() 메소드의 리턴값은 studentNum 필드값으로 설정).

```
public class Student {
  private String studentNum;

  public Student(String studentNum) {
    this.studentNum = studentNum;
  }

  public String getStudentNum() {
    return studentNum;
  }

  //여기에 코드를 작성하세요.
}
```

```
import java.util.HashSet;

public class StudentExample {
  public static void main(String[] args) {
    //Student를 저장하는 HashSet 생성
    HashSet<Student> hashSet = new HashSet<Student>();

    //Student 저장
    hashSet.add(new Student("1"));
    hashSet.add(new Student("1"));    //같은 학번이므로 중복 저장이 안됨
    hashSet.add(new Student("2"));

    //저장된 Student 수 출력
    System.out.println("저장된 Student 수: " + hashSet.size());
  }
}
```

6. Member 클래스에서 Object의 toString() 메소드를 오버라이딩해서 MemberExample 클래스의 실행 결과처럼 나오도록 작성해 보세요.

```
public class Member {
  private String id;
  private String name;

  public Member(String id, String name) {
    this.id = id;
    this.name = name;
  }

  //여기에 코드를 작성하세요.
}
```

```
public class MemberExample {
  public static void main(String[] args) {
    Member member = new Member("blue", "이파란");
    System.out.println(member);
  }
}
```

실행 결과

```
blue: 이파란
```

7. System 클래스에 대한 설명 중 틀린 것은 무엇입니까?

❶ System 클래스는 정적 필드와 정적 메소드만 제공한다.

❷ System.out은 콘솔에 출력할 때, System.in은 키보드에서 입력받을 때 사용한다.

❸ milisTime()과 nanoTime() 메소드는 현재 시간에 대한 long값을 리턴한다.

❹ exit() 메소드는 프로세스(JVM)를 종료시킨다.

8. 다음 전체 코드를 실행하는 데 걸린 시간을 구하는 코드를 작성해 보세요(단위 나노초).

```
int[] scores = new int[1000];
for(int i=0; i<scores.length; i++) {
  scores[i] = i;
}

int sum = 0;
for(int score : scores) {
  sum += score;
}

double avg = sum / scores.length;
System.out.println(avg);
```

9. 다음 바이트 배열은 UTF-8 문자셋으로 인코딩한 데이터로, 다시 문자열로 디코딩해서 변수 data에 저장하려고 합니다. 밑줄 친 곳에 들어갈 코드를 작성해 보세요.

```
public class DecodingExample {
  public static void main(String[] args) throws Exception {
    byte[] bytes = { -20, -107, -120, -21, -123, -107 };
    String str = ______________________________;
    System.out.println("str: " + str);
  }
}
```

10. 다음 코드는 1부터 100까지의 숫자를 통 문자열로 만들기 위해 += 연산자를 이용해 100번 반복하고 있습니다. 이것은 곧 100개 이상의 String 객체를 생성하는 결과를 만들기 때문에 좋은 코드라고 볼 수 없습니다. StringBuilder를 사용해서 좀 더 효율적인 코드로 개선해 보세요.

```
public class StringBuilderExample {
  public static void main(String[] args) {
    String str = "";
    for(int i=1; i<=100; i++) {
      str += i;
    }
```

```
        System.out.println(str);
    }
}
```

11. 다음 문자열에서 쉼표(,)로 구분되어 있는 문자열을 StringTokenizer를 이용해서 분리시키고 출력해 보세요.

```
아이디,이름,패스워드
```

12. 숫자 100과 300으로 각각 박싱된 Integer 객체를 == 연산자로 비교한 결과 100을 박싱한 Integer 객체는 true가 나오지만, 300을 박싱한 Integer 객체는 false가 나왔습니다. 그 이유를 설명하고, 값만 비교할 수 있도록 코드를 수정해 보세요.

```
public class IntegerCompareExample {
  public static void main(String[] args) {
    Integer obj1 = 100;
    Integer obj2 = 100;
    Integer obj3 = 300;
    Integer obj4 = 300;

    System.out.println( obj1 == obj2 );
    System.out.println( obj3 == obj4 );
  }
}
```

13. Math 클래스가 제공하는 메소드의 리턴값이 잘못된 것은 무엇입니까?

❶ Math.ceil(5.3) ➜ 6.0

❷ Math.floor(5.3) ➜ 5.0

❸ Math.max(5.3, 2.5) ➜ 5.3

❹ Math.round(5.7) ➜ 6.0

확인문제

14. 난수를 얻는 방법을 잘못 설명한 것은 무엇입니까?

❶ Math.random() 메소드는 0.0 〈= … 〈 1.0 사이의 실수 난수를 리턴한다.

❷ Random의 nextDouble() 메소드는 0.0 〈= … 〈 1.0 사이의 실수 난수를 리턴한다.

❸ Random의 nextInt() 메소드는 int 타입의 허용 범위에서 난수를 리턴한다.

❹ Random의 nextInt(int n) 메소드는 0〈= … 〈=n 사이의 정수 난수를 리턴한다.

15. 올해 12월 31일까지 몇 일이 남았는지를 구하는 코드를 작성해 보세요.

16. SimpleDateFormat 클래스를 이용해서 오늘 날짜를 다음과 같이 출력하도록 코드를 작성해 보세요.

```
xxxx년 xx월 xx일 x요일 xx시 xx분
```

17. 정규 표현식을 이용해 첫 번째는 알파벳으로 시작하고 두 번째부터 숫자와 알파벳으로 구성된 8~12자 사이의 ID 값인지 검사하고 싶습니다. 알파벳은 대소문자를 모두 허용한다고 할 때, 다음 밑줄에 들어갈 코드를 작성해 보세요.

```
import java.util.regex.Pattern;

public class PatternMatcherExample {
  public static void main(String[] args) {
    String id = "5Angel1004";
    String regExp = ______________________________;
    boolean isMatch = ______________________________;
    if(isMatch) {
      System.out.println("ID로 사용할 수 있습니다.");
    } else {
      System.out.println("ID로 사용할 수 없습니다.");
    }
  }
}
```

18. Class 객체에 대한 설명 중 틀린 것은 무엇입니까?

❶ Class.forName() 메소드 또는 객체의 getClass() 메소드로 얻을 수 있다.

❷ 패키지와 클래스 이름을 알 수 있다.

❸ 클래스의 생성자, 필드, 메소드에 대한 정보를 알아낼 수 있다.

❹ getResource() 메소드는 프로젝트 경로를 기준으로 리소스의 URL을 리턴한다.

19. 어노테이션(Annotation)에 대한 설명 중 틀린 것은 무엇입니까?

❶ 컴파일하거나 실행할 때 어떻게 처리해야 할 것인지를 알려주는 역할을 한다.

❷ 클래스, 필드, 생성자, 메소드를 선언하기 전에 @어노테이션을 붙일 수 있다.

❸ @어노테이션("*")일 경우 value 속성값이 *가 된다.

❹ @어노테이션("*", prop=3)일 경우 value 속성값은 *, prop 속성값은 3이 된다.

Chapter 13

제네릭

13.1 제네릭이란?

다음과 같이 Box 클래스를 선언하려고 한다. Box에 넣을 내용물로 content 필드를 선언하려고 할 때, 타입을 무엇으로 해야 할까?

```
public class Box {
  public ? content;
}
```

Box는 다양한 내용물을 저장해야 하므로 특정 클래스 타입으로 선언할 수 없다. 그래서 다음과 같이 Object 타입으로 선언한다.

```
public class Box {
  public Object content;
}
```

Object 타입은 모든 클래스의 최상위 부모 클래스이다. 그렇기 때문에 모든 객체는 부모 타입인 Object로 자동 타입 변환이 되므로 content 필드에는 어떤 객체든 대입이 가능하다.

```
Box box = new Box();
box.content = 모든 객체;
```

문제는 Box 안의 내용물을 얻을 때이다. content는 Object 타입이므로 어떤 객체가 대입되어 있는지 확실하지 않다. 이때 대입된 내용물의 타입을 안다면 강제 타입 변환을 거쳐 얻을 수 있다. 예를 들어 내용물이 String 타입이라면 (String)으로 강제 타입 변환해서 내용물을 얻는 식이다.

```
String content = (String) box.content;
```

그러나 어떤 내용물이 저장되어 있는지 모른다면 instanceof 연산자로 타입을 조사할 수는 있지만 모든 종류의 클래스를 대상으로 조사할 수는 없다. 따라서 Object 타입으로 content 필드를 선언하는 것은 좋은 방법이 아니다.

Box를 생성하기 전에 우리는 어떤 내용물을 넣을지 이미 알고 있다. 따라서 Box를 생성할 때 저장할 내용물의 타입을 미리 알려 주면 Box는 content에 무엇이 대입되고, 읽을 때 어떤 타입으로 제공할지를 알게 된다. 이것이 제네릭이다.

제네릭(Generic)이란 결정되지 않은 타입을 파라미터로 처리하고
실제 사용할 때 파라미터를 구체적인 타입으로 대체시키는 기능

다음은 Box 클래스에서 결정되지 않은 content의 타입을 T라는 타입 파라미터로 정의한 것이다.

```
public class Box <T> {
  public T content;
}
```

〈T〉는 T가 타입 파라미터임을 뜻하는 기호로, 타입이 필요한 자리에 T를 사용할 수 있음을 알려주는 역할을 한다. 여기에서 Box 클래스는 T를 content 필드의 타입으로 사용하였다. 즉, Box 클래스는 T가 무엇인지 모르지만, Box 객체가 생성될 시점에 다른 타입으로 대체된다는 것을 알고 있다.

만약 Box의 내용물로 String을 저장하고 싶다면 다음과 같이 Box를 생성할 때 타입 파라미터 T 대신 String으로 대체하면 된다.

```
Box<String> box = new Box<String>();
box.content = "안녕하세요.";
String content = box.content;  //강제 타입 변환이 필요 없이 "안녕하세요"를 바로 얻을 수 있음
```

Box의 내용물로 100을 저장하고 싶다면 다음과 같이 Box를 생성할 때 타입 파라미터 T 대신 Integer로 대체하면 된다. Integer는 정수값을 표현하는 클래스 타입이다.

```
Box<Integer> box = new Box<Integer>();
box.content = 100;
int content = box.content;   //강제 타입 변환이 필요없이 100을 바로 얻을 수 있음
```

사실 〈T〉에서 타입 파라미터로 쓰이는 T는 단지 이름일 뿐이기 때문에 T 대신 A부터 Z까지 어떤 알파벳을 사용해도 좋다. 주의할 점은 타입 파라미터를 대체하는 타입은 클래스 및 인터페이스라는 것이다. 바로 위 코드에서 Box〈int〉라고 하지 않은 이유는 기본 타입은 타입 파라미터의 대체 타입이 될 수 없기 때문이다.

그리고 변수를 선언할 때와 동일한 타입으로 호출하고 싶다면 생성자 호출 시 생성자에는 타입을 명시하지 않고 <>만 붙일 수 있다.

```
Box<String> box = new Box<String>();    ➡    Box<String> box = new Box<>();
```

```
Box<Integer> box = new Box<Integer>();    ➡    Box<Integer> box = new Box<>();
```

실습을 통해 이해해 보자. 다음과 같이 Box 클래스를 작성한다.

>>> Box.java

```
1    package ch13.sec01;
2
3    public class Box<T> {
4      public T content;
5    }
```

타입 파라미터로 T 사용

GenericExample 클래스를 다음과 같이 작성하고 실행해 보자.

>>> GenericExample.java

```
1    package ch13.sec01;
2
3    public class GenericExample {
4      public static void main(String[] args) {
5        //Box<String> box1 = new Box<String>();
6        Box<String> box1 = new Box<>();
7        box1.content = "안녕하세요.";
8        String str = box1.content;
9        System.out.println(str);
10
11       //Box<Integer> box2 = new Box<Integer>();
12       Box<Integer> box2 = new Box<>();
13       box2.content = 100;
14       int value = box2.content;
15       System.out.println(value);
```

Box를 생성할 때 타입 파라미터 T 대신 String으로 대체

Box를 생성할 때 타입 파라미터 T 대신 Integer로 대체

```
16        }
17    }
```

실행 결과

```
안녕하세요.
100
```

13.2 제네릭 타입

제네릭 타입은 결정되지 않은 타입을 파라미터로 가지는 클래스와 인터페이스를 말한다. 제네릭 타입은 선언부에 '< >' 부호가 붙고 그 사이에 타입 파라미터들이 위치한다.

```
public class 클래스명<A, B, …> { ... }
public interface 인터페이스명<A, B, …> { ... }
```

타입 파라미터는 변수명과 동일한 규칙에 따라 작성할 수 있지만 일반적으로 대문자 알파벳 한 글자로 표현한다. 외부에서 제네릭 타입을 사용하려면 타입 파라미터에 구체적인 타입을 지정해야 한다. 만약 지정하지 않으면 Object 타입이 암묵적으로 사용된다.

다음 예제에서 Product 클래스를 제네릭 타입으로 선언해 보자. kind와 model 필드를 타입 파라미터로 선언하고, Getter의 매개변수와 Setter의 리턴 타입 역시 타입 파라미터로 선언한다. 이렇게 타입 파라미터를 사용하는 이유는 Product에 다양한 종류와 모델 제품을 저장하기 위해서이다.

>>> **Product.java**

```
1    package ch13.sec02.exam01;
2
3    //제네릭 타입
4    public class Product<K, M> {      ← 타입 파라미터로 K와 M 정의
5        //필드
6        private K kind;               ← 타입 파라미터를 필드 타입으로 사용
7        private M model;
```

```
8
9       //메소드
10      public K getKind() { return this.kind; }
11      public M getModel() { return this.model; }
12      public void setKind(K kind) { this.kind = kind; }
13      public void setModel(M model) { this.model = model; }
14    }
```

타입 파라미터를 리턴 타입과 매개변수 타입으로 사용

TV와 Car 클래스를 다음과 같이 작성해 보자.

>>> Tv.java

```
1    package ch13.sec02.exam01;
2
3    public class Tv {
4    }
```

>>> Car.java

```
1    package ch13.sec02.exam01;
2
3    public class Car {
4    }
```

다음 GenericExample 클래스는 Product 제네릭 타입을 이용해서 TV와 Car를 저장하고 얻는 방법을 보여 준다.

>>> GenericExample.java

```
1    package ch13.sec02.exam01;
2
3    public class GenericExample {
4      public static void main(String[] args) {
```

```
5           //K는 Tv로 대체, M은 String으로 대체
6           Product<Tv, String> product1 = new Product<>();
7
8           //Setter 매개값은 반드시 Tv와 String을 제공
9           product1.setKind(new Tv());
10          product1.setModel("스마트Tv");
11
12          //Getter 리턴값은 Tv와 String이 됨
13          Tv tv = product1.getKind();
14          String tvModel = product1.getModel();
15          //---------------------------------------------------------------
16          //K는 Car로 대체, M은 String으로 대체
17          Product<Car, String> product2 = new Product<>();
18
19          //Setter 매개값은 반드시 Car와 String을 제공
20          product2.setKind(new Car());
21          product2.setModel("SUV자동차");
22
23          //Getter 리턴값은 Car와 String이 됨
24          Car car = product2.getKind();
25          String carModel = product2.getModel();
26        }
27      }
```

이번에는 Rentable 인터페이스를 제네릭 타입으로 선언해 보자. 다양한 대상을 렌트하기 위해 rent() 메소드의 리턴 타입을 타입 파라미터로 선언한다.

>>> Rentable.java

```
1   package ch13.sec02.exam02;
2
3   public interface Rentable<P> {   // 타입 파라미터 P 정의
4     P rent();                       // 타입 파라미터 P를 리턴 타입으로 사용
5   }
```

렌트 대상인 Home과 Car 클래스를 다음과 같이 작성해 보자.

>>> **Home.java**

```
1    package ch13.sec02.exam02;
2
3    public class Home {
4      public void turnOnLight() {
5        System.out.println("전등을 켭니다.");
6      }
7    }
```

>>> **Car.java**

```
1    package ch13.sec02.exam02;
2
3    public class Car {
4      public void run() {
5        System.out.println("자동차가 달립니다.");
6      }
7    }
```

다음 HomeAgency와 CarAgency는 집과 자동차를 렌트해주는 대리점 클래스로, Rentable의 타입 파라미터를 Home과 Car로 대체해서 구현하는 방법을 보여 준다.

>>> **HomeAgency.java**

```
1    package ch13.sec02.exam02;
2
3    public class HomeAgency implements Rentable<Home> {    // 타입 파라미터 P를 Home으로 대체
4      @Override
5      public Home rent() {
6        return new Home();    // 리턴 타입이 반드시 Home이어야 함
7      }
8    }
```

>>> CarAgency.java

```
1   package ch13.sec02.exam02;
2
3   public class CarAgency implements Rentable<Car>{
4     @Override
5     public Car rent() {
6       return new Car();
7     }
8   }
```

타입 파라미터 P를 Car로 대체

리턴 타입이 반드시 Car여야 함

다음 GenericExample 클래스는 HomeAgency와 CarAgency에서 대여한 Home과 Car를 이용하는 방법을 보여 준다.

>>> GenericExample.java

```
1   package ch13.sec02.exam02;
2
3   public class GenericExample {
4     public static void main(String[] args) {
5       HomeAgency homeAgency = new HomeAgency();
6       Home home = homeAgency.rent();
7       home.turnOnLight();
8
9       CarAgency carAgency = new CarAgency();
10      Car car = carAgency.rent();
11      car.run();
12    }
13  }
```

실행 결과

```
전등을 켭니다.
자동차가 달립니다.
```

타입 파라미터는 기본적으로 Object 타입으로 간주되므로 Object가 가지고 있는 메소드를 호출할 수 있다. 다음 예제는 Box의 내용물을 비교하기 위해 타입 파라미터로 Object의 equals() 메소드를 호출한다.

>>> **Box.java**

```java
package ch13.sec02.exam03;

public class Box<T> {
  public T content;

  //Box의 내용물이 같은지 비교
  public boolean compare(Box<T> other) {
    boolean result = content.equals(other.content);
    return result;
  }
}
```

Object의 equals() 메소드로 content 필드값 비교

>>> **GenericExample.java**

```java
package ch13.sec02.exam03;

public class GenericExample {
  public static void main(String[] args) {
    Box<String> box1 = new Box<>();
    box1.content = "100";

    Box<String> box2 = new Box<>();
    box2.content = "100";

    boolean result1 = box1.compare(box2);
    System.out.println("result1: " + result1);
  }
}
```

Box의 내용물 비교 (String에서 재정의된 equals() 사용)

실행 결과

```
result1: true
```

13.3 제네릭 메소드

제네릭 메소드는 타입 파라미터를 가지고 있는 메소드를 말한다. 타입 파라미터가 메소드 선언부에 정의된다는 점에서 제네릭 타입과 차이가 있다. 제네릭 메소드는 리턴 타입 앞에 〈〉 기호를 추가하고 타입 파라미터를 정의한 뒤, 리턴 타입과 매개변수 타입에서 사용한다.

```
public <A, B, …> 리턴타입 메소드명(매개변수, ...) { ... }
```

타입 파라미터 정의

다음 boxing() 메소드는 타입 파라미터로 〈T〉를 정의하고 매개변수 타입과 리턴 타입에서 T를 사용한다. 정확한 리턴 타입은 T를 내용물로 갖는 Box 객체이다.

```
public <T> Box<T> boxing(T t) { … }
```

타입 파라미터 T는 매개값이 어떤 타입이냐에 따라 컴파일 과정에서 구체적인 타입으로 대체된다.

```
① Box<Integer> box1 = boxing(100);
② Box<String> box2 = boxing("안녕하세요");
```

①은 100의 클래스 타입이 Integer이므로 타입 파라미터 T는 Integer로 대체되어 Box〈Integer〉가 리턴된다. ②는 "안녕하세요"의 클래스 타입이 String이므로 타입 파라미터 T는 String으로 대체되어 Box〈String〉이 리턴된다.

실습을 해보자. 먼저 제네릭 타입인 Box 클래스를 다음과 같이 선언한다.

>>> **Box.java**

```
1   package ch13.sec03.exam01;
2
3   public class Box<T> {
4     //필드
5     private T t;
6
```

```
7       //Getter 메소드
8       public T get() {
9         return t;
10      }
11
12      //Setter 메소드
13      public void set(T t) {
14        this.t = t;
15      }
16    }
```

다음 GenericExample 클래스는 제네릭 메소드인 boxing을 선언하고 호출하는 방법을 보여 준다.

>>> **GenericExample.java**

```
1     package ch13.sec03.exam01;
2
3     public class GenericExample {
4       //제네릭 메소드
5       public static <T> Box<T> boxing(T t) {        ← 타입 파라미터 T 정의
6         Box<T> box = new Box<T>();
7         box.set(t);
8         return box;
9       }
10
11      public static void main(String[] args) {
12        //제네릭 메소드 호출
13        Box<Integer> box1 = boxing(100);              ← T를 Integer로 대체
14        int intValue = box1.get();
15        System.out.println(intValue);
16
17        //제네릭 메소드 호출
18        Box<String> box2 = boxing("홍길동");           ← T를 String으로 대체
19        String strValue = box2.get();
20        System.out.println(strValue);
21      }
22    }
```

실행 결과

```
100
홍길동
```

13.4 제한된 타입 파라미터

경우에 따라서는 타입 파라미터를 대체하는 구체적인 타입을 제한할 필요가 있다. 예를 들어 숫자를 연산하는 제네릭 메소드는 대체 타입으로 Number 또는 자식 클래스(Byte, Short, Integer, Long, Double)로 제한할 필요가 있다.

이처럼 모든 타입으로 대체할 수 없고, 특정 타입과 자식 또는 구현 관계에 있는 타입만 대체할 수 있는 타입 파라미터를 제한된 타입 파라미터bounded type parameter라고 한다. 정의는 다음과 같이 한다.

```
public <T extends 상위타입> 리턴타입 메소드(매개변수, ...) { ... }
```

상위 타입은 클래스뿐만 아니라 인터페이스도 가능하다. 인터페이스라고 해서 implements를 사용하지는 않는다. 다음은 Number 타입과 자식 클래스(Byte, Short, Integer, Long, Double)에만 대체 가능한 타입 파라미터를 정의한 것이다.

```
public <T extends Number> boolean compare(T t1, T t2) {
  double v1 = t1.doubleValue();   //Number의 doubleValue() 메소드 사용
  double v2 = t2.doubleValue();   //Number의 doubleValue() 메소드 사용
  return (v1 == v2);
}
```

타입 파라미터가 Number 타입으로 제한되면서 Object의 메소드뿐만 아니라 Number가 가지고 있는 메소드도 사용할 수 있다. 위 코드에서 doubleValue() 메소드는 Number 타입에 정의되어 있는 메소드로, double 타입 값을 리턴한다.

>>> **GenericExample.java**

```java
package ch13.sec04;

public class GenericExample {
  //제한된 타입 파라미터를 갖는 제네릭 메소드
  public static <T extends Number> boolean compare(T t1, T t2) {
    //T의 타입을 출력
    System.out.println("compare(" + t1.getClass().getSimpleName() + ", " +
                       t2.getClass().getSimpleName() + ")");

    //Number의 메소드 사용
    double v1 = t1.doubleValue();
    double v2 = t2.doubleValue();

    return (v1 == v2);
  }

  public static void main(String[] args) {
    //제네릭 메소드 호출
    boolean result1 = compare(10, 20);
    System.out.println(result1);
    System.out.println();

    //제네릭 메소드 호출
    boolean result2 = compare(4.5, 4.5);
    System.out.println(result2);
  }
}
```

- 5행: 타입 파라미터 T를 대체할 타입을 Number로 제한
- 11행: Number 타입의 doubleValue() 메소드 호출
- 12행: Number 타입의 doubleValue() 메소드 호출
- 19행: T를 Integer 타입으로 대체
- 24행: T를 Double 타입으로 대체

실행 결과

```
compare(Integer, Integer)
false

compare(Double, Double)
true
```

13.5 와일드카드 타입 파라미터

제네릭 타입을 매개값이나 리턴 타입으로 사용할 때 타입 파라미터로 ?(와일드카드)를 사용할 수 있다. ?는 범위에 있는 모든 타입으로 대체할 수 있다는 표시이다. 예를 들어 다음과 같은 상속 관계가 있다고 가정해 보자.

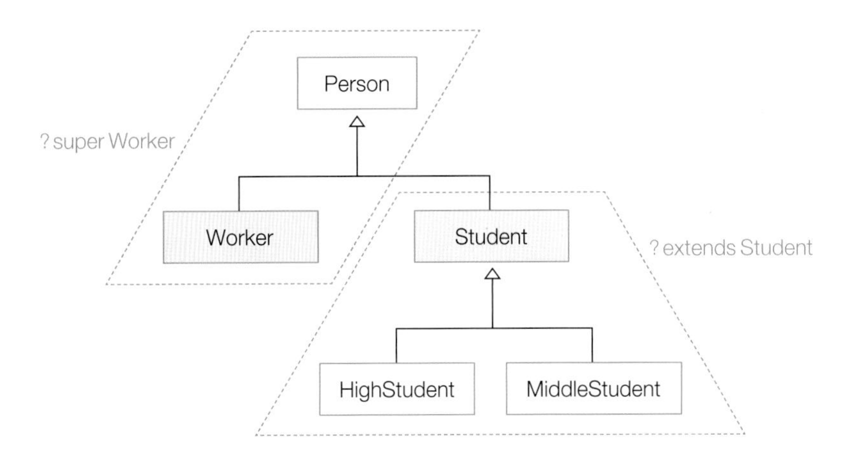

타입 파라미터의 대체 타입으로 Student와 자식 클래스인 HighStudent와 MiddleStudent만 가능하도록 매개변수를 다음과 같이 선언할 수 있다.

```
리턴타입 메소드명(제네릭타입<? extends Student> 변수) { … }
```

반대로 Worker와 부모 클래스인 Person만 가능하도록 매개변수를 다음과 같이 선언할 수 있다.

```
리턴타입 메소드명(제네릭타입<? super Worker> 변수) { … }
```

어떤 타입이든 가능하도록 매개변수를 선언할 수도 있다.

```
리턴타입 메소드명(제네릭타입<?> 변수) { … }
```

다음 예제에서 Course 클래스의 메소드 registerCourse1()은 모든 사람이 들을 수 있는 과정을 등록하고, registerCourse2()는 학생만 들을 수 있는 과정을 등록한다. 그리고 registerCourse3()은 직장인과 일반인만 들을 수 있는 과정을 등록한다.

>>> **Person.java**

```
1   package ch13.sec05;
2
3   public class Person {
4   }
5
6   class Worker extends Person {
7   }
8
9   class Student extends Person {
10  }
11
12  class HighStudent extends Student {
13  }
14
15  class MiddleStudent extends Student{
16  }
```

>>> **Applicant.java**

```
1   package ch13.sec05;
2
3   public class Applicant<T> {
4     public T kind;
5
6     public Applicant(T kind) {
7       this.kind = kind;
8     }
9   }
```

>>> **Course.java**

```
1   package ch13.sec05;
2
3   public class Course {
4     //모든 사람이면 등록 가능
```

```
5    public static void registerCourse1(Applicant<?> applicant) {
6      System.out.println(applicant.kind.getClass().getSimpleName() +
7          "이(가) Course1을 등록함");
8    }
9
10   //학생만 등록 가능
11   public static void registerCourse2(Applicant<? extends Student>
         applicant) {
12     System.out.println(applicant.kind.getClass().getSimpleName() +
13         "이(가) Course2를 등록함");
14   }
15
16   //직장인 및 일반인만 등록 가능
17   public static void registerCourse3(Applicant<? super Worker> applicant) {
18     System.out.println(applicant.kind.getClass().getSimpleName() +
19         "이(가) Course3을 등록함");
20   }
21 }
```

>>> GenericExample.java

```
1  package ch13.sec05;
2
3  public class GenericExample {
4    public static void main(String[] args) {
5      //모든 사람이 신청 가능
6      Course.registerCourse1(new Applicant<Person>(new Person()));
7      Course.registerCourse1(new Applicant<Worker>(new Worker()));
8      Course.registerCourse1(new Applicant<Student>(new Student()));
9      Course.registerCourse1(new Applicant<HighStudent>(new HighStudent()));
10     Course.registerCourse1(new Applicant<MiddleStudent>(new MiddleStudent()));
11     System.out.println();
12
13     //학생만 신청 가능
14     //Course.registerCourse2(new Applicant<Person>(new Person()));   (x)
15     //Course.registerCourse2(new Applicant<Worker>(new Worker()));   (x)
16     Course.registerCourse2(new Applicant<Student>(new Student()));
17     Course.registerCourse2(new Applicant<HighStudent>(new HighStudent()));
```

```
18          Course.registerCourse2(new Applicant<MiddleStudent>(new MiddleStudent()));
19          System.out.println();
20
21          //직장인 및 일반인만 신청 가능
22          Course.registerCourse3(new Applicant<Person>(new Person()));
23          Course.registerCourse3(new Applicant<Worker>(new Worker()));
24          //Course.registerCourse3(new Applicant<Student>(new Student())); (x)
25          //Course.registerCourse3(new Applicant<HighStudent>(new HighStudent())); (x)
26          //Course.registerCourse3(new Applicant<MiddleStudent>(new
                MiddleStudent())); (x)
27      }
28  }
```

실행 결과

```
Person이(가) Course1을 등록함
Worker이(가) Course1을 등록함
Student이(가) Course1을 등록함
HighStudent이(가) Course1을 등록함
MiddleStudent이(가) Course1을 등록함

Student이(가) Course2를 등록함
HighStudent이(가) Course2를 등록함
MiddleStudent이(가) Course2를 등록함

Person이(가) Course3을 등록함
Worker이(가) Course3을 등록함
```

1. 제네릭에 대한 설명으로 틀린 것은 무엇입니까?

❶ 컴파일 시 강한 타입 체크를 할 수 있다.

❷ 타입 변환(casting)을 제거한다.

❸ 제네릭 타입은 타입 파라미터를 가지는 제네릭 클래스와 인터페이스를 말한다.

❹ 제네릭 메소드는 리턴 타입으로 타입 파라미터를 가질 수 없다.

2. ContainerExample 클래스의 main() 메소드는 Container 제네릭 타입을 사용하고 있습니다. main() 메소드에서 사용하는 방법을 참고해서 Container 제네릭 타입을 선언해 보세요.

```
public class ContainerExample {
  public static void main(String[] args) {
    Container<String> container1 = new Container<String>();
    container1.set("홍길동");
    String str = container1.get();

    Container<Integer> container2 = new Container<Integer>();
    container2.set(6);
    int value = container2.get();
  }
}
```

3. ContainerExample 클래스의 main() 메소드는 Container 제네릭 타입을 사용하고 있습니다. main() 메소드에서 사용하는 방법을 참고해서 Container 제네릭 타입을 선언해 보세요.

```
public class ContainerExample {
  public static void main(String[] args) {
    Container<String, String> container1 = new Container<String, String>();
    container1.set("홍길동", "도적");
    String name1 = container1.getKey();
    String job = container1.getValue();

    Container<String, Integer> container2 = new Container<String, Integer>();
    container2.set("홍길동", 35);
    String name2 = container2.getKey();
    int age = container2.getValue();
  }
}
```

4. 다음 Util 클래스의 정적 getValue() 메소드는 첫 번째 매개값으로 Pair 타입과 하위 타입만 받고, 두 번째 매개값으로 키값을 받습니다. 리턴값은 키값이 일치할 경우 Pair에 저장된 값을 리턴하고, 일치하지 않으면 null을 리턴하도록 Util 클래스와 getValue() 제네릭 메소드를 작성해 보세요.

```
public class UtilExample {
  public static void main(String[] args) {
    Pair<String, Integer> pair = new Pair<>( "홍길동" , 35 );
    Integer age = Util.getValue(pair, "홍길동" );
    System.out.println(age);
                                            일치

    ChildPair<String, Integer> childPair = new ChildPair<>( "홍삼원" , 20 );
    Integer childAge = Util.getValue(childPair, "홍삼순" );
    System.out.println(childAge);
                                                    불일치

    /*OtherPair<String, Integer> otherPair = new OtherPair<>("홍삼원", 20);
    //OtherPair는 Pair를 상속하지 않으므로 컴파일 에러가 발생
    int otherAge = Util.getValue(otherPair, "홍삼원");
    System.out.println(otherAge);*/
  }
}
```

```
public class Pair<K, V> {
  private K key;
  private V value;

  public Pair(K key, V value) {
    this.key = key;
    this.value = value;
  }

  public K getKey()   { return key; }
  public V getValue() { return value; }
}
```

```java
public class ChildPair<K, V> extends Pair<K,V> {
  public ChildPair(K k, V v) {
    super(k, v);
  }
}
```

```java
public class OtherPair<K, V> {
  private K key;
  private V value;

  public OtherPair(K key, V value) {
    this.key = key;
    this.value = value;
  }

  public K getKey()   { return key; }
  public V getValue() { return value; }
}
```

Chapter 14

멀티 스레드

14.1 멀티 스레드 개념

운영체제는 실행 중인 프로그램을 프로세스process로 관리한다. 멀티 태스킹multi tasking은 두 가지 이상의 작업을 동시에 처리하는 것을 말하는데, 이때 운영체제는 멀티 프로세스를 생성해서 처리한다. 하지만 멀티 태스킹이 꼭 멀티 프로세스를 뜻하지는 않는다.

하나의 프로세스 내에서 멀티 태스킹을 할 수 있도록 만들어진 프로그램들도 있다. 예를 들어 메신저는 채팅 작업을 하면서 동시에 파일 전송 작업을 수행하기도 한다.

하나의 프로세스가 두 가지 이상의 작업을 처리할 수 있는 이유는 멀티 스레드multi thread가 있기 때문이다. 스레드thread는 코드의 실행 흐름을 말하는데, 프로세스 내에 스레드가 두 개라면 두 개의 코드 실행 흐름이 생긴다는 의미이다.

멀티 프로세스가 프로그램 단위의 멀티 태스킹이라면 멀티 스레드는 프로그램 내부에서의 멀티 태스킹이라고 볼 수 있다. 다음 그림은 멀티 프로세스와 멀티 스레드의 차이점을 보여 준다.

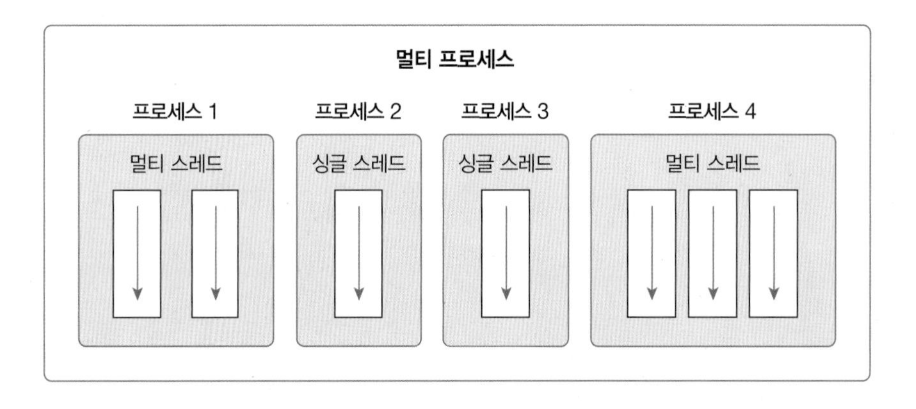

멀티 프로세스들은 서로 독립적이므로 하나의 프로세스에서 오류가 발생해도 다른 프로세스에게 영향을 미치지 않는다. 하지만 멀티 스레드는 프로세스 내부에서 생성되기 때문에 하나의 스레드가 예외를 발생시키면 프로세스가 종료되므로 다른 스레드에게 영향을 미친다.

예를 들어 워드와 엑셀을 동시에 사용하는 도중에 워드에 오류가 생겨 먹통이 되더라도 엑셀은 여전히 사용 가능하다. 그러나 멀티 스레드로 동작하는 메신저의 경우, 파일을 전송하는 스레드에서 예외가 발생하면 메신저 프로세스 자체가 종료되기 때문에 채팅 스레드도 같이 종료된다. 그렇기 때문에 멀티 스레드를 사용할 경우에는 예외 처리에 만전을 기해야 한다.

멀티 스레드는 데이터를 분할해서 병렬로 처리하는 곳에서 사용하기도 하고, 안드로이드 앱에서 네트워크 통신을 하기 위해 사용하기도 한다. 또한 다수의 클라이언트 요청을 처리하는 서버를 개발할 때에도 사용된다. 프로그램 개발에 있어서 멀티 스레드는 꼭 필요한 기능이기 때문에 반드시 이해하고 활용할 수 있도록 한다.

여기서 잠깐

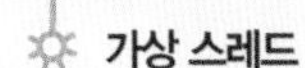

가상 스레드

자바 21부터는 가상 스레드virtual thread 기능이 추가되었다. 이번 장에서 설명하는 스레드는 운영체제 스레드와 1:1로 매핑되는 플랫폼 스레드platform thread일 때 복수 개의 가상 스레드가 운영체제의 스레드 1개와 매핑되면서 실행된다.

가상 스레드를 사용하면 제한된 운영체제의 스레드를 효율적으로 사용하면서 여러 작업을 동시에 처리하는 동시성 애플리케이션의 속도를 향상시킬 수 있다. 자세한 내용은 우리 책 979쪽 21장에서 설명한다. 이번 장을 모두 학습한 후에 학습해 보길 바란다.

14.2 메인 스레드

모든 자바 프로그램은 메인 스레드main thread가 main() 메소드를 실행하면서 시작된다. 메인 스레드는 main() 메소드의 첫 코드부터 순차적으로 실행하고, main() 메소드의 마지막 코드를 실행하거나 return 문을 만나면 실행을 종료한다.

```
public static void main(String[] args) {
  String data = null;
  if(…) {
  }
  while(…) {
  }
  System.out.println("…");
}
```

코드의 실행 흐름 ➜ 메인 스레드

메인 스레드는 필요에 따라 추가 작업 스레드들을 만들어서 실행시킬 수 있다. 다음 그림에서 오른쪽의 멀티 스레드를 보면 메인 스레드가 작업 스레드1을 생성하고 실행시킨 다음, 곧이어 작업 스레드2를 생성하고 실행시키는 것을 볼 수 있다.

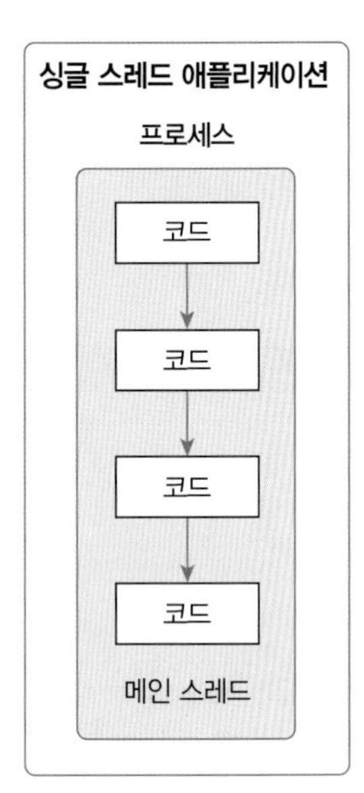

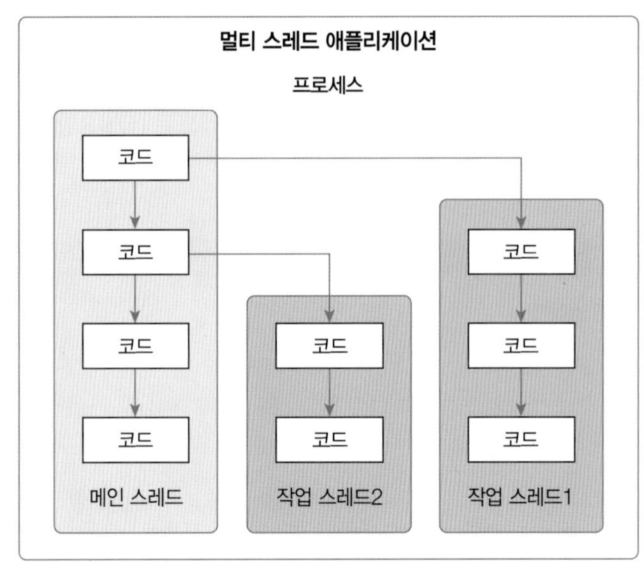

싱글 스레드에서는 메인 스레드가 종료되면 프로세스도 종료된다. 하지만 멀티 스레드에서는 실행 중인 스레드가 하나라도 있다면 프로세스는 종료되지 않는다. 메인 스레드가 작업 스레드보다 먼저 종료되더라도 작업 스레드가 계속 실행 중이라면 프로세스는 종료되지 않는다.

14.3 작업 스레드 생성과 실행

멀티 스레드로 실행하는 프로그램을 개발하려면 먼저 몇 개의 작업을 병렬로 실행할지 결정하고 각 작업별로 스레드를 생성해야 한다.

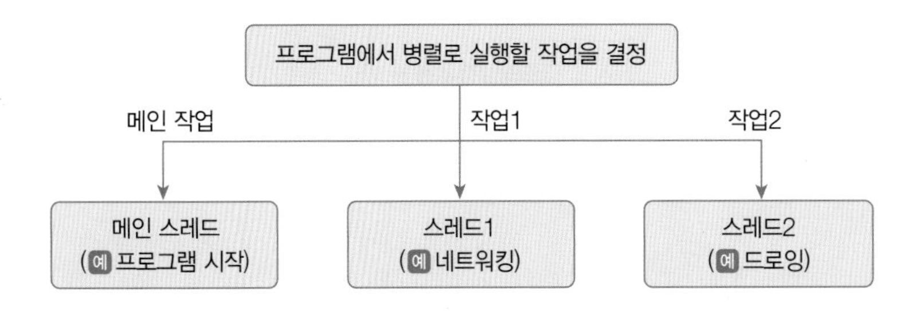

자바 프로그램은 메인 스레드가 반드시 존재하기 때문에 메인 작업 이외에 추가적인 작업 수만큼 스레드를 생성하면 된다. 자바는 작업 스레드도 객체로 관리하므로 클래스가 필요하다. Thread 클래스로 직접 객체를 생성해도 되지만, 하위 클래스를 만들어 생성할 수도 있다.

Thread 클래스로 직접 생성

java.lang 패키지에 있는 Thread 클래스로부터 작업 스레드 객체를 직접 생성하려면 다음과 같이 Runnable 구현 객체를 매개값으로 갖는 생성자를 호출하면 된다.

```
Thread thread = new Thread(Runnable target);
```

Runnable은 스레드가 작업을 실행할 때 사용하는 인터페이스이다. Runnable에는 run() 메소드가 정의되어 있는데, 구현 클래스는 run()을 재정의해서 스레드가 실행할 코드를 가지고 있어야 한다. 다음은 Runnable 구현 클래스를 작성하는 방법이다.

```
class Task implements Runnable {
  @Override
  public void run() {
    //스레드가 실행할 코드
  }
}
```

Runnable 구현 클래스는 작업 내용을 정의한 것이므로, 스레드에게 전달해야 한다. Runnable 구현 객체를 생성한 후 Thread 생성자 매개값으로 Runnable 객체를 다음과 같이 전달하면 된다.

```
Runnable task= new Task();

Thread thread = new Thread(task);
```

명시적인 Runnable 구현 클래스를 작성하지 않고 Thread 생성자를 호출할 때 Runnable 익명 구현 객체를 매개값으로 사용할 수 있다. 오히려 이 방법이 더 많이 사용된다.

```
Thread thread = new Thread( new Runnable() {
  @Override
  public void run() {
    //스레드가 실행할 코드
  }
} );
```

작업 스레드 객체가 생성되었다고 해서 바로 작업 스레드가 실행되지는 않는다. 작업 스레드를 실행하려면 스레드 객체의 start() 메소드를 다음과 같이 호출해야 한다.

```
thread.start();
```

start() 메소드가 호출되면, 작업 스레드는 매개값으로 받은 Runnable의 run() 메소드를 실행하면서 작업을 처리한다. 다음은 작업 스레드가 생성되고 실행되기까지의 순서를 보여 준다.

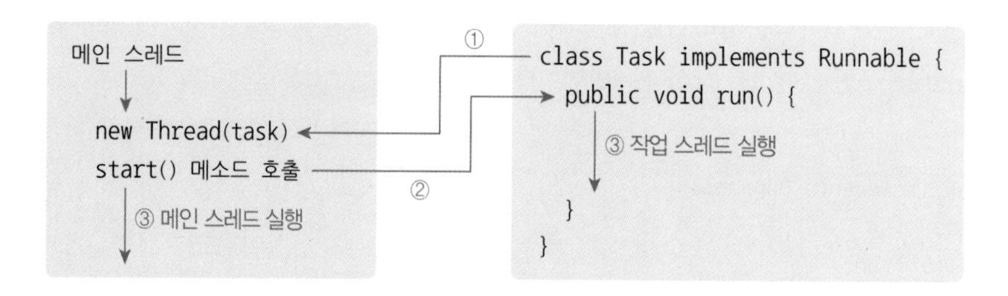

다음은 메인 스레드가 동시에 두 가지 작업을 처리할 수 없음을 보여주는 예제이다. 원래 목적은 0.5초 주기로 비프beep음을 발생시키면서 동시에 프린팅까지 하는 작업이었지만, 메인 스레드는 비프음을 모두 발생한 다음에야 프린팅을 시작한다.

>>> **BeepPrintExample.java**

```java
1   package ch14.sec03.exam01;
2
3   import java.awt.Toolkit;
4
5   public class BeepPrintExample {
6     public static void main(String[] args) {
7       Toolkit toolkit = Toolkit.getDefaultToolkit();      // Toolkit 객체 얻기
8       for(int i=0; i<5; i++) {
9         toolkit.beep();                                   // 비프음 발생
10        try { Thread.sleep(500); } catch(Exception e) {}  // 0.5초간 일시 정지
11      }
12
13      for(int i=0; i<5; i++) {
14        System.out.println("띵");
```

```
15            try { Thread.sleep(500); } catch(Exception e) {}
16          }
17        }
18      }
```

0.5초간 일시 정지

실행 결과

```
띵
띵
띵
띵
띵
```

원래 목적대로 0.5초 주기로 비프음을 발생시키면서 동시에 프린팅을 하고 싶다면 두 작업 중 하나를 작업 스레드에서 처리하도록 해야 한다. 이제 프린팅은 메인 스레드가 담당하고 비프음을 들려주는 것은 작업 스레드가 담당하도록 수정해 보자.

>>> BeepPrintExample.java

```
1    package ch14.sec03.exam02;
2
3    import java.awt.Toolkit;
4
5    public class BeepPrintExample {
6      public static void main(String[] args) {
7        Thread thread = new Thread(new Runnable() {
8          @Override
9          public void run() {
10           Toolkit toolkit = Toolkit.getDefaultToolkit();
11           for(int i=0; i<5; i++) {
12             toolkit.beep();
13             try { Thread.sleep(500); } catch(Exception e) {}
14           }
15         }
16       });
17
18       thread.start();
```

작업 스레드 생성

작업 스레드가 실행하는 코드

작업 스레드 실행

```
19
20        for(int i=0; i<5; i++) {
21          System.out.println("띵");
22          try { Thread.sleep(500); } catch(Exception e) {}
23        }
24      }
25    }
```

메인 스레드가 실행하는 코드

실행 결과

```
띵
띵
띵
띵
띵
```

Thread 자식 클래스로 생성

작업 스레드 객체를 생성하는 또 다른 방법은 Thread의 자식 객체로 만드는 것이다. Thread 클래스를 상속한 다음 run() 메소드를 재정의해서 스레드가 실행할 코드를 작성하고 객체를 생성하면 된다.

```
public class WorkerThread extends Thread {
  @Override
  public void run() {
    //스레드가 실행할 코드
  }
}

//스레드 객체 생성
Thread thread = new WorkerThread();
```

작업 스레드를 실행하는 방법은 동일하다. start() 메소드를 호출하면 작업 스레드는 재정의된 run()을 실행시킨다.

```
thread.start();
```

메인 스레드

new WorkerThread() ← ① ― class WorkerThread extends Thread

start() 메소드 호출 ― ② → public void run() {

③ 메인 스레드 실행

③ 작업 스레드 실행

}

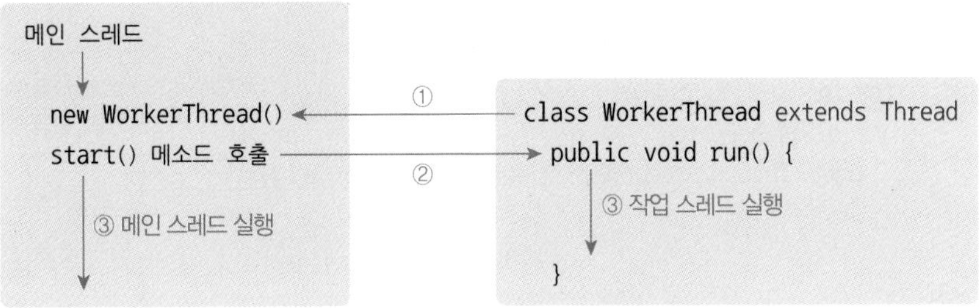

명시적인 자식 클래스를 정의하지 않고, 다음과 같이 Thread 익명 자식 객체를 사용할 수도 있다. 오히려 이 방법이 더 많이 사용된다.

```
Thread thread = new Thread() {
  @Override
  public void run() {
    //스레드가 실행할 코드
  }
};
thread.start();
```

다음은 Thread의 익명 자식 객체로 작업 스레드를 정의하고 비프음을 실행하도록 이전 예제를 수정한 것이다.

>>> **BeepPrintExample.java**

```
1    package ch14.sec03.exam03;
2
3    import java.awt.Toolkit;
4
5    public class BeepPrintExample {
```

```
6      public static void main(String[] args) {
7        Thread thread = new Thread() {
8          @Override
9          public void run() {
10           Toolkit toolkit = Toolkit.getDefaultToolkit();
11           for(int i=0; i<5; i++) {
12             toolkit.beep();
13             try { Thread.sleep(500); } catch(Exception e) {}
14           }
15         }
16       };
17
18       thread.start();
19
20       for(int i=0; i<5; i++) {
21         System.out.println("띵");
22         try { Thread.sleep(500); } catch(Exception e) {}
23       }
24     }
25   }
```


실행 결과

```
띵
띵
띵
띵
띵
```

14.4 스레드 이름

스레드는 자신의 이름을 가지고 있다. 메인 스레드는 'main'이라는 이름을 가지고 있고, 작업 스레드는 자동적으로 'Thread-n'이라는 이름을 가진다. 작업 스레드의 이름을 Thread-n 대신 다른 이름으로 설정하고 싶다면 Thread 클래스의 setName() 메소드를 사용하면 된다.

```
thread.setName("스레드 이름");
```

스레드 이름은 디버깅할 때 어떤 스레드가 작업을 하는지 조사할 목적으로 주로 사용된다. 현재 코드를 어떤 스레드가 실행하고 있는지 확인하려면 정적 메소드인 currentThread()로 스레드 객체의 참조를 얻은 다음 getName() 메소드로 이름을 출력해보면 된다.

```
Thread thread = Thread.currentThread();
System.out.println(thread.getName());
```

다음은 현재 실행 중인 스레드의 참조를 얻어 이름을 콘솔에 출력하고, 작업 스레드의 이름을 setName() 메소드로 수정하는 방법을 보여 준다.

>>> ThreadNameExample.java

```
1   package ch14.sec04;
2
3   public class ThreadNameExample {
4     public static void main(String[] args) {
5       Thread mainThread = Thread.currentThread();
6       System.out.println(mainThread.getName() + " 실행");
7
8       for(int i=0; i<3; i++) {
9         Thread threadA = new Thread() {
10          @Override
11          public void run() {
12            System.out.println(getName() + " 실행");
13          }
14        };
15        threadA.start();
16      }
17
18      Thread chatThread = new Thread() {
19        @Override
20        public void run() {
21          System.out.println(getName() + " 실행");
22        }
23      };
24      chatThread.setName("chat-thread");
25      chatThread.start();
26    }
27  }
```

이 코드를 실행하는 스레드 객체 참조 얻기

getName() 메소드는 Thread의 인스턴스 메소드로 스레드의 이름을 리턴

작업 스레드 이름 변경

실행 결과

```
main 실행
Thread-0 실행
Thread-1 실행
Thread-2 실행
chat-thread 실행
```

14.5 스레드 상태

스레드 객체를 생성(NEW)하고, start() 메소드를 호출하면 곧바로 스레드가 실행되는 것이 아니라 실행 대기 상태(RUNNABLE)가 된다. 실행 대기 상태란 실행을 기다리고 있는 상태를 말한다.

실행 대기하는 스레드는 CPU 스케줄링에 따라 CPU를 점유하고 run() 메소드를 실행한다. 이때를 실행(RUNNING) 상태라고 한다. 실행 스레드는 run() 메소드를 모두 실행하기 전에 스케줄링에 의해 다시 실행 대기 상태로 돌아갈 수 있다. 그리고 다른 스레드가 실행 상태가 된다.

이렇게 스레드는 실행 대기 상태와 실행 상태를 번갈아 가면서 자신의 run() 메소드를 조금씩 실행한다. 실행 상태에서 run() 메소드가 종료되면 더 이상 실행할 코드가 없기 때문에 스레드의 실행은 멈추게 된다. 이 상태를 종료 상태(TERMINATED)라고 한다.

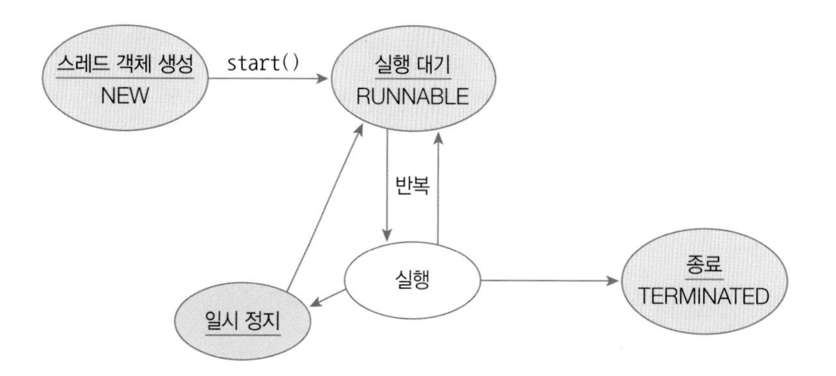

실행 상태에서 일시 정지 상태로 가기도 하는데, 일시 정지 상태는 스레드가 실행할 수 없는 상태를 말한다. 스레드가 다시 실행 상태로 가기 위해서는 일시 정지 상태에서 실행 대기 상태로 가야만 한다. 다음은 일시 정지로 가기 위한 메소드와 벗어나기 위한 메소드들을 보여 준다.

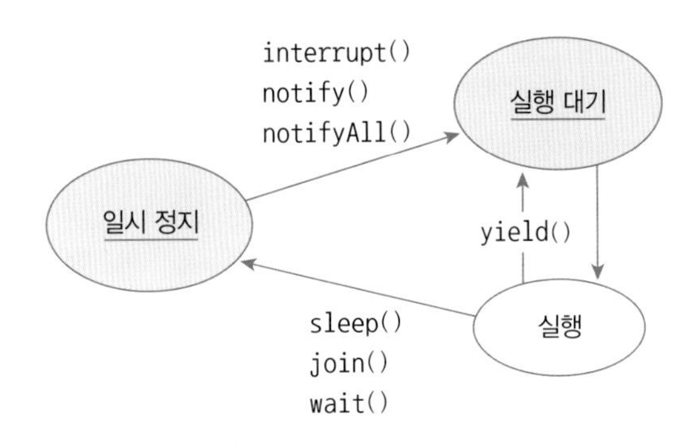

구분	메소드	설명
일시 정지로 보냄	sleep(long millis)	주어진 시간 동안 스레드를 일시 정지 상태로 만든다. 주어진 시간이 지나면 자동적으로 실행 대기 상태가 된다.
	join( )	join( ) 메소드를 호출한 스레드는 일시 정지 상태가 된다. 실행 대기 상태가 되려면, join( ) 메소드를 가진 스레드가 종료되어야 한다.
	wait( )	동기화 블록 내에서 스레드를 일시 정지 상태로 만든다.
일시 정지에서 벗어남	interrupt( )	일시 정지 상태일 경우, InterruptedException을 발생시켜 실행 대기 상태 또는 종료 상태로 만든다.
	notify( ) notifyAll( )	wait( ) 메소드로 인해 일시 정지 상태인 스레드를 실행 대기 상태로 만든다.
실행 대기로 보냄	yield( )	실행 상태에서 다른 스레드에게 실행을 양보하고 실행 대기 상태가 된다.

위 표에서 wait()과 notify(), notifyAll()은 Object 클래스의 메소드이고 그 외는 Thread 클래스의 메소드이다. wait(), notify(), notifyAll() 메소드의 사용 방법은 스레드 동기화에서 알아보기로 하고, 여기서는 Thread 클래스의 메소드만 살펴보자.

주어진 시간 동안 일시 정지

실행 중인 스레드를 일정 시간 멈추게 하고 싶다면 Thread 클래스의 정적 메소드인 sleep()을 이용하면 된다. 매개값에는 얼마 동안 일시 정지 상태로 있을 것인지 밀리세컨드(1/1000) 단위로 시간을 주면 된다. 다음 코드는 1초 동안 일시 정지 상태를 만든다.

```
try {
  Thread.sleep(1000);
} catch(InterruptedException e) {
  // interrupt() 메소드가 호출되면 실행
}
```

일시 정지 상태에서는 InterruptedException이 발생할 수 있기 때문에 sleep()은 예외 처리가 필요한 메소드이다. InterruptedException에 대해서는 14.7에서 자세히 설명한다. 다음 예제는 3초 주기로 비프음을 10번 발생시킨다.

>>> SleepExample.java

```
1   package ch14.sec05.exam01;
2
3   import java.awt.Toolkit;
4
5   public class SleepExample {
6     public static void main(String[] args) {
7       Toolkit toolkit = Toolkit.getDefaultToolkit();
8       for(int i=0; i<10; i++) {
9         toolkit.beep();
10        try {
11          Thread.sleep(3000);
12        } catch(InterruptedException e) {
13        }
14      }
15    }
16  }
```

다른 스레드의 종료를 기다림

스레드는 다른 스레드와 독립적으로 실행하지만 다른 스레드가 종료될 때까지 기다렸다가 실행을 해야 하는 경우도 있다. 예를 들어 계산 스레드의 작업이 종료된 후 그 결과값을 받아 처리하는 경우이다.

이를 위해 스레드는 join() 메소드를 제공한다. 다음 그림에서 ThreadA가 ThreadB의 join() 메소드를 호출하면 ThreadA는 ThreadB가 종료할 때까지 일시 정지 상태가 된다. ThreadB의 run() 메소드가 종료되고 나서야 비로소 ThreadA는 일시 정지에서 풀려 다음 코드를 실행한다.

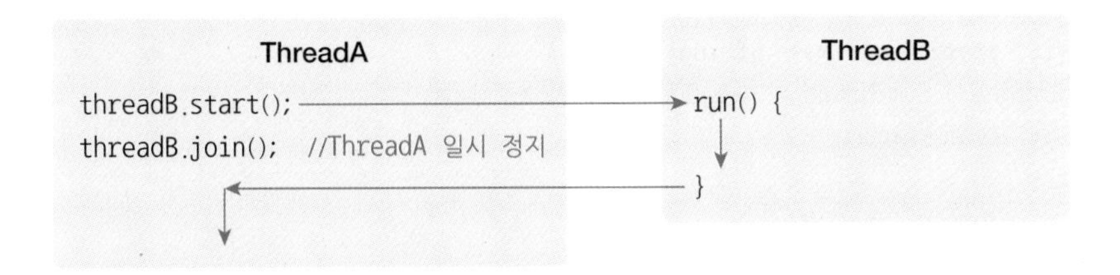

다음은 SumThread가 계산 작업을 모두 마칠 때까지 메인 스레드가 일시 정지 상태에 있다가 SumThread가 최종 계산된 결과값을 산출하고 종료하면 메인 스레드가 결과값을 받아 출력하는 예제이다.

>>> SumThread.java

```
1   package ch14.sec05.exam02;
2
3   public class SumThread extends Thread {
4     private long sum;
5
6     public long getSum() {
7       return sum;
8     }
9
10    public void setSum(long sum) {
11      this.sum = sum;
12    }
13
14    @Override
15    public void run() {
16      for(int i=1; i<=100; i++) {
17        sum+=i;
18      }
19    }
20  }
```

>>> JoinExample.java

```java
1   package ch14.sec05.exam02;
2
3   public class JoinExample {
4     public static void main(String[] args) {
5       SumThread sumThread = new SumThread();
6       sumThread.start();
7       try {
8         sumThread.join();
9       } catch (InterruptedException e) {
10      }
11      System.out.println("1~100 합: " + sumThread.getSum());
12    }
13  }
```

실행 결과

```
1~100 합: 5050
```

다른 스레드에게 실행 양보

스레드가 처리하는 작업은 반복적인 실행을 위해 for 문이나 while 문을 포함하는 경우가 많은데, 가끔 반복문이 무의미한 반복을 하는 경우가 있다. 다음 코드를 보자. work의 값이 false라면 while 문은 어떠한 실행문도 실행하지 않고 무의미한 반복을 한다.

```java
public void run() {
  while(true) {
    if(work) {
      System.out.println("ThreadA 작업 내용");
    }
  }
}
```

이때는 다른 스레드에게 실행을 양보하고 자신은 실행 대기 상태로 가는 것이 프로그램 성능에 도움이 된다. 이런 기능을 위해 Thread는 yield() 메소드를 제공한다. yield()를 호출한 스레드는 실행 대기 상태로 돌아가고, 다른 스레드가 실행 상태가 된다.

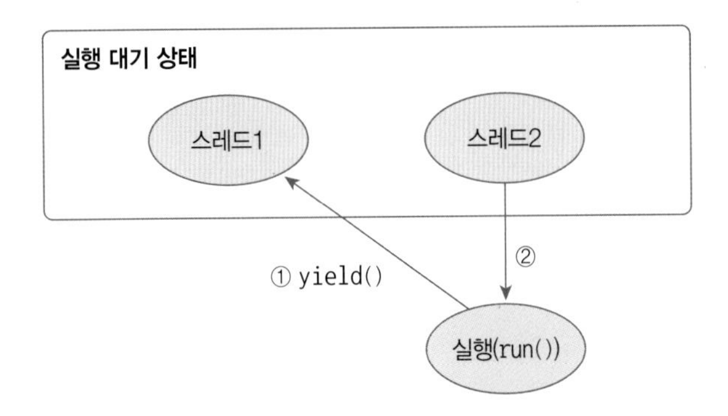

다음은 무의미한 반복을 하지 않고 다른 스레드에게 실행을 양보하도록 이전 코드를 수정한 것이다.

```
public void run() {
  while(true) {
    if(work) {
      System.out.println("ThreadA 작업 내용");
    } else {
      Thread.yield();
    }
  }
}
```

다음 예제에서는 처음 5초 동안은 ThreadA와 ThreadB가 번갈아 가며 실행하다가 5초 뒤에 메인 스레드가 ThreadA의 work 필드를 false로 변경함으로써 ThreadA가 yield() 메소드를 호출한다. 따라서 ThreadB가 더 많은 실행 기회를 얻게 된다. 그리고 10초 뒤에 ThreadA의 work 필드를 true로 변경해 ThreadA와 ThreadB가 다시 번갈아 가며 실행되도록 하자.

>>> **WorkThread.java**

```
1    package ch14.sec05.exam03;
2
3    public class WorkThread extends Thread {
4      //필드
```

```
5     public boolean work = true;
6
7     //생성자
8     public WorkThread(String name) {
9       setName(name);
10    }
11
12    //메소드
13    @Override
14    public void run() {
15      while(true) {
16        if(work) {
17          System.out.println(getName() + ": 작업처리");
18        } else {
19          Thread.yield();
20        }
21      }
22    }
23  }
```

>>> YieldExample.java

```
1   package ch14.sec05.exam03;
2
3   public class YieldExample {
4     public static void main(String[] args) {
5       WorkThread workThreadA = new WorkThread("workThreadA");
6       WorkThread workThreadB = new WorkThread("workThreadB");
7       workThreadA.start();
8       workThreadB.start();
9
10      try { Thread.sleep(5000); } catch (InterruptedException e) {}
11      workThreadA.work = false;
12
13      try { Thread.sleep(10000); } catch (InterruptedException e) {}
14      workThreadA.work = true;
15    }
16  }
```

실행 결과

```
workThreadA: 작업처리
...
workThreadB: 작업처리
...
workThreadB: 작업처리
workThreadB: 작업처리
workThreadB: 작업처리
...
workThreadA: 작업처리
...
workThreadB: 작업처리
...
```

14.6 스레드 동기화

멀티 스레드는 하나의 객체를 공유해서 작업할 수도 있다. 이 경우, 다른 스레드에 의해 객체 내부 데이터가 쉽게 변경될 수 있기 때문에 의도했던 것과는 다른 결과가 나올 수 있다. 다음 그림을 보자.

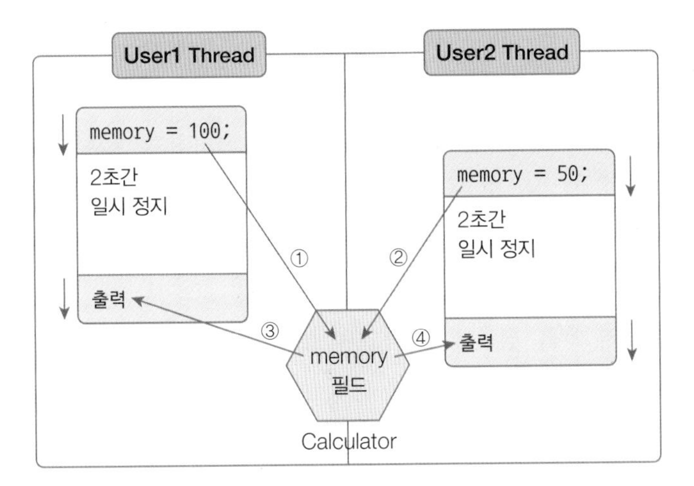

User1Thread는 Calculator 객체의 memory 필드에 100을 먼저 저장하고 2초간 일시 정지 상태가 된다. 그동안 User2Thread가 memory 필드값을 50으로 변경한다. 2초가 지나 User1Thread가 다시 실행 상태가 되어 memory 필드의 값을 출력하면 User2Thread가 저장한 50이 나온다.

그런데 이렇게 하면 User1Thread에 저장된 데이터가 날아가버린다. 스레드가 사용 중인 객체를 다른 스레드가 변경할 수 없도록 하려면 스레드 작업이 끝날 때까지 객체에 잠금을 걸면 된다. 이를 위해 자바는 동기화synchronized 메소드와 블록을 제공한다.

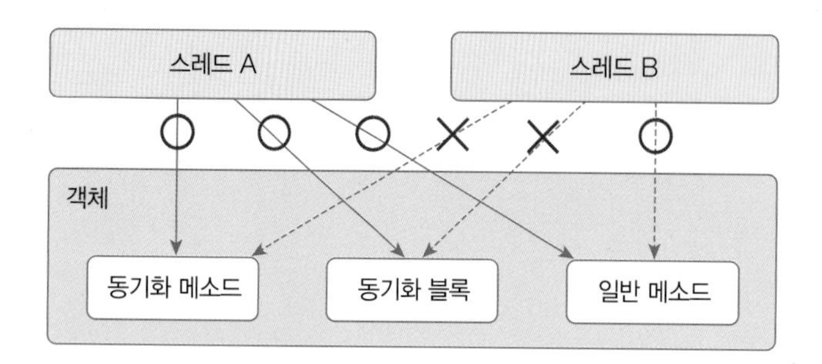

객체 내부에 동기화 메소드와 동기화 블록이 여러 개가 있다면 스레드가 이들 중 하나를 실행할 때 다른 스레드는 해당 메소드는 물론이고 다른 동기화 메소드 및 블록도 실행할 수 없다. 하지만 일반 메소드는 실행이 가능하다.

동기화 메소드 및 블록 선언

동기화 메소드를 선언하는 방법은 다음과 같이 synchronized 키워드를 붙이면 된다. synchronized 키워드는 인스턴스와 정적 메소드 어디든 붙일 수 있다.

```
public synchronized void method() {
  //단 하나의 스레드만 실행하는 영역
}
```

스레드가 동기화 메소드를 실행하는 즉시 객체는 잠금이 일어나고, 메소드 실행이 끝나면 잠금이 풀린다. 메소드 전체가 아닌 일부 영역을 실행할 때만 객체 잠금을 걸고 싶다면 다음과 같이 동기화 블록을 만들면 된다.

```
public void method () {
  //여러 스레드가 실행할 수 있는 영역

  synchronized(공유객체) {
```

```
        //단 하나의 스레드만 실행하는 영역
    }

    //여러 스레드가 실행할 수 있는 영역
}
```

다음 예제는 공유 객체로 사용할 Calculator이다. setMemory1()을 동기화 메소드로, setMemory2()를 동기화 블록을 포함하는 메소드로 선언했다. 따라서 setMemory1과 setMemory2는 하나의 스레드만 실행 가능한 메소드가 된다.

>>> Calculator.java

```
1   package ch14.sec06.exam01;
2
3   public class Calculator {
4     private int memory;
5
6     public int getMemory() {
7       return memory;
8     }
9
10    public synchronized void setMemory1(int memory) {          동기화 메소드
11      this.memory = memory;  •-------- 메모리 값 저장
12      try {
13        Thread.sleep(2000);  •-------- 2초간 일시 정지
14      } catch(InterruptedException e) {}
15      System.out.println(Thread.currentThread().getName() + ": " + this.memory);
16    }                                                          메모리 값 읽기
17
18    public void setMemory2(int memory) {
19      synchronized(this) {                                     동기화 블록
20        this.memory = memory;  •-------- 메모리 값 저장
21        try {
22          Thread.sleep(2000);  •-------- 2초간 일시 정지
23        } catch(InterruptedException e) {}
24        System.out.println(Thread.currentThread().getName() + ": " + this.memory);
25      }                                                        메모리 값 읽기
26    }
27  }
```

setMemory1()과 setMemory2()는 동일하게 매개값을 메모리에 저장하고, 2초간 일시 정지 후에 메모리값을 출력한다.

다음 예제는 Calculator를 공유해서 사용하는 User1Thread와 User2Thread를 보여 준다. run() 메소드에서 User1Thread는 매개값 100으로 setMemory1() 메소드를 호출하고, User2Thread는 매개값 50으로 setMemory2() 메소드를 호출한다.

>>> **User1Thread.java**

```
1   package ch14.sec06.exam01;
2
3   public class User1Thread extends Thread {
4     private Calculator calculator;
5
6     public User1Thread() {
7       setName("User1Thread");        // 스레드 이름 변경
8     }
9
10    public void setCalculator(Calculator calculator) {   // 외부에서 공유 객체인
11      this.calculator = calculator;                      // Calculator를 받아
12    }                                                    // 필드에 저장
13
14    @Override
15    public void run() {
16      calculator.setMemory1(100);    // 동기화 메소드 호출
17    }
18  }
```

>>> **User2Thread.java**

```
1   package ch14.sec06.exam01;
2
3   public class User2Thread extends Thread {
4     private Calculator calculator;
5
6     public User2Thread() {
7       setName("User2Thread");        // 스레드 이름 변경
```

```
8       }
9
10      public void setCalculator(Calculator calculator) {
11        this.calculator = calculator;
12      }
13
14      @Override
15      public void run() {
16        calculator.setMemory2(50);
17      }
18    }
```

외부에서 공유 객체인 Calculator를 받아 필드에 저장

동기화 블록을 가진 메소드 호출

다음 예제는 Calculator를 생성해서 User1Thread와 User2Thread에서 사용하도록 setCalculator() 메소드를 호출하고, 두 스레드를 시작시킨다.

>>> SynchronizedExample.java

```
1   package ch14.sec06.exam01;
2
3   public class SynchronizedExample {
4     public static void main(String[] args) {
5       Calculator calculator = new Calculator();
6
7       User1Thread user1Thread = new User1Thread();
8       user1Thread.setCalculator(calculator);
9       user1Thread.start();
10
11      User2Thread user2Thread = new User2Thread();
12      user2Thread.setCalculator(calculator);
13      user2Thread.start();
14    }
15  }
```

실행 결과

```
User1Thread: 100
User2Thread: 50
```

정확히 User1Thread가 저장한 값 100이 출력되었고, User2Thread가 저장한 값 50이 출력되었다. 다음 그림을 보면 왜 이런 값이 나왔는지 이해할 수 있다.

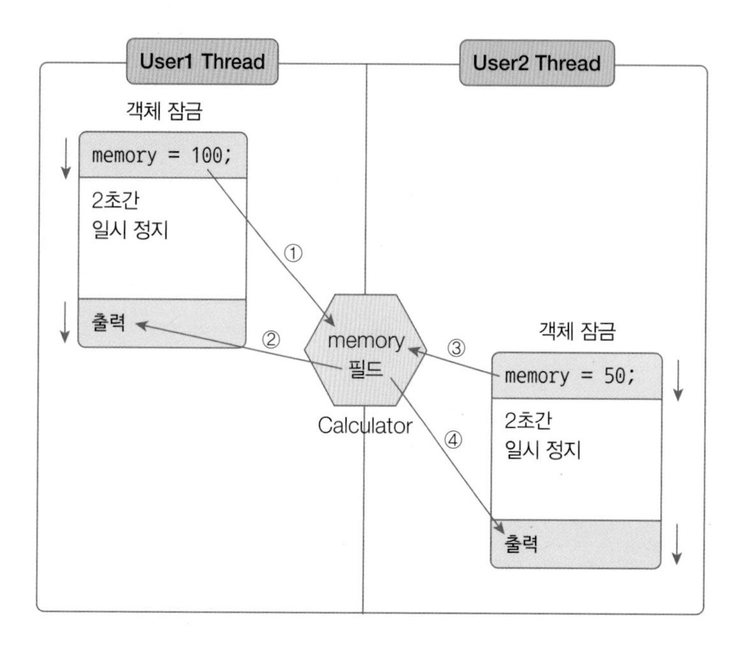

User1Thread는 Calculator의 동기화 메소드인 setMemory1()을 실행하는 순간 Calculator 객체를 잠근다. 따라서 User2Thread는 객체가 잠금 해제될 때까지 Calculator의 동기화 블록을 실행하지 못한다. 2초 일시 정지 후에 잠금이 해제되면 비로소 User2Thread가 동기화 블록을 실행한다.

Calculator에서 setMemory1()을 일반 메소드로 변경하고, setMemory2()의 동기화 블록을 제거한 후 SynchronizedExample을 다시 실행하면 출력 결과가 달라진다. 그 이유는 이 절 앞에서 보여준 동기화되지 않았을 때의 그림을 보면 알 수 있을 것이다.

wait()과 notify()를 이용한 스레드 제어

경우에 따라서는 두 개의 스레드를 교대로 번갈아 가며 실행할 때도 있다. 정확한 교대 작업이 필요할 경우, 자신의 작업이 끝나면 상대방 스레드를 일시 정지 상태에서 풀어주고 자신은 일시 정지 상태로 만들면 된다.

이 방법의 핵심은 공유 객체에 있다. 공유 객체는 두 스레드가 작업할 내용을 각각 동기화 메소드로 정해 놓는다. 한 스레드가 작업을 완료하면 notify() 메소드를 호출해서 일시 정지 상태에 있는 다른 스레드를 실행 대기 상태로 만들고, 자신은 두 번 작업을 하지 않도록 wait() 메소드를 호출하여 일시 정지 상태로 만든다.

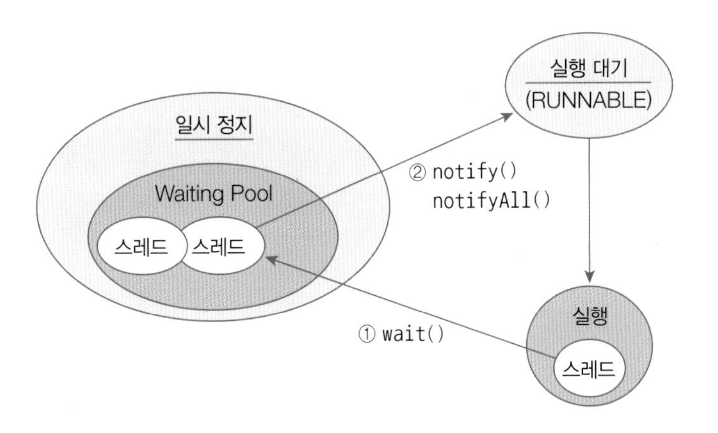

notify()는 wait()에 의해 일시 정지된 스레드 중 한 개를 실행 대기 상태로 만들고, notifyAll()은 wait()에 의해 일시 정지된 모든 스레드를 실행 대기 상태로 만든다. 주의할 점은 이 두 메소드는 동기화 메소드 또는 동기화 블록 내에서만 사용할 수 있다는 것이다.

다음 예제는 WorkObject에 두 스레드가 해야 할 작업을 동기화 메소드인 methodA()와 methodB()로 각각 정의해 두고, ThreadA와 ThreadB가 교대로 methodA()와 methodB()를 호출하도록 한 것이다.

>>> **WorkObject.java**

```
1   package ch14.sec06.exam02;
2
3   public class WorkObject {
4     public synchronized void methodA() {     ● 동기화 메소드
5       Thread thread = Thread.currentThread();
6       System.out.println(thread.getName() + ": methodA 작업 실행");
7       notify();     ● 다른 스레드를 실행 대기 상태로 만듦
8       try {
9         wait();     ● 자신의 스레드는 일시 정지 상태로 만듦
```

```java
10            } catch (InterruptedException e) {
11            }
12        }
13
14        public synchronized void methodB() {    // 동기화 메소드
15            Thread thread = Thread.currentThread();
16            System.out.println(thread.getName() + ": methodB 작업 실행");
17            notify();    // 다른 스레드를 실행 대기 상태로 만듦
18            try {
19                wait();    // 자신의 스레드는 일시 정지 상태로 만듦
20            } catch (InterruptedException e) {
21            }
22        }
23    }
```

>>> ThreadA.java

```java
1     package ch14.sec06.exam02;
2
3     public class ThreadA extends Thread {
4         private WorkObject workObject;
5                                                  // 공유 작업 객체를 받음
6         public ThreadA(WorkObject workObject) {
7             setName("ThreadA");    // 스레드 이름 변경
8             this.workObject = workObject;
9         }
10
11        @Override
12        public void run() {
13            for(int i=0; i<10; i++) {
14                workObject.methodA();    // 동기화 메소드 호출
15            }
16        }
17    }
```

>>> **ThreadB.java**

```
1   package ch14.sec06.exam02;
2
3   public class ThreadB extends Thread {
4     private WorkObject workObject;
5
6     public ThreadB(WorkObject workObject) {
7       setName("ThreadB");
8       this.workObject = workObject;
9     }
10
11    @Override
12    public void run() {
13      for(int i=0; i<10; i++) {
14        workObject.methodB();
15      }
16    }
17  }
```

공유 작업 객체를 받음

스레드 이름 변경

동기화 메소드 호출

>>> **WaitNotifyExample.java**

```
1   package ch14.sec06.exam02;
2
3   public class WaitNotifyExample {
4     public static void main(String[] args) {
5       WorkObject workObject = new WorkObject();
6
7       ThreadA threadA = new ThreadA(workObject);
8       ThreadB threadB = new ThreadB(workObject);
9
10      threadA.start();
11      threadB.start();
12    }
13  }
```

공유 작업 객체 생성

작업 스레드 생성 및 실행

실행 결과

```
ThreadA: methodA 작업 실행
ThreadB: methodB 작업 실행
```

```
ThreadA: methodA 작업 실행
ThreadB: methodB 작업 실행
...
```

14.7 스레드 안전 종료

스레드는 자신의 run() 메소드가 모두 실행되면 자동적으로 종료되지만, 경우에 따라서는 실행 중인 스레드를 즉시 종료할 필요가 있다. 예를 들어 동영상을 끝까지 보지 않고 사용자가 멈춤을 요구하는 경우이다.

스레드를 강제 종료시키기 위해 Thread는 stop() 메소드를 제공하고 있으나 이 메소드는 deprecated(더 이상 사용하지 않음)되었다. 그 이유는 스레드를 갑자기 종료하게 되면 사용 중이던 리소스들이 불안전한 상태로 남겨지기 때문이다. 여기에서 리소스란 파일, 네트워크 연결 등을 말한다.

스레드를 안전하게 종료하는 방법은 사용하던 리소스들을 정리하고 run() 메소드를 빨리 종료하는 것이다. 주로 조건 이용 방법과 interrupt() 메소드 이용 방법을 사용한다.

조건 이용

스레드가 while 문으로 반복 실행할 경우, 조건을 이용해서 run() 메소드의 종료를 유도할 수 있다. 다음 코드는 stop 필드 조건에 따라서 run() 메소드의 종료를 유도한다.

```
public class XXXThread extends Thread {
  private boolean stop; •-------------------- stop이 필드 선언

  public void run() {
    while( !stop ) { •--------------------- stop이 true가 되면 while 문을 빠져나감
      //스레드가 반복 실행하는 코드;
    }
    //스레드가 사용한 리소스 정리 •----------- 리소스 정리
  } •-------------------------------------- 스레드 종료
}
```

다음 예제는 메인 스레드에서 3초 후에 stop 필드값을 true로 설정해서 PrintThread을 종료한다.

>>> **PrintThread.java**

```
1   package ch14.sec07.exam01;
2
3   public class PrintThread extends Thread {
4     private boolean stop;
5
6     public void setStop(boolean stop) {
7       this.stop = stop;
8     }
9
10    @Override
11    public void run() {
12      while(!stop) {
13        System.out.println("실행 중");
14      }
15      System.out.println("리소스 정리");
16      System.out.println("실행 종료");
17    }
18  }
```

- 6~8행: 외부에서 stop 필드값을 변경할 수 있도록 Setter 선언
- 12~14행: stop 필드값에 따라 반복 여부 결정
- 15행: 리소스 정리

>>> **SafeStopExample.java**

```
1   package ch14.sec07.exam01;
2
3   public class SafeStopExample {
4     public static void main(String[] args)  {
5       PrintThread printThread = new PrintThread();
6       printThread.start();
7
8       try {
9         Thread.sleep(3000);
10      } catch (InterruptedException e) {
11      }
12
13      printThread.setStop(true);
14    }
15  }
```

- 13행: PrintThread를 종료하기 위해 stop 필드값 변경

실행 결과

```
...
실행 중
실행 중
리소스 정리
실행 종료
```

interrupt() 메소드 이용

interrupt() 메소드는 스레드가 일시 정지 상태에 있을 때 InterruptedException 예외를 발생시키는 역할을 한다. 이것을 이용하면 예외 처리를 통해 run() 메소드를 정상 종료시킬 수 있다. 다음 그림을 보자.

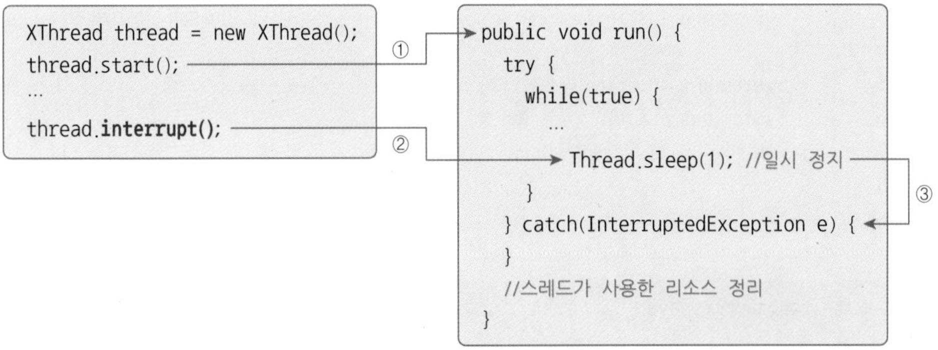

```
XThread thread = new XThread();        ①  public void run() {
thread.start();                               try {
...                                             while(true) {
thread.interrupt();                    ②          ...
                                                  Thread.sleep(1); //일시 정지
                                                }                                  ③
                                              } catch(InterruptedException e) {
                                              }
                                              //스레드가 사용한 리소스 정리
                                            }
```

XThread를 생성해서 start() 메소드를 실행한 후에 XThread의 interrupt() 메소드를 실행하면 XThread가 일시 정지 상태가 될 때 InterruptedException이 발생하여 예외 처리 블록으로 이동한다. 이것은 결국 while 문을 빠져나와 자원을 정리하고 스레드가 종료되는 효과를 가져온다.

다음은 이전 예제에서 stop 필드 대신에 interrupt() 메소드를 이용해서 PrintThread를 종료하도록 수정한 것이다.

››› **PrintThread.java**

```
1    package ch14.sec07.exam02;
2
```

```java
3   public class PrintThread extends Thread {
4     public void run() {
5       try {
6         while(true) {
7           System.out.println("실행 중");
8           Thread.sleep(1);
9         }
10      } catch(InterruptedException e) {
11      }
12      System.out.println("리소스 정리");
13      System.out.println("실행 종료");
14    }
15  }
```

일시 정지를 만듦 (InterruptedException이 발생할 수 있도록)

>>> InterruptExample.java

```java
1   package ch14.sec07.exam02;
2
3   public class InterruptExample {
4     public static void main(String[] args)  {
5       Thread thread = new PrintThread();
6       thread.start();
7
8       try {
9         Thread.sleep(1000);
10      } catch (InterruptedException e) {
11      }
12
13      thread.interrupt();
14    }
15  }
```

interrupt() 메소드 호출

실행 결과

```
…
실행 중
실행 중
리소스 정리
실행 종료
```

스레드가 실행 대기/실행 상태일 때에는 interrupt() 메소드가 호출되어도 InterruptedException이 발생하지 않는다. 그러나 스레드가 어떤 이유로 일시 정지 상태가 되면, InterruptedException 예외가 발생한다. 그래서 짧은 시간이나마 일시 정지를 위해 Thread.sleep(1)을 사용한 것이다.

일시 정지를 만들지 않고도 interrupt() 메소드 호출 여부를 알 수 있는 방법이 있다. Thread의 interrupted()와 isInterrupted() 메소드는 interrupt() 메소드 호출 여부를 리턴한다. interrupted()는 정적 메소드이고, isInterrpted()는 인스턴스 메소드이다.

```
boolean status = Thread.interrupted();
boolean status = objThread.isInterrupted();
```

다음은 이전 예제의 PrintThread를 수정해서 Thread.sleep(1) 대신 Thread.interrupted()를 사용해서 interrupt() 메소드가 호출되었는지 확인한 다음 while 문을 빠져나가도록 한 것이다.

»» **PrintThread.java**

```
1   package ch14.sec07.exam03;
2
3   public class PrintThread extends Thread {
4     public void run() {
5       while(true) {
6         System.out.println("실행 중");
7         if(Thread.interrupted()) {
8           break;
9         }
10      }
11      System.out.println("리소스 정리");
12      System.out.println("실행 종료");
13    }
14  }
```

interrupt() 메소드가 호출되었다면 while 문을 빠져나감

>>> InterruptExample.java

```
1   package ch14.sec07.exam03;
2
3   public class InterruptExample {
4     public static void main(String[] args)  {
5       Thread thread = new PrintThread();
6       thread.start();
7
8       try {
9         Thread.sleep(1000);
10      } catch (InterruptedException e) {
11      }
12
13      thread.interrupt();   // interrupt() 메소드 호출
14    }
15  }
```

실행 결과

```
...
실행 중
실행 중
리소스 정리
실행 종료
```

14.8 데몬 스레드

데몬daemon 스레드는 주 스레드의 작업을 돕는 보조적인 역할을 수행하는 스레드이다. 주 스레드가 종료되면 데몬 스레드도 따라서 자동으로 종료된다.

데몬 스레드를 적용한 예로는 워드프로세서의 자동 저장, 미디어플레이어의 동영상 및 음악 재생, 가비지 컬렉터 등이 있는데, 여기에서 주 스레드(워드프로세스, 미디어플레이어, JVM)가 종료되면 데몬 스레드도 같이 종료된다.

스레드를 데몬으로 만들기 위해서는 주 스레드가 데몬이 될 스레드의 setDaemon(true)를 호출하면 된다. 다음 예를 보면 메인 스레드는 주 스레드, AutoSaveThread는 데몬 스레드가 된다.

```
public static void main(String[] args) {
  AutoSaveThread thread = new AutoSaveThread();
  thread.setDaemon(true);
  thread.start();
  ...
}
```

다음 예제는 1초 주기로 save() 메소드를 호출하는 AutoSaveThread를 데몬 스레드로 실행시킨다. 그리고 메인 스레드가 3초 후 종료되면 AutoSaveThread도 따라서 자동 종료된다.

››› AutoSaveThread.java

```
1   package ch14.sec08;
2
3   public class AutoSaveThread extends Thread {
4     public void save() {
5       System.out.println("작업 내용을 저장함.");
6     }
7
8     @Override
9     public void run() {
10      while(true) {
11        try {
12          Thread.sleep(1000);
13        } catch (InterruptedException e) {
14          break;
15        }
16        save();
17      }
18    }
19  }
```

>>> DaemonExample.java

```java
package ch14.sec08;

public class DaemonExample {
  public static void main(String[] args) {
    AutoSaveThread autoSaveThread = new AutoSaveThread();
    autoSaveThread.setDaemon(true);
    autoSaveThread.start();

    try {
      Thread.sleep(3000);
    } catch (InterruptedException e) {
    }

    System.out.println("메인 스레드 종료");
  }
}
```

AutoSaveThread를 데몬 스레드로 만듦

실행 결과

```
작업 내용을 저장함.
작업 내용을 저장함.
메인 스레드 종료
```

14.9 스레드풀

병렬 작업 처리가 많아지면 스레드의 개수가 폭증하여 CPU가 바빠지고 메모리 사용량이 늘어난다. 이에 따라 애플리케이션의 성능 또한 급격히 저하된다. 이렇게 병렬 작업 증가로 인한 스레드의 폭증을 막으려면 스레드풀ThreadPool을 사용하는 것이 좋다.

스레드풀은 작업 처리에 사용되는 스레드를 제한된 개수만큼 정해 놓고 작업 큐Queue에 들어오는 작업들을 스레드가 하나씩 맡아 처리하는 방식이다. 작업 처리가 끝난 스레드는 다시 작업 큐에서 새로운 작업을 가져와 처리한다. 이렇게 하면 작업량이 증가해도 스레드의 개수가 늘어나지 않아 애플리케이션의 성능이 급격히 저하되지 않는다.

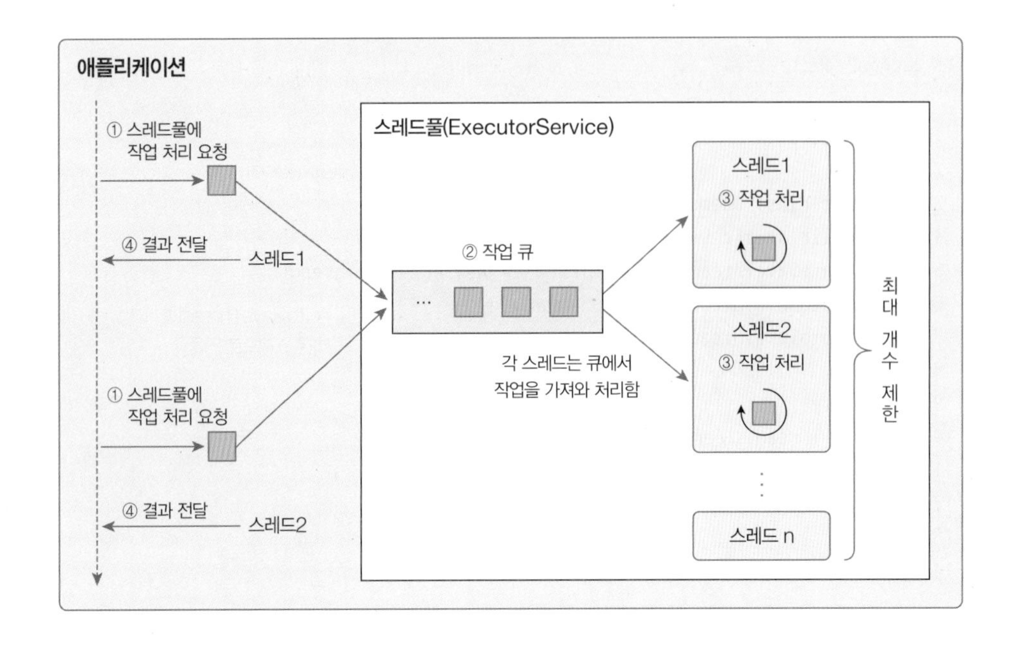

스레드풀 생성

자바는 스레드풀을 생성하고 사용할 수 있도록 java.util.concurrent 패키지에서 ExecutorService 인터페이스와 Executors 클래스를 제공하고 있다. Executors의 다음 두 정적 메소드를 이용하면 간단하게 스레드풀인 ExecutorService 구현 객체를 만들 수 있다.

메소드명(매개변수)	초기 수	코어 수	최대 수
newCachedThreadPool( )	0	0	Integer.MAX_VALUE
newFixedThreadPool(int nThreads)	0	생성된 수	nThreads

초기 수는 스레드풀이 생성될 때 기본적으로 생성되는 스레드 수를 말하고, 코어 수는 스레드가 증가된 후 사용되지 않는 스레드를 제거할 때 최소한 풀에서 유지하는 스레드 수를 말한다. 그리고 최대 수는 증가되는 스레드의 한도 수이다.

다음과 같이 newCachedThreadPool() 메소드로 생성된 스레드풀의 초기 수와 코어 수는 0개이고, 작업 개수가 많아지면 새 스레드를 생성시켜 작업을 처리한다. 60초 동안 스레드가 아무 작업을 하지 않으면 스레드를 풀에서 제거한다.

```
ExecutorService executorService = Executors.newCachedThreadPool();
```

다음과 같이 newFixedThreadPool()로 생성된 스레드풀의 초기 수는 0개이고, 작업 개수가 많아지면 최대 5개까지 스레드를 생성시켜 작업을 처리한다. 이 스레드풀의 특징은 생성된 스레드를 제거하지 않는다는 것이다.

```
ExecutorService executorService = Executors.newFixedThreadPool(5);
```

위 두 메소드를 사용하지 않고 직접 ThreadPoolExecutor로 스레드풀을 생성할 수도 있다. 다음 예시는 초기 수 0개, 코어 수 3개, 최대 수 100개인 스레드풀을 생성하는 코드이다. 그리고 추가된 스레드가 120초 동안 놀고 있을 경우 해당 스레드를 풀에서 제거한다.

```
ExecutorService threadPool = new ThreadPoolExecutor(
  3,                                     //코어 스레드 개수
  100,                                   //최대 스레드 개수
  120L,                                  //놀고 있는 시간
  TimeUnit.SECONDS,                      //놀고 있는 시간 단위
  new SynchronousQueue<Runnable>()       //작업 큐
);
```

스레드풀 종료

스레드풀의 스레드는 기본적으로 데몬 스레드가 아니기 때문에 main 스레드가 종료되더라도 작업을 처리하기 위해 계속 실행 상태로 남아 있다. 스레드풀의 모든 스레드를 종료하려면 ExecutorService의 다음 두 메소드 중 하나를 실행해야 한다.

리턴 타입	메소드명(매개변수)	설명
void	shutdown()	현재 처리 중인 작업뿐만 아니라 작업 큐에 대기하고 있는 모든 작업을 처리한 뒤에 스레드풀을 종료시킨다.
List〈Runnable〉	shutdownNow()	현재 작업 처리 중인 스레드를 interrupt해서 작업을 중지시키고 스레드풀을 종료시킨다. 리턴값은 작업 큐에 있는 미처리된 작업(Runnable)의 목록이다.

남아있는 작업을 마무리하고 스레드풀을 종료할 때에는 shutdown()을 호출하고, 남아있는 작업과는 상관없이 강제로 종료할 때에는 shutdownNow()를 호출하면 된다. 다음 예제는 최대 5개의 스레드로 운영되는 스레드풀을 생성하고 종료한다.

>>> **ExecutorServiceExample.java**

```
1   package ch14.sec09.exam01;
2
3   import java.util.concurrent.ExecutorService;
4   import java.util.concurrent.Executors;
5
6   public class ExecutorServiceExample {
7     public static void main(String[] args) {
8       //스레드풀 생성
9       ExecutorService executorService = Executors.newFixedThreadPool(5);
10      //작업 생성과 처리 요청
11      //스레드풀 종료
12      executorService.shutdownNow();
13    }
14  }
```

위 예제는 작업 생성과 처리 요청 코드가 없기 때문에 10라인을 실행하지 않아도 프로세스가 종료된다. 그 이유는 스레드풀에 생성된 스레드가 없기 때문이다.

작업 생성과 처리 요청

하나의 작업은 Runnable 또는 Callable 구현 객체로 표현한다. Runnable과 Callable의 차이점은 작업 처리 완료 후 리턴값이 있느냐 없느냐이다. 다음은 Runnable과 Callable 구현 객체를 작성하는 방법을 보여 준다.

Runnable 익명 구현 객체	Callable 익명 구현 객체

`new Runnable() {`
`  @Override`
`  public void run() {`
`    //스레드가 처리할 작업 내용`
`  }`
`}`
	`new Callable<T>() {`
	`  @Override`
	`  public T call() throws Exception {`
	`    //스레드가 처리할 작업 내용`
	`    return T;`
	`  }`
	`}`

Runnable의 run() 메소드는 리턴값이 없고, Callable의 call() 메소드는 리턴값이 있다. call()의 리턴 타입은 Callable〈T〉에서 지정한 T 타입 파라미터와 동일한 타입이어야 한다.

작업 처리 요청이란 ExecutorService의 작업 큐에 Runnable 또는 Callable 객체를 넣는 행위를 말한다. 작업 처리 요청을 위해 ExecutorService는 다음 두 가지 메소드를 제공한다.

리턴 타입	메소드명(매개변수)	설명
void	execute(Runnable command)	– Runnable을 작업 큐에 저장 – 작업 처리 결과를 리턴하지 않음
Future〈T〉	submit(Callable〈T〉 task)	– Callable을 작업 큐에 저장 – 작업 처리 결과를 얻을 수 있도록 Future를 리턴

Runnable 또는 Callable 객체가 ExecutorService의 작업 큐에 들어가면 ExecutorService는 처리할 스레드가 있는지 보고, 없다면 스레드를 새로 생성시킨다. 스레드는 작업 큐에서 Runnable 또는 Callable 객체를 꺼내와 run() 또는 call() 메소드를 실행하면서 작업을 처리한다.

다음 예제는 이메일을 보내는 작업으로, 1000개의 Runnable을 생성한 다음 execute() 메소드로 작업 큐에 넣는다. ExecutorService는 최대 5개 스레드로 작업 큐에서 Runnable을 하나씩 꺼내어 run() 메소드를 실행하면서 작업을 처리한다.

>>> RunnableExecuteExample.java

```
1   package ch14.sec09.exam02;
2
3   import java.util.concurrent.ExecutorService;
4   import java.util.concurrent.Executors;
5
6   public class RunnableExecuteExample {
7
8     public static void main(String[] args) {
9       //1000개의 메일 생성
10      String[][] mails = new String[1000][3];
11      for(int i=0; i<mails.length; i++) {
12        mails[i][0] = "admin@my.com";
13        mails[i][1] = "member"+i+"@my.com";
14        mails[i][2] = "신상품 입고";
15      }
```

```
16
17        //ExecutorService 생성
18        ExecutorService executorService = Executors.newFixedThreadPool(5);
19
20        //이메일을 보내는 작업 생성 및 처리 요청
21        for(int i=0; i<1000; i++) {
22          final int idx = i;
23          executorService.execute(new Runnable() {
24            @Override
25            public void run() {
26              Thread thread = Thread.currentThread();
27              String from = mails[idx][0];
28              String to = mails[idx][1];
29              String content = mails[idx][2];
30              System.out.println("[" + thread.getName() + "] " +
                                  from + " ==> " + to + ": " + content);
31            }
32          });
33        }
34
35        //ExecutorService 종료
36        executorService.shutdown();
37      }
38    }
```

어떤 스레드가 어떤 이메일을 처리했는지 알 수 있도록 출력

실행 결과

```
[pool-1-thread-1] admin@my.com ==> member6@my.com: 신상품 입고
[pool-1-thread-4] admin@my.com ==> member3@my.com: 신상품 입고
[pool-1-thread-3] admin@my.com ==> member2@my.com: 신상품 입고
[pool-1-thread-2] admin@my.com ==> member1@my.com: 신상품 입고
[pool-1-thread-2] admin@my.com ==> member10@my.com: 신상품 입고
...
```

다음 예제는 자연수를 덧셈하는 작업으로, 100개의 Callable을 생성하고 submit() 메소드로 작업 큐에 넣는다. ExecutorService는 최대 5개 스레드로 작업 큐에서 Callable을 하나씩 꺼내어 call() 메소드를 실행하면서 작업을 처리한다. 30라인에서 Future의 get() 메소드는 작업이 끝날 때까지 기다렸다가 call() 메소드가 리턴한 값을 리턴한다.

>>> CallableSubmitExample.java

```
1   package ch14.sec09.exam03;
2
3   import java.util.concurrent.Callable;
4   import java.util.concurrent.ExecutorService;
5   import java.util.concurrent.Executors;
6   import java.util.concurrent.Future;
7
8   public class CallableSubmitExample {
9     public static void main(String[] args) {
10      //ExecutorService 생성
11      ExecutorService  executorService = Executors.newFixedThreadPool(5);
12
13      //계산 작업 생성 및 처리 요청
14      for(int i=1; i<=100; i++) {
15        final int idx = i;
16        Future<Integer> future = executorService.submit(new Callable<Integer>() {
17          @Override
18          public Integer call() throws Exception {
19            int sum = 0;
20            for(int i=1; i<=idx; i++) {
21                    sum += i;
22            }
23            Thread thread = Thread.currentThread();
24            System.out.println("[" + thread.getName() + "] 1~" + idx + " 합 계산");
25            return sum;
26          }
27        });
28
29        try {
30          int result = future.get();
31          System.out.println("\t리턴값: " + result);
32        } catch (Exception e) {
33          e.printStackTrace();
34        }
35      }
36
37      //ExecutorService 종료
38      executorService.shutdown();
```

어떤 스레드가 계산 처리를 했는지 알 수 있도록 출력

작업 처리 결과 리턴

Callable의 call() 메소드가 리턴한 값 얻기

```
39        }
40    }
```

실행 결과

```
...
[pool-1-thread-3] 1~98 합 계산
  리턴값: 4851
[pool-1-thread-4] 1~99 합 계산
  리턴값: 4950
[pool-1-thread-5] 1~100 합 계산
  리턴값: 5050
```

1. 스레드에 대한 설명 중 틀린 것은 무엇입니까?

❶ 자바 애플리케이션은 메인(main) 스레드가 main() 메소드를 실행시킨다.

❷ 작업 스레드 클래스는 Thread 클래스를 상속해서 만들 수 있다.

❸ Runnable 객체는 스레드가 실행해야 할 코드를 가지고 있는 객체라고 볼 수 있다.

❹ 스레드 실행을 시작하려면 run() 메소드를 호출해야 한다.

2. 동영상과 음악을 재생하기 위해 두 가지 스레드를 실행하려고 합니다. 밑줄 친 부분에 적당한 코드를 작성해 보세요.

```
public class ThreadExample {
  public static void main(String[] args) {
    Thread thread1 = new MovieThread();
    thread1.start();

    Thread thread2 = new Thread(__________________________);
    thread2.start();
  }
}
```

```
public class MovieThread ____________________________ {
  @Override
  public void run() {
    for(int i=0;i<3;i++) {
      System.out.println("동영상을 재생합니다.");
      try {
        Thread.sleep(1000);
      } catch (InterruptedException e) {
      }
    }
  }
}
```

확인문제

```
public class MusicRunnable _______________________ {
  @Override
  public void run() {
    for(int i=0;i<3;i++) {
      System.out.println("음악을 재생합니다.");
      try {
        Thread.sleep(1000);
      } catch (InterruptedException e) {
      }
    }
  }
}
```

3. 동기화 메소드와 동기화 블록에 대한 설명 중 틀린 것은 무엇입니까?

❶ 동기화 메소드와 동기화 블록은 싱글(단일) 스레드 환경에서는 필요 없다.

❷ 스레드가 동기화 메소드를 실행할 때 다른 스레드는 일반 메소드를 호출할 수 없다.

❸ 스레드가 동기화 메소드를 실행할 때 다른 스레드는 동기화 메소드를 호출할 수 없다.

❹ 스레드가 동기화 블록을 실행할 때 다른 스레드는 동기화 메소드를 호출할 수 없다.

4. 스레드 일시 정지 상태에 대한 설명 중 틀린 것은 무엇입니까?

❶ sleep() 메소드는 주어진 시간 동안 스레드가 일시 정지 상태가 된다.

❷ 스레드가 동기화 메소드를 실행할 때 다른 스레드가 동기화 메소드를 호출하게 되면 일시 정지 상태가 된다.

❸ 동기화 메소드 내에서 wait() 메소드를 호출하면 현재 스레드가 일시 정지 상태가 된다.

❹ yield() 메소드를 호출하면 현재 스레드가 일시 정지 상태가 된다.

5. interrupt() 메소드를 호출한 효과에 대한 설명 중 틀린 것은 무엇입니까?

❶ 일시 정지 상태에서 InterruptedException을 발생시킨다.

❷ 스레드를 즉시 종료한다.

❸ 스레드가 일시 정지 상태가 될 때까지 InterruptedException이 발생하지 않는다.

❹ InterruptedException이 발생하지 않았다면 isInterrupted() 메소드는 true를 리턴한다.

6. 메인 스레드에서 3초 후 MovieThread의 interrupt() 메소드를 호출해서 MovieThread를 안전하게 종료하고 싶습니다. 비어있는 부분에 적당한 코드를 작성해 보세요.

```
public class ThreadExample {
  public static void main(String[] args) {
    Thread thread = new MovieThread();
    thread.start();

    try { Thread.sleep(3000); } catch (InterruptedException e) {}

    thread.interrupt();
  }
}
```

```
public class MovieThread extends Thread {
  @Override
  public void run() {
    while(true) {
      System.out.println("동영상을 재생합니다.");
      
    }
  }
}
```

7. wait()와 notify() 메소드에 대한 설명 중 틀린 것은 무엇입니까?

❶ 스레드가 wait()를 호출하면 일시 정지 상태가 된다.

❷ notify()를 호출하면 wait()로 일시 정지 상태에 있던 스레드가 실행 대기 상태가 된다.

❸ wait()와 notify()는 동기화 메소드 또는 블록에서 호출할 필요가 없다.

❹ wait()와 notify()는 두 스레드가 균등하게 번갈아 가면서 실행할 때 사용할 수 있다.

확인문제

8. 3초 뒤에 메인 스레드가 종료하면 MovieThread도 같이 종료되게 만들고 싶습니다. 밑줄 친 부분에 적당한 코드를 넣어 보세요.

```
public class ThreadExample {
  public static void main(String[] args) {
    Thread thread = new MovieThread();
    ______________________
    thread.start();

    try { Thread.sleep(3000); } catch (InterruptedException e) {}
  }
}
```

```
public class MovieThread extends Thread {
  @Override
  public void run() {
    while(true) {
      System.out.println("동영상을 재생합니다.");
      try { Thread.sleep(1000); } catch (InterruptedException e) {}
    }
  }
}
```

9. while 문으로 반복적인 작업을 하는 스레드를 종료시키는 방법에 대한 설명 중 최선의 방법이 아닌 것은 무엇입니까?

❶ 조건식에 boolean 타입의 stop 플래그를 이용해서 while 문을 빠져나가게 한다.

❷ 스레드가 반복적으로 일시 정지 상태가 된다면 InterruptedException을 발생시켜 예외 처리 코드에서 break 문으로 while 문을 빠져나가게 한다.

❸ 스레드가 일시 정지 상태로 가지 않는다면 isInterrupted()나 interrupted() 메소드의 리턴값을 조사해서 true일 경우 break 문으로 while 문을 빠져나가게 한다.

❹ stop() 메소드를 호출한다.

10. 스레드풀에 대한 설명 중 틀린 것은 무엇입니까?

❶ 갑작스러운 작업의 증가로 스레드의 폭증을 막기 위해 사용된다.

❷ ExecutorService 객체가 스레드풀이며 newFixedThreadPool() 메소드로 얻을 수 있다.

❸ 작업은 Runnable 또는 Callable 인터페이스를 구현해서 정의한다.

❹ execute() 메소드로 작업 처리 요청을 하면 작업이 완료될 때까지 대기(블로킹)된다.

Chapter 15

컬렉션 자료구조

15.1 컬렉션 프레임워크

자바는 널리 알려져 있는 자료구조Data Structure를 바탕으로 객체들을 효율적으로 추가, 삭제, 검색할 수 있도록 관련된 인터페이스와 클래스들을 java.util 패키지에 포함시켜 놓았다. 이들을 총칭해서 컬렉션 프레임워크Collection Framework라고 부른다. 컬렉션 프레임워크는 몇 가지 인터페이스를 통해서 다양한 컬렉션 클래스를 이용할 수 있도록 설계되어 있다. 주요 인터페이스로는 List, Set, Map이 있는데, 이 인터페이스로 사용 가능한 컬렉션 객체의 종류는 다음과 같다.

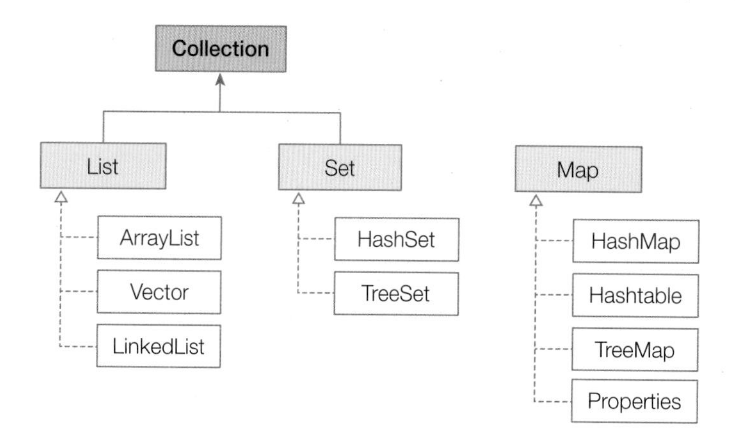

List와 Set은 객체를 추가, 삭제, 검색하는 방법에 있어서 공통점이 있기 때문에 공통된 메소드만 따로 모아 Collection 인터페이스로 정의해 두고 이것을 상속하고 있다. Map은 키와 값을 하나의 쌍으로 묶어서 관리하는 구조로 되어 있어 List 및 Set과는 사용 방법이 다르다. 다음은 각 인터페이스별로 사용할 수 있는 컬렉션의 특징을 정리한 것이다.

인터페이스 분류		특징	구현 클래스
Collection	List	- 순서를 유지하고 저장 - 중복 저장 가능	ArrayList, Vector, LinkedList
	Set	- 순서를 유지하지 않고 저장 - 중복 저장 안됨	HashSet, TreeSet
Map		- 키와 값으로 구성된 엔트리 저장 - 키는 중복 저장 안됨	HashMap, Hashtable, TreeMap, Properties

여기서 잠깐

순차 컬렉션

자바 21에서는 순차 컬렉션sequenced collection 기능이 추가되었다. 자세한 내용은 21장에서 설명한다. 이번 장을 모두 학습한 후에 학습해 보길 바란다.

15.2 List 컬렉션

List 컬렉션은 객체를 인덱스로 관리하기 때문에 객체를 저장하면 인덱스가 부여되고 인덱스로 객체를 검색, 삭제할 수 있는 기능을 제공한다.

List 컬렉션에는 ArrayList, Vector, LinkedList 등이 있는데, List 컬렉션에서 공통적으로 사용 가능한 List 인터페이스 메소드는 다음과 같다. 인덱스로 객체들이 관리되기 때문에 인덱스를 매개값으로 갖는 메소드들이 많다.

기능	메소드	설명
객체 추가	boolean add(E e)	주어진 객체를 맨 끝에 추가
	void add(int index, E element)	주어진 인덱스에 객체를 추가
	set(int index, E element)	주어진 인덱스의 객체를 새로운 객체로 바꿈
객체 검색	boolean contains(Object o)	주어진 객체가 저장되어 있는지 여부
	E get(int index)	주어진 인덱스에 저장된 객체를 리턴
	isEmpty( )	컬렉션이 비어 있는지 조사
	int size( )	저장되어 있는 전체 객체 수를 리턴
객체 삭제	void clear( )	저장된 모든 객체를 삭제
	E remove(int index)	주어진 인덱스에 저장된 객체를 삭제
	boolean remove(Object o)	주어진 객체를 삭제

ArrayList

ArrayList는 List 컬렉션에서 가장 많이 사용하는 컬렉션이다. ArrayList에 객체를 추가하면 내부 배열에 객체가 저장된다. 일반 배열과의 차이점은 ArrayList는 제한 없이 객체를 추가할 수 있다는 것이다.

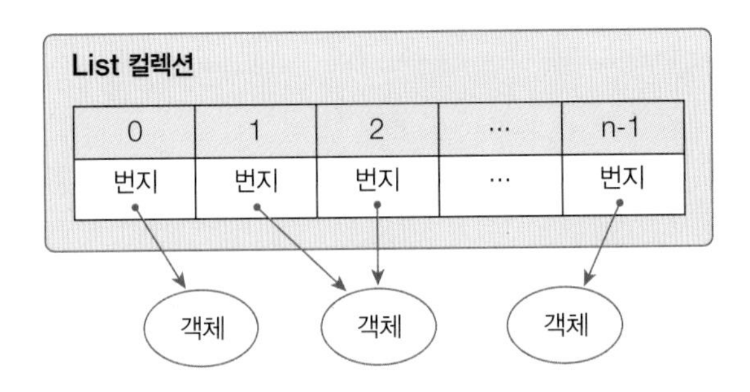

List 컬렉션은 객체 자체를 저장하는 것이 아니라 객체의 번지를 저장한다. 또한 동일한 객체를 중복 저장할 수 있는데, 이 경우에는 동일한 번지가 저장된다. null 또한 저장이 가능하다.

ArrayList 컬렉션은 다음과 같이 생성할 수 있다.

```
List<E> list = new ArrayList<E>();    //E에 지정된 타입의 객체만 저장
List<E> list = new ArrayList<>();     //E에 지정된 타입의 객체만 저장
List list = new ArrayList();          //모든 타입의 객체를 저장
```

타입 파라미터 E에는 ArrayList에 저장하고 싶은 객체 타입을 지정하면 된다. List에 지정한 객체 타입과 동일하다면 ArrayList〈 〉와 같이 객체 타입을 생략할 수도 있다. 객체 타입을 모두 생략하면 모든 종류의 객체를 저장할 수 있다.

ArrayList 컬렉션에 객체를 추가하면 인덱스 0번부터 차례대로 저장된다. 특정 인덱스의 객체를 제거하면 바로 뒤 인덱스부터 마지막 인덱스까지 모두 앞으로 1씩 당겨진다. 마찬가지로 특정 인덱스에 객체를 삽입하면 해당 인덱스부터 마지막 인덱스까지 모두 1씩 밀려난다. 다음 그림은 4번 인덱스가 제거되었을 때 뒤 인덱스가 모두 앞으로 1씩 당겨지는 모습을 나타낸 것이다.

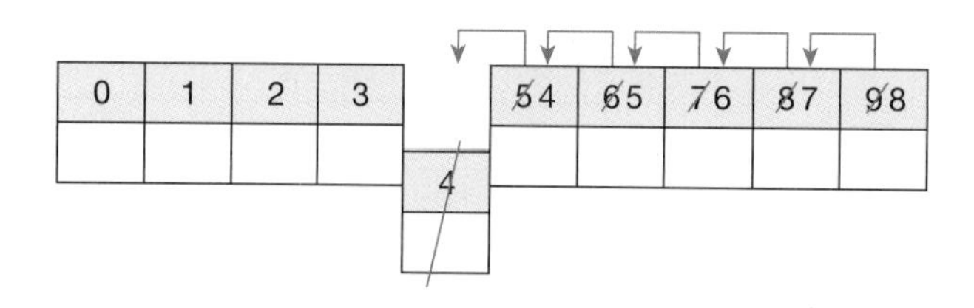

따라서 빈번한 객체 삭제와 삽입이 일어나는 곳에서는 ArrayList를 사용하는 것은 바람직하지 않다. 대신 이런 경우라면 LinkedList를 사용하는 것이 좋다. 다음은 ArrayList에 객체를 추가, 검색, 삭제하는 방법을 보여 준다.

>>> **Board.java**

```
1   package ch15.sec02.exam01;
2
3   public class Board {
4     private String subject;
5     private String content;
```

```
6        private String writer;
7
8        public Board(String subject, String content, String writer) {
9          this.subject = subject;
10         this.content = content;
11         this.writer = writer;
12       }
13
14       public String getSubject() { return subject; }
15       public void setSubject(String subject) { this.subject = subject; }
16       public String getContent() { return content; }
17       public void setContent(String content) { this.content = content; }
18       public String getWriter() { return writer; }
19       public void setWriter(String writer) { this.writer = writer; }
20     }
```

>>> ArrayListExample.java

```
1     package ch15.sec02.exam01;
2
3     import java.util.ArrayList;
4     import java.util.List;
5
6     public class ArrayListExample {
7       public static void main(String[] args) {
8         //ArrayList 컬렉션 생성
9         List<Board> list = new ArrayList<>();
10
11        //객체 추가
12        list.add(new Board("제목1", "내용1", "글쓴이1"));
13        list.add(new Board("제목2", "내용2", "글쓴이2"));
14        list.add(new Board("제목3", "내용3", "글쓴이3"));
15        list.add(new Board("제목4", "내용4", "글쓴이4"));
16        list.add(new Board("제목5", "내용5", "글쓴이5"));
17
18        //저장된 총 객체 수 얻기
19        int size = list.size();
20        System.out.println("총 객체 수: " + size);
21        System.out.println();
```

```java
22
23         //특정 인덱스의 객체 가져오기
24         Board board = list.get(2);
25         System.out.println(board.getSubject() + "\t" + board.getContent() +
26                                  "\t" + board.getWriter());
27         System.out.println();
28
29         //모든 객체를 하나씩 가져오기
30         for(int i=0; i<list.size(); i++) {
31           Board b = list.get(i);
32           System.out.println(b.getSubject() + "\t" + b.getContent() +
33                                  "\t" + b.getWriter());
34         }
35         System.out.println();
36
37         //객체 삭제
38         list.remove(2);
39         list.remove(2);
40
41         //향상된 for 문으로 모든 객체를 하나씩 가져오기
42         for(Board b : list) {
43           System.out.println(b.getSubject() + "\t" + b.getContent() +
44                                  "\t" + b.getWriter());
45         }
46     }
47 }
```

2번 인덱스를 삭제하면 3번 인덱스가 2번 인덱스로 변경되므로 다시 2번 인덱스를 제거할 수 있음

실행 결과

```
총 객체 수: 5

제목3	내용3	글쓴이3

제목1	내용1	글쓴이1
제목2	내용2	글쓴이2
제목3	내용3	글쓴이3
제목4	내용4	글쓴이4
제목5	내용5	글쓴이5

제목1	내용1	글쓴이1
제목2	내용2	글쓴이2
제목5	내용5	글쓴이5
```

Vector

Vector는 ArrayList와 동일한 내부 구조를 가지고 있다. 차이점은 Vector는 동기화된synchronized 메소드로 구성되어 있기 때문에 멀티 스레드가 동시에 Vector() 메소드를 실행할 수 없다는 것이다. 그렇기 때문에 멀티 스레드 환경에서는 안전하게 객체를 추가 또는 삭제할 수 있다.

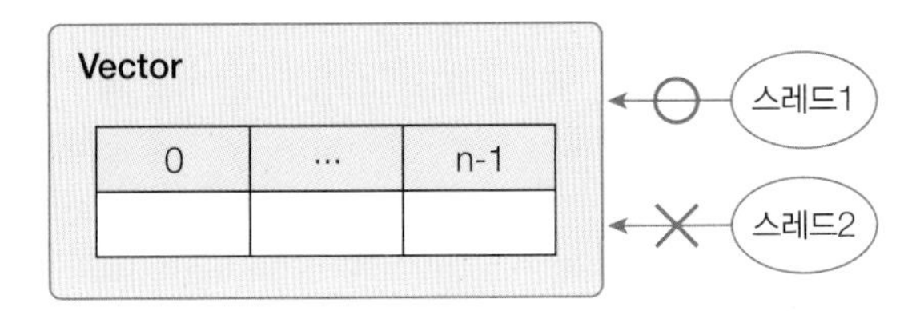

Vector 컬렉션은 다음과 같이 생성할 수 있다.

```
List<E> list = new Vector<E>();     //E에 지정된 타입의 객체만 저장
List<E> list = new Vector<>();      //E에 지정된 타입의 객체만 저장
List list = new Vector();           //모든 타입의 객체를 저장
```

타입 파라미터 E에는 Vector에 저장하고 싶은 객체 타입을 지정하면 된다. List에 지정한 객체 타입과 동일하다면 Vector<>와 같이 객체 타입을 생략할 수도 있다. 객체 타입을 모두 생략하면 모든 종류의 객체를 저장할 수 있다.

다음은 ThreadA와 ThreadB에서 동시에 Board 객체를 Vector에 각각 1000개씩 추가한 후, 전체 저장된 수를 출력하는 예제이다.

>>> **VectorExample.java**

```
1    package ch15.sec02.exam02;
2
3    import java.util.List;
4    import java.util.Vector;
5
6    public class VectorExample {
7      public static void main(String[] args) {
8        //Vector 컬렉션 생성
9        List<Board> list = new Vector<>();
```

```
10
11        //작업 스레드 객체 생성
12        Thread threadA = new Thread() {
13          @Override
14          public void run() {
15            //객체 1000개 추가
16            for(int i=1; i<=1000; i++) {
17              list.add(new Board("제목"+i, "내용"+i, "글쓴이"+i));
18            }
19          }
20        };
21
22        //작업 스레드 객체 생성
23        Thread threadB = new Thread() {
24          @Override
25          public void run() {
26            //객체 1000개 추가
27            for(int i=1001; i<=2000; i++) {
28              list.add(new Board("제목"+i, "내용"+i, "글쓴이"+i));
29            }
30          }
31        };
32
33        //작업 스레드 실행
34        threadA.start();
35        threadB.start();
36
37        //작업 스레드들이 모두 종료될 때까지 메인 스레드를 기다리게 함
38        try {
39          threadA.join();
40          threadB.join();
41        } catch(Exception e) {
42        }
43
44        //저장된 총 객체 수 얻기
45        int size = list.size();
46        System.out.println("총 객체 수: " + size);
47        System.out.println();
48      }
49    }
```

실행 결과

```
총 객체 수: 2000
```

실행 결과를 보면 정확하게 2000개가 저장되었음을 알 수 있다. 9라인을 변경하고 실행해 보자.

```
List<Board> list = new ArrayList<>();
```

실행 결과는 2000개가 나오지 않거나, PC에 따라 에러가 발생할 수 있다. 그 이유는 ArrayList는 두 스레드가 동시에 add() 메소드를 호출할 수 있기 때문에 경합이 발생해 결국은 하나만 저장되기 때문이다. 반면에 Vector의 add()는 동기화 메소드이므로 한 번에 하나의 스레드만 실행할 수 있어 경합이 발생하지 않는다.

LinkedList

LinkedList는 ArrayList와 사용 방법은 동일하지만 내부 구조는 완전히 다르다. ArrayList는 내부 배열에 객체를 저장하지만, LinkedList는 인접 객체를 체인처럼 연결해서 관리한다.

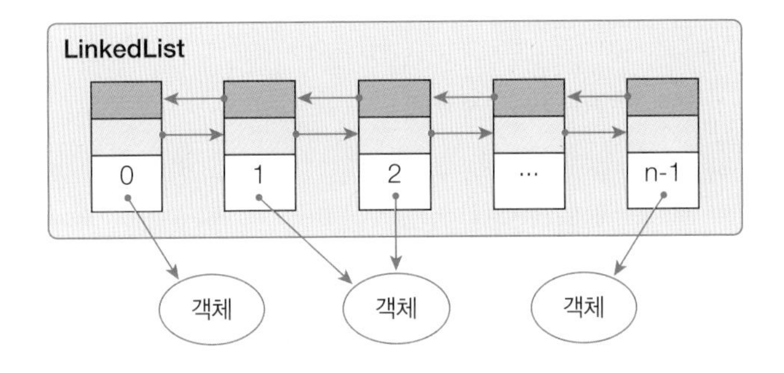

LinkedList는 특정 위치에서 객체를 삽입하거나 삭제하면 바로 앞뒤 링크만 변경하면 되므로 빈번한 객체 삭제와 삽입이 일어나는 곳에서는 ArrayList보다 좋은 성능을 발휘한다. 다음은 중간에 객체를 제거할 경우 앞뒤 링크의 수정이 일어나는 모습을 보여 준다.

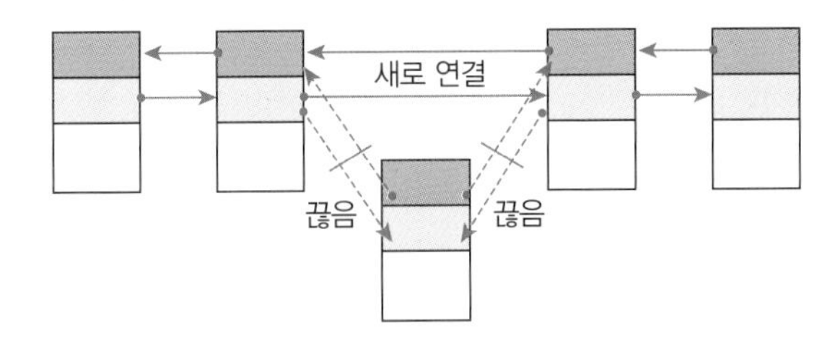

LinkedList 컬렉션은 다음과 같이 생성할 수 있다.

```
List<E> list = new LinkedList<E>();    //E에 지정된 타입의 객체만 저장
List<E> list = new LinkedList<>();     //E에 지정된 타입의 객체만 저장
List list = new LinkedList();          //모든 타입의 객체를 저장
```

다음 예제는 ArrayList와 LinkedList에 10000개의 객체를 삽입하는데 걸린 시간을 측정한 것이다. 0번 인덱스에 String 객체를 10000번 추가하기 위해 List 인터페이스의 add(int index, E element) 메소드를 이용하였다.

>>> **LinkedListExample.java**

```
1   package ch15.sec02.exam03;
2
3   import java.util.ArrayList;
4   import java.util.LinkedList;
5   import java.util.List;
6
7   public class LinkedListExample {
8     public static void main(String[] args) {
9       //ArrayList 컬렉션 객체 생성
10      List<String> list1 = new ArrayList<String>();
11
12      //LinkedList 컬렉션 객체 생성
13      List<String> list2 = new LinkedList<String>();
14
15      //시작 시간과 끝 시간을 저장할 변수 선언
16      long startTime;
17      long endTime;
18
19      //ArrayList 컬렉션에 저장하는 시간 측정
20      startTime = System.nanoTime();
21      for(int i=0; i<10000; i++) {
22        list1.add(0, String.valueOf(i));
23      }
24      endTime = System.nanoTime();
25      System.out.printf("%-17s %8d ns \n", "ArrayList 걸린 시간: ", (endTime-
                    startTime) );
```

```
26
27          //LinkedList 컬렉션에 저장하는 시간 측정
28          startTime = System.nanoTime();
29          for(int i=0; i<10000; i++) {
30            list2.add(0, String.valueOf(i));
31          }
32          endTime = System.nanoTime();
33          System.out.printf("%-17s %8d ns \n", "LinkedList 걸린 시간: ", (endTime-
                                startTime) );
34        }
35      }
```

실행 결과

```
ArrayList 걸린 시간:    4265400 ns
LinkedList 걸린 시간:   1045500 ns
```

실행 결과를 보면 LinkedList가 훨씬 빠른 성능을 낸다. ArrayList가 느린 이유는 0번 인덱스에 새로운 객체가 추가되면서 기존 객체의 인덱스를 한 칸씩 뒤로 미는 작업을 하기 때문이다.

15.3 Set 컬렉션

List 컬렉션은 저장 순서를 유지하지만, Set 컬렉션은 저장 순서가 유지되지 않는다. 또한 객체를 중복해서 저장할 수 없고, 하나의 null만 저장할 수 있다. Set 컬렉션은 수학의 집합에 비유될 수 있다. 집합은 순서와 상관없고 중복이 허용되지 않기 때문이다.

Set 컬렉션은 또한 구슬 주머니와도 같다. 동일한 구슬을 두 개 넣을 수 없으며, 들어갈(저장할) 때와 나올(찾을) 때의 순서가 다를 수도 있기 때문이다.

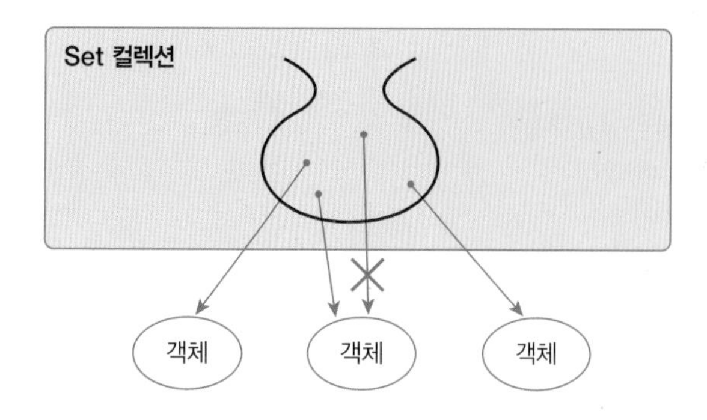

Set 컬렉션에는 HashSet, LinkedHashSet, TreeSet 등이 있는데, Set 컬렉션에서 공통적으로 사용 가능한 Set 인터페이스의 메소드는 다음과 같다. 인덱스로 관리하지 않기 때문에 인덱스를 매개값으로 갖는 메소드가 없다.

기능	메소드	설명
객체 추가	boolean add(E e)	주어진 객체를 성공적으로 저장하면 true를 리턴하고 중복 객체면 false를 리턴
객체 검색	boolean contains(Object o)	주어진 객체가 저장되어 있는지 여부
	isEmpty()	컬렉션이 비어 있는지 조사
	Iterator<E> iterator()	저장된 객체를 한 번씩 가져오는 반복자 리턴
	int size()	저장되어 있는 전체 객체 수 리턴
객체 삭제	void clear()	저장된 모든 객체를 삭제
	boolean remove(Object o)	주어진 객체를 삭제

HashSet

Set 컬렉션 중에서 가장 많이 사용되는 것이 HashSet이다. 다음은 HashSet 컬렉션을 생성하는 방법이다.

```
Set<E> set = new HashSet<E>();    //E에 지정된 타입의 객체만 저장
Set<E> set = new HashSet<>();     //E에 지정된 타입의 객체만 저장
Set set = new HashSet();          //모든 타입의 객체를 저장
```

타입 파라미터 E에는 HashSet에 저장하고 싶은 객체 타입을 지정하면 된다. Set에 지정한 객체 타입과 동일하다면 HashSet〈 〉과 같이 객체 타입을 생략할 수도 있다. 객체 타입을 모두 생략하면 모든 종류의 객체를 저장할 수 있다.

HashSet은 동일한 객체는 중복 저장하지 않는다. 여기서 동일한 객체란 동등 객체를 말한다. HashSet은 다른 객체라도 hashCode() 메소드의 리턴값이 같고, equals() 메소드가 true를 리턴하면 동일한 객체라고 판단하고 중복 저장하지 않는다.

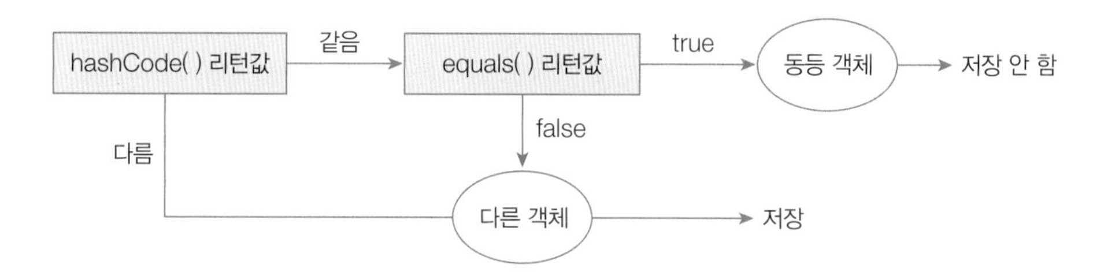

문자열을 HashSet에 저장할 경우, 같은 문자열을 갖는 String 객체는 동등한 객체로 간주한다. 같은 문자열이면 hashCode()의 리턴값이 같고 equals()의 리턴값이 true가 나오기 때문이다.

>>> **HashSetExample.java**

```
1   package ch15.sec03.exam01;
2
3   import java.util.*;
4
5   public class HashSetExample {
6     public static void main(String[] args) {
7       //HashSet 컬렉션 생성
8       Set<String> set = new HashSet<String>();
9
10      //객체 저장
11      set.add("Java");
12      set.add("JDBC");
13      set.add("JSP");
14      set.add("Java");    // ← 중복 객체이므로 저장하지 않음
15      set.add("Spring");
16
17      //저장된 객체 수 출력
```

```
18        int size = set.size();
19        System.out.println("총 객체 수: " + size);
20      }
21    }
```

실행 결과

```
총 객체 수: 4
```

다음 예제는 이름과 나이가 동일할 경우 Member 객체를 HashSet에 중복 저장하지 않는다. Member 클래스를 선언할 때 이름과 나이가 동일하다면 동일한 해시코드가 리턴되도록 hashCode()를 재정의하고, equals() 메소드가 true를 리턴하도록 재정의했기 때문이다.

>>> Member.java

```
1   package ch15.sec03.exam02;
2
3   public class Member {
4     public String name;
5     public int age;
6
7     public Member(String name, int age) {
8       this.name = name;
9       this.age = age;
10    }
11
12    //hashCode 재정의
13    @Override
14    public int hashCode() {
15      return name.hashCode() + age;
16    }
17
18    //equals 재정의
19    @Override
20    public boolean equals(Object obj) {
21      if(obj instanceof Member target) {
22        return target.name.equals(name) && (target.age==age) ;
23      } else {
```

name과 age 값이 같으면 동일한 hashCode가 리턴됨

name과 age 값이 같으면 true가 리턴됨

```
24            return false;
25          }
26        }
27      }
```

>>> **HashSetExample.java**

```
1   package ch15.sec03.exam02;
2
3   import java.util.*;
4
5   public class HashSetExample {
6     public static void main(String[] args) {
7       //HashSet 컬렉션 생성
8       Set<Member> set = new HashSet<Member>();
9
10      //Member 객체 저장
11      set.add(new Member("홍길동", 30));
12      set.add(new Member("홍길동", 30));
13
14      //저장된 객체 수 출력
15      System.out.println("총 객체 수 : " + set.size());
16    }
17  }
```

인스턴스는 다르지만 동등 객체이므로 객체 1개만 저장

실행 결과

```
총 객체 수 : 1
```

Set 컬렉션은 인덱스로 객체를 검색해서 가져오는 메소드가 없다. 대신 객체를 한 개씩 반복해서 가져와야 하는데, 여기에는 두 가지 방법이 있다. 하나는 다음과 같이 for 문을 이용하는 것이다.

```
Set<E> set = new HashSet<>();
for(E e : set) {
  ...
}
```

다른 방법은 다음과 같이 Set 컬렉션의 iterator() 메소드로 반복자iterator를 얻어 객체를 하나씩 가져오는 것이다. 타입 파라미터 E는 Set 컬렉션에 저장되어 있는 객체의 타입이다.

```
Set<E> set = new HashSet<>();
Iterator<E> iterator = set.iterator();
```

iterator는 Set 컬렉션의 객체를 가져오거나 제거하기 위해 다음 메소드를 제공한다.

리턴 타입	메소드명	설명
boolean	hasNext()	가져올 객체가 있으면 true를 리턴하고 없으면 false를 리턴한다.
E	next()	컬렉션에서 하나의 객체를 가져온다.
void	remove()	next()로 가져온 객체를 Set 컬렉션에서 제거한다.

사용 방법은 다음과 같다.

```
while(iterator.hasNext()) {
  E e = iterator.next();
}
```

hasNext() 메소드로 가져올 객체가 있는지 먼저 확인하고, true를 리턴할 때만 next() 메소드로 객체를 가져온다. 만약 next()로 가져온 객체를 컬렉션에서 제거하고 싶다면 remove() 메소드를 사용한다.

>>> **HashSetExample.java**

```
1   package ch15.sec03.exam03;
2
3   import java.util.*;
4
5   public class HashSetExample {
6     public static void main(String[] args) {
7       //HashSet 컬렉션 생성
8       Set<String> set = new HashSet<String>();
```

```
9
10          //객체 추가
11          set.add("Java");
12          set.add("JDBC");
13          set.add("JSP");
14          set.add("Spring");
15
16          //객체를 하나씩 가져와서 처리
17          Iterator<String> iterator = set.iterator();
18          while(iterator.hasNext()) {
19            //객체를 하나 가져오기
20            String element = iterator.next();
21            System.out.println( element);
22            if(element.equals("JSP")) {
23              //가져온 객체를 컬렉션에서 제거
24              iterator.remove();
25            }
26          }
27          System.out.println();
28
29          //객체 제거
30          set.remove("JDBC");
31
32          //객체를 하나씩 가져와서 처리
33          for(String element : set) {
34            System.out.println(element);
35          }
36        }
37    }
```

실행 결과

```
Java
JSP
JDBC
Spring

Java
Spring
```

15.4 Map 컬렉션

Map 컬렉션은 키key와 값value으로 구성된 엔트리Entry 객체를 저장한다. 여기서 키와 값은 모두 객체이다. 키는 중복 저장할 수 없지만 값은 중복 저장할 수 있다. 기존에 저장된 키와 동일한 키로 값을 저장하면 기존의 값은 없어지고 새로운 값으로 대치된다.

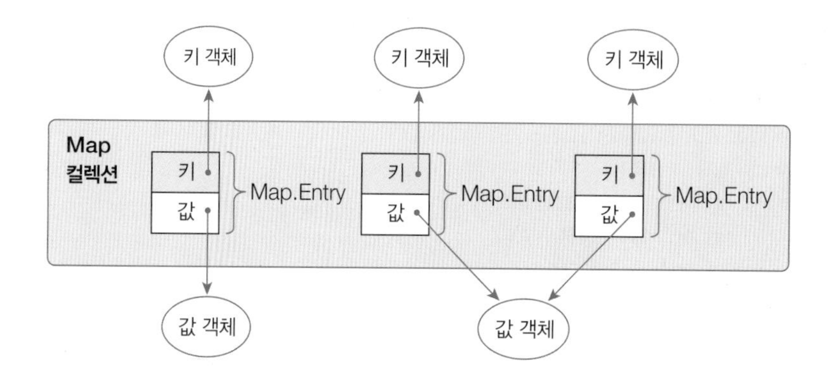

Map 컬렉션에는 HashMap, Hashtable, LinkedHashMap, Properties, TreeMap 등이 있다. Map 컬렉션에서 공통적으로 사용 가능한 Map 인터페이스 메소드는 다음과 같다. 키로 객체들을 관리하기 때문에 키를 매개값으로 갖는 메소드가 많다.

기능	메소드	설명
객체 추가	V put(K key, V value)	주어진 키와 값을 추가, 저장이 되면 값을 리턴
객체 검색	boolean containsKey(Object key)	주어진 키가 있는지 여부
	boolean containsValue(Object value)	주어진 값이 있는지 여부
	Set<Map.Entry<K,V>> entrySet()	키와 값의 쌍으로 구성된 모든 Map.Entry 객체를 Set에 담아서 리턴
	V get(Object key)	주어진 키의 값을 리턴
	boolean isEmpty()	컬렉션이 비어있는지 여부
	Set<K> keySet()	모든 키를 Set 객체에 담아서 리턴
	int size()	저장된 키의 총 수를 리턴
	Collection<V> values()	저장된 모든 값 Collection에 담아서 리턴
객체 삭제	void clear()	모든 Map.Entry(키와 값)를 삭제
	V remove(Object key)	주어진 키와 일치하는 Map.Entry 삭제, 삭제가 되면 값을 리턴

앞의 표에서 메소드의 매개변수 타입과 리턴 타입에 K와 V라는 타입 파라미터가 있는데, K는 키 타입, V는 값 타입을 말한다.

HashMap

HashMap은 키로 사용할 객체가 hashCode() 메소드의 리턴값이 같고 equals() 메소드가 true를 리턴할 경우, 동일 키로 보고 중복 저장을 허용하지 않는다.

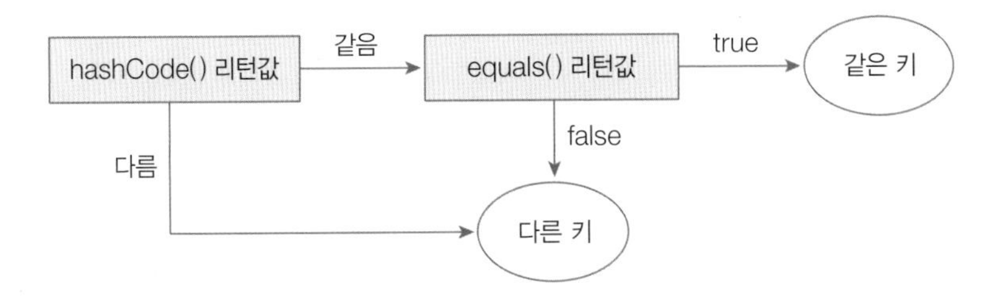

다음은 HashMap 컬렉션을 생성하는 방법이다. K와 V는 각각 키와 값의 타입을 지정할 수 있는 타입 파라미터이다.

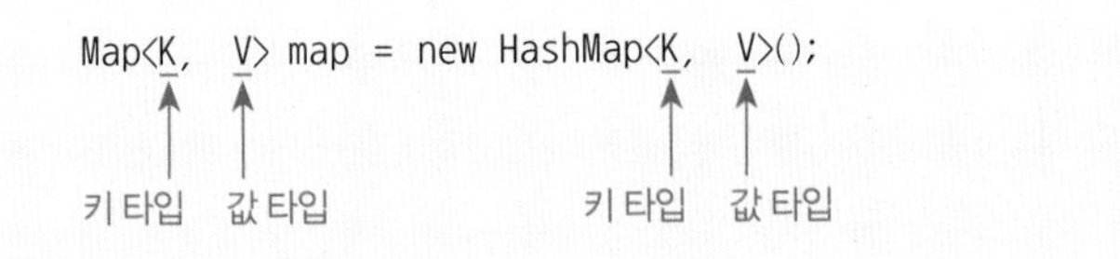

키는 String 타입, 값은 Integer 타입으로 갖는 HashMap은 다음과 같이 생성할 수 있다. Map에 지정된 키와 값의 타입이 HashMap과 동일할 경우, HashMap<>을 사용할 수 있다.

```
Map<String, Integer> map = new HashMap<String, Integer>();
Map<String, Integer> map = new HashMap<>();
```

모든 타입의 키와 객체를 저장할 수 있도록 HashMap을 다음과 같이 생성할 수 있지만, 이런 경우는 거의 없다.

```
Map map = new HashMap();
```

다음 예제는 이름을 키로, 점수를 값으로 저장하는 HashMap 사용 방법을 보여 준다.

>>> HashMapExample.java

```
1   package ch15.sec04.exam01;
2
3   import java.util.HashMap;
4   import java.util.Iterator;
5   import java.util.Map;
6   import java.util.Map.Entry;
7   import java.util.Set;
8
9   public class HashMapExample {
10    public static void main(String[] args) {
11      //Map 컬렉션 생성
12      Map<String, Integer> map = new HashMap<>();
13
14      //객체 저장
15      map.put("신용권", 85);
16      map.put("홍길동", 90);
17      map.put("동장군", 80);
18      map.put("홍길동", 95);
19      System.out.println("총 Entry 수: " + map.size());
20      System.out.println();
21
22      //키로 값 얻기
23      String key = "홍길동";
24      int value = map.get(key);
25      System.out.println(key + ": " + value);
26      System.out.println();
27
28      //키 Set 컬렉션을 얻고, 반복해서 키와 값을 얻기
29      Set<String> keySet = map.keySet();
30      Iterator<String> keyIterator = keySet.iterator();
31      while (keyIterator.hasNext()) {
32        String k = keyIterator.next();
33        Integer v = map.get(k);
34        System.out.println(k + " : " + v);
35      }
36      System.out.println();
```

- 16, 18행: 키가 같기 때문에 제일 마지막에 저장한 값만 저장
- 24행: 키를 매개값으로 주면 값을 리턴
- 29~30행: 키를 반복하기 위해 반복자를 얻음

```
37
38        //엔트리 Set 컬렉션을 얻고, 반복해서 키와 값을 얻기
39        Set<Entry<String, Integer>> entrySet = map.entrySet();
40        Iterator<Entry<String, Integer>> entryIterator = entrySet.iterator();
41        while (entryIterator.hasNext()) {
42          Entry<String, Integer> entry = entryIterator.next();
43          String k = entry.getKey();
44          Integer v = entry.getValue();
45          System.out.println(k + " : " + v);
46        }
47        System.out.println();
48
49        //키로 엔트리 삭제
50        map.remove("홍길동");
51        System.out.println("총 Entry 수: " + map.size());
52        System.out.println();
53      }
54    }
```

엔트리를 반복하기 위해 반복자를 얻음

실행 결과

```
총 Entry 수: 3

홍길동: 95

홍길동 : 95
신용권 : 85
동장군 : 80

홍길동 : 95
신용권 : 85
동장군 : 80

총 Entry 수: 2
```

Hashtable

Hashtable은 HashMap과 동일한 내부 구조를 가지고 있다. 차이점은 Hashtable은 동기화된(synchronized) 메소드로 구성되어 있기 때문에 멀티 스레드가 동시에 Hashtable의 메소드들을 실행할 수 없다는 것이다. 따라서 멀티 스레드 환경에서도 안전하게 객체를 추가, 삭제할 수 있다.

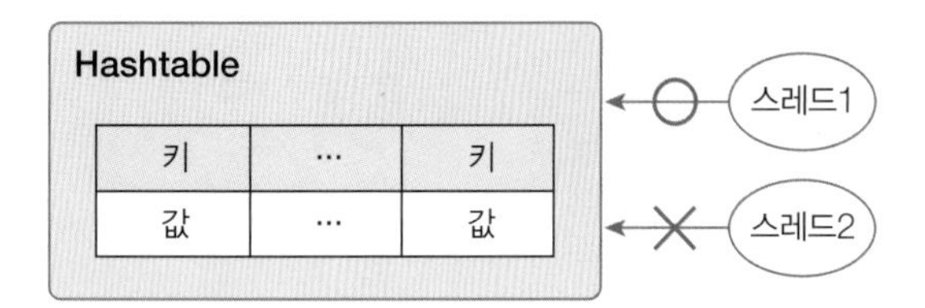

다음은 키 타입으로 String을, 값 타입으로 Integer를 갖는 Hashtable을 생성한다.

```
Map<String, Integer> map = new Hashtable<String, Integer>();
Map<String, Integer> map = new Hashtable<>();
```

모든 타입의 키와 객체를 저장할 수 있는 Hashtable은 다음과 같이 생성할 수 있지만, 이런 경우는 거의 없다.

```
Map map = new Hashtable();
```

다음은 ThreadA와 ThreadB에서 동시에 각각 1000개씩 엔트리를 Hashtable에 추가한 후, 전체 저장된 수를 출력하는 예제이다.

>>> **HashtableExample.java**

```
1    package ch15.sec04.exam02;
2
3    import java.util.Hashtable;
4    import java.util.Map;
5
6    public class HashtableExample {
7      public static void main(String[] args) {
```

```
8        //Hashtable 컬렉션 생성
9        Map<String, Integer> map = new Hashtable<>();
10
11       //작업 스레드 객체 생성
12       Thread threadA = new Thread() {
13         @Override
14         public void run() {
15           //엔트리 1000개 추가
16           for (int i = 1; i <= 1000; i++) {
17             map.put(String.valueOf(i), i);
18           }
19         }
20       };
21
22       //작업 스레드 객체 생성
23       Thread threadB = new Thread() {
24         @Override
25         public void run() {
26           //엔트리 1000개 추가
27           for (int i = 1001; i <= 2000; i++) {
28             map.put(String.valueOf(i), i);
29           }
30         }
31       };
32
33       //작업 스레드 실행
34       threadA.start();
35       threadB.start();
36
37       //작업 스레드들이 모두 종료될 때까지 메인 스레드를 기다리게 함
38       try {
39         threadA.join();
40         threadB.join();
41       } catch (Exception e) {
42       }
43
44       //저장된 총 엔트리 수 얻기
45       int size = map.size();
46       System.out.println("총 엔트리 수: " + size);
47       System.out.println();
```

```
48        }
49    }
```

실행 결과

```
총 엔트리 수: 2000
```

실행 결과를 보면 정확하게 2000개의 엔트리가 저장되어 있는 것을 확인할 수 있다. 9라인을 다음과 같이 변경하고, 다시 실행해 보자.

```
Map<String, Integer> map = new HashMap<>();
```

실행 결과는 2000개가 나오지 않거나, PC에 따라 에러가 발생할 수 있다. 왜냐하면 HashMap은 두 스레드가 동시에 put() 메소드를 호출할 수 있기 때문에 경합이 발생하고 결국은 하나만 저장되기 때문이다. 반면에 Hashtable의 put()은 동기화 메소드이므로 한 번에 하나의 스레드만 실행할 수 있어 경합이 발생하지 않는다.

Properties

Properties는 Hashtable의 자식 클래스이기 때문에 Hashtable의 특징을 그대로 가지고 있다. Properties는 키와 값을 String 타입으로 제한한 컬렉션이다. Properties는 주로 확장자가 .properties인 프로퍼티 파일을 읽을 때 사용한다.

프로퍼티 파일은 다음과 같이 키와 값이 = 기호로 연결되어 있는 텍스트 파일이다. 일반 텍스트 파일과는 다르게 ISO 8859-1 문자셋으로 저장되며, 한글일 경우에는 \u+유니코드로 표현되어 저장된다.

>>> **database.properties**

```
1    driver=oracle.jdbc.OracleDirver
2    url=jdbc:oracle:thin:@localhost:1521:orcl
3    username=scott
4    password=tiger
5    admin=\uD64D\uAE38\uB3D9
```

Properties을 사용하면 위와 같은 프로퍼티 파일의 내용을 코드에서 쉽게 읽을 수 있다. 먼저 Properties 객체를 생성하고, load() 메소드로 프로퍼티 파일의 내용을 메모리로 로드한다.

```
Properties properties  = new Properties();
properties.load(Xxx.class.getResourceAsStream("database.properties"));
```

일반적으로 프로퍼티 파일은 클래스 파일(*.class)들과 함께 저장된다. 따라서 클래스 파일을 기준으로 상대 경로를 이용해서 읽는 것이 편리하다. Class 객체의 getResourceAsStream() 메소드는 주어진 상대 경로의 리소스 파일을 읽는 InputStream을 리턴한다.

》 **PropertiesExample.java**

```
1    package ch15.sec04.exam03;
2
3    import java.util.Properties;
4
5    public class PropertiesExample {
6      public static void main(String[] args) throws Exception {
7        //Properties 컬렉션 생성
8        Properties properties  = new Properties();
9
10       //PropertiesExample.class와 동일한 ClassPath에 있는 database.properties
           파일 로드
11       properties.load(PropertiesExample.class.getResourceAsStream
              ("database.properties"));
12
13       //주어진 키에 대한 값 읽기
14       String driver = properties.getProperty("driver");
15       String url = properties.getProperty("url");
16       String username = properties.getProperty("username");
17       String password = properties.getProperty("password");
18       String admin = properties.getProperty("admin");
19
20       //값 출력
21       System.out.println("driver : " + driver);
22       System.out.println("url : " + url);
23       System.out.println("username : " + username);
```

```
24            System.out.println("password : " + password);
25            System.out.println("admin : " + admin);
26        }
27    }
```

실행 결과

```
driver : oracle.jdbc.OracleDirver
url : jdbc:oracle:thin:@localhost:1521:orcl
username : scott
password : tiger
admin : 홍길동
```

NOTE ▶ 예제 소스에 있는 database.properties 파일을 src/ch15/sec04/exam03 폴더에 복사한 후 실행한다.

15.5 검색 기능을 강화시킨 컬렉션

컬렉션 프레임워크는 검색 기능을 강화시킨 TreeSet과 TreeMap을 제공한다. 이름에서 알 수 있듯이 TreeSet은 Set 컬렉션이고, TreeMap은 Map 컬렉션이다.

TreeSet

TreeSet은 이진 트리binary tree를 기반으로 한 Set 컬렉션이다. 이진 트리는 여러 개의 노드node가 트리 형태로 연결된 구조로, 루트 노드root node라고 불리는 하나의 노드에서 시작해 각 노드에 최대 2개의 노드를 연결할 수 있는 구조를 가지고 있다.

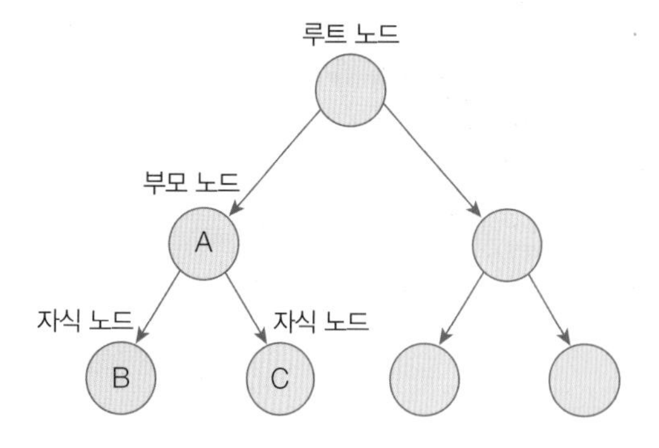

TreeSet에 객체를 저장하면 다음과 같이 자동으로 정렬된다. 부모 노드의 객체와 비교해서 낮은 것은 왼쪽 자식 노드에, 높은 것은 오른쪽 자식 노드에 저장한다.

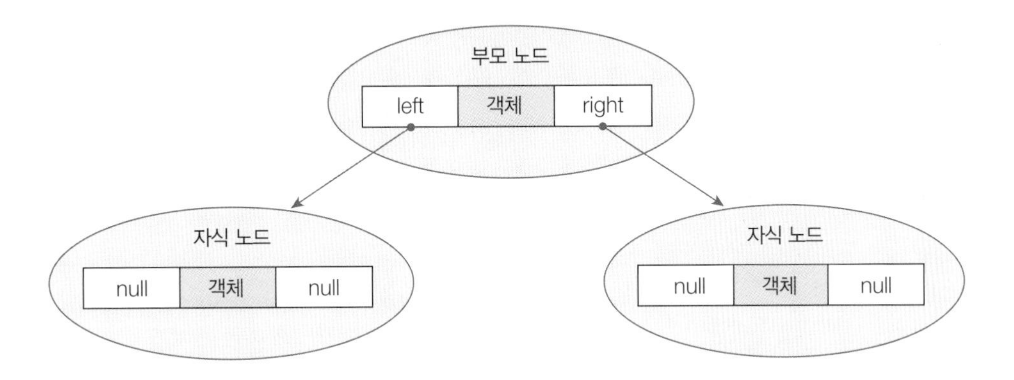

다음은 TreeSet 컬렉션을 생성하는 방법을 보여 준다.

```
TreeSet<E> treeSet = new TreeSet<E>();
TreeSet<E> treeSet = new TreeSet<>();
```

Set 타입 변수에 대입해도 되지만 TreeSet 타입으로 대입한 이유는 검색 관련 메소드가 TreeSet에만 정의되어 있기 때문이다. 다음은 TreeSet이 가지고 있는 검색 관련 메소드들이다.

리턴 타입	메소드	설명
E	first()	제일 낮은 객체를 리턴
E	last()	제일 높은 객체를 리턴
E	lower(E e)	주어진 객체보다 바로 아래 객체를 리턴
E	higher(E e)	주어진 객체보다 바로 위 객체를 리턴
E	floor(E e)	주어진 객체와 동등한 객체가 있으면 리턴, 만약 없다면 주어진 객체의 바로 아래의 객체를 리턴
E	ceiling(E e)	주어진 객체와 동등한 객체가 있으면 리턴, 만약 없다면 주어진 객체의 바로 위의 객체를 리턴
E	pollFirst()	제일 낮은 객체를 꺼내오고 컬렉션에서 제거함
E	pollLast()	제일 높은 객체를 꺼내오고 컬렉션에서 제거함
Iterator<E>	descendingIterator()	내림차순으로 정렬된 Iterator를 리턴
NavigableSet<E>	descendingSet()	내림차순으로 정렬된 NavigableSet을 리턴

리턴 타입	메소드	설명
NavigableSet<E>	headSet(E toElement, boolean inclusive)	주어진 객체보다 낮은 객체들을 NavigableSet으로 리턴. 주어진 객체 포함 여부는 두 번째 매개값에 따라 달라짐
NavigableSet<E>	tailSet(E fromElement, boolean inclusive)	주어진 객체보다 높은 객체들을 NavigableSet으로 리턴. 주어진 객체 포함 여부는 두 번째 매개값에 따라 달라짐
NavigableSet<E>	subSet(E fromElement, boolean fromInclusive, E toElement, boolean toInclusive)	시작과 끝으로 주어진 객체 사이의 객체들을 NavigableSet으로 리턴. 시작과 끝 객체의 포함 여부는 두 번째, 네 번째 매개값에 따라 달라짐

다음 예제는 무작위로 저장한 점수를 검색하는 방법을 보여 준다.

>>> TreeSetExample.java

```
1   package ch15.sec05.exam01;
2
3   import java.util.NavigableSet;
4   import java.util.TreeSet;
5
6   public class TreeSetExample {
7     public static void main(String[] args) {
8       //TreeSet 컬렉션 생성
9       TreeSet<Integer> scores = new TreeSet<>();
10
11      //Integer 객체 저장
12      scores.add(87);
13      scores.add(98);
14      scores.add(75);
15      scores.add(95);
16      scores.add(80);
17
18      //정렬된 Integer 객체를 하나씩 가져오기
```

```
19          for(Integer s : scores) {
20            System.out.print(s + " ");
21          }
22          System.out.println("\n");
23
24          //특정 Integer 객체를 가져오기
25          System.out.println("가장 낮은 점수: " + scores.first());
26          System.out.println("가장 높은 점수: " + scores.last());
27          System.out.println("95점 아래 점수: " + scores.lower(95));
28          System.out.println("95점 위의 점수: " + scores.higher(95));
29          System.out.println("95점이거나 바로 아래 점수: " + scores.floor(95));
30          System.out.println("85점이거나 바로 위의 점수: " + scores.ceiling(85) + "\n");
31
32          //내림차순으로 정렬하기
33          NavigableSet<Integer> descendingScores = scores.descendingSet();
34          for(Integer s : descendingScores) {
35            System.out.print(s + " ");
36          }
37          System.out.println("\n");
38
39          //범위 검색( 80 <= )
40          NavigableSet<Integer> rangeSet = scores.tailSet(80, true);
41          for(Integer s : rangeSet) {
42            System.out.print(s + " ");
43          }
44          System.out.println("\n");
45
46          //범위 검색( 80 <= score < 90 )
47          rangeSet = scores.subSet(80, true, 90, false);
48          for(Integer s : rangeSet) {
49            System.out.print(s + " ");
50          }
51        }
52    }
```

실행 결과

```
75 80 87 95 98

가장 낮은 점수: 75
가장 높은 점수: 98
```

```
95점 아래 점수: 87
95점 위의 점수: 98
95점이거나 바로 아래 점수: 95
85점이거나 바로 위의 점수: 87

98 95 87 80 75

80 87 95 98

80 87
```

TreeMap

TreeMap은 이진 트리를 기반으로 한 Map 컬렉션이다. TreeSet과의 차이점은 키와 값이 저장된 Entry를 저장한다는 점이다. TreeMap에 엔트리를 저장하면 키를 기준으로 자동 정렬되는데, 부모 키 값과 비교해서 낮은 것은 왼쪽, 높은 것은 오른쪽 자식 노드에 Entry 객체를 저장한다.

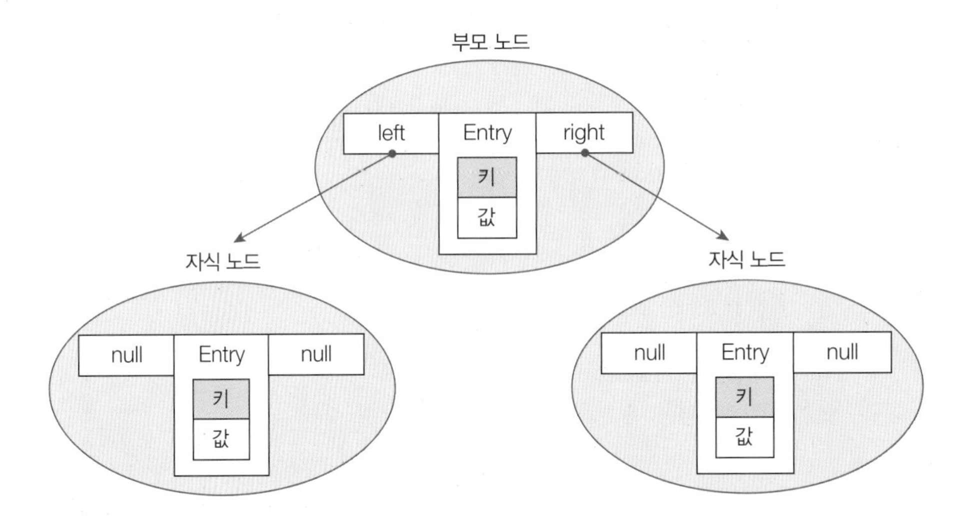

다음은 TreeMap 컬렉션을 생성하는 방법이다.

```
TreeMap<K, V> treeMap = new TreeMap<K, V>();
TreeMap<K, V> treeMap = new TreeMap<>();
```

Map 타입 변수에 대입해도 되지만 TreeMap 타입으로 대입한 이유는 검색 관련 메소드가 TreeMap에만 정의되어 있기 때문이다. 다음은 TreeMap이 가지고 있는 검색 관련 메소드들이다.

리턴 타입	메소드	설명
Map.Entry〈K,V〉	firstEntry( )	제일 낮은 Map.Entry를 리턴
Map.Entry〈K,V〉	lastEntry( )	제일 높은 Map.Entry를 리턴
Map.Entry〈K,V〉	lowerEntry(K key)	주어진 키보다 바로 아래 Map.Entry를 리턴
Map.Entry〈K,V〉	higherEntry(K key)	주어진 키보다 바로 위 Map.Entry를 리턴
Map.Entry〈K,V〉	floorEntry(K key)	주어진 키와 동등한 키가 있으면 해당 Map.Entry를 리턴, 없다면 주어진 키 바로 아래의 Map.Entry를 리턴
Map.Entry〈K,V〉	ceilingEntry(K key)	주어진 키와 동등한 키가 있으면 해당 Map.Entry를 리턴, 없다면 주어진 키 바로 위의 Map.Entry를 리턴
Map.Entry〈K,V〉	pollFirstEntry( )	제일 낮은 Map.Entry를 꺼내오고 컬렉션에서 제거함
Map.Entry〈K,V〉	pollLastEntry( )	제일 높은 Map.Entry를 꺼내오고 컬렉션에서 제거함
NavigableSet〈K〉	descendingKeySet( )	내림차순으로 정렬된 키의 NavigableSet을 리턴
NavigableMap〈K,V〉	descendingMap( )	내림차순으로 정렬된 Map.Entry의 NavigableMap을 리턴
NavigableMap〈K,V〉	headMap(K toKey, boolean inclusive)	주어진 키보다 낮은 Map.Entry들을 NavigableMap으로 리턴. 주어진 키의 Map.Entry 포함 여부는 두 번째 매개값에 따라 달라짐
NavigableMap〈K,V〉	tailMap(K fromKey, boolean inclusive)	주어진 객체보다 높은 Map.Entry들을 NavigableMap으로 리턴. 주어진 객체 포함 여부는 두 번째 매개값에 따라 달라짐
NavigableMap〈K,V〉	subMap(K fromKey, boolean fromInclusive, K toKey, boolean toInclusive)	시작과 끝으로 주어진 키 사이의 Map.Entry들을 NavigableMap 컬렉션으로 반환. 시작과 끝 키의 Map.Entry 포함 여부는 두 번째, 네 번째 매개값에 따라 달라짐

다음 예제는 영어 단어와 페이지 번호를 무작위로 저장하고 검색하는 방법을 보여 준다.

>>> TreeMapExample.java

```
1    package ch15.sec05.exam02;
2
3    import java.util.Map.Entry;
4    import java.util.NavigableMap;
5    import java.util.Set;
6    import java.util.TreeMap;
7
8    public class TreeMapExample {
9      public static void main(String[] args) {
10       //TreeMap 컬렉션 생성
11       TreeMap<String,Integer> treeMap = new TreeMap<>();
12
13       //엔트리 저장
14       treeMap.put("apple", 10);
15       treeMap.put("forever", 60);
16       treeMap.put("description", 40);
17       treeMap.put("ever", 50);
18       treeMap.put("zoo", 80);
19       treeMap.put("base", 20);
20       treeMap.put("guess", 70);
21       treeMap.put("cherry", 30);
22
23       //정렬된 엔트리를 하나씩 가져오기
24       Set<Entry<String, Integer>> entrySet = treeMap.entrySet();
25       for(Entry<String, Integer> entry : entrySet) {
26         System.out.println(entry.getKey() + "-" + entry.getValue());
27       }
28       System.out.println();
29
30       //특정 키에 대한 값 가져오기
31       Entry<String,Integer> entry = null;
32       entry = treeMap.firstEntry();
33       System.out.println("제일 앞 단어: " + entry.getKey() + "-" + entry.getValue());
34       entry = treeMap.lastEntry();
35       System.out.println("제일 뒤 단어: " + entry.getKey() + "-" + entry.getValue());
36       entry = treeMap.lowerEntry("ever");
37       System.out.println("ever 앞 단어: " + entry.getKey() + "-" +
             entry.getValue() + "\n");
```

```
38
39         //내림차순으로 정렬하기
40         NavigableMap<String,Integer> descendingMap = treeMap.descendingMap();
41         Set<Entry<String,Integer>> descendingEntrySet = descendingMap.
                 entrySet();
42         for(Entry<String,Integer> e : descendingEntrySet) {
43           System.out.println(e.getKey() + "-" + e.getValue());
44         }
45         System.out.println();
46
47         //범위 검색
48         System.out.println("[c~h 사이의 단어 검색]");
49         NavigableMap<String,Integer> rangeMap = treeMap.subMap("c", true, "h",
                 false);
50         for(Entry<String, Integer> e : rangeMap.entrySet()) {
51           System.out.println(e.getKey() + "-" + e.getValue());
52         }
53       }
54     }
```

실행 결과

```
apple-10
base-20
cherry-30
description-40
ever-50
forever-60
guess-70
zoo-80

제일 앞 단어: apple-10
제일 뒤 단어: zoo-80
ever 앞 단어: description-40

zoo-80
guess-70
forever-60
ever-50
description-40
```

```
cherry-30
base-20
apple-10

[c~h 사이의 단어 검색]
cherry-30
description-40
ever-50
forever-60
guess-70
```

Comparable과 Comparator

TreeSet에 저장되는 객체와 TreeMap에 저장되는 키 객체는 저장과 동시에 오름차순으로 정렬되는데, 어떤 객체든 정렬될 수 있는 것은 아니고 객체가 Comparable 인터페이스를 구현하고 있어야 가능하다. Integer, Double, String 타입은 모두 Comparable을 구현하고 있기 때문에 상관없지만, 사용자 정의 객체를 저장할 때에는 반드시 Comparable을 구현하고 있어야 한다.

Comparable 인터페이스에는 compareTo() 메소드가 정의되어 있다. 따라서 사용자 정의 클래스에서 이 메소드를 재정의해서 비교 결과를 정수 값으로 리턴해야 한다.

리턴 타입	메소드	설명
int	compareTo(T o)	주어진 객체와 같으면 0을 리턴 주어진 객체보다 적으면 음수를 리턴 주어진 객체보다 크면 양수를 리턴

다음 예제는 나이를 기준으로 Person 객체를 오름차순으로 정렬하기 위해 Comparable 인터페이스를 구현하고 있다. 나이가 적으면 -1을, 같으면 0을, 크면 1을 리턴하도록 compareTo() 메소드를 재정의하였다.

>>> Person.java

```
package ch15.sec05.exam03;

public class Person implements Comparable<Person> {
  public String name;
  public int age;

  public Person(String name, int age) {
    this.name = name;
    this.age = age;
  }

  @Override
  public int compareTo(Person o) {
    if(age<o.age) return -1;
    else if(age == o.age) return 0;
    else  return 1;
  }
}
```

>>> ComparableExample.java

```
package ch15.sec05.exam03;

import java.util.TreeSet;

public class ComparableExample {
  public static void main(String[] args) {
    //TreeSet 컬렉션 생성
    TreeSet<Person> treeSet = new TreeSet<Person>();

    //객체 저장
    treeSet.add(new Person("홍길동", 45));
    treeSet.add(new Person("감자바", 25));
    treeSet.add(new Person("박지원", 31));

    //객체를 하나씩 가져오기
```

```
16        for(Person person : treeSet) {
17          System.out.println(person.name + ":" + person.age);
18        }
19      }
20    }
```

실행 결과

```
감자바:25
박지원:31
홍길동:45
```

비교 기능이 있는 Comparable 구현 객체를 TreeSet에 저장하거나 TreeMap의 키로 저장하는 것이 원칙이지만, 비교 기능이 없는 Comparable 비구현 객체를 저장하고 싶다면 방법은 없진 않다. TreeSet과 TreeMap을 생성할 때 비교자Comparator를 다음과 같이 제공하면 된다.

```
TreeSet<E> treeSet = new TreeSet<E>( new ComparatorImpl() );
                                              비교자
TreeMap<K,V> treeMap = new TreeMap<K,V>( new ComparatorImpl() );
```

비교자는 Comparator 인터페이스를 구현한 객체를 말하는데, Comparator 인터페이스에는 compare() 메소드가 정의되어 있다. 비교자는 이 메소드를 재정의해서 비교 결과를 정수 값으로 리턴하면 된다.

리턴 타입	메소드	설명
int	compare(T o1, T o2)	o1과 o2가 동등하다면 0을 리턴 o1이 o2보다 앞에 오게 하려면 음수를 리턴 o1이 o2보다 뒤에 오게 하려면 양수를 리턴

다음은 Comparable을 구현하고 있지 않은 Fruit 객체를 TreeSet에 저장하는 예제이다. 따라서 TreeSet을 생성할 때 비교자가 필요한데, FruitComparator를 비교자로 사용해서 가격 기준으로 Fruit 객체를 정렬시킨다.

>>> **Fruit.java**

```java
package ch15.sec05.exam04;

public class Fruit {
  public String name;
  public int price;

  public Fruit(String name, int price) {
    this.name = name;
    this.price = price;
  }
}
```

>>> **FruitComparator.java**

```java
package ch15.sec05.exam04;

import java.util.Comparator;

public class FruitComparator implements Comparator<Fruit> {
  @Override
  public int compare(Fruit o1, Fruit o2) {
    if(o1.price < o2.price) return -1;
    else if(o1.price == o2.price) return 0;
    else return 1;
  }
}
```

>>> **ComparatorExample.java**

```java
package ch15.sec05.exam04;

import java.util.TreeSet;

public class ComparatorExample {
  public static void main(String[] args) {
```

```
7        //비교자를 제공한 TreeSet 컬렉션 생성
8        TreeSet<Fruit> treeSet = new TreeSet<Fruit>(new FruitComparator());
9
10       //객체 저장
11       treeSet.add(new Fruit("포도", 3000));
12       treeSet.add(new Fruit("수박", 10000));
13       treeSet.add(new Fruit("딸기", 6000));
14
15       //객체를 하나씩 가져오기
16       for(Fruit fruit : treeSet) {
17         System.out.println(fruit.name + ":" + fruit.price);
18       }
19     }
20   }
```

실행 결과

```
포도:3000
딸기:6000
수박:10000
```

15.6 LIFO와 FIFO 컬렉션

후입선출(LIFO Last In First Out)은 나중에 넣은 객체가 먼저 빠져나가고, 선입선출(FIFO First In First Out)은 먼저 넣은 객체가 먼저 빠져나가는 구조를 말한다. 컬렉션 프레임워크는 LIFO 자료구조를 제공하는 스택Stack 클래스와 FIFO 자료구조를 제공하는 큐Queue 인터페이스를 제공하고 있다. 다음은 스택과 큐의 구조를 보여 준다.

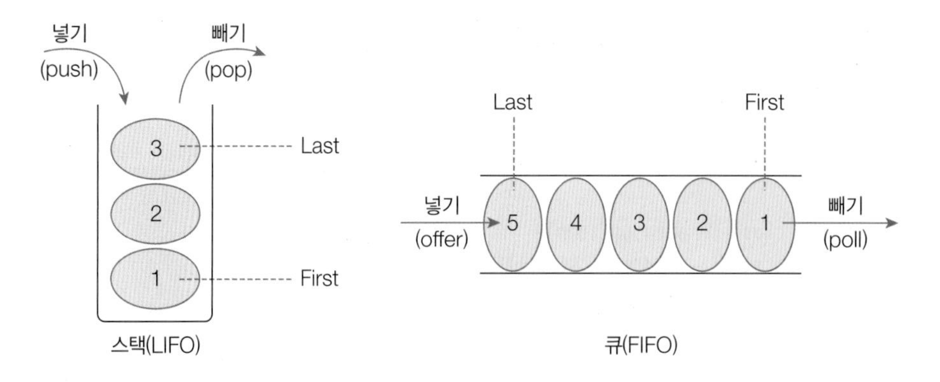

스택을 응용한 대표적인 예가 JVM 스택 메모리이다. 스택 메모리에 저장된 변수는 나중에 저장된 것부터 제거된다. 큐를 응용한 대표적인 예가 스레드풀(ExecutorService)의 작업 큐이다. 작업 큐는 먼저 들어온 작업부터 처리한다.

Stack

Stack 클래스는 LIFO 자료구조를 구현한 클래스이다. 다음은 Stack 객체를 생성하는 방법이다.

```
Stack<E> stack = new Stack<E>();
Stack<E> stack = new Stack<>();
```

다음은 Stack 클래스의 주요 메소드이다.

리턴 타입	메소드	설명
E	push(E item)	주어진 객체를 스택에 넣는다.
E	pop( )	스택의 맨 위 객체를 빼낸다.

다음은 동전 케이스를 Stack 클래스로 구현한 예제이다. 동전 케이스는 위에만 오픈되어 있는 스택 구조를 가지고 있다. 먼저 넣은 동전은 제일 밑에 깔리고 나중에 넣은 동전이 위에 쌓이기 때문에 제일 위의 동전부터 빼낼 수 있다.

››› Coin.java

```
1   package ch15.sec06.exam01;
2
3   public class Coin {
4     private int value;
5
6     public Coin(int value) {
7       this.value = value;
8     }
9
10    public int getValue() {
11      return value;
```

```
12      }
13    }
```

>>> StackExample.java

```
1     package ch15.sec06.exam01;
2
3     import java.util.Stack;
4
5     public class StackExample {
6       public static void main(String[] args) {
7         //Stack 컬렉션 생성
8         Stack<Coin> coinBox = new Stack<Coin>();
9
10        //동전 넣기
11        coinBox.push(new Coin(100));
12        coinBox.push(new Coin(50));
13        coinBox.push(new Coin(500));
14        coinBox.push(new Coin(10));
15
16        //동전을 하나씩 꺼내기
17        while(!coinBox.isEmpty()) {      // 비어있지 않다면 반복
18          Coin coin = coinBox.pop();
19          System.out.println("꺼내온 동전 : " + coin.getValue() + "원");
20        }
21      }
22    }
```

실행 결과

```
꺼내온 동전 : 10원
꺼내온 동전 : 500원
꺼내온 동전 : 50원
꺼내온 동전 : 100원
```

Queue

Queue 인터페이스는 FIFO 자료구조에서 사용되는 메소드를 정의하고 있다. 다음은 Queue 인터페이스에 정의되어 있는 메소드이다.

리턴 타입	메소드	설명
boolean	offer(E e)	주어진 객체를 큐에 넣는다.
E	poll( )	큐에서 객체를 빼낸다.

Queue 인터페이스를 구현한 대표적인 클래스는 LinkedList이다. 그렇기 때문에 LinkedList 객체를 Queue 인터페이스 변수에 다음과 같이 대입할 수 있다.

```
Queue<E> queue = new LinkedList<E>();
Queue<E> queue = new LinkedList<>();
```

다음은 Queue를 이용해서 간단한 메시지 큐를 구현한 예제이다. 먼저 넣은 메시지가 반대쪽으로 먼저 나오기 때문에 넣은 순서대로 메시지가 처리된다.

>>> Message.java

```
1   package ch15.sec06.exam02;
2
3   public class Message {
4     public String command;
5     public String to;
6
7     public Message(String command, String to) {
8       this.command = command;
9       this.to = to;
10    }
11  }
```

>>> QueueExample.java

```
1   package ch15.sec06.exam02;
2
3   import java.util.LinkedList;
4   import java.util.Queue;
5
6   public class QueueExample {
7     public static void main(String[] args) {
8       //Queue 컬렉션 생성
9       Queue<Message> messageQueue = new LinkedList<>();
10
11      //메시지 넣기
12      messageQueue.offer(new Message("sendMail", "홍길동"));
13      messageQueue.offer(new Message("sendSMS", "신용권"));
14      messageQueue.offer(new Message("sendKakaotalk", "감자바"));
15
16      //메시지를 하나씩 꺼내어 처리
17      while(!messageQueue.isEmpty()) {  // 비어있지 않다면 반복
18        Message message = messageQueue.poll();
19        switch(message.command) {
20          case "sendMail":
21            System.out.println(message.to + "님에게 메일을 보냅니다.");
22            break;
23          case "sendSMS":
24            System.out.println(message.to + "님에게 SMS를 보냅니다.");
25            break;
26          case "sendKakaotalk":
27            System.out.println(message.to + "님에게 카카오톡을 보냅니다.");
28            break;
29        }
30      }
31    }
32  }
```

실행 결과

```
홍길동님에게 메일을 보냅니다.
신용권님에게 SMS를 보냅니다.
감자바님에게 카카오톡을 보냅니다.
```

15.7 동기화된 컬렉션

컬렉션 프레임워크의 대부분의 클래스들은 싱글 스레드 환경에서 사용할 수 있도록 설계되었다. 그렇기 때문에 여러 스레드가 동시에 컬렉션에 접근한다면 의도하지 않게 요소가 변경될 수 있는 불안전한 상태가 된다.

Vector와 Hashtable은 동기화된(synchronized) 메소드로 구성되어 있기 때문에 멀티 스레드 환경에서 안전하게 요소를 처리할 수 있지만, ArrayList와 HashSet, HashMap은 동기화된 메소드로 구성되어 있지 않아 멀티 스레드 환경에서 안전하지 않다.

경우에 따라서는 ArrayList, HashSet, HashMap을 멀티 스레드 환경에서 사용하고 싶을 때가 있을 것이다. 이런 경우를 대비해서 컬렉션 프레임워크는 비동기화된 메소드를 동기화된 메소드로 래핑하는 Collections의 synchronizedXXX() 메소드를 제공한다.

리턴 타입	메소드(매개변수)	설명
List<T>	synchronizedList(List<T> list)	List를 동기화된 List로 리턴
Map<K,V>	synchronizedMap(Map<K,V> m)	Map을 동기화된 Map으로 리턴
Set<T>	synchronizedSet(Set<T> s)	Set을 동기화된 Set으로 리턴

이 메소드들은 매개값으로 비동기화된 컬렉션을 대입하면 동기화된 컬렉션을 리턴한다. 다음 코드는 ArrayList를 Collections.synchronizedList() 메소드를 사용해서 동기화된 List로 변환한다.

```
List<T> list = Collections.synchronizedList(new ArrayList<T>());
```

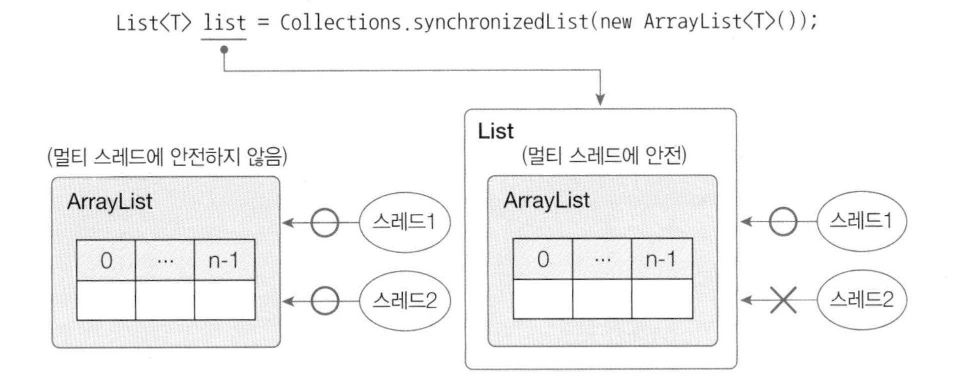

다음 코드는 HashSet을 Collections.synchronizedSet() 메소드를 사용해서 동기화된 Set으로 변환한다.

```
Set<E> set = Collections.synchronizedSet(new HashSet<E>());
```

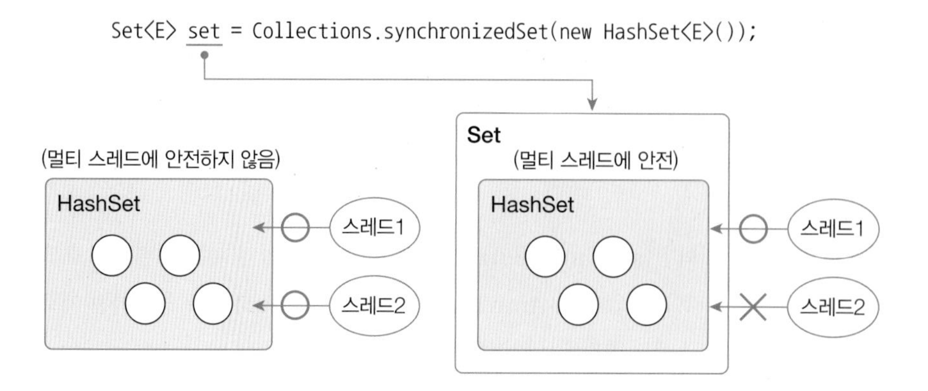

다음 코드는 HashMap을 Collections.synchronizedMap() 메소드를 사용해서 동기화된 Map으로 변환한다.

```
Map<K, V>map = Collections.synchronizedMap(new HashMap<K, V>());
```

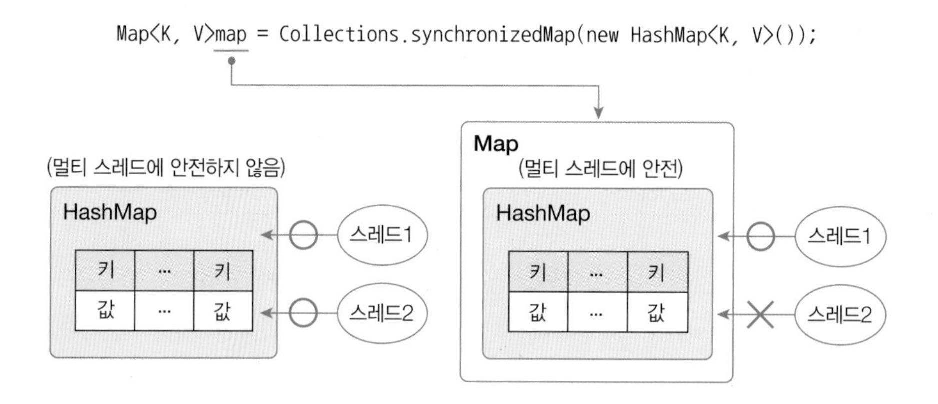

다음은 ThreadA와 ThreadB에서 동시에 Board 객체를 HashMap에 각각 1000개씩 추가한 후, 전체 저장된 수를 출력하는 예제이다.

>>> SynchronizedMapExample.java

```
1    package ch15.sec07;
2
3    import java.util.Collections;
4    import java.util.HashMap;
5    import java.util.Map;
6
7    public class SynchronizedMapExample {
```

```
8    public static void main(String[] args) {
9      //Map 컬렉션 생성
10     Map<Integer, String> map = Collections.synchronizedMap(new HashMap<>());
11
12     //작업 스레드 객체 생성
13     Thread threadA = new Thread() {
14       @Override
15       public void run() {
16         //객체 1000개 추가
17         for(int i=1; i<=1000; i++) {
18           map.put(i, "내용"+i);
19         }
20       }
21     };
22
23     //작업 스레드 객체 생성
24     Thread threadB = new Thread() {
25       @Override
26       public void run() {
27         //객체 1000개 추가
28         for(int i=1001; i<=2000; i++) {
29           map.put(i, "내용"+i);
30         }
31       }
32     };
33
34     //작업 스레드 실행
35     threadA.start();
36     threadB.start();
37
38     //작업 스레드들이 모두 종료될 때까지 메인 스레드를 기다리게 함
39     try {
40       threadA.join();
41       threadB.join();
42     } catch(Exception e) {
43     }
44
45     //저장된 총 객체 수 얻기
46     int size = map.size();
47     System.out.println("총 객체 수: " + size);
```

```
48          System.out.println();
49      }
50  }
```

실행 결과

```
총 객체 수: 2000
```

실행 결과를 보면 정확하게 2000개가 저장되었음을 알 수 있다. 10라인을 다음과 같이 변경하고 실행해 보자.

```
Map<Integer, String> map = new HashMap<>();
```

실행 결과는 2000개가 나오지 않는다. 왜냐하면 HashMap은 두 스레드가 동시에 put() 메소드를 호출할 수 있기 때문에 경합이 발생하고 결국은 하나만 저장되기 때문이다. 하지만 동기화된 Map은 한 번에 하나의 스레드만 put() 메소드를 호출할 수 있기 때문에 경합이 발생하지 않는다.

15.8 수정할 수 없는 컬렉션

수정할 수 없는(unmodifiable) 컬렉션이란 요소를 추가, 삭제할 수 없는 컬렉션을 말한다. 컬렉션 생성 시 저장된 요소를 변경하고 싶지 않을 때 유용하다. 여러 가지 방법으로 만들 수 있는데, 먼저 첫 번째 방법으로는 List, Set, Map 인터페이스의 정적 메소드인 of()로 생성할 수 있다.

```
List<E> immutableList = List.of(E... elements);
Set<E> immutableSet = Set.of(E... elements);
Map<K,V> immutaleMap = Map.of( K k1, V v1,  K k2, V v2,  … );
```

두 번째 방법은 List, Set, Map 인터페이스의 정적 메소드인 copyOf()을 이용해 기존 컬렉션을 복사하여 수정할 수 없는 컬렉션을 만드는 것이다.

```
List<E> immutableList = List.copyOf(Collection<E> coll);
Set<E> immutableSet = Set.copyOf(Collection<E> coll);
Map<K,V> immutaleMap = Map.copyOf(Map<K,V> map);
```

세 번째 방법은 배열로부터 수정할 수 없는 List 컬렉션을 만들 수 있다.

```
String[] arr = { "A", "B", "C" };
List<String> immutableList = Arrays.asList(arr);
```

다음 예제는 수정할 수 없는 컬렉션을 생성하는 다양한 방법을 보여 준다.

>>> **ImmutableExample.java**

```
1    package ch15.sec08;
2
3    import java.util.ArrayList;
4    import java.util.Arrays;
5    import java.util.HashMap;
6    import java.util.HashSet;
7    import java.util.List;
8    import java.util.Map;
9    import java.util.Set;
10
11   public class ImmutableExample {
12     public static void main(String[] args) {
13       //List 불변 컬렉션 생성
14       List<String> immutableList1 = List.of("A", "B", "C");
15       //immutableList1.add("D"); (x)
16
17       //Set 불변 컬렉션 생성
18       Set<String> immutableSet1 = Set.of("A", "B", "C");
19       //immutableSet1.remove("A"); (x)
20
21       //Map 불변 컬렉션 생성
22       Map<Integer, String> immutableMap1 = Map.of(
23           1, "A",
24           2, "B",
25           3, "C"
```

```
26          );
27          //immutableMap1.put(4, "D"); (x)
28
29          //List 컬렉션을 불변 컬렉션으로 복사
30          List<String> list = new ArrayList<>();
31          list.add("A");
32          list.add("B");
33          list.add("C");
34          List<String> immutableList2 = List.copyOf(list);
35
36          //Set 컬렉션을 불변 컬렉션으로 복사
37          Set<String> set= new HashSet<>();
38          set.add("A");
39          set.add("B");
40          set.add("C");
41          Set<String> immutableSet2 = Set.copyOf(set);
42
43          //Map 컬렉션을 불변 컬렉션으로 복사
44          Map<Integer, String> map = new HashMap<>();
45          map.put(1, "A");
46          map.put(2, "B");
47          map.put(3, "C");
48          Map<Integer, String> immutableMap2 = Map.copyOf(map);
49
50          //배열로부터 List 불변 컬렉션 생성
51          String[] arr = { "A", "B", "C" };
52          List<String> immutableList3 = Arrays.asList(arr);
53      }
54  }
```

1. 자바의 컬렉션 프레임워크에 대한 설명으로 틀린 것은 무엇입니까?

❶ List 컬렉션은 인덱스로 객체를 관리하며 중복 저장을 허용한다.

❷ Set 컬렉션은 순서를 유지하지 않으며 중복 저장을 허용하지 않는다.

❸ Map 컬렉션은 키와 값으로 구성된 Map.Entry를 저장한다.

❹ Stack은 FIFO(선입선출) 자료구조를 구현한 클래스이다.

2. List 컬렉션에 대한 설명 중 틀린 것은 무엇입니까?

❶ 대표적인 구현 클래스로는 ArrayList, Vector, LinkedList가 있다.

❷ 멀티 스레드 환경에서는 ArrayList보다는 Vector가 스레드에 안전하다.

❸ ArrayList에서 객체를 삭제하면 삭제된 위치는 비어 있게 된다.

❹ 중간 위치에 객체를 빈번히 삽입하거나 제거할 경우 LinkedList를 사용하는 것이 좋다.

3. Set 컬렉션에 대한 설명 중 틀린 것은 무엇입니까?

❶ 대표적인 구현 클래스로는 HashSet, LinkedHashSet, TreeSet이 있다.

❷ Set 컬렉션에서 객체를 하나씩 꺼내오고 싶다면 Iterator를 이용한다.

❸ HashSet은 hashCode()와 equals() 메소드를 이용해서 중복된 객체를 판별한다.

❹ Set 컬렉션에는 null을 저장할 수 없다.

4. Map 컬렉션에 대한 설명 중 틀린 것은 무엇입니까?.

❶ 대표적인 구현 클래스로는 HashMap, Hashtable, TreeMap, Properties가 있다.

❷ HashMap과 Hashtable은 hashCode()와 equals() 메소드를 이용해서 중복 키를 판별한다.

❸ 멀티 스레드 환경에서는 Hashtable보다는 HashMap이 스레드에 안전하다.

❹ Properties는 키와 값이 모두 String 타입이다.

5. 단일(싱글) 스레드 환경에서 Board 객체를 저장 순서에 맞게 읽고 싶습니다. 가장 적합한 컬렉션을 생성하도록 밑줄 친 부분에 코드를 작성해 보세요.

```
_______________ 변수 = new _______________
    (타입)           (생성자 호출)
```

확인문제

6. 단일(싱글) 스레드 환경에서 학번(String)를 키로, 점수(Integer)를 값으로 저장하는 가장 적합한 컬렉션을 생성하도록 밑줄 친 부분에 코드를 작성해 보세요.

_______________ 변수 = new _______________

(타입) (생성자 호출)

7. BoardDao 객체의 getBoardList() 메소드를 호출하면 List〈Board〉 타입의 컬렉션을 리턴합니다. ListExample 클래스의 실행 결과를 보고, BoardDao 클래스와 getBoardList() 메소드를 작성해 보세요.

```
public class Board {
  private String title;
  private String content;

  public Board(String title, String content) {
    this.title = title;
    this.content = content;
  }

  public String getTitle() { return title; }
  public String getContent() { return content; }
}
```

```
import java.util.List;

public class ListExample {
  public static void main(String[] args) {
    BoardDao dao = new BoardDao();
    List<Board> list = dao.getBoardList();
    for(Board board : list) {
      System.out.println(board.getTitle() + "-" + board.getContent());
    }
  }
}
```

실행 결과

```
제목1-내용1
```

```
제목2-내용2
제목3-내용3
```

8. HashSet에 Student 객체를 저장하려고 합니다. 학번이 같으면 동일한 Student라고 가정하고 중복 저장이 되지 않도록 하고 싶습니다. Student 객체의 해시코드는 학번이라고 가정하고 Student 클래스를 작성해 보세요.

```
public class Student {
  public int studentNum;
  public String name;

  public Student (int studentNum, String name) {
    this.studentNum = studentNum;
    this.name = name;
  }

  //여기에 코드를 작성하세요.
}
```

```
import java.util.HashSet;
import java.util.Set;

public class HashSetExample {
  public static void main(String[] args) {
    Set<Student> set = new HashSet<Student>();

    set.add(new Student(1, "홍길동"));
    set.add(new Student(2, "신용권"));
    set.add(new Student(1, "조민우"));

    System.out.println("저장된 객체 수: " + set.size());
    for(Student s : set) {
      System.out.println(s.studentNum + ":" + s.name);
    }
  }
}
```

확인문제

실행 결과

```
저장된 객체 수: 2
1:홍길동
2:신용권
```

9. HashMap에 아이디(String)와 점수(Integer)가 저장되어 있습니다. 실행 결과와 같이 평균 점수, 최고 점수, 최고 점수를 받은 아이디를 출력하도록 코드를 작성해 보세요.

```
import java.util.HashMap;
import java.util.Map;
import java.util.Set;

public class MapExample {
  public static void main(String[] args) {
    Map<String,Integer> map = new HashMap<String,Integer>();
    map.put("blue", 96);
    map.put("hong", 86);
    map.put("white", 92);

    String name = null;    //최고 점수를 받은 아이디를 저장하는 변수
    int maxScore = 0;      //최고 점수를 저장하는 변수
    int totalScore = 0;    //점수 합계를 저장하는 변수

    //여기에 코드를 작성하세요.
  }
}
```

실행 결과

```
평균 점수: 91
최고 점수: 96
최고 점수를 받은 아이디: blue
```

10. TreeSet에 Student 객체를 저장할 때, Student의 score 필드값을 기준으로 자동 정렬되도록 구현하고 싶습니다. TreeSet의 last() 메소드를 호출했을 때 가장 높은 score의 Student 객체가 리턴되도록 Student 클래스에서 밑줄 친 곳과 비어있는 곳에 코드를 작성해 보세요.

```
public class Student ______________________________ {
  public String id;
  public int score;

  public Student (String id, int score) {

    this.id = id;
    this.score = score;
  }
  [                                                              ]
}
```

```
import java.util.TreeSet;

public class TreeSetExample {
  public static void main(String[] args) {
    TreeSet<Student> treeSet = new TreeSet<Student>();
    treeSet.add(new Student("blue", 96));
    treeSet.add(new Student("hong", 86));
    treeSet.add(new Student("white", 92));

    Student student = treeSet.last();
    System.out.println("최고 점수: " + student.score);
    System.out.println("최고 점수를 받은 아이디: " + student.id);
  }
}
```

실행 결과

```
최고 점수: 96
최고 점수를 받은 아이디: blue
```

확인문제

11. LIFO와 FIFO 컬렉션에 대한 설명으로 틀린 것은 무엇입니까?

❶ Stack은 LIFO이고 Queue는 FIFO 구조를 가지고 있다.

❷ Stack에 넣는 행위는 push이고, 빼는 행위는 pop이다.

❸ Queue에 넣는 행위는 offer이고, 빼는 행위는 poll이다.

❹ Stack과 Queue는 자바에서 클래스 타입이다.

12. 동기화된 컬렉션에 대한 설명으로 틀린 것은 무엇입니까?

❶ 멀티 스레드 환경에서 안전하게 사용할 수 있는 컬렉션이다.

❷ 동기화된 컬렉션의 메소드는 synchronized 처리가 되어 있다.

❸ Vector와 HashMap은 동기화된 컬렉션이다.

❹ Collections의 synchronizedMap() 메소드는 동기화된 Map을 리턴한다.

13. 수정할 수 없는 List 컬렉션에 대한 설명으로 틀린 것은 무엇입니까?

❶ 요소를 추가, 삭제할 수 없는 List 컬렉션을 말한다.

❷ List의 of() 메소드는 수정할 수 없는 컬렉션을 생성한다.

❸ List의 copyOf() 메소드는 기존 컬렉션을 복사한 수정할 수 없는 컬렉션을 생성한다.

❹ Array.asList() 메소드는 배열로부터 수정할 수 있는 List 컬렉션을 생성한다.

Chapter 16

람다식

16.1 람다식이란?

함수형 프로그래밍functional programming이란 함수를 정의하고 이 함수를 데이터 처리부로 보내 데이터를 처리하는 기법을 말한다. 데이터 처리부는 데이터만 가지고 있을 뿐, 처리 방법이 정해져 있지 않아 외부에서 제공된 함수에 의존한다.

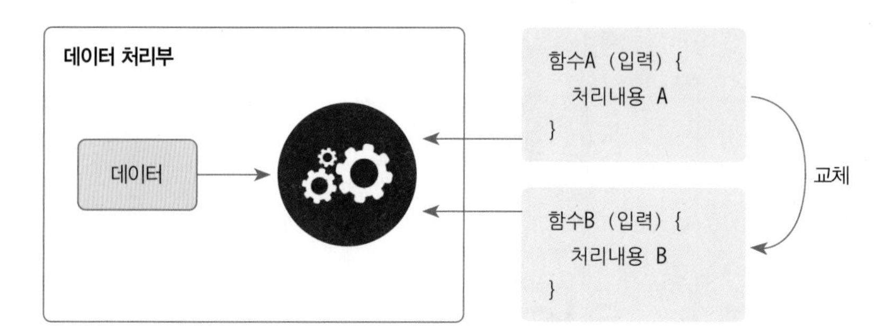

데이터 처리부는 제공된 함수의 입력값으로 데이터를 넣고 함수에 정의된 처리 내용을 실행한다. 동일한 데이터라도 함수A를 제공해서 처리하는 결과와 함수B를 제공해서 처리하는 결과는 다를 수 있다. 이것이 함수형 프로그래밍의 특징으로, 데이터 처리의 다형성이라고도 볼 수 있다.

자바는 함수형 프로그래밍을 위해 Java 8부터 람다식Lambda Expressions을 지원한다. 람다식은 위 그림과 같이 데이터 처리부에 제공되는 함수 역할을 하는 매개변수를 가진 중괄호 블록이다. 데이터 처리부는 람다식을 받아 매개변수에 데이터를 대입하고 중괄호를 실행시켜 처리한다.

```
람다식: (매개변수, …) -> { 처리 내용 }
```

자바는 람다식을 익명 구현 객체로 변환한다. 익명 구현 객체란 9장에서 설명한 것과 같이 이름이 없는 인터페이스 구현 객체를 말한다. 예를 들어 다음과 같이 Calculable 인터페이스가 있다고 가정해 보자.

```
public interface Calculable {
  //추상 메소드
  void calculate(int x, int y);
}
```

Calculable 인터페이스의 익명 구현 객체는 다음과 같이 생성할 수 있다.

```
new Calculable() {
  @Override
  public void calculate(int x, int y) { 처리내용 }
};
```

이것을 람다식으로 표현하면 다음과 같다. 추상 메소드인 calculate()는 두 개의 매개변수를 가지므로 (x, y)로 표현되었고, 화살표 -> 뒤에 calculate()의 실행 블록이 온다.

```
(x, y) -> { 처리내용 };
```

람다식은 인터페이스의 익명 구현 객체이므로 인터페이스 타입의 매개변수에 대입될 수 있다. 예를 들어 다음과 같이 Calculable 매개변수를 가지고 있는 action() 메소드가 있다고 가정해 보자.

```
public void action(Calculable calculable) {
  int x = 10;
  int y = 4;
  calculable.calculate(x, y);   //데이터를 제공하고 추상 메소드를 호출
}
```

action() 메소드를 호출할 때 매개값으로 다음과 같이 람다식을 제공할 수 있다. action() 메소드에서 calculable.calculate(x, y)를 실행하면 람다식의 중괄호 블록이 실행되면서 데이처가 처리된다. 여기서 action() 메소드는 제공된 람다식을 이용해서 내부 데이터를 처리하는 처리부 역할을 한다.

```
action( (x, y) -> {
  int result = x + y;
  System.out.println(result);
});
```

다음 그림과 같이 람다식1과 람다식2 중에서 어떤 람다식을 매개값으로 제공하느냐에 따라 계산 결과는 달라질 수 있다.

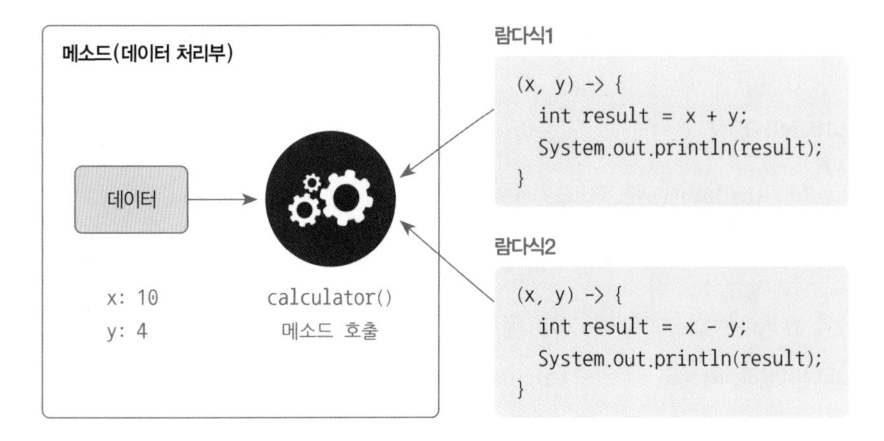

인터페이스의 익명 구현 객체를 람다식으로 표현하려면 인터페이스가 단 하나의 추상 메소드만 가져야 한다. 따라서 다음과 같이 두 개 이상의 추상 메소드를 가진 RemoteControl 인터페이스는 람다식으로 표현할 수 없다.

```
public interface RemoteControl {
  void turnOn();
  void turnOff();
}
```

인터페이스가 단 하나의 추상 메소드를 가질 때, 이를 함수형 인터페이스functional interface라고 한다. 다음 인터페이스들은 함수형 인터페이스이다.

인터페이스

```
public interface Runnable {
  void run();
}
```

람다식

```
( ) -> { … }
```

인터페이스

```
@FunctionalInterface
public interface Calculable {
  void calculate(int x, int y);
}
```

람다식

```
( x, y ) -> { … }
```

인터페이스가 함수형 인터페이스임을 보장하기 위해서는 @FunctionalInterface 어노테이션을 붙이면 된다. @FunctionalInterface를 붙이는 것은 선택사항이지만, 컴파일 과정에서 추상 메소드가 하나인지 검사하기 때문에 정확한 함수형 인터페이스를 작성할 수 있게 도와주는 역할을 한다.

Calculable 인터페이스를 다음과 같이 작성해 보자.

>>> **Calculable.java**

```
1   package ch16.sec01;
2
3   @FunctionalInterface
4   public interface Calculable {
5     //추상 메소드
6     void calculate(int x, int y);
7   }
```

LambdaExample 클래스를 다음과 같이 작성하고 실행해 보자.

>>> **LambdaExample.java**

```
1   package ch16.sec01;
2
3   public class LambdaExample {
4     public static void main(String[] args) {
5       action((x, y) -> {
6         int result = x + y;
7         System.out.println("result: " + result);
8       });
9
10      action((x, y) -> {
11        int result = x - y;
12        System.out.println("result: " + result);
13      });
14    }
15
16    public static void action(Calculable calculable) {
17      //데이터
```

```
18          int x = 10;
19          int y = 4;
20          //데이터 처리
21          calculable.calculate(x, y);
22      }
23    }
```

실행 결과

```
result: 14
result: 6
```

16.2 매개변수가 없는 람다식

함수형 인터페이스의 추상 메소드에 매개변수가 없을 경우 람다식은 다음과 같이 작성할 수 있다. 실행문이 두 개 이상일 경우에는 중괄호를 생략할 수 없고, 하나일 경우에만 생략할 수 있다.

```
( ) -> {
  실행문;
  실행문;
}
```

```
( ) -> 실행문
```

Workable 인터페이스에 매개변수가 없는 work() 추상 메소드를 다음과 같이 작성해 보자.

>>> **Workable.java**

```
1    package ch16.sec02.exam01;
2
3    @FunctionalInterface
4    public interface Workable {
5      void work();
6    }
```

그리고 Person 클래스에 Workable을 매개변수로 갖는 action() 메소드를 다음과 같이 작성한다.

>>> **Person.java**

```
1   package ch16.sec02.exam01;
2
3   public class Person {
4     public void action(Workable workable) {
5       workable.work();
6     }
7   }
```

이제 LambdaExample 클래스를 다음과 같이 작성하고 실행해 보자.

>>> **LambdaExample.java**

```
1   package ch16.sec02.exam01;
2
3   public class LambdaExample {
4     public static void main(String[] args) {
5       Person person = new Person();
6
7       //실행문이 두 개 이상인 경우 중괄호 필요
8       person.action(() -> {
9         System.out.println("출근을 합니다.");
10        System.out.println("프로그래밍을 합니다.");
11      });
12
13      //실행문이 한 개일 경우 중괄호 생략 가능
14      person.action(() -> System.out.println("퇴근합니다."));
15    }
16  }
```

실행 결과

```
출근을 합니다.
프로그래밍을 합니다.
퇴근합니다.
```

다음은 9.6에서 실습한 익명 구현 객체의 예제를 수정한 것이다. 익명 구현 객체를 람다식으로 대체해 버튼의 클릭 이벤트를 처리하고 있다.

>>> Button.java

```
1   package ch16.sec02.exam02;
2
3   public class Button {
4     //정적 멤버 인터페이스
5     @FunctionalInterface
6     public static interface ClickListener {
7       //추상 메소드
8       void onClick();
9     }
10
11    //필드
12    private ClickListener clickListener;
13
14    //메소드
15    public void setClickListener(ClickListener clickListener) {
16      this.clickListener = clickListener;
17    }
18
19    public void click() {
20      this.clickListener.onClick();
21    }
22  }
```

함수형 인터페이스

>>> ButtonExample.java

```
1   package ch16.sec02.exam02;
2
3   public class ButtonExample {
4     public static void main(String[] args) {
5       //Ok 버튼 객체 생성
6       Button btnOk = new Button();
7
8       //Ok 버튼 객체에 람다식(ClickListener 익명 구현 객체) 주입
```

```
9            btnOk.setClickListener(() -> {
10             System.out.println("Ok 버튼을 클릭했습니다.");
11           });
12
13           //Ok 버튼 클릭하기
14           btnOk.click();
15
16           //Cancel 버튼 객체 생성
17           Button btnCancel = new Button();
18
19           //Cancel 버튼 객체에 람다식(ClickListener 익명 구현 객체) 주입
20           btnCancel.setClickListener(() -> {
21             System.out.println("Cancel 버튼을 클릭했습니다.");
22           });
23
24           //Cancel 버튼 클릭하기
25           btnCancel.click();
26         }
27       }
```

매개값으로 람다식 대입

매개값으로 람다식 대입

실행 결과

```
Ok 버튼을 클릭했습니다.
Cancel 버튼을 클릭했습니다.
```

16.3 매개변수가 있는 람다식

함수형 인터페이스의 추상 메소드에 매개변수가 있을 경우 람다식은 다음과 같이 작성할 수 있다. 매개변수를 선언할 때 타입은 생략할 수 있고, 구체적인 타입 대신에 var를 사용할 수도 있다. 하지만 타입을 생략하고 작성하는 것이 일반적이다.

```
(타입 매개변수, … ) -> {        (var 매개변수, …) -> {        (매개변수, …) -> {
  실행문;                         실행문;                        실행문;
  실행문;                         실행문;                        실행문;
}                               }                              }

(타입 매개변수, … ) -> 실행문    (var 매개변수, …) -> 실행문    (매개변수, …) -> 실행문
```

매개변수가 하나일 경우에는 괄호를 생략할 수도 있다. 이때는 타입 또는 var를 붙일 수 없다.

```
매개변수 -> {
  실행문;
  실행문;
}
```

```
매개변수 -> 실행문
```

Workable 인터페이스에 매개변수가 두 개 있는 work() 추상 메소드를 다음과 같이 작성해 보자.

>>> **Workable.java**

```
1    package ch16.sec03;
2
3    @FunctionalInterface
4    public interface Workable {
5      void work(String name, String job);
6    }
```

그리고 Speakable 인터페이스에 매개변수가 한 개 있는 speak() 추상 메소드를 다음과 같이 작성한다.

>>> **Speakable.java**

```
1    package ch16.sec03;
2
3    @FunctionalInterface
4    public interface Speakable {
5      void speak(String content);
6    }
```

Person 클래스에 Workable을 매개변수로 갖는 action1() 메소드와 Speakable을 매개변수로 갖는 action2() 메소드를 다음과 같이 작성한다.

>>> **Person.java**

```
1    package ch16.sec03;
2
3    public class Person {
4      public void action1(Workable workable) {
5        workable.work("홍길동", "프로그래밍");
6      }
7
8      public void action2(Speakable speakable) {
9        speakable.speak("안녕하세요");
10     }
11   }
```

이제 LambdaExample 클래스를 다음과 같이 작성하고 실행해 보자.

>>> **LambdaExample.java**

```
1    package ch16.sec03;
2
3    public class LambdaExample {
4      public static void main(String[] args) {
5        Person person = new Person();
6
7        //매개변수가 두 개일 경우
8        person.action1((name, job) -> {
9          System.out.print(name + "이 ");
10         System.out.println(job + "을 합니다.");
11       });
12       person.action1((name, job) -> System.out.println(name + "이 " +
                                     job + "을 하지 않습니다."));
13
14       //매개변수가 한 개일 경우
15       person.action2(word -> {
16         System.out.print("\"" + word + "\"");
17         System.out.println("라고 말합니다.");
18       });
19       person.action2(word -> System.out.println("\"" + word + "\"라고 외칩니다."));
20     }
21   }
```

실행 결과

```
홍길동이 프로그래밍을 합니다.
홍길동이 프로그래밍을 하지 않습니다.
"안녕하세요"라고 말합니다.
"안녕하세요"라고 외칩니다.
```

16.4 리턴값이 있는 람다식

함수형 인터페이스의 추상 메소드에 리턴값이 있을 경우 람다식은 다음과 같이 작성할 수 있다. return 문 하나만 있을 경우에는 중괄호와 함께 return 키워드를 생략할 수 있다. 리턴값은 연산식 또는 리턴값 있는 메소드 호출로 대체할 수 있다.

```
(매개변수, … ) -> {
  실행문;
  return 값;
}
```

```
(매개변수, …) -> return 값;
(매개변수, …) -> 값
```

다음 예제를 통해 두 수를 계산하고 리턴하는 람다식을 연습해 보자. Calcuable 인터페이스에 리턴값이 있는 calc() 추상 메소드를 다음과 같이 작성한다.

>>> Calcuable.java

```
1   package ch16.sec04;
2
3   @FunctionalInterface
4   public interface Calcuable {
5     double calc(double x, double y);
6   }
```

Person 클래스에 Calcuable을 매개변수로 갖는 action() 메소드를 다음과 같이 작성한다.

>>> **Person.java**

```java
1   package ch16.sec04;
2
3   public class Person {
4     public void action(Calcuable calcuable) {
5       double result = calcuable.calc(10, 4);
6       System.out.println("결과: " + result);
7     }
8   }
```

LambdaExample 클래스를 다음과 같이 작성하고 실행해 보자.

>>> **LambdaExample.java**

```java
1   package ch16.sec04;
2
3   public class LambdaExample {
4     public static void main(String[] args) {
5       Person person = new Person();
6
7       //실행문이 두 개 이상일 경우
8       person.action((x, y) -> {
9         double result = x + y;
10        return result;
11      });
12
13      //리턴문이 하나만 있을 경우(연산식)
14      //person.action((x, y) -> {
15      //return (x + y);
16      //});
17      person.action((x, y) -> (x + y));
18
19      //리턴문이 하나만 있을 경우(메소드 호출)
20      //person.action((x, y) -> {
21      //return sum(x, y);
22      //});
23      person.action((x, y) -> sum(x, y));
```

```
24        }
25
26        public static double sum(double x, double y) {
27          return (x + y);
28        }
29      }
```

실행 결과

```
결과: 14.0
결과: 14.0
결과: 14.0
```

16.5 메소드 참조

메소드 참조는 말 그대로 메소드를 참조해서 매개변수의 정보 및 리턴 타입을 알아내 람다식에서 불필요한 매개변수를 제거하는 것을 목적으로 한다. 예를 들어 두 개의 값을 받아 큰 수를 리턴하는 Math 클래스의 max() 정적 메소드를 호출하는 람다식은 다음과 같다.

```
(left, right) -> Math.max(left, right);
```

람다식은 단순히 두 개의 값을 Math.max() 메소드의 매개값으로 전달하는 역할만 하기 때문에 다소 불편해 보인다. 이 경우에는 다음과 같이 메소드 참조를 이용하면 매우 깔끔하게 처리할 수 있다.

```
Math :: max;
```

정적 메소드와 인스턴스 메소드 참조

정적static 메소드를 참조할 경우에는 클래스 이름 뒤에 :: 기호를 붙이고 정적 메소드 이름을 기술한다.

```
클래스 :: 메소드
```

인스턴스 메소드일 경우에는 먼저 객체를 생성한 다음 참조 변수 뒤에 :: 기호를 붙이고 인스턴스 메소드 이름을 기술한다.

```
참조변수 :: 메소드
```

다음 예제는 두 수를 계산하는 방법을 람다식으로 기술하는 대신 Computer의 정적 및 인스턴스 메소드 참조로 대체하는 방법을 보여 준다. Calcuable과 Person 클래스는 이전 예제와 동일하다.

>>> **Calcuable.java**

```java
1	package ch16.sec05.exam01;
2	
3	@FunctionalInterface
4	public interface Calcuable {
5	  double calc(double x, double y);
6	}
```

>>> **Person.java**

```java
1	package ch16.sec05.exam01;
2	
3	public class Person {
4	  public void action(Calcuable calcuable) {
5	    double result = calcuable.calc(10, 4);
6	    System.out.println("결과: " + result);
7	  }
8	}
```

Computer 클래스는 정적 메소드와 인스턴스 메소드를 포함해 다음과 같이 작성한다.

>>> **Computer.java**

```
1    package ch16.sec05.exam01;
2
3    public class Computer {
4      public static double staticMethod(double x, double y) {
5        return x + y;
6      }
7
8      public double instanceMethod(double x, double y) {
9        return x * y;
10     }
11   }
```

MethodReferenceExample 클래스를 다음과 같이 작성하고 실행해 보자.

>>> **MethodReferenceExample.java**

```
1    package ch16.sec05.exam01;
2
3    public class MethodReferenceExample {
4      public static void main(String[] args) {
5        Person person = new Person();
6
7        //정적 메소드일 경우
8        //람다식
9        //person.action((x, y) -> Computer.staticMethod(x, y));
10       //메소드 참조
11       person.action( Computer :: staticMethod );
12
13       //인스턴스 메소드일 경우
14       Computer com = new Computer();
15       //람다식
16       //person.action((x, y) -> com.instanceMethod(x, y));
17       //메소드 참조
18       person.action( com :: instanceMethod );
```

```
19        }
20    }
```

실행 결과

```
결과: 14.0
결과: 40.0
```

매개변수의 메소드 참조

다음과 같이 람다식에서 제공되는 a 매개변수의 메소드를 호출해서 b 매개변수를 매개값으로 사용하는 경우도 있다.

```
(a, b) -> { a.instanceMethod(b); }
```

이것을 메소드 참조로 표현하면 다음과 같다. a의 클래스 이름 뒤에 :: 기호를 붙이고 메소드 이름을 기술한다. 작성 방법은 정적 메소드 참조와 동일하지만, a의 인스턴스 메소드가 사용된다는 점에서 다르다.

```
클래스 :: instanceMethod
```

다음 예제는 사람의 이름을 비교하기 위해 String의 인스턴스 메소드인 compareToIgnoreCase를 메소드 참조로 사용한다. a.compareToIgnoreCase(b)로 호출했을 때 사전 순으로 a가 b보다 먼저 오면 음수를, 동일하면 0을, 나중에 오면 양수를 리턴한다.

먼저 함수형 인터페이스로 Comparable을 다음과 같이 작성해 보자.

>>> **Comparable.java**

```java
1    package ch16.sec05.exam02;
2
3    @FunctionalInterface
4    public interface Comparable {
5      int compare(String a, String b);
6    }
```

Person 클래스에 Comparable을 매개변수로 갖는 ordering() 메소드를 다음과 같이 작성한다.

>>> **Person.java**

```java
1    package ch16.sec05.exam02;
2
3    public class Person {
4      public void ordering(Comparable comparable) {
5        String a = "홍길동";
6        String b = "김길동";
7
8        int result = comparable.compare(a, b);
9
10       if(result < 0) {
11         System.out.println(a + "은 " + b + "보다 앞에 옵니다.");
12       } else if(result == 0) {
13         System.out.println(a + "은 " + b + "과 같습니다.");
14       } else {
15         System.out.println(a + "은 " + b + "보다 뒤에 옵니다.");
16       }
17     }
18   }
```

MethodReferenceExample 클래스를 다음과 같이 작성하고 실행해 보자.

>>> MethodReferenceExample.java

```
1    package ch16.sec05.exam02;
2
3    public class MethodReferenceExample {
4      public static void main(String[] args) {
5        Person person = new Person();          (a, b) -> a.compareToIgnoreCase(b)
6        person.ordering( String :: compareToIgnoreCase );
7      }                                   메소드 참조
8    }
```

실행 결과

```
홍길동은 김길동보다 뒤에 옵니다.
```

16.6 생성자 참조

생성자를 참조한다는 것은 객체를 생성하는 것을 의미한다. 람다식이 단순히 객체를 생성하고 리턴하도록 구성된다면 람다식을 생성자 참조로 대치할 수 있다. 다음 코드를 보면 람다식은 단순히 객체를 생성한 후 리턴만 한다.

```
(a, b) -> { return new 클래스(a, b); }
```

이것을 생성자 참조로 표현하면 다음과 같다. 클래스 이름 뒤에 :: 기호를 붙이고 new 연산자를 기술하면 된다.

```
클래스 :: new
```

생성자가 오버로딩되어 여러 개가 있을 경우, 컴파일러는 함수형 인터페이스의 추상 메소드와 동일한 매개변수 타입과 개수를 가지고 있는 생성자를 찾아 실행한다. 만약 해당 생성자가 존재하지 않으면 컴파일 오류가 발생한다.

다음 예제는 생성자 참조를 이용해서 두 가지 방법으로 Member 객체를 생성한다. 하나는 Creatable1 함수형 인터페이스의 create() 메소드를 이용해서 Member 객체를 생성하였고, 다른 하나는 Creatable2 함수형 인터페이스의 create() 메소드를 이용해서 Member 객체를 생성하였다.

먼저 Creatable1과 Creatable2 함수형 인터페이스를 다음과 같이 작성해 보자.

>>> **Creatable1.java**

```java
1    package ch16.sec05.exam03;
2
3    @FunctionalInterface
4    public interface Creatable1 {
5      public Member create(String id);
6    }
```

>>> **Creatable2.java**

```java
1    package ch16.sec05.exam03;
2
3    @FunctionalInterface
4    public interface Creatable2 {
5      public Member create(String id, String name);
6    }
```

Member 클래스는 id로 객체를 생성하는 생성자와 id와 name으로 객체를 생성하는 생성자를 작성하고, 필드값을 확인할 수 있도록 toString() 메소드를 재정의한다.

>>> **Member.java**

```java
1    package ch16.sec05.exam03;
2
3    public class Member {
4      private String id;
5      private String name;
```

```
6
7     public Member(String id) {
8       this.id = id;
9       System.out.println("Member(String id)");
10    }
11
12    public Member(String id, String name) {
13      this.id = id;
14      this.name = name;
15      System.out.println("Member(String id, String name)");
16    }
17
18    @Override
19    public String toString() {
20      String info = "{ id: " + id + ", name: " + name + " }";
21      return info;
22    }
23  }
```

Person 클래스는 Creatable1과 Creatable2를 매개변수로 갖는 getMember1()과 getMember2() 메소드를 다음과 같이 작성한다.

>>> Person.java

```
1   package ch16.sec05.exam03;
2
3   public class Person {
4     public Member getMember1(Creatable1 creatable) {
5       String id = "winter";
6       Member member = creatable.create(id);
7       return member;
8     }
9
10    public Member getMember2(Creatable2 creatable) {
11      String id = "winter";
12      String name = "한겨울";
13      Member member = creatable.create(id, name);
```

```
14          return member;
15      }
16  }
```

ConstructorReferenceExample 클래스를 다음과 같이 작성하고 실행해 보자.

>>> ConstructorReferenceExample.java

```
1   package ch16.sec05.exam03;
2
3   public class ConstructorReferenceExample {
4     public static void main(String[] args) {
5       Person person = new Person();
6
7       Member m1 = person.getMember1( Member :: new );
8       System.out.println(m1);
9       System.out.println();
10
11      Member m2 = person.getMember2( Member :: new );
12      System.out.println(m2);
13    }
14  }
```

생성자 참조

실행 결과

```
Member(String id)
{ id: winter, name: null }

Member(String id, String name)
{ id: winter, name: 한겨울 }
```

생성자 참조는 두 가지 방법 모두 동일하지만, 함수형 인터페이스의 매개변수 개수에 따라 실행되는 Member 생성자가 다르다는 것을 확인할 수 있다.

1. 람다식에 대한 설명으로 틀린 것은 무엇입니까?

❶ 람다식은 함수형 인터페이스의 익명 구현 객체를 생성한다.

❷ 매개변수가 없을 경우 ( ) ➔ { … } 형태로 작성한다.

❸ (x,y) ➔ { return x+y; }는 (x,y) ➔ x+y로 바꿀 수 있다.

❹ @FunctionalInterface가 기술된 인터페이스만 람다식으로 표현이 가능하다.

2. 메소드 참조와 생성자 참조에 대한 설명으로 틀린 것은 무엇입니까?

❶ 메소드 참조는 함수적 인터페이스의 익명 구현 객체를 생성한다.

❷ 인스턴스 메소드는 "참조변수::메소드"로 기술한다.

❸ 정적 메소드는 "클래스::메소드"로 기술한다.

❹ 생성자 참조인 "클래스::new"는 매개변수가 없는 디폴트 생성자만 호출한다.

3. 다음 중 잘못 작성된 람다식은 무엇입니까?

❶ a ➔ a+3 ❷ a,b ➔ a*b

❸ x ➔ System.out.println(x/5) ❹ (x,y) ➔ Math.max(x, y)

4. 다음 코드의 실행 결과를 보고 빈 곳에 들어갈 람다식을 작성해 보세요.

```
public class Example {
  public static void main(String[] args) {
    Thread thread = new Thread(
      
      
    );
    thread.start();
  }
}
```

실행 결과

```
작업 스레드가 실행됩니다.
작업 스레드가 실행됩니다.
작업 스레드가 실행됩니다.
```

확인문제

5. 다음 코드의 실행 결과를 보고 밑줄 친 곳에 들어갈 람다식을 작성해 보세요.

```
public class Button {
  //정적 멤버 인터페이스(함수형 인터페이스)
  @FunctionalInterface
  public static interface ClickListener {
    void onClick();
  }

  private ClickListener clickListener;

  public void setClickListener(ClickListener clickListener) {
    this.clickListener = clickListener;
  }

  public void click() {
    this.clickListener.onClick();
  }
}
```

```
public class Example {
  public static void main(String[] args) {
    Button btnOk = new Button();
    btnOk.setClickListener( ______________________________ );
    btnOk.click();

    Button btnCancel = new Button();
    btnCancel.setClickListener( ____________________________ );
    btnCancel.click();
  }
}
```

실행 결과

```
Ok 버튼을 클릭했습니다.
Cancel 버튼을 클릭했습니다.
```

6. 다음 코드를 보고, Function 함수형 인터페이스를 작성해 보세요.

```
public class Example {
  public static double calc(Function fun) {
    double x = 10;
    double y = 4;
    return fun.apply(x, y);
  }

  public static void main(String[] args) {
    double result = calc( (x, y) -> (x / y) );
    System.out.println("result: " + result);
  }
}
```

실행 결과

```
result: 2.5
```

7. 다음은 배열 항목 중에 최대값 또는 최소값을 찾는 코드입니다. maxOrMin() 메소드를 호출할 때 빈 곳에 람다식을 작성해 보세요.

```
@FunctionalInterface
public interface Operator {
  public int apply(int x, int y);
}
```

```
public class Example {
  private static int[] scores = { 10, 50, 3 };

  public static int maxOrMin(Operator operator) {
    int result = scores[0];
    for(int score : scores) {
      result = operator.apply(result, score);
    }
    return result;
  }
```

```
  public static void main(String[] args) {
    //최대값 얻기
    int max = maxOrMin(
      [                                          ]
    );
    System.out.println("최대값: " + max);

    //최소값 얻기
    int min = maxOrMin(
      [                                          ]

    );
    System.out.println("최소값: " + min);
  }
}
```

실행 결과

```
최대값: 50
최소값: 3
```

8. 다음은 학생의 영어 평균 점수와 수학 평균 점수를 계산하는 코드입니다. 빈 곳에 avg() 메소드를 작성해 보세요.

```
@FunctionalInterface
public interface Function<T> {
  public double apply(T t);
}
```

```
public class Student {
  private String name;
  private int englishScore;
  private int mathScore;

  public Student(String name, int englishScore, int mathScore) {
    this.name = name;
    this.englishScore = englishScore;
```

```java
    this.mathScore = mathScore;
  }

  public String getName() { return name; }
  public int getEnglishScore() { return englishScore; }
  public int getMathScore() { return mathScore; }
}
```

```java
public class Example {
  private static Student[] students = {
    new Student("홍길동", 90, 96),
    new Student("신용권", 95, 93)
  };

  //avg() 메소드 작성
  
  
  
  public static void main(String[] args) {
    double englishAvg = avg( s -> s.getEnglishScore() );
    System.out.println("영어 평균 점수: " + englishAvg);

    double mathAvg = avg( s -> s.getMathScore() );
    System.out.println("수학 평균 점수: " + mathAvg);
  }
}
```

9. 8번 문제에서 Example 클래스의 main() 메소드를 실행할 때, avg() 메소드의 매개값으로 람다식을 사용하지 않고 메소드 참조로 변경해 보세요.

```java
double englishAvg = avg( s -> s.getEnglishScore() );
→ double englishAvg = avg( ________________ );

double mathAvg = avg( s -> s.getMathScore() );
→ double mathAvg = avg( ________________ );
```

Chapter 17

스트림 요소 처리

17.1 스트림이란?

지금까지 컬렉션 및 배열에 저장된 요소를 반복 처리하기 위해서는 for 문을 이용하거나 Iterator(반복자)를 이용했다. 다음은 List 컬렉션에서 요소를 하나씩 처리하는 for 문이다.

```
List<String> list = …;
for(int i=0; i<list.size(); i++) {
  String item = list.get(i);
  //item 처리
}
```

그리고 Set에서 요소를 하나씩 처리하기 위해 Iterator를 다음과 같이 사용했다.

```
Set<String> set = …;
Iterator<String> iterator = set.iterator();
while(iterator.hasNext()) {
  String item = iterator.next();
  //요소 처리
}
```

Java 8부터는 또 다른 방법으로 컬렉션 및 배열의 요소를 반복 처리하기 위해 스트림Stream을 사용할 수 있다. 스트림은 요소들이 하나씩 흘러가면서 처리된다는 의미를 가지고 있다. List 컬렉션에서 요소를 반복 처리하기 위해 스트림을 사용하면 다음과 같다.

```
Stream<String> stream = list.stream();
stream.forEach( item -> //item 처리 );
```

List 컬렉션의 stream() 메소드로 Stream 객체를 얻고, forEach() 메소드로 요소를 어떻게 처리할지를 람다식으로 제공한다. 다음 예제는 Set 컬렉션의 요소를 하나씩 읽고 출력하기 위해 스트림을 사용한다.

>>> StreamExample.java

```
1   package ch17.sec01.exam01;
2
3   import java.util.HashSet;
4   import java.util.Iterator;
5   import java.util.Set;
6   import java.util.stream.Stream;
7
8   public class StreamExample {
9     public static void main(String[] args) {
10      //Set 컬렉션 생성
11      Set<String> set = new HashSet<>();
12      set.add("홍길동");
13      set.add("신용권");
14      set.add("감자바");
15
16      //Stream을 이용한 요소 반복 처리
17      Stream<String> stream = set.stream();   // 스트림 얻기
18      stream.forEach( name -> System.out.println(name) );   // 람다식: 요소 처리 방법
19    }
20  }
```

실행 결과

```
홍길동
신용권
감자바
```

Stream은 Iterator와 비슷한 반복자이지만, 다음과 같은 차이점을 가지고 있다.

1) 내부 반복자이므로 처리 속도가 빠르고 병렬 처리에 효율적이다.

2) 람다식으로 다양한 요소 처리를 정의할 수 있다.

3) 중간 처리와 최종 처리를 수행하도록 파이프 라인을 형성할 수 있다.

자세한 내용은 다음 절부터 하나씩 알아보기로 하자.

17.2 내부 반복자

for 문과 Iterator는 컬렉션의 요소를 컬렉션 바깥쪽으로 반복해서 가져와 처리하는데, 이것을 외부 반복자라고 한다. 반면 스트림은 요소 처리 방법을 컬렉션 내부로 주입시켜서 요소를 반복 처리하는데, 이것을 내부 반복자라고 한다. 다음 그림을 보면서 외부 반복자와 내부 반복자를 이해해 보자.

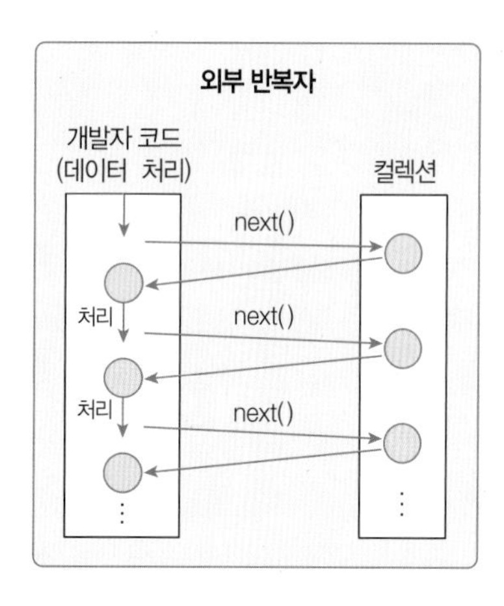

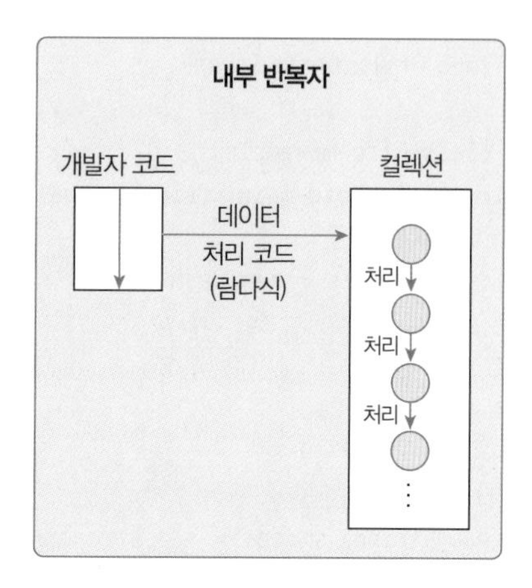

외부 반복자일 경우는 컬렉션의 요소를 외부로 가져오는 코드와 처리하는 코드를 모두 개발자 코드가 가지고 있어야 한다. 반면 내부 반복자일 경우는 개발자 코드에서 제공한 데이터 처리 코드(람다식)를 가지고 컬렉션 내부에서 요소를 반복 처리한다.

내부 반복자는 멀티 코어 CPU를 최대한 활용하기 위해 요소들을 분배시켜 병렬 작업을 할 수 있다. 하나씩 처리하는 순차적 외부 반복자보다는 효율적으로 요소를 반복시킬 수 있는 장점이 있다.

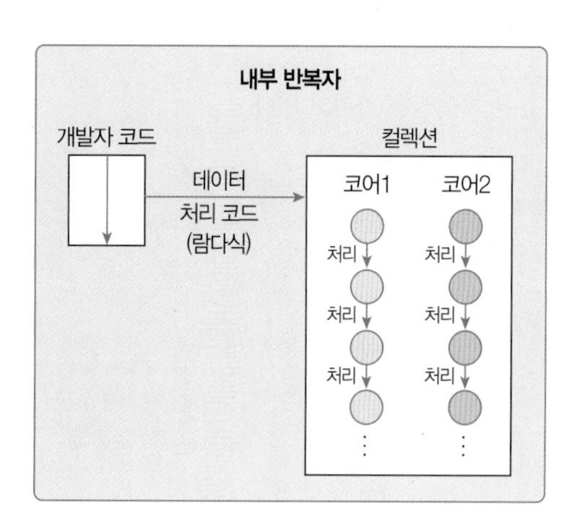

다음 예제는 List 컬렉션의 내부 반복자를 이용해서 병렬 처리하는 방법을 보여 준다. parallelStream() 메소드로 병렬 처리 스트림을 얻고, forEach() 메소드를 호출할 때 요소 처리 방법인 람다식을 제공한다. 람다식은 처리되는 요소가 무엇이고, 어떤 스레드가 처리하는지를 출력한다.

》 **ParallelStreamExample.java**

```
1   package ch17.sec02;
2
3   import java.util.ArrayList;
4   import java.util.List;
5   import java.util.stream.Stream;
6
7   public class ParallelStreamExample {
8     public static void main(String[] args) {
9       //List 컬렉션 생성
10      List<String> list = new ArrayList<>();
11      list.add("홍길동");
12      list.add("신용권");
13      list.add("감자바");
14      list.add("람다식");
15      list.add("박병렬");
16
17      //병렬 처리
18      Stream<String> parallelStream = list.parallelStream();   // 병렬 스트림 얻기
19      parallelStream.forEach( name -> {
20        System.out.println(name + ": " + Thread.currentThread().getName());
21      } );                                                      // 람다식: 요소 처리 방법
22    }
23  }
```

실행 결과

```
감자바: main
람다식: ForkJoinPool.commonPool-worker-2
홍길동: ForkJoinPool.commonPool-worker-2
박병렬: main
신용권: ForkJoinPool.commonPool-worker-1
```

17.3 중간 처리와 최종 처리

스트림은 하나 이상 연결될 수 있다. 다음 그림을 보면 컬렉션의 오리지널 스트림 뒤에 필터링 중간 스트림이 연결될 수 있고, 그 뒤에 매핑 중간 스트림이 연결될 수 있다. 이와 같이 스트림이 연결되어 있는 것을 스트림 파이프라인pipelines이라고 한다.

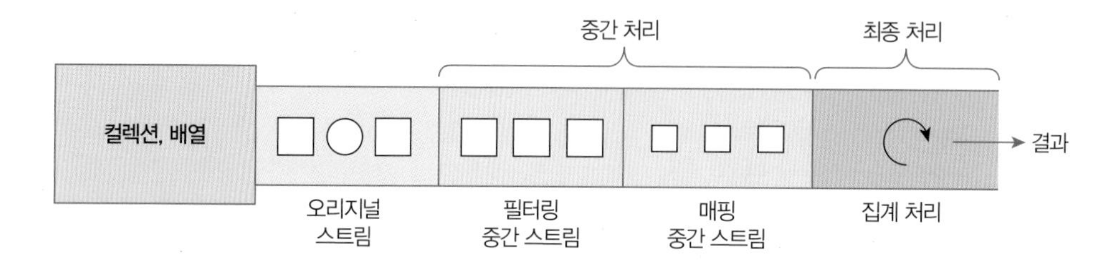

오리지널 스트림과 집계 처리 사이의 중간 스트림들은 최종 처리를 위해 요소를 걸러내거나(필터링), 요소를 변환시키거나(매핑), 정렬하는 작업을 수행한다. 최종 처리는 중간 처리에서 정제된 요소들을 반복하거나, 집계(카운팅, 총합, 평균) 작업을 수행한다.

다음 그림은 Student 객체를 요소로 가지는 컬렉션에서 Student 스트림을 얻고, 중간 처리를 통해 score 스트림으로 변환한 후 최종 집계 처리로 score 평균을 구하는 과정을 나타낸 것이다.

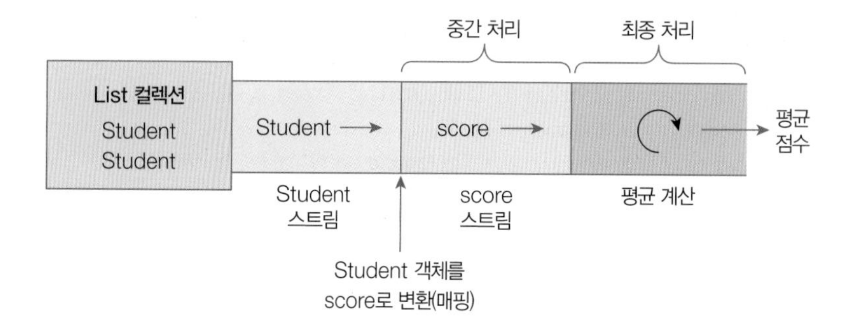

이것을 코드로 표현하면 다음과 같다.

```
//Student 스트림
Stream<Student> studentStream = list.stream();
//score 스트림
IntStream scoreStream = studentStream.mapToInt( student -> student.getScore() );
//평균 계산                                  Student 객체를 getScore() 메소드의 리턴값으로 매핑
double avg = scoreStream.average().getAsDouble();
```

mapToInt() 메소드는 객체를 int 값으로 매핑해서 IntStream으로 변환시킨다. 어떤 객체를 어떤 int 값으로 매핑할 것인지는 람다식으로 제공해야 한다. student -> student.getScore()는 Student 객체를 getScore()의 리턴값으로 매핑한다. IntStream은 최종 처리를 위해 다양한 메소드를 제공하는데, average() 메소드는 요소들의 평균 값을 계산한다.

메소드 체이닝 패턴을 이용하면 앞의 코드를 다음과 같이 더 간결하게 작성할 수 있다.

```
double avg = list.stream()
  .mapToInt(student -> student.getScore())
  .average()
  .getAsDouble();
```

스트림 파이프라인으로 구성할 때 주의할 점은 파이프라인의 맨 끝에는 반드시 최종 처리 부분이 있어야 한다는 것이다. 최종 처리가 없다면 오리지널 및 중간 처리 스트림은 동작하지 않는다. 즉, 위 코드에서 average() 이하를 생략하면 stream(), mapToInt()는 동작하지 않는다.

>>> Student.java

```
1   package ch17.sec03;
2
3   public class Student {
4     private String name;
5     private int score;
6
7     public Student (String name, int score) {
8       this.name = name;
9       this.score = score;
10    }
11
12    public String getName() { return name; }
13    public int getScore() { return score; }
14  }
```

>>> StreamPipeLineExample.java

```
1   package ch17.sec03;
2
3   import java.util.Arrays;
4   import java.util.List;
5
6   public class StreamPipeLineExample {
7     public static void main(String[] args) {
8       List<Student> list = Arrays.asList(
9           new Student("홍길동", 10),
10          new Student("신용권", 20),
11          new Student("유미선", 30)
12      );
13
14      //방법1
15      /*
16      Stream<Student> studentStream = list.stream();
17      //중간 처리(학생 객체를 점수로 매핑)
18      IntStream scoreStream = studentStream.mapToInt(student -> student.
                                  getScore());
19      //최종 처리(평균 점수)
20      double avg = scoreStream.average().getAsDouble();
21      */
22
23      //방법2
24      double avg = list.stream()
25        .mapToInt(student -> student.getScore())
26        .average()
27        .getAsDouble();
28
29      System.out.println("평균 점수: " + avg);
30    }
31  }
```

실행 결과

```
평균 점수: 20.0
```

17.4 리소스로부터 스트림 얻기

java.util.stream 패키지에는 스트림 인터페이스들이 있다. BaseStream 인터페이스를 부모로 한 자식 인터페이스들은 다음과 같은 상속 관계를 이루고 있다.

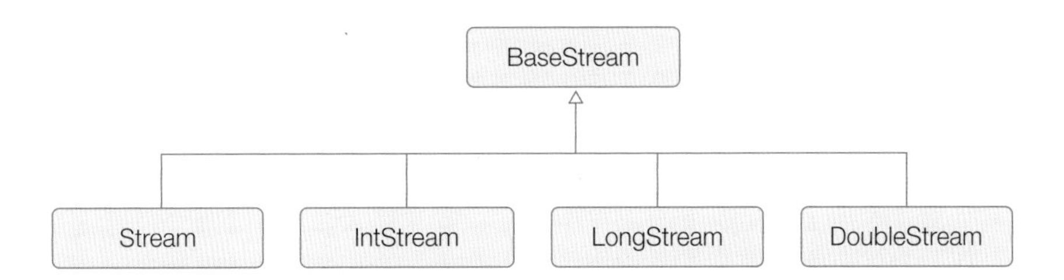

BaseStream에는 모든 스트림에서 사용할 수 있는 공통 메소드들이 정의되어 있다. Stream은 객체 요소를 처리하는 스트림이고, IntStream, LongStream, DoubleStream은 각각 기본 타입인 int, long, double 요소를 처리하는 스트림이다.

이 스트림 인터페이스들의 구현 객체는 다양한 리소스로부터 얻을 수 있다. 주로 컬렉션과 배열에서 얻지만, 다음과 같은 리소스로부터 스트림 구현 객체를 얻을 수도 있다.

리턴 타입	메소드(매개변수)	리소스
Stream<T>	java.util.Collection.stream( ) java.util.Collection.parallelStream( )	List 컬렉션 Set 컬렉션
Stream<T> IntStream LongStream DoubleStream	Arrays.stream(T[ ]), Stream.of(T[ ]) Arrays.stream(int[ ]), IntStream.of(int[ ]) Arrays.stream(long[ ]), LongStream.of(long[ ]) Arrays.stream(double[ ]), DoubleStream.of(double[ ])	배열
IntStream	IntStream.range(int, int) IntStream.rangeClosed(int, int)	int 범위
LongStream	LongStream.range(long, long) LongStream.rangeClosed(long, long)	long 범위
Stream<Path>	Files.list(Path)	디렉토리
Stream<String>	Files.lines(Path, Charset)	텍스트 파일
DoubleStream IntStream LongStream	Random.doubles(...) Random.ints( ) Random.longs( )	랜덤 수

컬렉션으로부터 스트림 얻기

java.util.Collection 인터페이스는 스트림과 parallelStream() 메소드를 가지고 있기 때문에 자식 인터페이스인 List와 Set 인터페이스를 구현한 모든 컬렉션에서 객체 스트림을 얻을 수 있다. 다음 예제는 List〈Product〉 컬렉션에서 Product 스트림을 얻는 방법을 보여 준다.

»» **Product.java**

```
1   package ch17.sec04.exam01;
2
3   public class Product {
4     private int pno;
5     private String name;
6     private String company;
7     private int price;
8
9     public Product(int pno, String name, String company, int price) {
10      this.pno = pno;
11      this.name = name;
12      this.company = company;
13      this.price = price;
14    }
15
16    public int getPno() { return pno; }
17    public String getName() { return name; }
18    public String getCompany() { return company; }
19    public int getPrice() { return price; }
20
21    @Override
22    public String toString() {
23      return new StringBuilder()
24          .append("{")
25          .append("pno:" + pno + ", ")
26          .append("name:" + name + ", ")
27          .append("company:" + company + ", ")
28          .append("price:" + price)
29          .append("}")
30          .toString();
31    }
32  }
```

>>> StreamExample.java

```
1   package ch17.sec04.exam01;
2
3   import java.util.ArrayList;
4   import java.util.List;
5   import java.util.stream.Stream;
6
7   public class StreamExample {
8     public static void main(String[] args) {
9       //List 컬렉션 생성
10      List<Product> list = new ArrayList<>();
11      for(int i=1; i<=5; i++) {
12        Product product = new Product(i, "상품"+i, "멋진 회사 ", (int)
                                   (10000*Math.random()));
13        list.add(product);
14      }
15
16      //객체 스트림 얻기
17      Stream<Product> stream = list.stream();
18      stream.forEach(p -> System.out.println(p));
19    }
20  }
```

실행 결과

```
{pno:1, name:상품1, company:멋진 회사, price:2029}
{pno:2, name:상품2, company:멋진 회사, price:2534}
{pno:3, name:상품3, company:멋진 회사, price:8886}
{pno:4, name:상품4, company:멋진 회사, price:9298}
{pno:5, name:상품5, company:멋진 회사, price:1333}
```

배열로부터 스트림 얻기

java.util.Arrays 클래스를 이용하면 다양한 종류의 배열로부터 스트림을 얻을 수 있다. 다음은 문자열 배열과 정수 배열로부터 스트림을 얻는 방법을 보여 준다.

>>> StreamExample.java

```
1   package ch17.sec04.exam02;
2
3   import java.util.Arrays;
4   import java.util.stream.IntStream;
5   import java.util.stream.Stream;
6
7   public class StreamExample {
8     public static void main(String[] args) {
9       String[] strArray = { "홍길동", "신용권", "김미나"};
10      Stream<String> strStream = Arrays.stream(strArray);
11      strStream.forEach(item -> System.out.print(item + ","));
12      System.out.println();
13
14      int[] intArray = { 1, 2, 3, 4, 5 };
15      IntStream intStream = Arrays.stream(intArray);
16      intStream.forEach(item -> System.out.print(item + ","));
17      System.out.println();
18    }
19  }
```

실행 결과

```
홍길동,신용권,김미나,
1,2,3,4,5,
```

숫자 범위로부터 스트림 얻기

IntStream 또는 LongStream의 정적 메소드인 range()와 rangeClosed() 메소드를 이용하면 특정 범위의 정수 스트림을 얻을 수 있다. 첫 번째 매개값은 시작 수이고 두 번째 매개값은 끝 수인데, 끝 수를 포함하지 않으면 range(), 포함하면 rangeClosed()를 사용한다.

>>> StreamExample.java

```java
package ch17.sec04.exam03;

import java.util.stream.IntStream;

public class StreamExample {
  public static int sum;

  public static void main(String[] args) {
    IntStream stream = IntStream.rangeClosed(1, 100);
    stream.forEach(a -> sum += a);
    System.out.println("총합: " + sum);
  }
}
```

실행 결과

```
총합: 5050
```

파일로부터 스트림 얻기

java.nio.file.Files의 lines() 메소드를 이용하면 텍스트 파일의 행 단위 스트림을 얻을 수 있다. 이는 텍스트 파일에서 한 행씩 읽고 처리할 때 유용하게 사용할 수 있다.

다음 data.txt 파일은 한 행에 하나의 상품에 대한 정보를 담고 있다.

>>> data.txt

```
{"pno":1, "name":"상품1", "company":"멋진 회사", "price":1558}
{"pno":2, "name":"상품2", "company":"멋진 회사", "price":4671}
{"pno":3, "name":"상품3", "company":"멋진 회사", "price":470}
{"pno":4, "name":"상품4", "company":"멋진 회사", "price":9584}
{"pno":5, "name":"상품5", "company":"멋진 회사", "price":6868}
```

NOTE ▸ data.txt 파일은 직접 작성하거나 예제 소스에 있는 data.txt 파일을 src/ch17/sec04/exam04에 복사하고 실행한다.

data.txt 파일을 한 행씩 읽고 상품 정보를 출력하기 위해 Files의 lines() 메소드를 이용하는 방법은 다음과 같다.

>>> StreamExample.java

```
1   package ch17.sec04.exam04;
2
3   import java.nio.charset.Charset;
4   import java.nio.file.Files;
5   import java.nio.file.Path;
6   import java.nio.file.Paths;
7   import java.util.stream.Stream;
8
9   public class StreamExample {
10    public static void main(String[] args) throws Exception {
11      Path path = Paths.get(StreamExample.class.getResource("data.txt").toURI());
12      Stream<String> stream = Files.lines(path, Charset.defaultCharset());
13      stream.forEach(line -> System.out.println(line) );
14      stream.close();
15    }
16  }
```

data.txt 파일의 경로(Path) 객체 얻기

Path로부터 파일을 열고 한 행씩 읽으면서 문자열 스트림 생성, 기본 UTF-8 문자셋으로 읽음

실행 결과

```
{"pno":1, "name":"상품1", "company":"멋진 회사", "price":1558}
{"pno":2, "name":"상품2", "company":"멋진 회사", "price":4671}
{"pno":3, "name":"상품3", "company":"멋진 회사", "price":470}
{"pno":4, "name":"상품4", "company":"멋진 회사", "price":9584}
{"pno":5, "name":"상품5", "company":"멋진 회사", "price":6868}
```

17.5 요소 걸러내기(필터링)

필터링은 요소를 걸러내는 중간 처리 기능이다. 필터링 메소드에는 다음과 같이 distinct()와 filter()가 있다.

리턴 타입	메소드(매개변수)	설명
Stream IntStream LongStream DoubleStream	distinct()	– 중복 제거
	filter(Predicate〈T〉) filter(IntPredicate) filter(LongPredicate) filter(DoublePredicate)	– 조건 필터링 – 매개 타입은 요소 타입에 따른 함수형 인터페이스이므로 람다식으로 작성 가능

distinct() 메소드는 요소의 중복을 제거한다. 객체 스트림(Stream)일 경우, equals() 메소드의 리턴값이 true이면 동일한 요소로 판단한다. IntStream, LongStream, DoubleStream은 같은 값일 경우 중복을 제거한다.

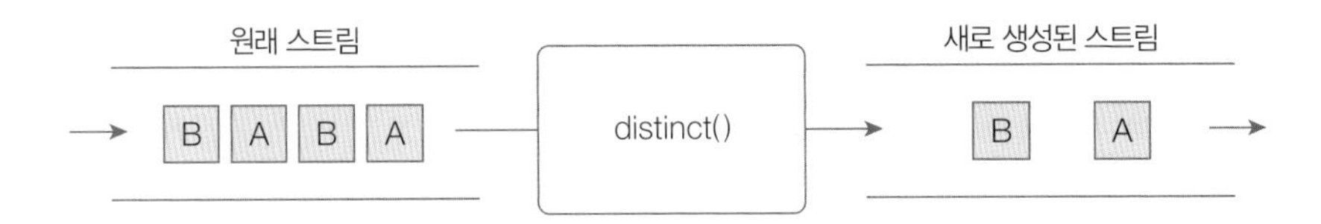

filter() 메소드는 매개값으로 주어진 Predicate가 true를 리턴하는 요소만 필터링한다.

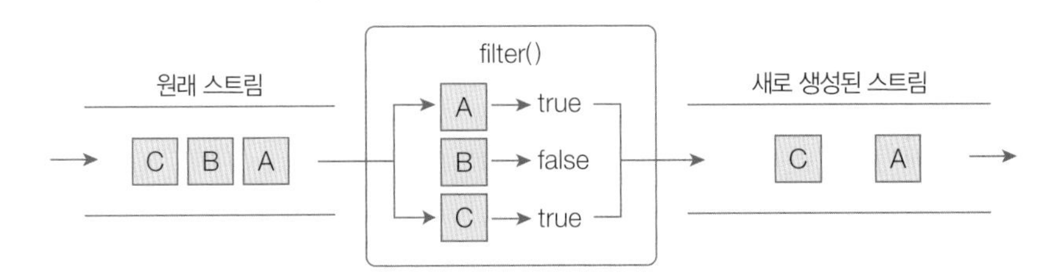

Predicate는 함수형 인터페이스로, 다음과 같은 종류가 있다.

인터페이스	추상 메소드	설명
Predicate〈T〉	boolean test(T t)	객체 T를 조사
IntPredicate	boolean test(int value)	int 값을 조사
LongPredicate	boolean test(long value)	long 값을 조사
DoublePredicate	boolean test(double value)	double 값을 조사

모든 Predicate는 매개값을 조사한 후 boolean을 리턴하는 test() 메소드를 가지고 있다.

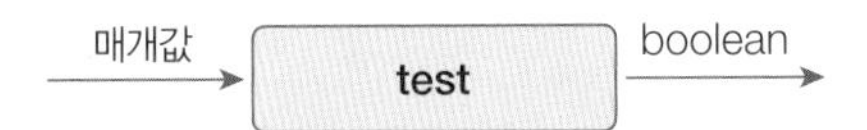

Predicate〈T〉을 람다식으로 표현하면 다음과 같다.

```
T -> { … return true }
또는
T -> true;   //return 문만 있을 경우 중괄호와 return 키워드 생략 가능
```

다음 예제는 이름 List에서 중복된 이름을 제거하고 출력한다. 이어서 성이 '신'인 이름만 필터링해서 출력한다.

>>> **FilteringExample.java**

```
1   package ch17.sec05;
2
3   import java.util.ArrayList;
4   import java.util.List;
5
6   public class FilteringExample {
7     public static void main(String[] args) {
8       //List 컬렉션 생성
9       List<String> list = new ArrayList<>();
10      list.add("홍길동");   list.add("신용권");
11      list.add("감자바");   list.add("신용권");   list.add("신민철");
12
13      //중복 요소 제거
14      list.stream()
15        .distinct()
16        .forEach(n -> System.out.println(n));
17      System.out.println();
18
19      //신으로 시작하는 요소만 필터링
20      list.stream()
21        .filter(n -> n.startsWith("신"))
22        .forEach(n -> System.out.println(n));
23      System.out.println();
24
25      //중복 요소를 먼저 제거하고, 신으로 시작하는 요소만 필터링
26      list.stream()
27        .distinct()
```

String의 startsWith() 메소드는 주어진 문자열으로 시작하면 true, 그렇지 않으면 false를 리턴

```
28                .filter(n -> n.startsWith("신"))
29                .forEach(n -> System.out.println(n));
30        }
31    }
```

String의 startsWith() 메소드는 주어진 문자열으로 시작하면 true, 그렇지 않으면 false를 리턴

실행 결과

```
홍길동
신용권
감자바
신민철

신용권
신용권
신민철

신용권
신민철
```

17.6 요소 변환(매핑)

매핑mapping은 스트림의 요소를 다른 요소로 변환하는 중간 처리 기능이다. 매핑 메소드는 mapXxx(), asDoubleStream(), asLongStream(), boxed(), flatMapXxx() 등이 있다.

요소를 다른 요소로 변환

mapXxx() 메소드는 요소를 다른 요소로 변환한 새로운 스트림을 리턴한다. 다음 그림처럼 원래 스트림의 A 요소는 C 요소로, B 요소는 D 요소로 변환해서 C, D 요소를 가지는 새로운 스트림이 생성된다.

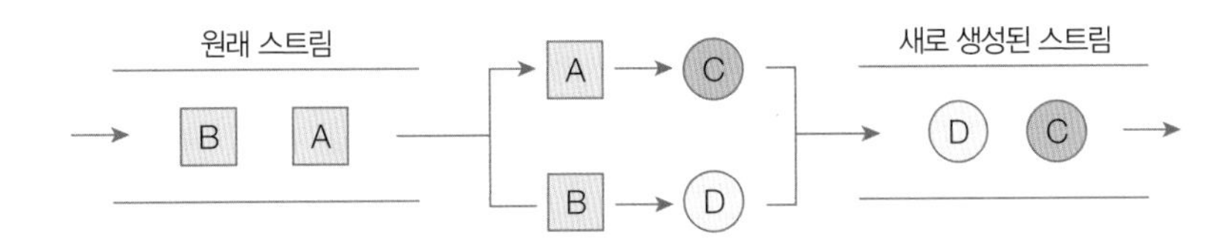

mapXxx() 메소드의 종류는 다음과 같다.

리턴 타입	메소드(매개변수)	요소 -> 변환 요소
Stream<R>	map(Function<T, R>)	T -> R
IntStream	mapToInt(ToIntFunction<T>)	T -> int
LongStream	mapToLong(ToLongFunction<T>)	T -> long
DoubleStream	mapToDouble(ToDoubleFunction<T>)	T -> double
Stream<U>	mapToObj(IntFunction<U>)	int -> U
	mapToObj(LongFunction<U>)	long -> U
	mapToObj(DoubleFunction< U>)	double -> U
DoubleStream	mapToDouble(IntToDoubleFunction)	int -> double
DoubleStream	mapToDouble(LongToDoubleFunction)	long -> double
IntStream	mapToInt(DoubleToIntFunction)	double -> int
LongStream	mapToLong(DoubleToLongFunction)	double -> long

매개타입인 Function은 함수형 인터페이스로, 다음과 같은 종류가 있다.

인터페이스	추상 메소드	매개값 -> 리턴값
Function<T,R>	R apply(T t)	T -> R
IntFunction<R>	R apply(int value)	int -> R
LongFunction<R>	R apply(long value)	long -> R
DoubleFunction<R>	R apply(double value)	double -> R
ToIntFunction<T>	int applyAsInt(T value)	T -> int
ToLongFunction<T>	long applyAsLong(T value)	T -> long
ToDoubleFunction<T>	double applyAsDouble(T value)	T -> double
IntToLongFunction	long applyAsLong(int value)	int -> long
IntToDoubleFunction	double applyAsDouble(int value)	int -> double
LongToIntFunction	int applyAsInt(long value)	long -> int
LongToDoubleFunction	double applyAsDouble(long value)	long -> double
DoubleToIntFunction	int applyAsInt(double value)	double -> int
DoubleToLongFunction	long applyAsLong(double value)	double -> long

모든 Function은 매개값을 리턴값으로 매핑(변환)하는 applyXxx() 메소드를 가지고 있다.

Function〈T,R〉을 람다식으로 표현하면 다음과 같다.

```
T -> { … return R; }
또는
T -> R;    //return 문만 있을 경우 중괄호와 return 키워드 생략 가능
```

다음은 Student 스트림을 score 스트림으로 변환하고 점수를 콘솔에 출력하는 예제이다.

>>> Student.java

```
1   package ch17.sec06.exam01;
2
3   public class Student {
4     private String name;
5     private int score;
6
7     public Student(String name, int score) {
8       this.name = name;
9       this.score = score;
10    }
11
12    public String getName() { return name; }
13    public int getScore() { return score; }
14  }
```

>>> MapExample.java

```
1   package ch17.sec06.exam01;
2
3   import java.util.ArrayList;
4   import java.util.List;
```

```
5
6    public class MapExample {
7      public static void main(String[] args) {
8        //List 컬렉션 생성
9        List<Student> studentList = new ArrayList<>();
10       studentList.add(new Student("홍길동", 85));
11       studentList.add(new Student("홍길동", 92));
12       studentList.add(new Student("홍길동", 87));
13
14       //Student를 score 스트림으로 변환
15       studentList.stream()
16         .mapToInt(s -> s.getScore())
17         .forEach(score -> System.out.println(score));
18     }
19   }
```

실행 결과

```
85
92
87
```

기본 타입 간의 변환이거나 기본 타입 요소를 래퍼Wrapper 객체 요소로 변환하려면 다음과 같은 간편화 메소드를 사용할 수도 있다.

리턴 타입	메소드(매개변수)	설명
LongStream	asLongStream()	int -> long
DoubleStream	asDoubleStream()	int -> double long -> double
Stream<Integer> Stream<Long> Stream<Double>	boxed()	int ->Integer long -> Long double -> Double

다음은 정수 스트림을 실수 스트림으로 변환하고, 기본 타입 스트림을 래퍼 스트림으로 변환하는 방법을 보여 준다.

>>> **MapExample.java**

```
1   package ch17.sec06.exam02;
2
3   import java.util.Arrays;
4   import java.util.stream.IntStream;
5
6   public class MapExample {
7     public static void main(String[] args) {
8       int[] intArray = { 1, 2, 3, 4, 5};
9
10      IntStream intStream = Arrays.stream(intArray);
11      intStream
12        .asDoubleStream()
13        .forEach(d -> System.out.println(d));
14
15      System.out.println();
16
17      intStream = Arrays.stream(intArray);
18      intStream
19        .boxed()
20        .forEach(obj -> System.out.println(obj.intValue()));
21    }
22  }
```

실행 결과

```
1.0
2.0
3.0
4.0
5.0

1
2
3
4
5
```

요소를 복수 개의 요소로 변환

flatMapXxx() 메소드는 하나의 요소를 복수 개의 요소들로 변환한 새로운 스트림을 리턴한다. 다음 그림처럼 원래 스트림의 A 요소를 A1, A2 요소로 변환하고 B 요소를 B1, B2로 변환하면 A1, A2, B1, B2 요소를 가지는 새로운 스트림이 생성된다.

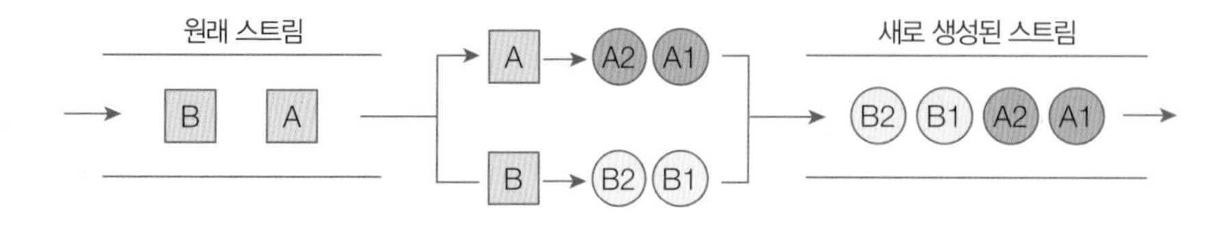

flatMap() 메소드의 종류는 다음과 같다.

리턴 타입	메소드(매개변수)	요소 -> 변환 요소
Stream<R>	flatMap(Function<T, Stream<R>>)	T -> Stream<R>
DoubleStream	flatMap(DoubleFunction<DoubleStream>)	double -> DoubleStream
IntStream	flatMap(IntFunction<IntStream>)	int -> IntStream
LongStream	flatMap(LongFunction<LongStream>)	long -> LongStream
DoubleStream	flatMapToDouble(Function<T, DoubleStream>)	T -> DoubleStream
IntStream	flatMapToInt(Function<T, IntStream>)	T -> IntStream
LongStream	flatMapToLong(Function<T, LongStream>)	T -> LongStream

다음 예제는 문장 스트림을 단어 스트림으로 변환하고, 문자열 숫자 목록 스트림을 숫자 스트림으로 변환한다.

>>> FlatMappingExample.java

```
1    package ch17.sec06.exam03;
2
3    import java.util.ArrayList;
4    import java.util.Arrays;
5    import java.util.List;
6
7    public class FlatMappingExample {
8      public static void main(String[] args) {
```

```
 9          //문장 스트림을 단어 스트림으로 변환
10          List<String> list1 = new ArrayList<>();
11          list1.add("this is java");
12          list1.add("i am a best developer");
13          list1.stream().
14            flatMap(data -> Arrays.stream(data.split(" ")))
15            .forEach(word -> System.out.println(word));
16
17          System.out.println();
18
19          //문자열 숫자 목록 스트림을 숫자 스트림으로 변환
20          List<String> list2 = Arrays.asList("10, 20, 30", "40, 50");
21          list2.stream()
22            .flatMapToInt(data -> {
23              String[] strArr = data.split(",");
24              int[] intArr = new int[strArr.length];
25              for (int i = 0; i < strArr.length; i++) {
26                intArr[i] = Integer.parseInt(strArr[i].trim());
27              }
28              return Arrays.stream(intArr);
29            })
30            .forEach(number -> System.out.println(number));
31        }
32      }
```

Arrays.stream() 메소드는 주어진 String[] 배열을 Stream<String>으로 만듦

String[] 배열을 int[] 배열로 만듦

Arrays.stream() 메소드는 주어진 int[] 배열을 IntStream으로 만듦

실행 결과

```
this
is
java
i
am
a
best
developer

10
20
30
40
50
```

17.7 요소 정렬

정렬은 요소를 오름차순 또는 내림차순으로 정렬하는 중간 처리 기능이다. 요소를 정렬하는 메소드는 다음과 같다.

리턴 타입	메소드(매개변수)	설명
Stream<T>	sorted()	Comparable 요소를 정렬한 새로운 스트림 생성
Stream<T>	sorted(Comparator<T>)	요소를 Comparator에 따라 정렬한 새 스트림 생성
DoubleStream	sorted()	double 요소를 올림차순으로 정렬
IntStream	sorted()	int 요소를 올림차순으로 정렬
LongStream	sorted()	long 요소를 올림차순으로 정렬

Comparable 구현 객체의 정렬

스트림의 요소가 객체일 경우 객체가 Comparable을 구현하고 있어야만 sorted() 메소드를 사용하여 정렬할 수 있다. 그렇지 않다면 ClassCastException이 발생한다. Comparable을 구현하는 자세한 방법은 15.5절을 참고하자.

```
public class Xxx implements
  Comparable {
...
}
```

```
List<Xxx> list = new ArrayList<>();
Stream<Xxx> stream = list.stream();
Stream<Xxx> orderedStream = stream.sorted();
```

만약 내림차순으로 정렬하고 싶다면 다음과 같이 Comparator.reverseOrder() 메소드가 리턴하는 Comparator를 매개값으로 제공하면 된다.

```
Stream<Xxx> reverseOrderedStream = stream.sorted(Comparator.reverseOrder());
```

다음은 Student 스트림을 score 기준으로 올림차순 또는 내림차순으로 정렬한 새로운 Student 스트림을 생성하는 방법을 보여 준다. 정렬을 하기 위해 Student 클래스가 Comparable을 구현하고 있는 것을 볼 수 있다.

>>> **Student.java**

```
1  package ch17.sec07.exam01;
2
3  public class Student implements Comparable<Student> {
4    private String name;
5    private int score;
6
7    public Student(String name, int score) {
8      this.name = name;
9      this.score = score;
10   }
11
12   public String getName() { return name; }
13   public int getScore() { return score; }
14
15   @Override
16   public int compareTo(Student o) {
17     return Integer.compare(score, o.score);
18   }
19 }
```

score와 o.score가 같을 경우 0을 리턴, 작을 경우 음수 리턴, 클 경우 양수 리턴

>>> **SortingExample.java**

```
1  package ch17.sec07.exam01;
2
3  import java.util.ArrayList;
4  import java.util.Comparator;
5  import java.util.List;
6
7  public class SortingExample {
8    public static void main(String[] args) {
9      //List 컬렉션 생성
10     List<Student> studentList = new ArrayList<>();
11     studentList.add(new Student("홍길동", 30));
12     studentList.add(new Student("신용권", 10));
13     studentList.add(new Student("유미선", 20));
14
```

```
15          //점수를 기준으로 오름차순으로 정렬한 새 스트림 얻기
16          studentList.stream()
17            .sorted( )
18            .forEach(s -> System.out.println(s.getName() + ": " + s.getScore()));
19          System.out.println();
20
21          //점수를 기준으로 내림차순으로 정렬한 새 스트림 얻기
22          studentList.stream()
23          .sorted(Comparator.reverseOrder())
24          .forEach(s -> System.out.println(s.getName() + ": " + s.getScore()));
25      }
26  }
```

실행 결과

```
신용권: 10
유미선: 20
홍길동: 30

홍길동: 30
유미선: 20
신용권: 10
```

Comparator를 이용한 정렬

요소 객체가 Comparable을 구현하고 있지 않다면, 비교자를 제공하면 요소를 정렬시킬 수 있다. 비교자는 Comparator 인터페이스를 구현한 객체를 말하는데, 15.5절에서는 명시적인 클래스로 구현하는 방법을 설명했지만, 다음과 같이 간단하게 람다식으로 작성할 수도 있다.

```
sorted((o1, o2) -> { … })
```

중괄호 안에는 o1이 o2보다 작으면 음수, 같으면 0, 크면 양수를 리턴하도록 작성하면 된다. o1과 o2가 정수일 경우에는 Integer.compare(o1, o2)를, 실수일 경우에는 Double.compare(o1, o2)를 호출해서 리턴값을 리턴해도 좋다.

다음 예제는 Student 클래스가 Comparable을 구현하고 있지 않기 때문에 비교자를 람다식으로 제공하고 있다.

>>> Student.java

```
1   package ch17.sec07.exam02;
2
3   public class Student {
4     private String name;
5     private int score;
6
7     public Student(String name, int score) {
8       this.name = name;
9       this.score = score;
10    }
11
12    public String getName() { return name; }
13    public int getScore() { return score; }
14  }
```

>>> SortingExample.java

```
1   package ch17.sec07.exam02;
2
3   import java.util.ArrayList;
4   import java.util.List;
5
6   public class SortingExample {
7     public static void main(String[] args) {
8       //List 컬렉션 생성
9       List<Student> studentList = new ArrayList<>();
10      studentList.add(new Student("홍길동", 30));
11      studentList.add(new Student("신용권", 10));
12      studentList.add(new Student("유미선", 20));
13
14      //점수를 기준으로 오름차순으로 정렬한 새 스트림 얻기
15      studentList.stream()
16        .sorted((s1, s2) -> Integer.compare(s1.getScore(), s2.getScore()))
```

score를 기준으로 올림차순 정렬

```
17            .forEach(s -> System.out.println(s.getName() + ": " + s.getScore()));
18          System.out.println();
19
20          //점수를 기준으로 내림차순으로 정렬한 새 스트림 얻기
21          studentList.stream()
22            .sorted((s1, s2) -> Integer.compare(s2.getScore(), s1.getScore()))
23            .forEach(s -> System.out.println(s.getName() + ": " + s.getScore()));
24      }
25  }
```

s1과 s2의 순서를 바꿔 내림차순으로 정렬

실행 결과

```
신용권: 10
유미선: 20
홍길동: 30

홍길동: 30
유미선: 20
신용권: 10
```

17.8 요소를 하나씩 처리(루핑)

루핑looping은 스트림에서 요소를 하나씩 반복해서 가져와 처리하는 것을 말한다. 루핑 메소드에는 peek()과 forEach()가 있다.

리턴 타입	메소드(매개변수)	설명
Stream<T> IntStream DoubleStream	peek(Consumer<? super T>)	T 반복
	peek(IntConsumer action)	int 반복
	peek(DoubleConsumer action)	double 반복
void	forEach(Consumer<? super T> action)	T 반복
	forEach(IntConsumer action)	int 반복
	forEach(DoubleConsumer action)	double 반복

peek()과 forEach()는 동일하게 요소를 루핑하지만 peek()은 중간 처리 메소드이고, forEach()는 최종 처리 메소드이다. 따라서 peek()은 최종 처리가 뒤에 붙지 않으면 동작하지 않는다.

매개타입인 Consumer는 함수형 인터페이스로, 다음과 같은 종류가 있다.

인터페이스명	추상 메소드	설명
Consumer<T>	void accept(T t)	매개값 T를 받아 소비
IntConsumer	void accept(int value)	매개값 int를 받아 소비
LongConsumer	void accept(long value)	매개값 long을 받아 소비
DoubleConsumer	void accept(double value)	매개값 double을 받아 소비

모든 Consumer는 매개값을 처리(소비)하는 accept() 메소드를 가지고 있다.

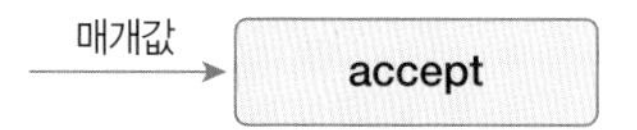

Consumer<? super T>를 람다식으로 표현하면 다음과 같다.

```
T -> { … }
또는
T -> 실행문;    //하나의 실행문만 있을 경우 중괄호 생략
```

다음은 정수 짝수 스트림에서 요소를 하나씩 반복해서 출력시키는 예제이다.

>>> LoopingExample.java

```
1   package ch17.sec08;
2
3   import java.util.Arrays;
4
5   public class LoopingExample {
6     public static void main(String[] args) {
7       int[] intArr = { 1, 2, 3, 4, 5 };
8
9       //잘못 작성한 경우
```

```
10        Arrays.stream(intArr)
11          .filter(a -> a%2==0)
12          .peek(n -> System.out.println(n));   //최종 처리가 없으므로 동작하지 않음
13
14        //중간 처리 메소드 peek()을 이용해서 반복 처리
15        int total = Arrays.stream(intArr)
16          .filter(a -> a%2==0)
17          .peek(n -> System.out.println(n))   //동작함
18          .sum();   //최종 처리
19        System.out.println("총합: " + total + "\n");
20
21        //최종 처리 메소드 forEach()를 이용해서 반복 처리
22        Arrays.stream(intArr)
23          .filter(a -> a%2==0)
24          .forEach(n -> System.out.println(n));   //최종 처리이므로 동작함
25      }
26    }
```

실행 결과

```
2
4
총합: 6

2
4
```

17.9 요소 조건 만족 여부(매칭)

매칭은 요소들이 특정 조건에 만족하는지 여부를 조사하는 최종 처리 기능이다. 매칭과 관련된 메소드는 다음과 같다.

리턴 타입	메소드(매개변수)	조사 내용
boolean	allMatch(Predicate<T> predicate) allMatch(IntPredicate predicate) allMatch(LongPredicate predicate) allMatch(DoublePredicate predicate)	모든 요소가 만족하는지 여부

boolean	anyMatch(Predicate<T> predicate) anyMatch(IntPredicate predicate) anyMatch(LongPredicate predicate) anyMatch(DoublePredicate predicate)	최소한 하나의 요소가 만족하는지 여부
booean	noneMatch(Predicate<T> predicate) noneMatch(IntPredicate predicate) noneMatch(LongPredicate predicate) noneMatch(DoublePredicate predicate)	모든 요소가 만족하지 않는지 여부

allMatch(), anyMatch(), noneMatch() 메소드는 매개값으로 주어진 Predicate가 리턴하는 값에 따라 true 또는 false를 리턴한다(Predicate에 대한 설명은 17.5절 참고). 예를 들어 allMatch()는 모든 요소의 Predicate가 true를 리턴해야만 ture를 리턴한다.

다음 예제는 정수 스트림에서 모든 요소가 2의 배수인지, 하나라도 3의 배수가 존재하는지, 또는 모든 요소가 3의 배수가 아닌지를 조사한다.

>>> **MatchingExample.java**

```
1   package ch17.sec09;
2
3   import java.util.Arrays;
4
5   public class MatchingExample {
6     public static void main(String[] args) {
7       int[] intArr = { 2, 4 ,6 };
8
9       boolean result = Arrays.stream(intArr)
10        .allMatch(a -> a%2==0);
11      System.out.println("모두 2의 배수인가? " + result);
12
13      result = Arrays.stream(intArr)
14        .anyMatch(a -> a%3==0);
15      System.out.println("하나라도 3의 배수가 있는가? " + result);
16
17      result = Arrays.stream(intArr)
18        .noneMatch(a -> a%3==0);
19      System.out.println("3의 배수가 없는가?  " + result);
20    }
21  }
```

실행 결과

```
모두 2의 배수인가? true
하나라도 3의 배수가 있는가? true
3의 배수가 없는가?  false
```

17.10 요소 기본 집계

집계Aggregate는 최종 처리 기능으로 요소들을 처리해서 카운팅, 합계, 평균값, 최대값, 최소값등과 같이 하나의 값으로 산출하는 것을 말한다. 즉, 대량의 데이터를 가공해서 하나의 값으로 축소하는 리덕션Reduction이라고 볼 수 있다.

스트림이 제공하는 기본 집계

스트림은 카운팅, 최대, 최소, 평균, 합계 등을 처리하는 다음과 같은 최종 처리 메소드를 제공한다.

리턴 타입	메소드(매개변수)	설명
long	count()	요소 개수
OptionalXXX	findFirst()	첫 번째 요소
Optional〈T〉 OptionalXXX	max(Comparator〈T〉) max()	최대 요소
Optional〈T〉 OptionalXXX	min(Comparator〈T〉) min()	최소 요소
OptionalDouble	average()	요소 평균
int, long, double	sum()	요소 총합

집계 메소드가 리턴하는 OptionalXXX는 Optional, OptionalDouble, OptionalInt, OptionalLong 클래스를 말한다. 이들은 최종값을 저장하는 객체로 get(), getAsDouble(), getAsInt(), getAsLong()을 호출하면 최종값을 얻을 수 있다.

>>> AggregateExample.java

```
1   package ch17.sec10;
2
3   import java.util.Arrays;
4
5   public class AggregateExample {
6     public static void main(String[] args) {
7       //정수 배열
8       int[] arr = {1, 2, 3, 4, 5};
9
10      //카운팅
11      long count = Arrays.stream(arr)
12        .filter(n -> n%2==0)
13        .count();
14      System.out.println("2의 배수 개수: " + count);
15
16      //총합
17      long sum = Arrays.stream(arr)
18        .filter(n -> n%2==0)
19        .sum();
20      System.out.println("2의 배수의 합: " + sum);
21
22      //평균
23      double avg = Arrays.stream(arr)
24        .filter(n -> n%2==0)
25        .average()
26        .getAsDouble();
27      System.out.println("2의 배수의 평균: " + avg);
28
29      //최대값
30      int max = Arrays.stream(arr)
31        .filter(n -> n%2==0)
32        .max()
33        .getAsInt();
34      System.out.println("최대값: " + max);
35
36      //최소값
37      int min = Arrays.stream(arr)
38        .filter(n -> n%2==0)
39        .min()
```

```
40                .getAsInt();
41            System.out.println("최소값: " + min);
42
43            //첫 번째 요소
44            int first = Arrays.stream(arr)
45                .filter(n -> n%3==0)
46                .findFirst()
47                .getAsInt();
48            System.out.println("첫 번째 3의 배수: " + first);
49        }
50    }
```

실행 결과

```
2의 배수 개수: 2
2의 배수의 합: 6
2의 배수의 평균: 3.0
최대값: 4
최소값: 2
첫 번째 3의 배수: 3
```

Optional 클래스

Optional, OptionalDouble, OptionalInt, OptionalLong 클래스는 단순히 집계값만 저장하는 것이 아니라, 집계값이 존재하지 않을 경우 디폴트 값을 설정하거나 집계값을 처리하는 Consumer를 등록할 수 있다. 다음은 Optional 클래스가 제공하는 메소드이다.

리턴 타입	메소드(매개변수)	설명
boolean	isPresent()	집계값이 있는지 여부
T double int long	orElse(T) orElse(double) orElse(int) orElse(long)	집계값이 없을 경우 디폴트 값 설정
void	ifPresent(Consumer) ifPresent(DoubleConsumer) ifPresent(IntConsumer) ifPresent(LongConsumer)	집계값이 있을 경우 Consumer에서 처리

컬렉션의 요소는 동적으로 추가되는 경우가 많다. 만약 컬렉션에 요소가 존재하지 않으면 집계 값을 산출할 수 없으므로 NoSuchElementException 예외가 발생한다. 하지만 앞의 표에 언급되어 있는 메소드를 이용하면 예외 발생을 막을 수 있다.

예를 들어 평균을 구하는 average를 최종 처리에서 사용할 경우, 다음과 같이 3가지 방법으로 요소(집계값)가 없는 경우를 대비할 수 있다.

1) isPresent() 메소드가 true를 리턴할 때만 집계값을 얻는다.

```
OptionalDouble optional = stream
  .average();
if(optional.isPresent()) {
  System.out.println("평균: " + optional.getAsDouble());
} else {
  System.out.println("평균: 0.0");
}
```

2) orElse() 메소드로 집계값이 없을 경우를 대비해서 디폴트 값을 정해놓는다.

```
double avg = stream
  .average()
  .orElse(0.0);
System.out.println("평균: " + avg);
```

3) ifPresent() 메소드로 집계값이 있을 경우에만 동작하는 Consumer 람다식을 제공한다.

```
stream
  .average()
  .ifPresent(a -> System.out.println("평균: " + a));
```

>>> OptionalExample.java

```
1    package ch17.sec10;
2
3    import java.util.ArrayList;
4    import java.util.List;
5    import java.util.OptionalDouble;
6
7    public class OptionalExample {
8      public static void main(String[] args) {
9        List<Integer> list = new ArrayList<>();
10
11       /*//예외 발생(java.util.NoSuchElementException)
12       double avg = list.stream()
13         .mapToInt(Integer :: intValue)
14         .average()
15         .getAsDouble();
16       */
17
18       //방법1
19       OptionalDouble optional = list.stream()
20         .mapToInt(Integer :: intValue)
21         .average();
22       if(optional.isPresent()) {
23         System.out.println("방법1_평균: " + optional.getAsDouble());
24       } else {
25         System.out.println("방법1_평균: 0.0");
26       }
27
28       //방법2
29       double avg = list.stream()
30         .mapToInt(Integer :: intValue)
31         .average()
32         .orElse(0.0);
33       System.out.println("방법2_평균: " + avg);
34
35       //방법3
36       list.stream()
37         .mapToInt(Integer :: intValue)
38         .average()
```

```
39                .ifPresent(a -> System.out.println("방법3_평균: " + a));
40        }
41    }
```

실행 결과

```
방법1_평균: 0.0
방법2_평균: 0.0
```

17.11 요소 커스텀 집계

스트림은 기본 집계 메소드인 sum(), average(), count(), max(), min()을 제공하지만, 다양한 집계 결과물을 만들 수 있도록 reduce() 메소드도 제공한다.

인터페이스	리턴 타입	메소드(매개변수)
Stream	Optional<T>	reduce(BinaryOperator<T> accumulator)
	T	reduce(T identity, BinaryOperator<T> accumulator)
IntStream	OptionalInt	reduce(IntBinaryOperator op)
	int	reduce(int identity, IntBinaryOperator op)
LongStream	OptionalLong	reduce(LongBinaryOperator op)
	long	reduce(long identity, LongBinaryOperator op)
DoubleStream	OptionalDouble	reduce(DoubleBinaryOperator op)
	double	reduce(double identity, DoubleBinaryOperator op)

매개값인 BinaryOperator는 함수형 인터페이스이다. BinaryOperator는 두 개의 매개값을 받아 하나의 값을 리턴하는 apply() 메소드를 가지고 있기 때문에 다음과 같이 람다식을 작성할 수 있다.

```
(a, b) -> { … return 값; }
또는
(a, b) -> 값    //return 문만 있을 경우 중괄호와 return 키워드 생략 가능
```

reduce()는 스트림에 요소가 없을 경우 예외가 발생하지만, identity 매개값이 주어지면 이 값을 디폴트 값으로 리턴한다. 다음 중 왼쪽 코드는 스트림에 요소가 없을 경우 NoSuchElementException을 발생시키지만, 오른쪽 코드는 디폴트 값(identity)인 0을 리턴한다.

```
int sum = stream
  .reduce((a, b) -> a+b)
  .getAsInt();
```

```
int sum = stream
  .reduce(0, (a, b) -> a+b);
```

다음 예제는 기본 집계 메소드 sum()과 동일한 결과를 산출하는 reduce() 메소드 사용 방법을 보여 준다.

>>> Student.java

```
1   package ch17.sec11;
2
3   public class Student {
4     private String name;
5     private int score;
6
7     public Student(String name, int score) {
8       this.name = name;
9       this.score = score;
10    }
11
12    public String getName() { return name; }
13    public int getScore() { return score; }
14  }
```

>>> ReductionExample.java

```
1   package ch17.sec11;
2
3   import java.util.Arrays;
4   import java.util.List;
5
```

```
6   public class ReductionExample {
7     public static void main(String[] args) {
8       List<Student> studentList = Arrays.asList(
9           new Student("홍길동", 92),
10          new Student("신용권", 95),
11          new Student("감자바", 88)
12      );
13      //방법1
14      int sum1 = studentList.stream()
15                 .mapToInt(Student :: getScore)
16                 .sum();
17      //방법2
18      int sum2 = studentList.stream()
19                 .map(Student :: getScore)
20                 .reduce(0, (a, b) -> a+b);
21
22      System.out.println("sum1: " + sum1);
23      System.out.println("sum2: " + sum2);
24    }
25  }
```

실행 결과

```
sum1: 275
sum2: 275
```

17.12 요소 수집

스트림은 요소들을 필터링 또는 매핑한 후 요소들을 수집하는 최종 처리 메소드인 collect()를 제공한다. 이 메소드를 이용하면 필요한 요소만 컬렉션에 담을 수 있고, 요소들을 그룹핑한 후에 집계도 할 수 있다.

필터링한 요소 수집

Stream의 collect(Collector<T,A,R> collector) 메소드는 필터링 또는 매핑된 요소들을 새로운 컬렉션에 수집하고, 이 컬렉션을 리턴한다. 매개값인 Collector는 어떤 요소를 어떤 컬렉션에 수집할 것인지를 결정한다.

리턴 타입	메소드(매개변수)	인터페이스
R	collect(Collector<T,A,R> collector)	Stream

타입 파라미터의 T는 요소, A는 누적기accumulator, 그리고 R은 요소가 저장될 컬렉션이다. 풀어서 해석하면 T 요소를 A 누적기가 R에 저장한다는 의미이다. Collector의 구현 객체는 다음과 같이 Collectors 클래스의 정적 메소드로 얻을 수 있다.

리턴 타입	메소드	설명
Collector<T, ?, List<T>>	toList()	T를 List에 저장
Collector<T, ?, Set<T>>	toSet()	T를 Set에 저장

Collector<T, ?, Map<K,U>>	toMap(
	  Function<T,K> keyMapper,
	  Function<T,U> valueMapper
	)
		T를 K와 U로 매핑하여 K를 키로, U를 값으로 Map에 저장

리턴값인 Collector를 보면 A(누적기)가 ?로 되어 있는데, 이것은 Collector가 List, Set, Map 컬렉션에 요소를 저장하는 방법을 알고 있어 별도의 누적기가 필요 없기 때문이다.

다음은 Student 스트림에서 남학생만 필터링해서 별도의 List로 생성하는 코드이다.

```
List<Student> maleList = totalList.stream()
  .filter(s->s.getSex().equals("남"))    //남학생만 필터링
  .collect(Collectors.toList());
```

다음은 Student 스트림에서 이름을 키로, 점수를 값으로 갖는 Map 컬렉션을 생성하는 코드이다.

```
Map<String, Integer> map = totalList.stream()
  .collect(
    Collectors.toMap(
      s -> s.getName(),    //Student 객체에서 키가 될 부분 리턴
      s -> s.getScore()    //Student 객체에서 값이 될 부분 리턴
    )
  );
```

Java 16부터는 좀 더 편리하게 요소 스트림에서 List 컬렉션을 얻을 수 있다. 스트림에서 바로 toList() 메소드를 다음과 같이 사용하면 된다.

```
List<Student> maleList = totalList.stream()
  .filter(s->s.getSex().equals("남"))
  .toList();
```

>>> Student.java

```
1   package ch17.sec12.exam01;
2
3   public class Student {
4     private String name;
5     private String sex;
6     private int score;
7
8     public Student(String name, String sex, int score) {
9       this.name = name;
10      this.sex = sex;
11      this.score = score;
12    }
13
14    public String getName() { return name; }
15    public String getSex() { return sex; }
16    public int getScore() { return score; }
17  }
```

>>> CollectExample.java

```
1   package ch17.sec12.exam01;
2
3   import java.util.ArrayList;
4   import java.util.List;
5   import java.util.Map;
6   import java.util.stream.Collectors;
7
8   public class CollectExample {
```

```
 9     public static void main(String[] args) {
10       List<Student> totalList = new ArrayList<>();
11       totalList.add(new Student("홍길동", "남", 92));
12       totalList.add(new Student("김수영", "여", 87));
13       totalList.add(new Student("감자바", "남", 95));
14       totalList.add(new Student("오해영", "여", 93));
15
16       //남학생만 묶어 List 생성
17       /*List<Student> maleList = totalList.stream()
18           .filter(s->s.getSex().equals("남"))
19           .collect(Collectors.toList());*/
20
21       List<Student> maleList = totalList.stream()
22           .filter(s->s.getSex().equals("남"))
23           .toList();
24
25       maleList.stream()
26         .forEach(s -> System.out.println(s.getName()));
27
28       System.out.println();
29
30       //학생 이름을 키, 학생의 점수를 값으로 갖는 Map 생성
31       Map<String, Integer> map = totalList.stream()
32         .collect(
33           Collectors.toMap(
34             s -> s.getName(),    //Student 객체에서 키가 될 부분 리턴
35             s -> s.getScore()    //Student 객체에서 값이 될 부분 리턴
36             )
37           );
38
39       System.out.println(map);
40     }
41   }
```

실행 결과

```
홍길동
감자바

{오해영=93, 홍길동=92, 감자바=95, 김수영=87}
```

요소 그룹핑

collect() 메소드는 단순히 요소를 수집하는 기능 이외에 컬렉션의 요소들을 그룹핑해서 Map 객체를 생성하는 기능도 제공한다. Collectors.groupingBy() 메소드에서 얻은 Collector를 collect() 메소드를 호출할 때 제공하면 된다.

리턴 타입	메소드
Collector<T,?,Map<K,List<T>>>	groupingBy(Function<T, K> classifier)

groupingBy()는 Function을 이용해서 T를 K로 매핑하고, K를 키로 해 List<T>를 값으로 갖는 Map 컬렉션을 생성한다.

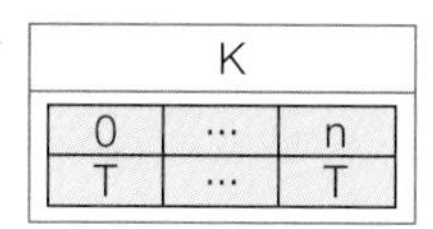

다음은 "남", "여"를 키로 설정하고 List<Student>를 값으로 갖는 Map을 생성하는 코드이다.

```
Map<String, List<Student>> map = totalList.stream()
  .collect(
    Collectors.groupingBy(s -> s.getSex())   //그룹핑 키 리턴
  );
```

>>> CollectExample.java

```
1   package ch17.sec12.exam02;
2
3   import java.util.ArrayList;
4   import java.util.List;
5   import java.util.Map;
6   import java.util.stream.Collectors;
7
8   public class CollectExample {
9     public static void main(String[] args) {
10      List<Student> totalList = new ArrayList<>();
11      totalList.add(new Student("홍길동", "남", 92));
12      totalList.add(new Student("김수영", "여", 87));
13      totalList.add(new Student("감자바", "남", 95));
14      totalList.add(new Student("오해영", "여", 93));
```

```
15
16          Map<String, List<Student>> map = totalList.stream()
17             .collect(
18               Collectors.groupingBy(s -> s.getSex())
19             );
20
21          List<Student> maleList = map.get("남");
22          maleList.stream().forEach(s -> System.out.println(s.getName()));
23          System.out.println();
24
25          List<Student> femaleList = map.get("여");
26          femaleList.stream().forEach(s -> System.out.println(s.getName()));
27       }
28    }
```

실행 결과

```
홍길동
감자바

김수영
오해영
```

Collectors.groupingBy() 메소드는 그룹핑 후 매핑 및 집계(평균, 카운팅, 연결, 최대, 최소, 합계)를 수행할 수 있도록 두 번째 매개값인 Collector를 가질 수 있다. 다음은 두 번째 매개값으로 사용될 Collector를 얻을 수 있는 Collectors의 정적 메소드들이다.

리턴 타입	메소드(매개변수)	설명
Collector	mapping(Function, Collector)	매핑
Collector	averagingDouble(ToDoubleFunction)	평균값
Collector	counting()	요소 수
Collector	maxBy(Comparator)	최대값
Collector	minBy(Comparator)	최소값
Collector	reducing(BinaryOperator<T>) reducing(T identity, BinaryOperator<T>)	커스텀 집계 값

다음은 학생들을 성별로 그룹핑하고 각각의 평균 점수를 구해서 Map으로 얻는 코드이다.

```
Map<String, Double> map = totalList.stream()
  .collect(
    Collectors.groupingBy(
      s -> s.getSex(),
      Collectors.averagingDouble(s -> getScore())
    )
  );
```

>>> **CollectExample.java**

```
1   package ch17.sec12.exam03;
2
3   import java.util.ArrayList;
4   import java.util.List;
5   import java.util.Map;
6   import java.util.stream.Collectors;
7
8   public class CollectExample {
9     public static void main(String[] args) {
10      List<Student> totalList = new ArrayList<>();
11      totalList.add(new Student("홍길동", "남", 92));
12      totalList.add(new Student("김수영", "여", 87));
13      totalList.add(new Student("감자바", "남", 95));
14      totalList.add(new Student("오해영", "여", 93));
15
16      Map<String, Double> map = totalList.stream()
17          .collect(
18            Collectors.groupingBy(
19              s -> s.getSex(),
20              Collectors.averagingDouble(s->s.getScore())
21            )
22          );
23
24      System.out.println(map);
25    }
26  }
```

실행 결과

```
{남=93.5, 여=90.0}
```

17.13 요소 병렬 처리

요소 병렬 처리Parallel Operation란 멀티 코어 CPU 환경에서 전체 요소를 분할해서 각각의 코어가 병렬적으로 처리하는 것을 말한다. 요소 병렬 처리의 목적은 작업 처리 시간을 줄이는 것에 있다. 자바는 요소 병렬 처리를 위해 병렬 스트림을 제공한다.

동시성과 병렬성

멀티 스레드는 동시성Concurrency 또는 병렬성Parallelism으로 실행되기 때문에 이들 용어에 대해 정확히 이해하는 것이 좋다. 동시성은 멀티 작업을 위해 멀티 스레드가 하나의 코어에서 번갈아 가며 실행하는 것을 말하고, 병렬성은 멀티 작업을 위해 멀티 코어를 각각 이용해서 병렬로 실행하는 것을 말한다.

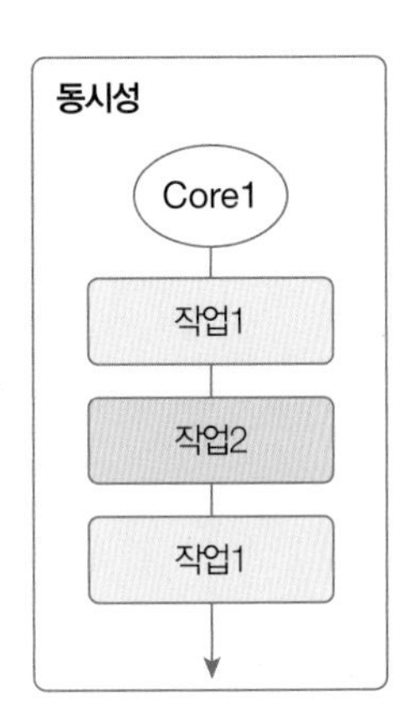

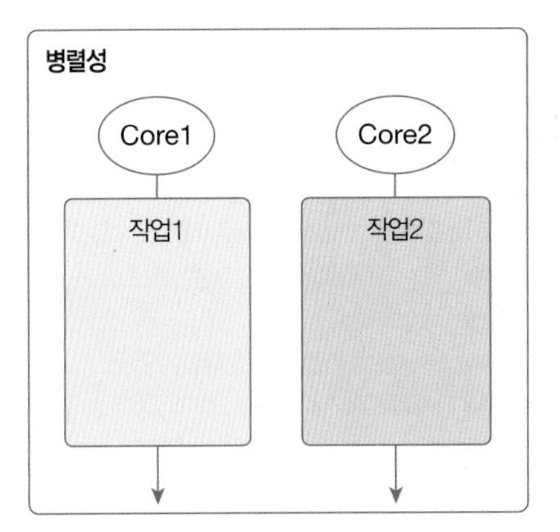

동시성은 한 시점에 하나의 작업만 실행한다. 번갈아 작업을 실행하는 것이 워낙 빠르다보니 동시에 처리되는 것처럼 보일 뿐이다. 병렬성은 한 시점에 여러 개의 작업을 병렬로 실행하기 때문에 동시성보다는 좋은 성능을 낸다.

병렬성은 데이터 병렬성Data parallelism과 작업 병렬성Task parallelism으로 구분할 수 있다.

데이터 병렬성

데이터 병렬성은 전체 데이터를 분할해서 서브 데이터셋으로 만들고 이 서브 데이터셋들을 병렬 처리해서 작업을 빨리 끝내는 것을 말한다. 자바 병렬 스트림은 데이터 병렬성을 구현한 것이다.

작업 병렬성

작업 병렬성은 서로 다른 작업을 병렬 처리하는 것을 말한다. 작업 병렬성의 대표적인 예는 서버 프로그램이다. 서버는 각각의 클라이언트에서 요청한 내용을 개별 스레드에서 병렬로 처리한다.

포크조인 프레임워크

자바 병렬 스트림은 요소들을 병렬 처리하기 위해 포크조인 프레임워크ForkJoin Framework를 사용한다. 포크조인 프레임워크는 포크 단계에서 전체 요소들을 서브 요소셋으로 분할하고, 각각의 서브 요소셋을 멀티 코어에서 병렬로 처리한다. 조인 단계에서는 서브 결과를 결합해서 최종 결과를 만들어낸다.

예를 들어 쿼드 코어 CPU에서 병렬 스트림으로 요소들을 처리할 경우 먼저 포크 단계에서 스트림의 전체 요소들을 4개의 서브 요소셋으로 분할한다. 그리고 각각의 서브 요소셋을 개별 코어에서 처리하고, 조인 단계에서는 3번의 결합 과정을 거쳐 최종 결과를 산출한다.

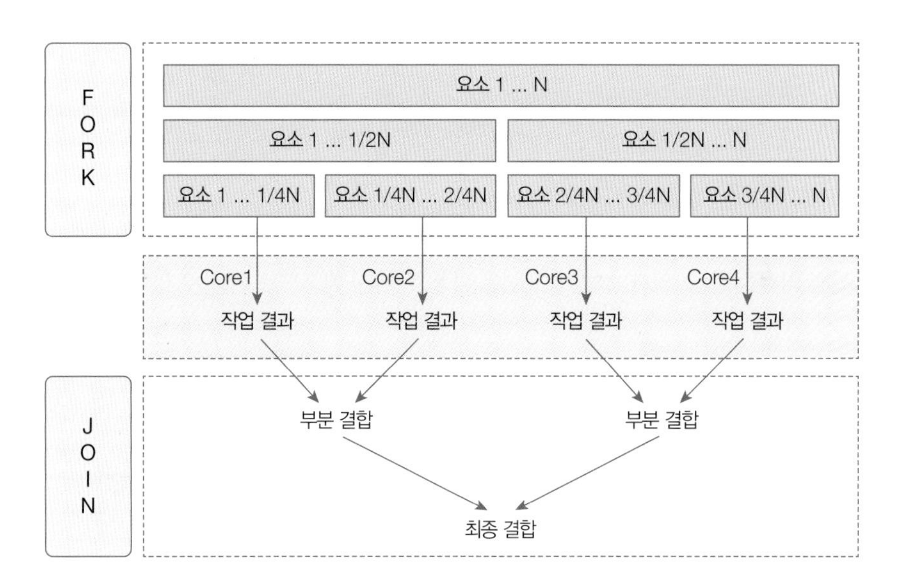

병렬 처리 스트림은 포크 단계에서 요소를 순서대로 분할하지 않는다. 이해하기 쉽도록 위 그림에서는 앞에서부터 차례대로 4등분 했지만, 내부적으로 요소들을 나누는 알고리즘이 있기 때문에 개발자는 신경 쓸 필요가 없다.

포크조인 프레임워크는 병렬 처리를 위해 스레드풀을 사용한다. 각각의 코어에서 서브 요소셋을 처리하는 것은 작업 스레드가 해야 하므로 스레드 관리가 필요하다. 포크조인 프레임워크는 ExecutorService의 구현 객체인 ForkJoinPool을 사용해서 작업 스레드를 관리한다.

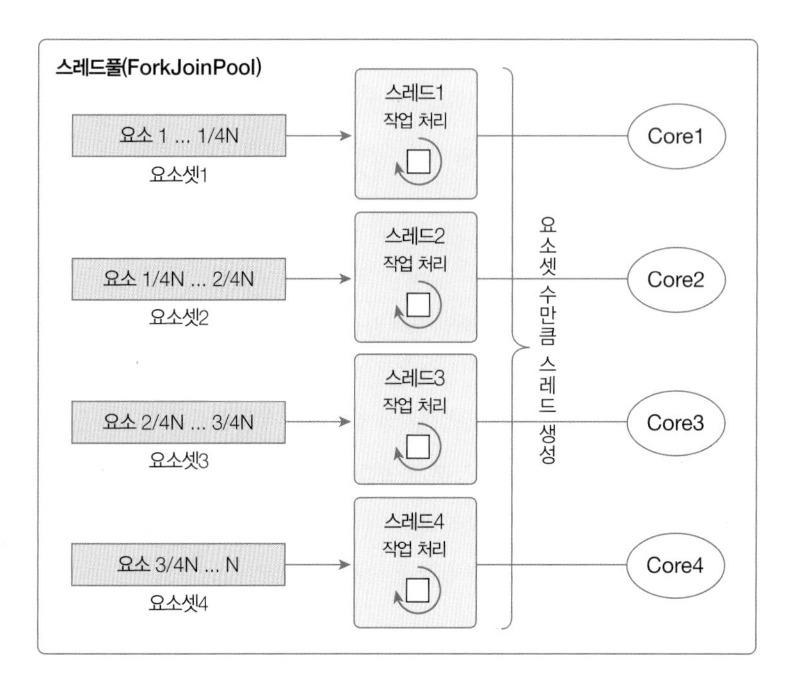

병렬 스트림 사용

자바 병렬 스트림을 이용할 경우에는 백그라운드에서 포크조인 프레임워크가 사용되기 때문에 개발자는 매우 쉽게 병렬 처리를 할 수 있다. 병렬 스트림은 다음 두 가지 메소드로 얻을 수 있다.

리턴 타입	메소드	제공 컬렉션 또는 스트림
Stream	parallelStream()	List 또는 Set 컬렉션
Stream	parallel()	java.util.Stream
IntStream		java.util.IntStream
LongStream		java.util.LongStream
DoubleStream		java.util.DoubleStream

parallelStream() 메소드는 컬렉션(List, Set)으로부터 병렬 스트림을 바로 리턴한다. parallel() 메소드는 기존 스트림을 병렬 처리 스트림으로 변환한다.

다음 예제는 1억 개의 점수에 대한 평균을 얻을 때 일반 스트림과 병렬 스트림의 처리 시간을 측정한 것이다. 실행 결과를 보면 병렬 스트림에서 요소 처리 시간이 더 빠른 것을 볼 수 있다.

>>> ParallelExample.java

```
1    package ch17.sec13;
2
3    import java.util.ArrayList;
4    import java.util.List;
5    import java.util.Random;
6    import java.util.stream.Stream;
7
8    public class ParallelExample {
9      public static void main(String[] args) {
10       Random random = new Random();
11
12       List<Integer> scores = new ArrayList<>();
13       for(int i=0; i<100000000; i++) {
14         scores.add(random.nextInt(101));
15       }
16
17       double avg = 0.0;
18       long startTime = 0;
19       long endTime = 0;
20       long time = 0;
21
22       Stream<Integer> stream = scores.stream();
23       startTime = System.nanoTime();
24       avg = stream
25           .mapToInt(i -> i.intValue())
26           .average()
27           .getAsDouble();
28       endTime = System.nanoTime();
29       time = endTime - startTime;
30       System.out.println("avg: " + avg + ", 일반 스트림 처리 시간: " + time + "ns");
31
32       Stream<Integer> parallelStream = scores.parallelStream();
33       startTime = System.nanoTime();
34       avg = parallelStream
35           .mapToInt(i -> i.intValue())
36           .average()
37           .getAsDouble();
38       endTime = System.nanoTime();
```

1억 개의 Integer 객체 저장

일반 스트림으로 처리

```
39            time = endTime - startTime;
40            System.out.println("avg: " + avg + ", 병렬 스트림 처리 시간: " + time + "ns");
41        }
42    }
```

병렬 스트림으로 처리

실행 결과

```
avg: 50.00272852, 일반 스트림 처리 시간: 110984200ns
avg: 50.00272852, 병렬 스트림 처리 시간: 45621500ns
```

병렬 처리 성능

스트림 병렬 처리가 스트림 순차 처리보다 항상 실행 성능이 좋다고 판단해서는 안 된다. 그 전에 먼저 병렬 처리에 영향을 미치는 다음 3가지 요인을 잘 살펴보아야 한다.

요소의 수와 요소당 처리 시간

컬렉션에 전체 요소의 수가 적고 요소당 처리 시간이 짧으면 일반 스트림이 병렬 스트림보다 빠를 수 있다. 병렬 처리는 포크 및 조인 단계가 있고, 스레드 풀을 생성하는 추가적인 비용이 발생하기 때문이다.

스트림 소스의 종류

ArrayList와 배열은 인덱스로 요소를 관리하기 때문에 포크 단계에서 요소를 쉽게 분리할 수 있어 병렬 처리 시간이 절약된다. 반면에 HashSet, TreeSet은 요소 분리가 쉽지 않고, LinkedList 역시 링크를 따라가야 하므로 요소 분리가 쉽지 않다. 따라서 이 소스들은 상대적으로 병렬 처리가 늦다.

코어의 수

CPU 코어(Core)의 수가 많으면 많을수록 병렬 스트림의 성능은 좋아진다. 하지만 코어의 수가 적을 경우에는 일반 스트림이 더 빠를 수 있다. 병렬 스트림은 스레드 수가 증가하여 동시성이 많이 일어나므로 오히려 느려진다.

1. 스트림에 대한 설명으로 틀린 것은 무엇입니까?

❶ 스트림은 내부 반복자를 사용하기 때문에 코드가 간결해진다.

❷ 스트림은 요소를 분리해서 병렬 처리시킬 수 있다.

❸ 스트림은 람다식을 사용해서 요소 처리 내용을 기술한다.

❹ 스트림은 요소를 모두 처리하고 나서 처음부터 요소를 다시 반복시킬 수 있다.

2. 스트림을 얻을 수 있는 소스가 아닌 것은 무엇입니까?

❶ 컬렉션(List)

❷ int, long, double 범위

❸ 디렉토리

❹ 배열

3. 스트림 파이프라인에 대한 설명으로 틀린 것은 무엇입니까?

❶ 스트림을 연결해서 중간 처리와 최종 처리를 할 수 있다.

❷ 중간 처리 단계에서는 필터링, 매핑, 정렬, 그룹핑을 한다.

❸ 최종 처리 단계에서는 합계, 평균, 카운팅, 최대값, 최소값 등을 얻을 수 있다.

❹ 최종 처리가 없더라도 중간 처리를 할 수 있다.

4. 스트림 병렬 처리에 대한 설명으로 틀린 것은 무엇입니까?

❶ 전체 요소를 분할해서 처리한다.

❷ 내부적으로 포크조인 프레임워크를 이용한다.

❸ 병렬 처리는 순차적 처리보다 항상 빠른 처리를 한다.

❹ 내부적으로 스레드풀을 이용해서 스레드를 관리한다.

5. List에 저장되어 있는 String 요소에서 대소문자와 상관없이 'java'라는 단어가 포함된 문자열만 필터링해서 출력하려고 합니다. 빈칸에 알맞은 코드를 작성해 보세요.

```
import java.util.Arrays;
import java.util.List;

public class Example {
  public static void main(String[] args) {
    List<String> list = Arrays.asList(
      "This is a java book",
```

```
      "Lambda Expressions",
      "Java8 supports lambda expressions"
    );
    list.stream()
      [                                    ]
  }
}
```

실행 결과

```
This is a java book
Java8 supports lambda expressions
```

6. List에 저장되어 있는 Member의 평균 나이를 출력하려고 합니다. 빈칸에 알맞은 코드를 작성해 보세요.

```
public class Member {
  private String name;
  private int age;

  public Member(String name, int age) {
    this.name = name;
    this.age = age;
  }

  public String getName() { return name; }
  public int getAge() { return age; }
}
```

```
import java.util.Arrays;
import java.util.List;

public class Example {
  public static void main(String[] args) {
    List<Member> list = Arrays.asList(
      new Member("홍길동", 30),
      new Member("신용권", 40),
```

```
            new Member("감자바", 26)
        );

        double avg = list.stream()
            [빈칸]

        System.out.println("평균 나이: " + avg);
    }
}
```

실행 결과

```
평균 나이: 32.0
```

7. List에 저장되어 있는 Member 중에서 직업이 '개발자'인 사람만 별도의 List에 수집하려고 합니다. 빈칸에 알맞은 코드를 작성해 보세요.

```
public class Member {
  private String name;
  private String job;

  public Member(String name, String job) {
    this.name = name;
    this.job = job;
  }

  public String getName() { return name; }
  public String getJob() { return job; }
}
```

```
import java.util.Arrays;
import java.util.List;
import java.util.stream.Collectors;

public class Example {
  public static void main(String[] args) {
    List<Member> list = Arrays.asList(
      new Member("홍길동", "개발자"),
```

```
        new Member("김나리", "디자이너"),
        new Member("신용권", "개발자")
      );

      List<Member> developers = list.stream()
      [                                        ]

      developers
        .stream()
        .forEach(m -> System.out.println(m.getName()));
    }
  }
```

실행 결과

```
홍길동
신용권
```

8. List에 저장되어 있는 Member를 직업별로 그룹핑해서 Map〈String,List〈Member〉〉 객체로 생성하려고 합니다. 키는 Member의 직업이고, 값은 해당 직업을 갖는 Member들을 저장하고 있는 List입니다. 실행 결과를 보고 빈칸에 알맞은 코드를 작성해 보세요.

```
public class Member {
  private String name;
  private String job;

  public Member(String name, String job) {
    this.name = name;
    this.job = job;
  }

  public String getName() { return name; }
  public String getJob() { return job; }
  @Override
  public String toString() {
    return "{name:" + name + ", job:" + job + "}";
  }
}
```

```java
import java.util.Arrays;
import java.util.List;
import java.util.Map;
import java.util.stream.Collectors;

public class Example {
  public static void main(String[] args) {
    List<Member> list = Arrays.asList(
      new Member("홍길동", "개발자"),
      new Member("김나리", "디자이너"),
      new Member("신용권", "개발자")
    );

    Map<String, List<Member>> groupingMap = list.stream()
      [                                                    ]

    System.out.println("[개발자]");
      [                                                    ]

    System.out.println();

    System.out.println("[디자이너]");
      [                                                    ]
  }
}
```

실행 결과

```
[개발자]
{name:홍길동, job:개발자}
{name:신용권, job:개발자}

[디자이너]
{name:김나리, job:디자이너}
```

Part 04

데이터 입출력

네 번째 파트는 데이터 입출력에 필요한 라이브러리를 활용하는 방법에 대해 다룬다. 가장 기본적인 파일 입출력에서부터 TCP 및 UDP 기반의 네트워크 환경에서 데이터를 입출력하는 방법을 알아본다. 또한 네트워크 입출력의 연장선에 있는 데이터베이스 입출력까지 학습한다. 여러분의 학습 환경에 따라 DBMS는 Oracle과 MySQL을 선택할 수 있다. 웹 프로그램은 대부분 데이터베이스와 연동되어 있기 때문에, JDBC를 이용해서 SQL 문을 실행하는 기본 지식은 알고 있어야 한다.

Chapter

18

데이터 입출력

18.1 입출력 스트림

데이터는 키보드를 통해 입력될 수도 있고, 파일 또는 프로그램으로부터 입력될 수도 있다. 반대로 데이터는 모니터로 출력될 수도 있고, 파일에 저장되거나 다른 프로그램으로 전송될 수 있다. 이것을 총칭해서 데이터 입출력이라고 한다.

자바는 입력 스트림과 출력 스트림을 통해 데이터를 입출력한다. 스트림Stream은 단방향으로 데이터가 흐르는 것을 말하는데, 다음 그림과 같이 데이터는 출발지에서 나와 도착지로 흘러들어간다.

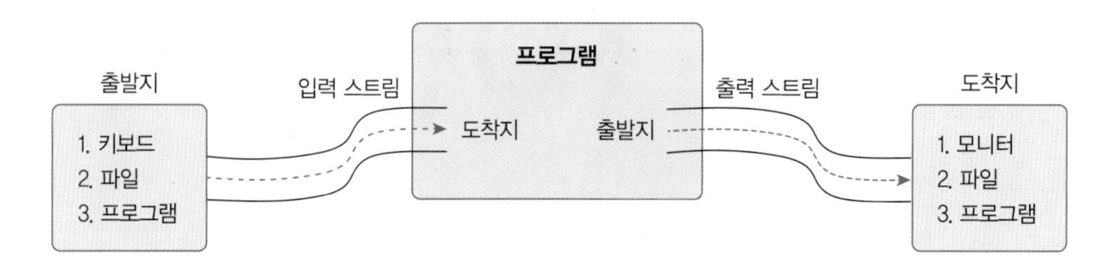

프로그램을 기준으로 데이터가 들어오면 입력 스트림, 데이터가 나가면 출력 스트림이 된다. 프로그램이 다른 프로그램과 데이터를 교환하려면 양쪽 모두 입력 스트림과 출력 스트림이 필요하다.

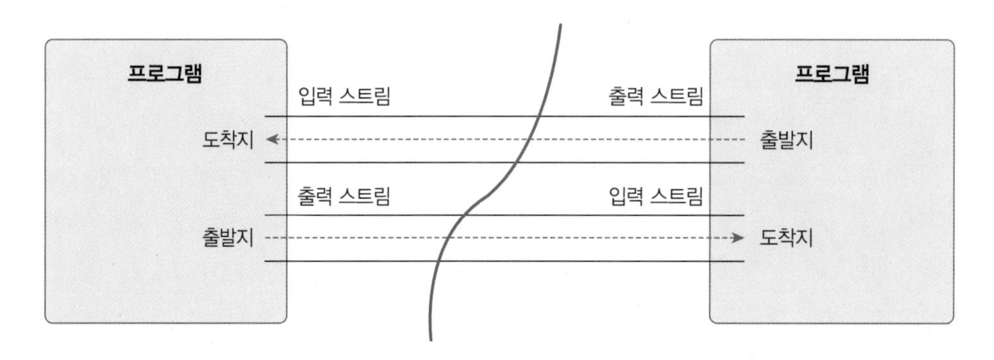

어떤 데이터를 입출력하느냐에 따라 스트림은 다음 두 종류로 구분할 수 있다.

- **바이트 스트림**: 그림, 멀티미디어, 문자 등 모든 종류의 데이터를 입출력할 때 사용
- **문자 스트림**: 문자만 입출력할 때 사용

자바는 데이터 입출력과 관련된 라이브러리를 java.io 패키지에서 제공하고 있다. java.io 패키지는 바이트 스트림과 문자 스트림을 다음과 같이 이름으로 구분해서 제공한다.

구분	바이트 스트림		문자 스트림	
	입력 스트림	출력 스트림	입력 스트림	출력 스트림
최상위 클래스	InputStream	OutputStream	Reader	Writer
하위 클래스 (예)	XXXInputStream (FileInputStream)	XXXOutputStream (FileOutputStream)	XXXReader (FileReader)	XXXWriter (FileWriter)

바이트 입출력 스트림의 최상위 클래스는 InputStream과 OutputStream이다. 이 클래스를 상속받는 자식 클래스에는 접미사로 InputStream 또는 OutputStream이 붙는다. 예를 들어 이미지와 같은 바이너리 파일의 입출력 스트림 클래스는 FileInputStream과 FileOutputStream이다.

문자 입출력 스트림의 최상위 클래스는 Reader와 Writer이다. 이 클래스를 상속받는 하위 클래스에는 접미사로 Reader 또는 Writer가 붙는다. 예를 들어 텍스트 파일의 입출력 스트림 클래스는 FileReader와 FileWriter이다.

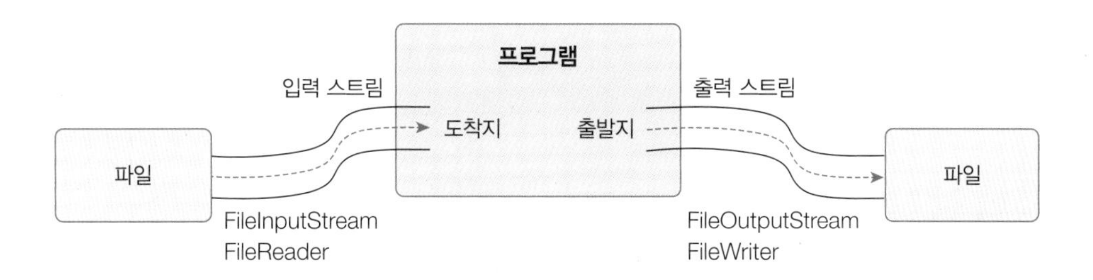

18.2 바이트 출력 스트림

OutputStream은 바이트 출력 스트림의 최상위 클래스로 추상 클래스이다. 모든 바이트 출력 스트림 클래스는 이 OutputStream 클래스를 상속받아서 만들어진다.

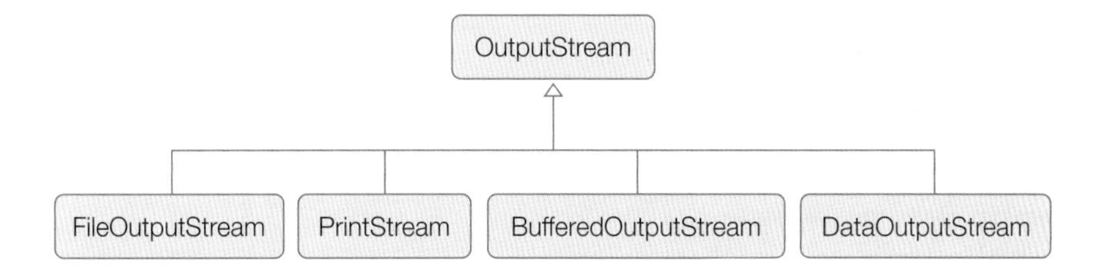

OutputStream 클래스에는 모든 바이트 출력 스트림이 기본적으로 가져야 할 메소드가 정의되어 있다. 다음은 OutputStream 클래스의 주요 메소드이다.

리턴 타입	메소드	설명
void	write(int b)	1byte를 출력
void	write(byte[ ] b)	매개값으로 주어진 배열 b의 모든 바이트를 출력
void	write(byte[ ] b, int off, int len)	매개값으로 주어진 배열 b[off]부터 len개의 바이트를 출력
void	flush( )	출력 버퍼에 잔류하는 모든 바이트를 출력
void	close( )	출력 스트림을 닫고 사용 메모리 해제

1 바이트 출력

write(int b) 메소드는 매개값 int(4byte)에서 끝 1byte만 출력한다. 매개변수가 int 타입이므로 4byte 모두를 보내는 것은 아니다.

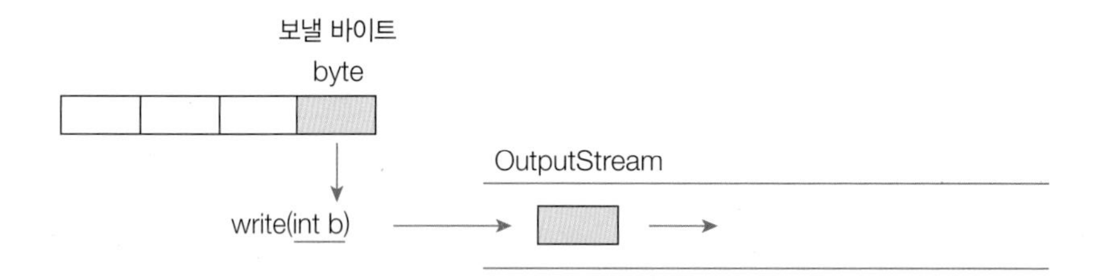

다음 예제는 10, 20, 30이 저장된 바이트를 파일 C:\Temp\test1.db로 출력해서 저장한다.

>>> WriteExample.java

```
1    package ch18.sec02.exam01;
2
3    import java.io.FileOutputStream;
4    import java.io.IOException;
5    import java.io.OutputStream;
6
7    public class WriteExample {
8      public static void main(String[] args) {
9        try {
```

```
10            OutputStream os = new FileOutputStream("C:/Temp/test1.db");
11
12            byte a = 10;
13            byte b = 20;
14            byte c = 30;
15
16            os.write(a);
17            os.write(b);
18            os.write(c);
19
20            os.flush();
21            os.close();
22        } catch (IOException e) {
23            e.printStackTrace();
24        }
25    }
26 }
```

데이터 도착지를 test1.db 파일로 하는 바이트 출력 스트림 생성

1byte씩 출력

내부 버퍼에 잔류하는 바이트를 출력하고 버퍼를 비움

출력 스트림을 닫아 사용한 메모리를 해제

실행 결과

```
C:/Temp/test1.db 파일 생성 (실행 전에 C:/Temp 디렉토리가 있어야 함)
```

FileOutputStream 생성자는 주어진 파일을 생성할 수 없으면 IOException을 발생시킨다. write(), flush(), close() 메소드도 IOException이 발생할 수 있으므로 예외 처리를 해야 한다.

OutputStream은 내부에 작은 버퍼buffer를 가지고 있다. write() 메소드가 호출되면 버퍼에 바이트를 우선 저장하고, 버퍼가 차면 순서대로 바이트를 출력한다. flush() 메소드는 내부 버퍼에 잔류하는 모든 바이트를 출력하고 버퍼를 비우는 역할을 한다. 내부 버퍼를 사용하는 이유는 출력 성능을 향상하기 위해서이다. 자세한 내용은 18.7절에서 설명한다.

출력 스트림을 더 이상 사용하지 않을 때에는 close() 메소드를 호출해서 출력 스트림이 사용했던 메모리를 해제하는 것이 좋다.

바이트 배열 출력

일반적으로 1 바이트를 출력하는 경우는 드물고, 보통 바이트 배열을 통째로 출력하는 경우가 많다. write(byte[ ] b) 메소드는 매개값으로 주어진 배열의 모든 바이트를 출력한다.

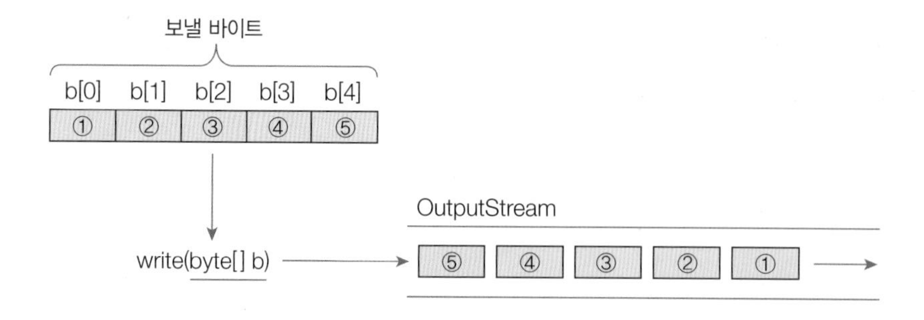

다음 예제는 10, 20, 30이 저장된 바이트 배열을 C:\Temp\test2.db 파일로 출력해서 저장한다.

>>> **WriteExample.java**

```
1    package ch18.sec02.exam02;
2
3    import java.io.FileOutputStream;
4    import java.io.IOException;
5    import java.io.OutputStream;
6
7    public class WriteExample {
8      public static void main(String[] args) {
9        try {
10         OutputStream os = new FileOutputStream("C:/Temp/test2.db");
11
12         byte[] array =  { 10, 20, 30 };
13
14         os.write(array);
15
16         os.flush();
17         os.close();
18       } catch (IOException e) {
19         e.printStackTrace();
20       }
21     }
22   }
```

- 10행: 데이터 도착지를 test2.db 파일로 하는 바이트 출력 스트림 생성
- 14행: 배열의 모든 바이트를 출력
- 16행: 내부 버퍼에 잔류하는 바이트를 출력하고 버퍼를 비움
- 17행: 출력 스트림을 닫아서 사용한 메모리를 해제

실행 결과

```
C:/Temp/test2.db 파일 생성
```

만약 배열의 일부분을 출력하고 싶다면 write(byte[] b, int off, int len) 메소드를 사용하면 된다. 이 메소드는 b[off]부터 len개의 바이트를 출력한다.

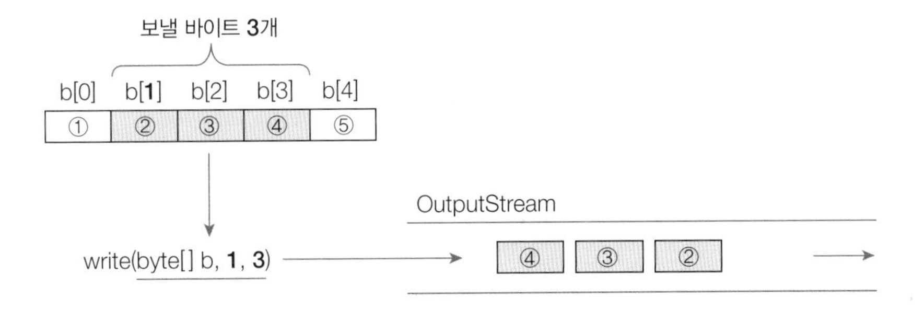

다음 예제는 10, 20, 30, 40, 50이 저장된 배열에서 20, 30, 40을 파일 C:\Temp\test3.db 파일로 출력해서 저장한다.

>>> **WriteExample.java**

```
1   package ch18.sec02.exam03;
2
3   import java.io.FileOutputStream;
4   import java.io.IOException;
5   import java.io.OutputStream;
6
7   public class WriteExample {
8     public static void main(String[] args) {
9       try {
10        OutputStream os = new FileOutputStream("C:/Temp/test3.db");
11
12        byte[] array =  { 10, 20, 30, 40, 50 };
13
14        os.write(array, 1, 3);  ●------------ 1번 인덱스부터 3개까지만 출력
15
16        os.flush();
17        os.close();
18      } catch (IOException e) {
19        e.printStackTrace();
20      }
```

```
21        }
22    }
```

실행 결과

```
C:/Temp/test3.db 파일 생성
```

18.3 바이트 입력 스트림

InputStream은 바이트 입력 스트림의 최상위 클래스로, 추상 클래스이다. 모든 바이트 입력 스트림은 InputStream 클래스를 상속받아 만들어진다.

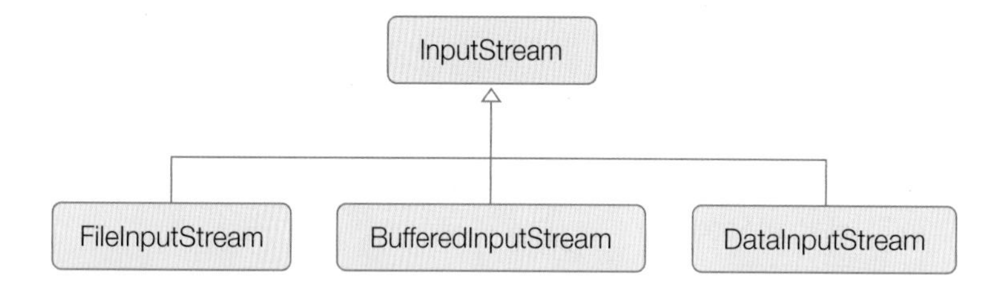

InputStream 클래스에는 바이트 입력 스트림이 기본적으로 가져야 할 메소드가 정의되어 있다. 다음은 InputStream 클래스의 주요 메소드이다.

리턴 타입	메소드	설명
int	read()	1byte를 읽은 후 읽은 바이트를 리턴
int	read(byte[ ] b)	읽은 바이트를 매개값으로 주어진 배열에 저장 후 읽은 바이트 수를 리턴
void	close()	입력 스트림을 닫고 사용 메모리 해제

1 바이트 읽기

read() 메소드는 입력 스트림으로부터 1byte를 읽고 int(4byte) 타입으로 리턴한다. 따라서 리턴된 4byte 중 끝 1byte에만 데이터가 들어 있다. 예를 들어 입력 스트림에서 5개의 바이트가 들어온다면 다음과 같이 read() 메소드로 1byte씩 5번 읽을 수 있다.

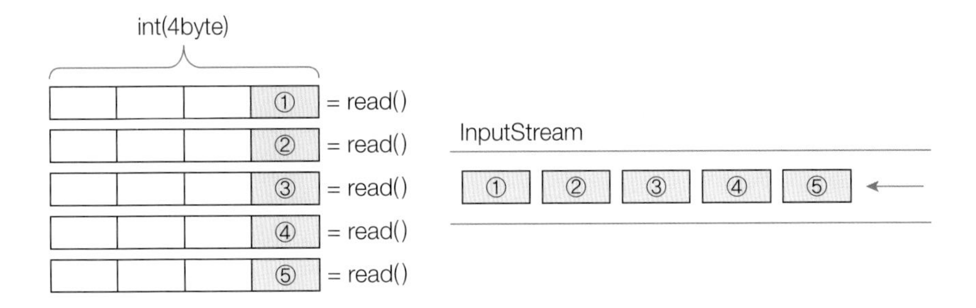

더 이상 입력 스트림으로부터 바이트를 읽을 수 없다면 read() 메소드는 −1을 리턴하는데, 이것을 이용하면 읽을 수 있는 마지막 바이트까지 반복해서 한 바이트씩 읽을 수 있다.

```
InputStream is = …;
while (true) {
  int data = is.read();      //1 바이트를 읽고 리턴
  if (data == -1) break;     //-1을 리턴했을 경우 while 문 종료
}
```

다음 예제는 ch18.sec02.exam01.WriteExample에서 C:/Temp/test1.db에 저장한 내용을 1byte씩 끝까지 읽는다.

>>> ReadExample.java

```
1     package ch18.sec03.exam01;
2
3     import java.io.FileInputStream;
4     import java.io.FileNotFoundException;
5     import java.io.IOException;
6     import java.io.InputStream;
7
8     public class ReadExample {
9       public static void main(String[] args) {
10        try {
11          InputStream is = new FileInputStream("C:/Temp/test1.db");
12
13          while(true) {
14            int data = is.read();
```

데이터 출발지를 test1.db로 하는 입력 스트림 생성

1byte씩 읽기

```
15            if(data == -1) break;    // 파일 끝에 도달했을 경우
16            System.out.println(data);
17          }
18
19          is.close();    // 입력 스트림을 닫고 사용 메모리 해제
20        } catch (FileNotFoundException e) {
21          e.printStackTrace();
22        } catch (IOException e) {
23          e.printStackTrace();
24        }
25      }
26    }
```

실행 결과

```
10
20
30
```

FileInputStream 생성자는 주어진 파일이 존재하지 않을 경우 FileNotFoundException을 발생시킨다. 그리고 read(), close() 메소드에서 IOException이 발생할 수 있으므로 두 가지 예외를 모두 처리해야 한다.

바이트 배열로 읽기

read(byte[ ] b) 메소드는 입력 스트림으로부터 주어진 배열의 길이만큼 바이트를 읽고 배열에 저장한 다음 읽은 바이트 수를 리턴한다. 예를 들어 입력 스트림에 5개의 바이트가 들어오면 다음과 같이 길이 3인 배열로 두 번 읽을 수 있다.

첫 번째 읽을 경우

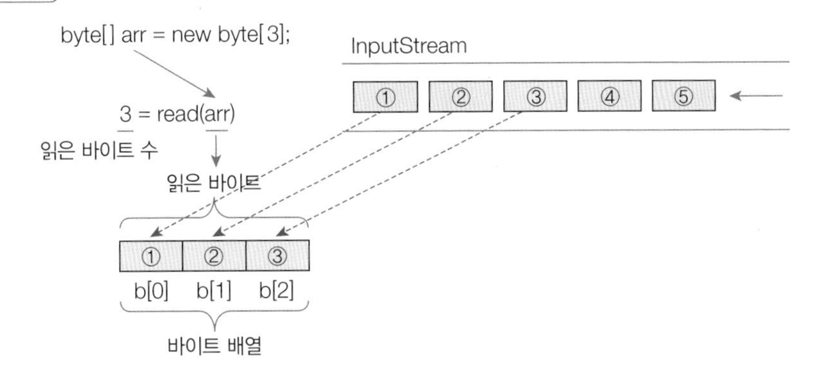

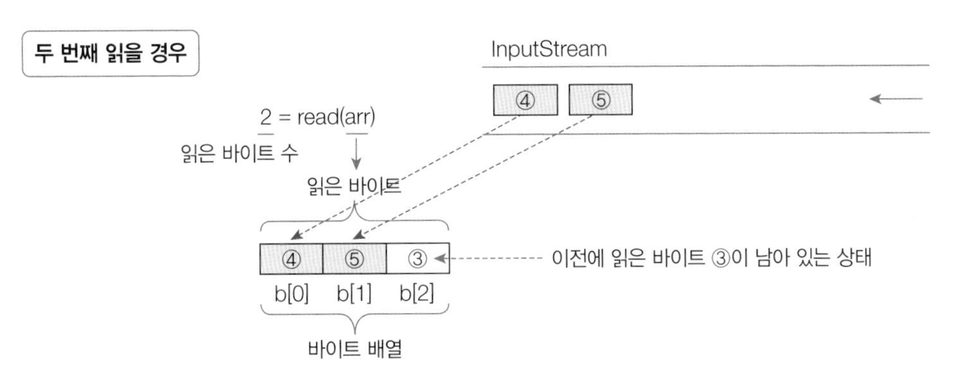

read(byte[ ] b) 역시 입력 스트림으로부터 바이트를 더 이상 읽을 수 없다면 −1을 리턴하는데, 이것을 이용하면 읽을 수 있는 마지막 바이트까지 반복해서 읽을 수 있다.

```
InputStream is = …;
byte[] data = new byte[100];
while (true) {
  int num = is.read(data);   //최대 100byte를 읽고, 읽은 바이트는 배열 data 저장, 읽은
                               수는 리턴
  if (num == -1) break;      //-1을 리턴하면 while 문 종료
}
```

많은 양의 바이트를 읽을 때는 read(byte[ ] b) 메소드를 사용하는 것이 좋다. 입력 스트림으로부터 100개의 바이트가 들어온다면 read() 메소드는 100번을 반복해서 읽어야 하지만, read(byte[ ] b) 메소드는 한 번 읽을 때 배열 길이만큼 읽기 때문에 읽는 횟수가 현저히 줄어든다.

다음 예제는 ch18.sec02.exam02.WriteExample에서 C:/Temp/test2.db에 저장한 내용을 끝까지 읽고 출력한다.

>>> ReadExample.java

```
package ch18.sec03.exam02;

import java.io.FileInputStream;
import java.io.FileNotFoundException;
import java.io.IOException;
import java.io.InputStream;

public class ReadExample {
  public static void main(String[] args) {
    try {
      InputStream is = new FileInputStream("C:/Temp/test2.db");

      byte[] data = new byte[100];

      while(true) {
        int num = is.read(data);
        if(num == -1) break;

        for(int i=0; i<num; i++) {
          System.out.println(data[i]);
        }
      }

      is.close();
    } catch (FileNotFoundException e) {
      e.printStackTrace();
    } catch (IOException e) {
      e.printStackTrace();
    }
  }
}
```

데이터 출발지를 test2.db로 하는 입력 스트림 생성

최대 100byte를 읽고 읽은 바이트는 data 저장, 읽은 수는 리턴

파일 끝에 도달했을 경우

읽은 바이트를 출력

배열의 모든 바이트를 출력

실행 결과

```
10
20
30
```

다음은 파일 복사 예제이다. 파일 복사의 원리는 FileInputStream에서 읽은 바이트를 바로 FileOutputStream으로 출력하는 것이다. 임의의 JPEG 그림 파일을 하나 준비해 파일 이름을 test.jpg로 변경한 다음 C:/Temp 폴더에 저장한다.

>>> CopyExample.java

```
1   package ch18.sec03.exam03;
2
3   import java.io.FileInputStream;
4   import java.io.FileOutputStream;
5   import java.io.InputStream;
6   import java.io.OutputStream;
7
8   public class CopyExample {
9     public static void main(String[] args) throws Exception {
10      String originalFileName = "C:/Temp/test.jpg";
11      String targetFileName = "C:/Temp/test2.jpg";
12
13      InputStream is = new FileInputStream(originalFileName);
14      OutputStream os = new FileOutputStream(targetFileName);
15
16      byte[] data = new byte[1024];
17      while(true) {
18        int num = is.read(data);
19        if(num == -1) break;
20        os.write(data, 0, num);
21      }
22
23      os.flush();
24      os.close();
25      is.close();
26
27      System.out.println("복사가 잘 되었습니다.");
28    }
29  }
```

- 13~14행: 입출력 스트림 생성
- 16행: 읽은 바이트를 저장할 배열 생성
- 18행: 최대 1024 바이트를 읽고 배열에 저장, 읽은 바이트는 리턴
- 19행: 파일을 다 읽으면 while 문 종료
- 20행: 읽은 바이트 수만큼 출력
- 23행: 내부 버퍼 잔류 바이트를 출력하고 버퍼를 비움

실행 결과

```
복사가 잘 되었습니다. (test2.jpg 파일 확인)
```

Java 9부터 좀 더 편리하게 입력 스트림에서 출력 스트림으로 바이트를 복사하는 transferTo() 메소드가 InputStream에 추가되었다. 위 코드에서 16~21라인은 다음과 같이 한 줄로 대체가 가능하다.

```
is.transferTo(os);
```

18.4 문자 입출력 스트림

바이트 입출력 스트림인 InputStream과 OutputStream에 대응하는 문자 입출력 스트림으로 Reader와 Writer가 있다. 입출력되는 단위가 문자인 것을 제외하고는 바이트 입출력 스트림과 사용 방법은 동일하다.

문자 출력

Writer는 문자 출력 스트림의 최상위 클래스로, 추상 클래스이다. 모든 문자 출력 스트림 클래스는 Writer 클래스를 상속받아서 만들어진다.

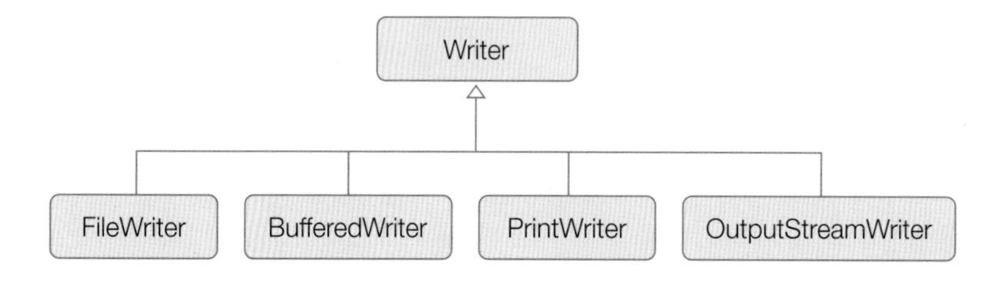

Writer 클래스에는 모든 문자 출력 스트림이 기본적으로 가져야 할 메소드가 정의되어 있다. Writer 클래스의 주요 메소드는 다음과 같다.

리턴 타입	메소드	설명
void	write(int c)	매개값으로 주어진 한 문자를 출력
void	write(char[ ] cbuf)	매개값으로 주어진 배열의 모든 문자를 출력
void	write(char[ ] cbuf, int off, int len)	매개값으로 주어진 배열에서 cbuf[off]부터 len개까지의 문자를 출력

void	write(String str)	매개값으로 주어진 문자열을 출력
void	write(String str, int off, int len)	매개값으로 주어진 문자열에서 off 순번부터 len개까지의 문자를 출력
void	flush( )	버퍼에 잔류하는 모든 문자를 출력
void	close( )	출력 스트림을 닫고 사용 메모리를 해제

Writer는 OutputStream과 사용 방법은 동일하지만, 출력 단위가 문자(char)이다. 그리고 문자열을 출력하는 write(String str) 메소드를 추가로 제공한다. 다음은 하나의 문자, 문자 배열, 문자열을 각각 출력하는 방법을 보여 준다.

>>> **WriteExample.java**

```
1   package ch18.sec04.exam01;
2
3   import java.io.FileWriter;
4   import java.io.IOException;
5   import java.io.Writer;
6
7   public class WriteExample {
8     public static void main(String[] args) {
9       try {
10        //문자 기반 출력 스트림 생성
11        Writer writer = new FileWriter("C:/Temp/test.txt");
12
13        //1 문자씩 출력
14        char a = 'A';
15        writer.write(a);
16        char b = 'B';
17        writer.write(b);
18
19        //char 배열 출력
20        char[] arr = { 'C', 'D', 'E' };
21        writer.write(arr);
22
23        //문자열 출력
24        writer.write("FGH");
25
```

```
26            //버퍼에 잔류하고 있는 문자들을 출력하고, 버퍼를 비움
27            writer.flush();
28
29            //출력 스트림을 닫고 메모리 해제
30            writer.close();
31        } catch (IOException e) {
32            e.printStackTrace();
33        }
34    }
35 }
```

실행 결과

```
C:/Temp/test.txt 파일 생성 (실행 전에 C:/Temp 디렉토리가 있어야 함)
```

문자 읽기

Reader는 문자 입력 스트림의 최상위 클래스로, 추상 클래스이다. 모든 문자 입력 스트림 클래스는 Reader 클래스를 상속받아서 만들어진다.

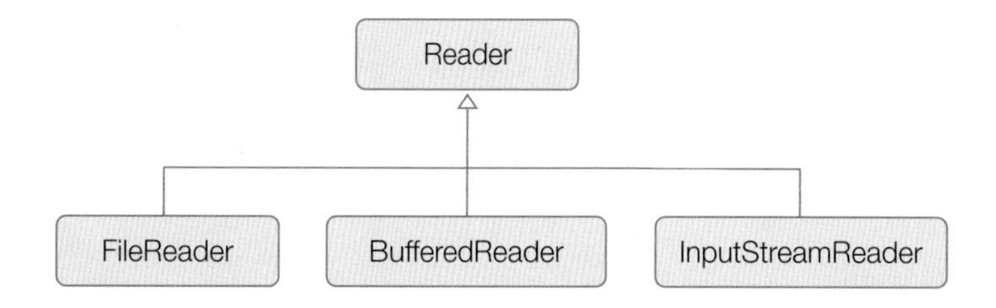

Reader 클래스에는 문자 입력 스트림이 기본적으로 가져야 할 메소드가 정의되어 있다. 다음은 Reader 클래스의 주요 메소드이다.

메소드		설명
int	read( )	1개의 문자를 읽고 리턴
int	read(char[ ] cbuf)	읽은 문자들을 매개값으로 주어진 문자 배열에 저장하고 읽은 문자 수를 리턴
void	close( )	입력 스트림을 닫고, 사용 메모리 해제

Reader는 InputStream과 사용 방법은 동일하지만, 출력 단위가 문자(char)이다. 다음은 문자를 하나씩 읽거나 문자 배열로 읽는 방법을 보여 준다.

>>> ReadExample.java

```
1   package ch18.sec04.exam02;
2
3   import java.io.FileNotFoundException;
4   import java.io.FileReader;
5   import java.io.IOException;
6   import java.io.Reader;
7
8   public class ReadExample {
9     public static void main(String[] args) {
10      try {
11        Reader reader = null;
12
13        //1 문자씩 읽기
14        reader = new FileReader("C:/Temp/test.txt");   // 텍스트 파일로부터 문자 입력 스트림 생성
15        while(true) {
16          int data = reader.read();                   // 1 문자를 읽음
17          if(data == -1) break;                       // 파일을 다 읽으면 while 문 종료
18          System.out.print((char)data);               // 읽은 문자 출력
19        }
20        reader.close();
21        System.out.println();
22
23        //문자 배열로 읽기
24        reader = new FileReader("C:/Temp/test.txt");   // 텍스트 파일로부터 문자 입력 스트림 생성
25        char[] data = new char[100];                  // 읽은 문자를 저장할 배열 생성
26        while(true) {
27          int num = reader.read(data);                // 읽은 문자는 배열에 저장, 읽은 문자 수는 리턴
28          if(num == -1) break;                        // 파일을 다 읽으면 while 문 종료
29          for(int i=0; i<num; i++) {
30            System.out.print(data[i]);                // 읽은 문자 수만큼 출력
31          }
32        }
33        reader.close();
34      } catch (FileNotFoundException e) {
35        e.printStackTrace();
```

```
36          } catch (IOException e) {
37            e.printStackTrace();
38          }
39        }
40      }
```

실행 결과

```
ABCDEFGH
ABCDEFGH
```

18.5 보조 스트림

보조 스트림이란 다른 스트림과 연결되어 여러 가지 편리한 기능을 제공해주는 스트림을 말한다. 보조 스트림은 자체적으로 입출력을 수행할 수 없기 때문에 입출력 소스로부터 직접 생성된 입출력 스트림에 연결해서 사용해야 한다.

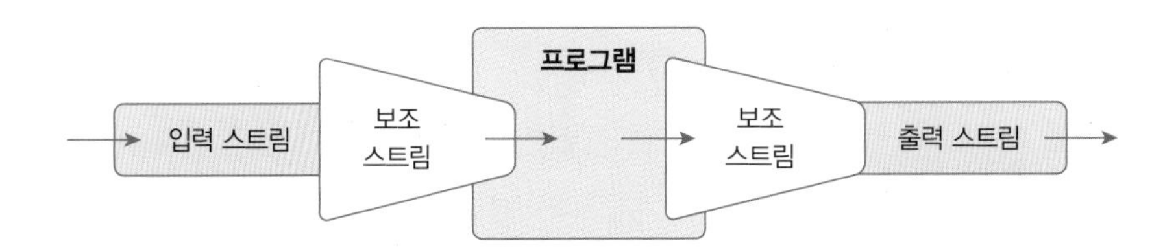

입출력 스트림에 보조 스트림을 연결하려면 보조 스트림을 생성할 때 생성자 매개값으로 입출력 스트림을 제공하면 된다.

보조스트림 변수 = new 보조스트림(입출력스트림);

예를 들어 바이트 입력 스트림인 FileInputStream에 InputStreamReader 보조 스트림을 연결하는 코드는 다음과 같다.

```
InputStream is = new FileInputStream("…");
InputStreamReader reader = new InputStreamReader( is );
```

보조 스트림은 또 다른 보조 스트림과 연결되어 스트림 체인으로 구성할 수 있다.

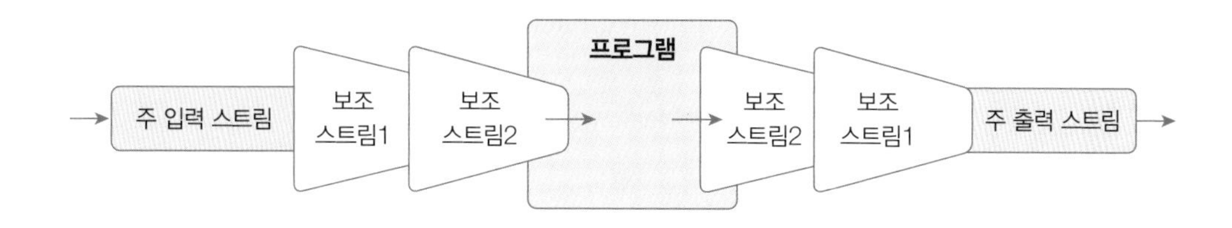

보조스트림2 변수 = new 보조스트림2(보조 스트림1);

예를 들어 문자 변환 보조 스트림인 InputStreamReader에 BufferedReader 보조 스트림을 연결하는 코드는 다음과 같다.

```
InputStream is = new FileInputStream("…");
InputStreamReader reader = new InputStreamReader( is );
BufferedReader br = new BufferedReader( reader );
```

자주 사용되는 보조 스트림은 다음과 같다.

보조 스트림	기능
InputStreamReader	바이트 스트림을 문자 스트림으로 변환
BufferedInputStream, BufferedOutputStream BufferedReader, BufferedWriter	입출력 성능 향상
DataInputStream, DataOutputStream	기본 타입 데이터 입출력
PrintStream, PrintWriter	줄바꿈 처리 및 형식화된 문자열 출력
ObjectInputStream, ObjectOutputStream	객체 입출력

이제부터 보조 스트림에 대해 하나씩 살펴보자.

18.6 문자 변환 스트림

바이트 스트림(InputStream, OutputStream)에서 입출력할 데이터가 문자라면 문자 스트림(Reader와 Writer)로 변환해서 사용하는 것이 좋다. 그 이유는 문자로 바로 입출력하는 편리함이 있고, 문자셋의 종류를 지정할 수 있기 때문이다.

InputStream을 Reader로 변환

InputStream을 Reader로 변환하려면 InputStreamReader 보조 스트림을 연결하면 된다.

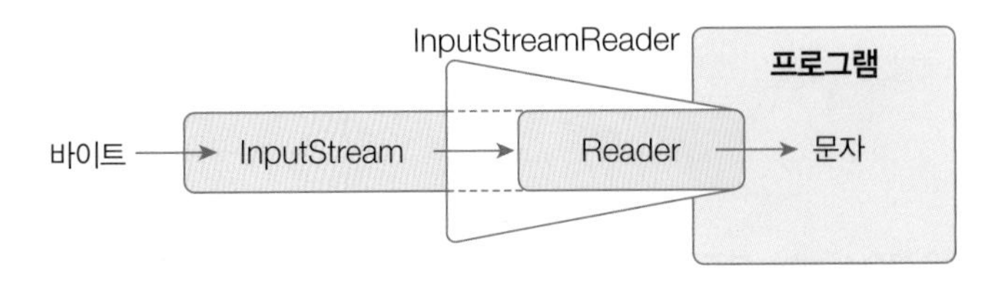

다음은 InputStream을 Reader로 변환하는 코드를 보여 준다.

```
InputStream is = new FileInputStream("C:/Temp/test.txt");
Reader reader = new InputStreamReader(is);
```

여기서 잠깐

FileReader의 원리

FileInputStream에 InputStreamReader를 연결하지 않고 FileReader를 직접 생성할 수 있다. FileReader는 InputStreamReader의 자식 클래스이다. 이것은 FileReader가 내부적으로 FileInputStream에 InputStreamReader 보조 스트림을 연결한 것이라고 볼 수 있다.

OutputStream을 Writer로 변환

OutputStream을 Writer로 변환하려면 OutputStreamWriter 보조 스트림을 연결하면 된다.

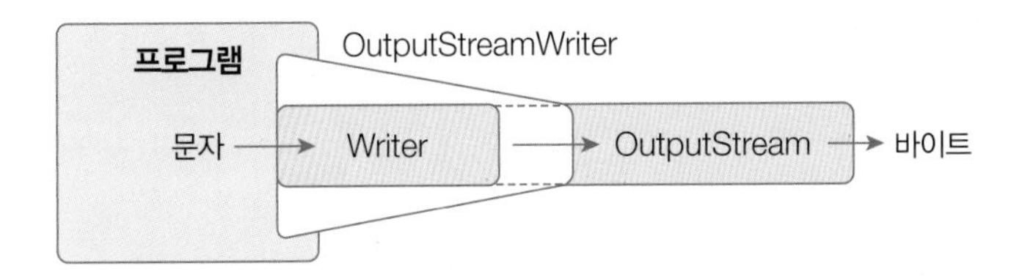

다음은 OutputStream을 Writer로 변환하는 코드를 보여 준다.

```
OutputStream os = new FileOutputStream("C:/Temp/test.txt");
Writer writer = new OutputStreamWriter(os);
```

여기서 잠깐

FileWriter의 원리

FileOutputStream에 OutputStreamWriter를 연결하지 않고 FileWriter를 직접 생성할 수 있다. FileWriter는 OutputStreamWriter의 자식 클래스이다. 이것은 FileWriter가 내부적으로 FileOutputStream에 OutputStreamWriter 보조 스트림을 연결한 것이라고 볼 수 있다.

다음 예제는 UTF-8 문자셋으로 파일에 문자를 저장하고, 저장된 문자를 다시 읽는다. 소스 스트림은 바이트 기반 FileOutputStream과 FileInputStream이지만, 문자 기반 스트림인 Writer와 Reader로 변환해서 사용한다.

>>> CharacterConvertStreamExample.java

```
1   package ch18.sec06;
2
3   import java.io.FileInputStream;
4   import java.io.FileOutputStream;
5   import java.io.InputStream;
6   import java.io.InputStreamReader;
7   import java.io.OutputStream;
8   import java.io.OutputStreamWriter;
9   import java.io.Reader;
10  import java.io.Writer;
11
12  public class CharacterConvertStreamExample {
13    public static void main(String[] args) throws Exception {
14      write("문자 변환 스트림을 사용합니다.");
15      String data = read();
16      System.out.println(data);
17    }
18
19    public static void write(String str) throws Exception {
20      OutputStream os = new FileOutputStream("C:/Temp/test.txt");
21      Writer writer = new OutputStreamWriter(os, "UTF-8");
22      writer.write(str);
23      writer.flush();
24      writer.close();
```

FileOutputStream에 OutputStreamWriter 보조 스트림을 연결

OutputStreamWriter 보조 스트림을 이용해서 문자 출력

```
25      }
26
27      public static String read() throws Exception {
28        InputStream is = new FileInputStream("C:/Temp/test.txt");
29        Reader reader = new InputStreamReader(is, "UTF-8");
30        char[] data = new char[100];
31        int num = reader.read(data);
32        reader.close();
33        String str = new String(data, 0, num);
34        return str;
35      }
36    }
```

FileInputStream에 InputStreamReader 보조 스트림을 연결

InputStreamReader 보조 스트림을 이용해서 문자 입력

char 배열에서 읽은 문자 수만큼 문자열로 변환

실행 결과

```
문자 변환 스트림을 사용합니다.
```

18.7 성능 향상 스트림

CPU와 메모리가 아무리 뛰어나도 하드 디스크의 입출력이 늦어지면 프로그램의 실행 성능은 하드 디스크의 처리 속도에 맞춰진다. 네트워크로 데이터를 전송할 때도 느린 네트워크 환경이라면 컴퓨터 사양이 아무리 좋아도 메신저와 게임의 속도는 느릴 수밖에 없다.

이 문제에 대한 완전한 해결책은 될 수 없지만, 프로그램이 입출력 소스와 직접 작업하지 않고 중간에 메모리 버퍼buffer와 작업함으로써 실행 성능을 향상시킬 수 있다.

출력 스트림의 경우 직접 하드 디스크에 데이터를 보내지 않고 메모리 버퍼에 데이터를 보냄으로써 출력 속도를 향상시킬 수 있다. 버퍼는 데이터가 쌓이기를 기다렸다가 꽉 차게 되면 데이터를 한꺼번에 하드 디스크로 보냄으로써 출력 횟수를 줄여 준다.

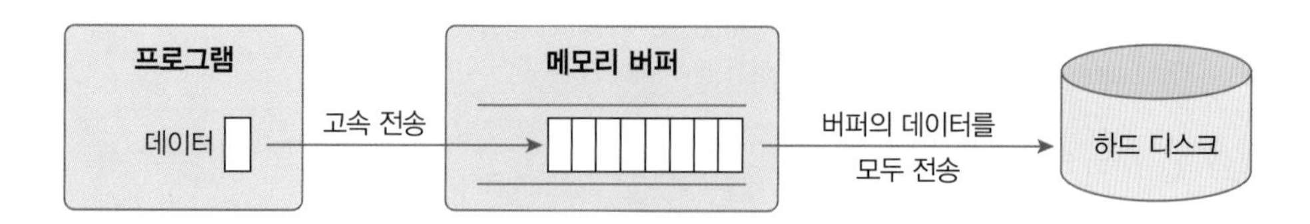

입력 스트림에서도 버퍼를 사용하면 읽기 성능이 좋아진다. 하드 디스크로부터 직접 읽는 것 보다는 메모리 버퍼로부터 읽는 것이 빠르다.

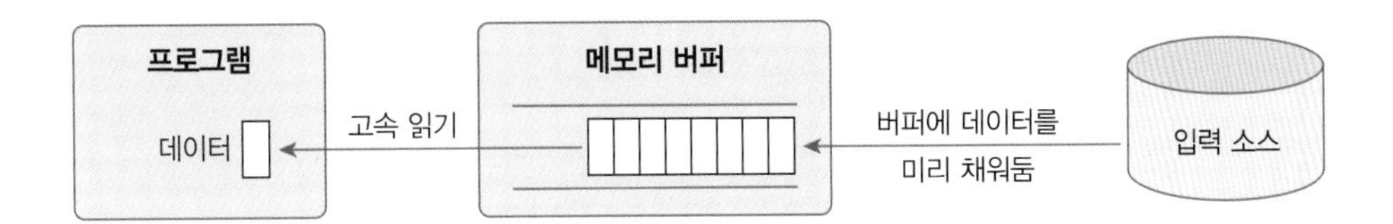

위와 같이 메모리 버퍼를 제공하여 프로그램의 실행 성능을 향상시키는 보조 스트림이 있다. 바이트 스트림에는 BufferedInputStream, BufferedOutputStream이 있고 문자 스트림에는 BufferedReader, BufferedWriter가 있다. 보조 스트림을 연결하는 방법은 다음과 같다.

```
BufferedInputStream bis = new BufferedInputStream(바이트 입력 스트림);
BufferedOutputStream bos = new BufferedOutputStream(바이트 출력 스트림);
```

```
BufferedReader br = new BufferedReader(문자 입력 스트림);
BufferedWriter bw = new BufferedWriter(문자 출력 스트림);
```

다음 예제는 성능 향상 보조 스트림(BufferedInputStream, BufferedOutputStream)을 사용했을 때와 사용하지 않았을 때의 파일 복사 성능 차이를 보여 준다. 실행 결과를 보면 보조 스트림을 사용했을 때 훨씬 성능이 좋아지는 것을 알 수 있다.

>>> **BufferExample.java**

```
1    package ch18.sec07.exam01;
2
3    import java.io.*;
4
5    public class BufferExample {
6      public static void main(String[] args) throws Exception {
7        //입출력 스트림 생성
8        String originalFilePath1 =
9            BufferExample.class.getResource("originalFile1.jpg").getPath();
10       String targetFilePath1 = "C:/Temp/targetFile1.jpg";
```

```
11          FileInputStream fis = new FileInputStream(originalFilePath1);
12          FileOutputStream fos = new FileOutputStream(targetFilePath1);
13
14          //입출력 스트림 + 버퍼 스트림 생성
15          String originalFilePath2 =
16              BufferExample.class.getResource("originalFile2.jpg").getPath();
17          String targetFilePath2 = "C:/Temp/targetFile2.jpg";
18          FileInputStream fis2 = new FileInputStream(originalFilePath2);
19          FileOutputStream fos2 = new FileOutputStream(targetFilePath2);
20          BufferedInputStream bis = new BufferedInputStream(fis2);
21          BufferedOutputStream bos = new BufferedOutputStream(fos2);
22
23          //버퍼를 사용하지 않고 복사
24          long nonBufferTime = copy(fis, fos);
25          System.out.println("버퍼 미사용:\t" + nonBufferTime + " ns");
26
27          //버퍼를 사용하고 복사
28          long bufferTime = copy(bis, bos);
29          System.out.println("버퍼 사용:\t" + bufferTime + " ns");
30
31          fis.close();
32          fos.close();
33          bis.close();
34          bos.close();
35      }
36
37      public static long copy(InputStream is, OutputStream os) throws Exception {
38          //시작 시간 저장
39          long start = System.nanoTime();
40          //1 바이트를 읽고 1 바이트를 출력
41          while(true) {
42              int data = is.read();
43              if(data == -1) break;
44              os.write(data);
45          }
46          os.flush();
47          //끝 시간 저장
48          long end = System.nanoTime();
49          //복사 시간 리턴
50          return (end-start);
```

```
51        }
52    }
```

실행 결과

```
버퍼 미사용: 3937437000 ns
버퍼 사용:     24195000 ns
```

NOTE ▶ 예제 소스에 있는 originalFile1.jpg와 originalFile2.jpg 파일을 src/ch18/sec07/exam01에 복사하고 실행한다.

문자 입력 스트림 Reader에 BufferedReader를 연결하면 성능 향상뿐만 아니라 좋은 점이 한 가지 더 있는데, 행 단위로 문자열을 읽는 매우 편리한 readLine() 메소드를 제공한다는 것이다. 다음은 문자 파일을 행 단위로 읽는 코드를 보여 준다.

```
BufferedReader br = new BufferedReader(new FileReader("…"));
while(true) {
  String str = br.readLine();   //파일에서 한 행씩 읽음
  if(str == null) break;        //더 이상 읽을 행이 없을 경우(파일 끝) while 문 종료
}
```

다음은 자바 소스 파일을 행 단위로 읽고 번호를 붙여 출력하는 예제이다.

>>> **ReadLineExample.java**

```
1   package ch18.sec07.exam02;
2   
3   import java.io.*;
4   
5   public class ReadLineExample {
6     public static void main(String[] args) throws Exception {
7       BufferedReader br = new BufferedReader(
8         new FileReader("src/ch18/sec07/exam02/ReadLineExample.java")
9       );
10  
11      int lineNo = 1;
12      while(true) {
13        String str = br.readLine();
```

FileReader에 BufferedReader 보조 스트림 연결

1행을 읽음

```
14          if(str == null) break;   // 더 이상 읽을 내용이 없으면 while 문 종료
15          System.out.println(lineNo + "\t" + str);
16          lineNo++;
17        }
18
19      br.close();   // BufferedReader를 닫으면 연결된 FileReader도 닫힘
20    }
21  }
```

실행 결과

```
1   package ch18.sec07.exam02;
2
3   import java.io.*;
4
5   public class ReadLineExample {
6     public static void main(String[] args) throws Exception {
7       BufferedReader br = new BufferedReader(
8         new FileReader("src/ch18/sec07/exam02/ReadLineExample.java")
9       );
...
```

18.8 기본 타입 스트림

바이트 스트림에 DataInputStream과 DataOutputStream 보조 스트림을 연결하면 기본 타입인 boolean, char, short, int, long, float, double 값을 입출력할 수 있다.

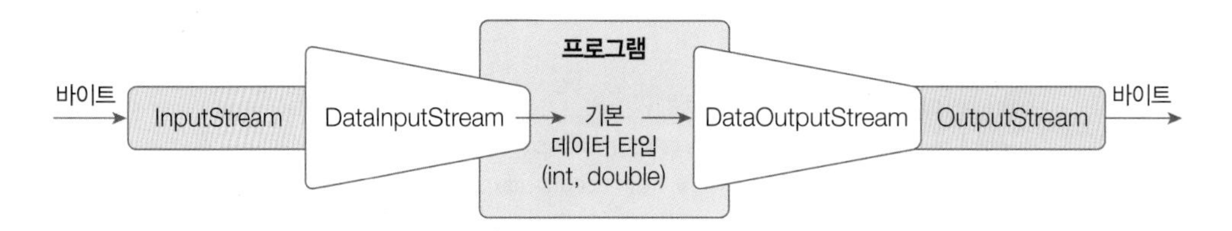

다음은 DataInputStream과 DataOutputStream 보조 스트림을 연결하는 코드이다.

```
DataInputStream dis = new DataInputStream(바이트 입력 스트림);
DataOutputStream dos = new DataOutputStream(바이트 출력 스트림);
```

다음은 DataInputStream과 DataOutputStream이 제공하는 메소드를 보여 준다.

DataInputStream		DataOutputStream	
boolean	readBoolean()	void	writeBoolean(boolean v)
byte	readByte()	void	writeByte(int v)
char	readChar()	void	writeChar(int v)
double	readDouble()	void	writeDouble(double v)
float	readFloat()	void	writeFloat(float v)
int	readInt()	void	writeInt(int v)
long	readLong()	void	writeLong(long v)
short	readShort()	void	writeShort(int v)
String	readUTF()	void	writeUTF(String str)

이 메소드를 사용해 입출력할 때 한 가지 주의할 점이 있다. 데이터 타입의 크기가 모두 다르므로 DataOutputStream으로 출력한 데이터를 다시 DataInputStream으로 읽어 올 때에는 출력한 순서와 동일한 순서로 읽어야 한다는 것이다. 예를 들어 출력할 때의 순서가 int → Boolean → double이라면 읽을 때의 순서도 int → Boolean → double이어야 한다.

다음 예제는 이름, 성적, 순위 순으로 파일에 출력하고 다시 파일로부터 읽는 방법을 보여 준다.

»› **DataInputOutputStreamExample.java**

```
1   package ch18.sec08;
2
3   import java.io.*;
4
5   public class DataInputOutputStreamExample {
6     public static void main(String[] args) throws Exception {
7       //DataOutputStream 생성
8       FileOutputStream fos = new FileOutputStream("C:/Temp/primitive.db");
9       DataOutputStream dos = new DataOutputStream(fos);
10
11      //기본 타입 출력
12      dos.writeUTF("홍길동");
13      dos.writeDouble(95.5);
14      dos.writeInt(1);
15
16      dos.writeUTF("감자바");
```

```
17          dos.writeDouble(90.3);
18          dos.writeInt(2);
19
20          dos.flush(); dos.close(); fos.close();
21
22          //DataInputStream 생성
23          FileInputStream fis = new FileInputStream("C:/Temp/primitive.db");
24          DataInputStream dis = new DataInputStream(fis);
25
26          //기본 타입 입력
27          for(int i=0; i<2; i++) {
28            String name = dis.readUTF();
29            double score = dis.readDouble();
30            int order = dis.readInt();
31            System.out.println(name + " : " + score + " : " + order);
32          }
33
34          dis.close(); fis.close();
35      }
36  }
```

실행 결과

```
홍길동 : 95.5 : 1
감자바 : 90.3 : 2
```

18.9 프린트 스트림

PrintStream과 PrintWriter는 프린터와 유사하게 출력하는 print(), println(), printf() 메소드를 가지고 있는 보조 스트림이다. 지금까지 우리는 콘솔에 출력하기 위해 System.out.println()을 사용하였는데, 그 이유는 out이 PrintStream 타입이기 때문이다.

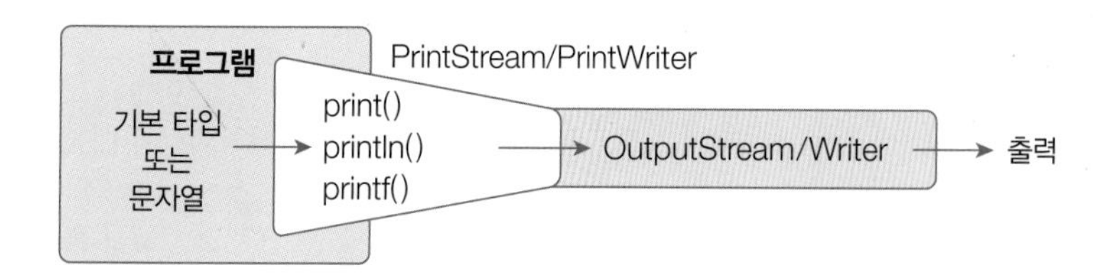

PrintStream은 바이트 출력 스트림과 연결되고, PrintWriter는 문자 출력 스트림과 연결된다.

```
PrintStream ps = new PrintStream(바이트 출력 스트림);
PrintWriter pw = new PrintWriter(문자 출력 스트림);
```

PrintStream과 PrintWriter는 거의 같은 메소드를 가지고 있다. println() 메소드는 출력할 데이터 끝에 줄바꿈 문자인 '\n'을 더 추가시키기 때문에 콘솔이나 파일에서 줄바꿈이 일어난다. 그러나 print() 메소드는 줄바꿈 없이 계속해서 문자를 출력시킨다. println()과 print() 메소드는 출력할 데이터 타입에 따라 다음과 같이 재정의 된다.

PrintStream / PrintWriter			
void	print(boolean b)	void	println(boolean b)
void	print(char c)	void	println(char c)
void	print(double d)	void	println(double d)
void	print(float f)	void	println(float f)
void	print(int i)	void	println(int i)
void	print(long l)	void	println(long l)
void	print(Object obj)	void	println(Object obj)
void	print(String s)	void	println(String s)
		void	println()

printf() 메소드는 형식화된 문자열(format string)을 출력한다. 자세한 사용 방법은 2.12를 참고하길 바란다. 다음 예제는 FileOutputStream에 보조로 PrintStream을 연결해서 print()와 println(), printf() 메소드로 문자열을 출력한다.

>>> **PrintStreamExample.java**

```
1   package ch18.sec09;
2
3   import java.io.FileOutputStream;
4   import java.io.PrintStream;
5
6   public class PrintStreamExample {
7     public static void main(String[] args) throws Exception {
8       FileOutputStream fos = new FileOutputStream("C:/Temp/printstream.txt");
```

```
 9         PrintStream ps = new PrintStream(fos);
10
11         ps.print("마치 ");
12         ps.println("프린터가 출력하는 것처럼 ");
13         ps.println("데이터를 출력합니다.");
14         ps.printf("| %6d | %-10s | %10s | \n", 1, "홍길동", "도적");
15         ps.printf("| %6d | %-10s | %10s | \n", 2, "감자바", "학생");
16
17         ps.flush();
18         ps.close();
19     }
20 }
```

실행 결과

```
C:/Temp/printstream.txt 파일이 생성됨
-----------------------------------------------------------
마치 프린터가 출력하는 것처럼
데이터를 출력합니다.
|      1 | 홍길동      |        도적 |
|      2 | 감자바      |        학생 |
```

18.10 객체 스트림

자바는 메모리에 생성된 객체를 파일 또는 네트워크로 출력할 수 있다. 객체를 출력하려면 필드값을 일렬로 늘어선 바이트로 변경해야 하는데, 이것을 직렬화serialization라고 한다. 반대로 직렬화된 바이트를 객체의 필드값으로 복원하는 것을 역직렬화deserialization라고 한다.

ObjectInputStream과 ObjectOutputStream은 객체를 입출력할 수 있는 보조 스트림이다. ObjectOutputStream은 바이트 출력 스트림과 연결되어 객체를 직렬화하고, ObjectInputStream은 바이트 입력 스트림과 연결되어 객체로 복원하는 역직렬화를 한다.

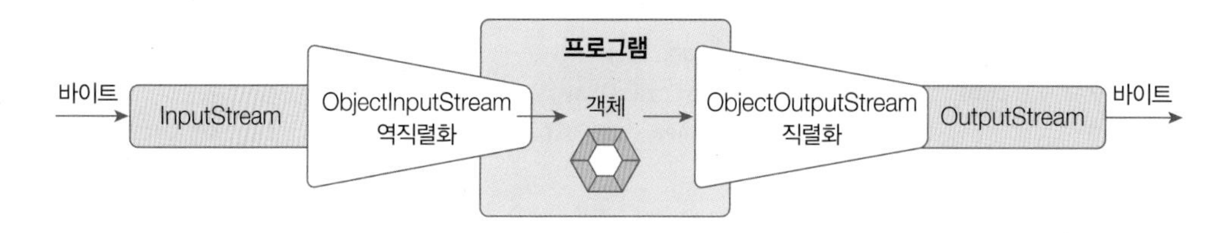

다음은 ObjectInputStream과 ObjectOutputStream 보조 스트림을 연결하는 코드이다.

```
ObjectInputStream ois = new ObjectInputStream(바이트 입력 스트림);
ObjectOutputStream oos = new ObjectOutputStream(바이트 출력 스트림);
```

ObjectOutputStream으로 객체를 직렬화하기 위해서는 writeObject() 메소드를 사용한다.

```
oos.writeObject(객체);
```

반대로 ObjectInputStream의 readObject() 메소드는 읽은 바이트를 역직렬화해서 객체로 생성한다. readObject() 메소드의 리턴 타입은 Object이므로 구체적인 타입으로 강제 타입 변환해야 한다.

```
객체타입 변수 = (객체타입) ois.readObject();
```

다음은 다양한 객체를 파일에 저장하고 다시 파일로부터 읽어 객체로 복원하는 예제이다. 복수의 객체를 저장할 경우 출력된 객체 순서와 동일한 순서로 객체를 읽어야 한다.

>>> ObjectInputOutputStreamExample.java

```
1   package ch18.sec10;
2
3   import java.io.FileInputStream;
4   import java.io.FileOutputStream;
5   import java.io.ObjectInputStream;
6   import java.io.ObjectOutputStream;
7   import java.util.Arrays;
8
9   public class ObjectInputOutputStreamExample {
10    public static void main(String[] args) throws Exception {
11      //FileOutputStream에 ObjectOutputStream 보조 스트림 연결
12      FileOutputStream fos = new FileOutputStream("C:/Temp/object.dat");
13      ObjectOutputStream oos = new ObjectOutputStream(fos);
14
15      //객체 생성
```

```
16          Member m1 = new Member("fall", "단풍이");
17          Product p1 = new Product("노트북", 1500000);
18          int[] arr1 = { 1, 2, 3 };
19
20          //객체를 역직렬화해서 파일에 저장
21          oos.writeObject(m1);
22          oos.writeObject(p1);
23          oos.writeObject(arr1);
24
25          oos.flush(); oos.close(); fos.close();
26
27          //FileInputStream에 ObjectInputStream 보조 스트림 연결
28          FileInputStream fis = new FileInputStream("C:/Temp/object.dat");
29          ObjectInputStream ois = new ObjectInputStream(fis);
30
31          //파일을 읽고 역직렬화해서 객체로 복원
32          Member m2 = (Member) ois.readObject();
33          Product p2 = (Product) ois.readObject();
34          int[] arr2 = (int[]) ois.readObject();
35
36          ois.close(); fis.close();
37
38          //복원된 객체 내용 확인
39          System.out.println(m2);
40          System.out.println(p2);
41          System.out.println(Arrays.toString(arr2));
42      }
43  }
```

>>> **Member.java**

```
1   package ch18.sec10;
2
3   import java.io.Serializable;
4
5   public class Member implements Serializable {
6     private static final long serialVersionUID = -622284561026719240L;
7     private String id;
```

```
8     private String name;
9
10    public Member(String id, String name) {
11      this.id = id;
12      this.name = name;
13    }
14
15    @Override
16    public String toString() { return id + ": " + name; }
17  }
```

>>> **Product.java**

```
1   package ch18.sec10;
2
3   import java.io.Serializable;
4
5   public class Product implements Serializable {
6     private static final long serialVersionUID = -6218128684700785 44L;
7     private String name;
8     private int price;
9
10    public Product(String name, int price) {
11      this.name = name;
12      this.price = price;
13    }
14
15    @Override
16    public String toString() { return name + ": " + price; }
17  }
```

실행 결과

```
fall: 단풍이
노트북: 1500000
[1, 2, 3]
```

Serializable 인터페이스

이전 예제를 보면 Member와 Product는 Serializable 인터페이스를 구현하고 있다. 자바는 Serializable 인터페이스를 구현한 클래스만 직렬화할 수 있도록 제한한다. Serializable 인터페이스는 멤버가 없는 빈 인터페이스이지만, 객체를 직렬화할 수 있다고 표시하는 역할을 한다.

객체가 직렬화될 때 인스턴스 필드값은 직렬화 대상이지만 정적 필드값과 transient로 선언된 필드값은 직렬화에서 제외되므로 출력되지 않는다.

```
public class XXX implements Serializable {
  public int field1;
  protected int field2;
  int field3;
  private int field4;
  public static int field5;     //정적 필드는 직렬화에서 제외
  transient int field6;         //transient로 선언된 필드는 직렬화에서 제외
}
```


serialVersionUID 필드

직렬화할 때 사용된 클래스와 역직렬화할 때 사용된 클래스는 기본적으로 동일한 클래스여야 한다. 만약 클래스의 이름이 같더라도 클래스의 내용이 다르면 역직렬화에 실패한다.

다음 코드를 보자. 왼쪽 Member 클래스로 생성한 객체를 직렬화하면 오른쪽 Member 클래스로 역직렬화할 수 없다. 그 이유는 오른쪽 Member 클래스에는 field3이 있기 때문이다.

```
public class Member implements
  Serializable {
  int field1;
  int field2;
}
```

```
public class Member implements
  Serializable {
  int field1;
  int field2;
  int field3;
}
```

클래스 내용이 다르다 할지라도 직렬화된 필드를 공통으로 포함하고 있다면 역직렬화할 수 있는 방법이 있다. 두 클래스가 동일한 serialVersionUID 상수값을 가지고 있으면 된다.

```
public class Member implements
  Serializable {
  static final long
    serialVersionUID = 1;
  int field1;
  int field2;
}
```

```
public class Member implements
  Serializable {
  static final long
    serialVersionUID = 1;
  int field1;
  int field2;
  int field3;
}
```

serialVersionUID의 값은 개발자가 임의로 줄 수 있지만 가능하다면 클래스마다 다른 유일한 값을 갖도록 하는 것이 좋다. 이클립스는 serialVersionUID 필드를 자동 생성하는 기능을 제공한다.

먼저 클래스에 implements Serializable을 붙인 다음, 마우스를 클래스 이름에 갖다 대면 다음과 같이 Add generated serial version ID 링크가 나온다. 이것을 클릭하면 자동으로 serial VersionUID 필드가 소스에 추가된다.

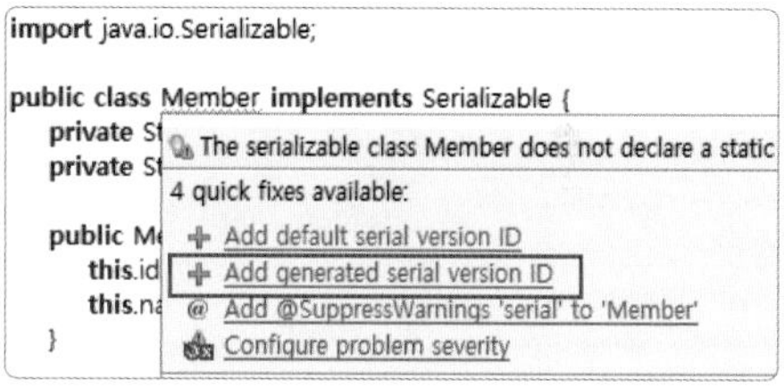

```
import java.io.Serializable;

public class Member implements Serializable {
    private St  The serializable class Member does not declare a static
    private St  4 quick fixes available:
    public M      Add default serial version ID
      this.id     Add generated serial version ID
      this.na   @ Add @SuppressWarnings 'serial' to 'Member'
    }             Configure problem severity
```

18.11 File과 Files 클래스

java.io 패키지와 java.nio.file 패키지는 파일과 디렉토리 정보를 가지고 있는 File과 Files 클래스를 제공한다. Files는 File을 개선한 클래스로, 좀 더 많은 기능을 가지고 있다.

File 클래스

File 클래스로부터 File 객체를 생성하는 방법은 다음과 같다.

```
File file = new File("경로");
```

경로 구분자는 운영체제마다 조금씩 다르다. 윈도우에서는 \\ 또는 /를 둘 다 사용할 수 있고, 맥OS 및 리눅스에서는 /를 사용한다. 다음은 윈도우에서 File 객체를 생성하는 코드이다.

```
File file = new File("C:/Temp/file.txt");
File file = new File("C:\\Temp\\file.txt");
```

File 객체를 생성했다고 해서 파일이나 디렉토리가 생성되는 것은 아니다. 그리고 경로에 실제 파일이나 디렉토리가 없더라도 예외가 발생하지 않는다. 파일이나 디렉토리가 실제 있는지 확인하고 싶다면 File 객체를 생성하고 나서 exists() 메소드를 호출해보면 된다.

```
boolean isExist = file.exists();    //파일이나 폴더가 존재한다면 true를 리턴
```

exists() 메소드가 false를 리턴할 경우, 다음 메소드로 파일 또는 폴더를 생성할 수 있다.

리턴 타입	메소드	설명
boolean	createNewFile()	새로운 파일을 생성
boolean	mkdir()	새로운 디렉토리를 생성
boolean	mkdirs()	경로상에 없는 모든 디렉토리를 생성

exists() 메소드의 리턴값이 true라면 다음 메소드를 사용할 수 있다.

리턴 타입	메소드	설명
boolean	delete()	파일 또는 디렉토리 삭제
boolean	canExecute()	실행할 수 있는 파일인지 여부
boolean	canRead()	읽을 수 있는 파일인지 여부
boolean	canWrite()	수정 및 저장할 수 있는 파일인지 여부
String	getName()	파일의 이름을 리턴
String	getParent()	부모 디렉토리를 리턴
File	getParentFile()	부모 디렉토리를 File 객체로 생성 후 리턴
String	getPath()	전체 경로를 리턴
boolean	isDirectory()	디렉토리인지 여부
boolean	isFile()	파일인지 여부
boolean	isHidden()	숨김 파일인지 여부
long	lastModified()	마지막 수정 날짜 및 시간을 리턴

long	length( )	파일의 크기 리턴
String[]	list( )	디렉토리에 포함된 파일 및 서브 디렉토리 목록 전부를 String 배열로 리턴
String[]	list(FilenameFilter filter)	디렉토리에 포함된 파일 및 서브 디렉토리 목록 중에 FilenameFilter에 맞는 것만 String 배열로 리턴
File[]	listFiles( )	디렉토리에 포함된 파일 및 서브 디렉토리 목록 전부를 File 배열로 리턴
File[]	listFiles(FilenameFilter filter)	디렉토리에 포함된 파일 및 서브 디렉토리 목록 중에 FilenameFilter에 맞는 것만 File 배열로 리턴

다음은 C:\Temp 디렉토리에 images 디렉토리와 file1.txt, file2.txt, file3.txt 파일을 생성하고, Temp 디렉토리에 있는 내용을 출력하는 예제이다.

>>> **FileExample.java**

```
1    package ch18.sec11;
2
3    import java.io.File;
4    import java.text.SimpleDateFormat;
5    import java.util.Date;
6
7    public class FileExample {
8      public static void main(String[] args) throws Exception {
9        //File 객체 생성
10       File dir = new File("C:/Temp/images");
11       File file1 = new File("C:/Temp/file1.txt");
12       File file2 = new File("C:/Temp/file2.txt");
13       File file3 = new File("C:/Temp/file3.txt");
14
15       //존재하지 않으면 디렉토리 또는 파일 생성
16       if(dir.exists() == false) { dir.mkdirs(); }
17       if(file1.exists() == false) { file1.createNewFile(); }
18       if(file2.exists() == false) { file2.createNewFile(); }
19       if(file3.exists() == false) { file3.createNewFile(); }
20
21       //Temp 폴더의 내용을 출력
22       File temp = new File("C:/Temp");
23       File[] contents = temp.listFiles();
```

```
24
25         SimpleDateFormat sdf = new SimpleDateFormat("yyyy-MM-dd a HH:mm");
26         for(File file : contents) {
27           System.out.printf("%-25s", sdf.format(new Date(file.lastModified())));
28           if(file.isDirectory()) {
29             System.out.printf("%-10s%-20s", "<DIR>", file.getName());
30           } else {
31             System.out.printf("%-10s%-20s", file.length(), file.getName());
32           }
33           System.out.println();
34         }
35       }
36     }
```

실행 결과

```
2022-01-07 오전 08:17      0          file1.tx
2022-01-07 오전 08:17      0          file2.tx
2022-01-07 오전 08:17      0          file3.tx
2022-01-07 오전 08:17      <DIR>      images
...
```

여기서 잠깐

입출력 스트림을 생성할 때 File 객체 활용하기

파일 또는 폴더의 정보를 얻기 위해 File 객체를 단독으로 사용할 수 있지만, 파일 입출력 스트림을 생성할 때 경로 정보를 제공할 목적으로 사용되기도 한다.

```
//첫 번째 방법
FileInputStream fis = new FileInputStream("C:/Temp/image.gif");

//두 번째 방법
File file = new File("C:/Temp/image.gif");
FileInputStream fis = new FileInputStream(file);
```

Files 클래스

Files 클래스는 정적 메소드로 구성되어 있기 때문에 File 클래스처럼 객체로 만들 필요가 없다. Files의 정적 메소드는 운영체제의 파일 시스템에게 파일 작업을 수행하도록 위임한다.

다음은 Files 클래스가 가지고 있는 정적 메소드를 기능별로 정리한 표이다.

기능	관련 메소드
복사	copy
생성	createDirectories, createDirectory, createFile, createLink, createSymbolicLink, createTempDirectory, createTempFile
이동	move
삭제	delete, deleteIfExists
존재, 검색, 비교	exists, notExists, find, mismatch
속성	getLastModifiedTime, getOwner, getPosixFilePermissions, isDirectory, isExecutable, isHidden, isReadable, isSymbolicLink, isWritable, size, setAttribute, setLastModifiedTime, setOwner, setPosixFilePermissions, probeContentType
디렉토리 탐색	list, newDirectoryStream, walk
데이터 입출력	newInputStream, newOutputStream, newBufferedReader, newBufferedWriter, readAllBytes, lines, readAllLines, readString, readSymbolicLink, write, writeString

이 메소드들은 매개값으로 Path 객체를 받는다. Path 객체는 파일이나 디렉토리를 찾기 위한 경로 정보를 가지고 있는데, 정적 메소드인 get() 메소드로 다음과 같이 얻을 수 있다.

```
Path path = Paths.get(String first, String... more)
```

get() 메소드의 매개값은 파일 경로인데, 전체 경로를 한꺼번에 지정해도 좋고 상위 디렉토리와 하위 디렉토리를 나열해서 지정해도 좋다. 다음은 "C:\Temp\dir\file.txt" 경로를 이용해서 Path 객체를 얻는 방법을 보여 준다.

```
Path path = Paths.get("C:/Temp/dir/file.txt");
Path path = Paths.get("C:/Temp/dir", "file.txt");
Path path = Paths.get("C:", "Temp", "dir", "file.txt");
```

파일의 경로는 절대 경로와 상대 경로를 모두 사용할 수 있다. 만약 현재 디렉토리 위치가 "C:\Temp"일 경우 "C:\Temp\dir\file.txt"는 다음과 같이 지정이 가능하다.

```
Path path = Paths.get("dir/file.txt");
Path path = Paths.get("./dir/file.txt");
```

현재 위치가 "C:\Temp\dir1"이라면 "C:\Temp\dir2\file.txt"는 다음과 같이 지정이 가능하다. .이 현재 디렉토리라면 ..은 상위 디렉토리를 말한다.

```
Path path = Paths.get("../dir2/file.txt");
```

다음 예제는 Files 클래스를 이용해서 C:\Temp 디렉토리에 user.txt 파일을 생성하고 읽는 방법을 보여 준다.

»» FilesExample.java

```
1    package ch18.sec11;
2
3    import java.io.IOException;
4    import java.nio.charset.Charset;
5    import java.nio.file.Files;
6    import java.nio.file.Path;
7    import java.nio.file.Paths;
8
9    public class FilesExample {
10     public static void main(String[] args) {
11       try {
12         String data = "" +
13             "id: winter\n" +
```

```
14                "email: winter@mycompany.com\n" +
15                "tel: 010-123-1234";
16
17            //Path 객체 생성
18            Path path = Paths.get("C:/Temp/user.txt");
19
20            //파일 생성 및 데이터 저장
21            Files.writeString(Paths.get("C:/Temp/user.txt"), data,
                  Charset.forName("UTF-8"));
22
23            //파일 정보 얻기
24            System.out.println("파일 유형: " + Files.probeContentType(path));
25            System.out.println("파일 크기: " + Files.size(path) + " bytes");
26
27            //파일 읽기
28            String content = Files.readString(path, Charset.forName("UTF-8"));
29            System.out.println(content);
30        } catch (IOException e) {
31            e.printStackTrace();
32        }
33    }
34  }
```

실행 결과

```
파일 유형: text/plain
파일 크기: 55 bytes
id: winter
email: winter@mycompany.com
tel: 010-123-1234
```

probeContentType() 메소드는 파일 확장명에 따른 파일 유형을 리턴한다. 예를 들어 .txt 파일은 text/plain으로, jpg 파일은 image/jpeg로 리턴한다.

Files는 입출력 스트림을 사용하지 않아도 파일의 데이터를 쉽게 읽고 쓸 수 있다. writeString() 메소드는 문자열을 파일에 저장하고, readString() 메소드는 텍스트 파일의 내용을 전부 읽고 String으로 리턴한다.

확인문제

1. 입출력 스트림에 대한 설명 중 틀린 것은 무엇입니까?

❶ 하나의 스트림으로 입력과 출력이 동시에 가능하다.

❷ 프로그램을 기준으로 데이터가 들어오면 입력 스트림이다.

❸ 프로그램을 기준으로 데이터가 나가면 출력 스트림이다.

❹ 콘솔에 출력하거나 파일에 저장하려면 출력 스트림을 사용해야 한다.

2. InputStream과 Reader에 대한 설명으로 틀린 것은 무엇입니까?

❶ 이미지 데이터는 InputStream 또는 Reader로 모두 읽을 수 있다.

❷ Reader의 read() 메소드는 1문자를 읽는다.

❸ InputStream의 read() 메소드는 1바이트를 읽는다.

❹ InputStreamReader를 이용하면 InputStream을 Reader로 변환시킬 수 있다.

3. InputStream의 read(byte[] b) 메소드에 대한 설명으로 틀린 것은 무엇입니까?

❶ 메소드의 리턴값은 읽은 바이트 수이다.

❷ 매개값 b에는 읽은 데이터가 저장된다.

❸ 읽을 수 있는 바이트 수는 제한이 없다.

❹ 매개값 b에는 이전에 읽은 바이트가 남아 있을 수 있다.

4. 출력 스트림에서 데이터를 출력 후 flush() 메소드를 호출하는 이유는 무엇입니까?

❶ 출력 스트림의 버퍼에 있는 데이터를 모두 출력시키고 버퍼를 비운다.

❷ 출력 스트림을 메모리에서 제거한다.

❸ 출력 스트림의 버퍼에 있는 데이터를 모두 삭제한다.

❹ 출력 스트림을 닫는 역할을 한다.

5. 보조 스트림에 대한 설명으로 틀린 것은 무엇입니까?

❶ InputStreamReader는 InputStream을 Reader로 변환시키는 보조 스트림이다.

❷ BufferedInputStream은 데이터 읽기 성능을 향상시키는 보조 스트림이다.

❸ DataInputStream은 객체를 입출력하는 보조 스트림이다.

❹ PrintStream은 print(), println() 메소드를 제공하는 보조 스트림이다.

6. ObjectInputStream, ObjectOutputStream에 대한 설명으로 틀린 것은 무엇입니까?

❶ 객체를 직렬화해서 출력하고 역직렬화해서 복원시킨다.

❷ Serializable 인터페이스를 구현한 객체만 입출력할 수 있다.

❸ 클래스의 serialVersionUID는 입출력할 때 달라도 상관없다.

❹ transient 필드는 출력에서 제외된다.

7. 소스 파일을 읽고 실행 결과와 같이 행의 라인 번호를 추가시켜 출력하도록 밑줄과 빈 곳에 코드를 작성해 보세요.

```
import java.io.BufferedReader;
import java.io.FileReader;

public class Example {
  public static void main(String[] args) throws Exception {
    String filePath = "C:/ThisIsJavaSecondEdition/workspace/thisisjava/src/ch02/
                       sec01/VariableUseExample.java";

    FileReader fr = ______________________________;
    BufferedReader br = ______________________________;

    int rowNumber = 0;
    String rowData;
    while(true) {
      
      
      
    }

    br.close(); fr.close();
  }
}
```

실행 결과

```
1: package ch02.sec01;
2:
```

확인문제

```
 3: public class VariableUseExample {
 4:   public static void main(String[] args) {
 5:     int hour = 3;
 …
10:     System.out.println("총" + totalMinute + "분");
11:   }
12: }
```

8. PrintStream에 대한 설명으로 틀린 것은 무엇입니까?

❶ out 필드는 콘솔로 출력하는 PrintStream 타입이다.

❷ print(), println(), printf() 메소드를 제공한다.

❸ println() 메소드는 매개값의 타입에 따라 오버로딩되어 있다.

❹ PrintStream은 문자 기반 출력 스트림에 연결된다.

9. File과 Files 클래스에 대한 설명으로 틀린 것은 무엇입니까?

❶ File 객체는 파일이 실제로 존재하지 않아도 생성할 수 있다.

❷ File 객체는 파일 정보만 제공하고, 디렉토리 정보는 제공하지 않는다.

❸ Files 클래스는 정적 메소드로 구성되어 있기 때문에 객체를 만들 필요가 없다.

❹ File 객체는 파일의 크기를 제공하는 length() 메소드를 제공한다.

10. 실행하면 다음과 같이 원본 파일 경로와 복사 파일 경로를 입력받고 원본 파일을 복사하는 프로그램을 만들어 보세요. (바이트 기반 스트림과 성능 향상 보조 스트림을 반드시 사용)

[조건]

❶ 원본 파일이 존재하지 않을 경우, "원본 파일이 존재하지 않습니다."를 출력할 것

❷ 복사 파일 경로에서 디렉토리가 존재하지 않으면 경로상의 모든 디렉토리를 자동 생성할 것

❸ 복사가 성공되었을 때 "복사가 성공되었습니다."를 출력할 것

실행 결과

```
원본 파일 경로: C:/Temp/dir1/photo1.jpg
복사 파일 경로: C:/Temp/dir2/photo2.jpg
원본 파일이 존재하지 않습니다.
```

실행 결과

```
원본 파일 경로: C:/Temp/dir1/photo1.jpg
복사 파일 경로: C:/Temp/dir2/photo2.jpg
복사가 성공되었습니다.
```

Chapter

19

네트워크 입출력

19.1 네트워크 기초

네트워크network는 여러 컴퓨터들을 통신 회선으로 연결한 것을 말한다. LANLocal Area Network은 가정, 회사, 건물, 특정 영역에 존재하는 컴퓨터를 연결한 것이고, WANWide Area Network은 LAN을 연결한 것이다. WAN이 우리가 흔히 말하는 인터넷Internet이다.

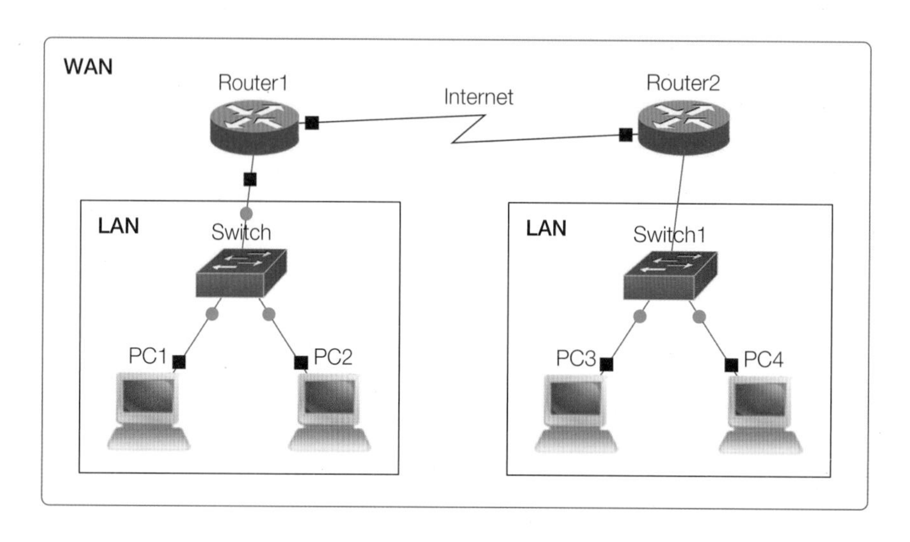

서버와 클라이언트

네트워크에서 유무선으로 컴퓨터가 연결되어 있다면 실제로 데이터를 주고받는 행위는 프로그램들이 한다. 서비스를 제공하는 프로그램을 일반적으로 서버server라고 부르고, 서비스를 요청하는 프로그램을 클라이언트client라고 부른다.

인터넷에서 두 프로그램이 통신하기 위해서는 먼저 클라이언트가 서비스를 요청하고, 서버는 처리 결과를 응답으로 제공해 준다.

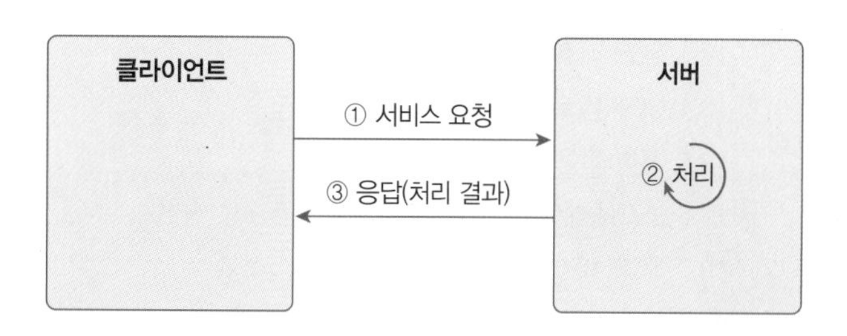

IP 주소

여러분의 집에는 고유한 주소가 있기 때문에 우편물이나 택배물이 정확하게 여러분의 집을 찾아간다. 컴퓨터에도 고유한 주소가 있다. 바로 IP[Internet Protocol] 주소이다. IP 주소는 네트워크 어댑터(LAN 카드)마다 할당된다. 만약 컴퓨터에 두 개의 네트워크 어댑터가 장착되어 있다면, 두 개의 IP 주소를 할당받을 수 있다.

네트워크 어댑터에 어떤 IP 주소가 부여되어 있는지 확인하려면 윈도우에서는 ipconfig 명령어를, 맥OS에서는 ifconfig 명령어를 실행하면 된다. 다음은 윈도우 명령 프롬프트(cmd)에서 ipconfig 명령어를 실행한 결과로, IP 주소는 xxx.xxx.xxx.xxx와 같은 형식으로 출력된다. 여기서 xxx는 부호 없는 0~255 사이의 정수이다.

연결할 상대방 컴퓨터의 IP 주소를 모르면 프로그램들은 서로 통신할 수 없다. 우리가 전화번호를 모르면 114로 문의하듯이 프로그램은 DNS[Domain Name System]를 이용해서 컴퓨터의 IP 주소를 검색한다. 여기에서 DNS는 도메인 이름으로, IP를 등록하는 저장소이다. 대중에게 서비스를 제공하는 대부분의 컴퓨터는 다음과 같이 도메인 이름으로 IP를 DNS에 미리 등록해 놓는다.

```
도메인 이름    :    IP 주소
---------------------------------------
www.naver.com  :    222.122.195.5
```

웹 브라우저는 웹 서버와 통신하는 클라이언트로, 사용자가 입력한 도메인 이름으로 DNS에서 IP 주소를 검색해 찾은 다음 웹 서버와 연결해서 웹 페이지를 받는다.

Port 번호

한 대의 컴퓨터에는 다양한 서버 프로그램들이 실행될 수 있다. 예를 들어 웹Web 서버, 데이터베이스 관리 시스템(DBMS), FTP 서버 등이 하나의 IP 주소를 갖는 컴퓨터에서 동시에 실행될 수 있다.

이 경우 클라이언트는 어떤 서버와 통신해야 할지 결정해야 한다. IP는 컴퓨터의 네트워크 어댑터까지만 갈 수 있는 정보이기 때문에, 컴퓨터 내부에서 실행하는 서버를 선택하기 위해서는 추가적인 Port 번호가 필요하다.

Port는 운영체제가 관리하는 서버 프로그램의 연결 번호이다. 서버는 시작할 때 특정 Port 번호에 바인딩한다. 예를 들어 웹 서버는 80번으로, DBMS는 1521번으로 바인딩할 수 있다. 따라서 클라이언트가 웹 서버와 통신하려면 80번으로, DBMS와 통신하려면 1521번으로 요청을 해야 한다.

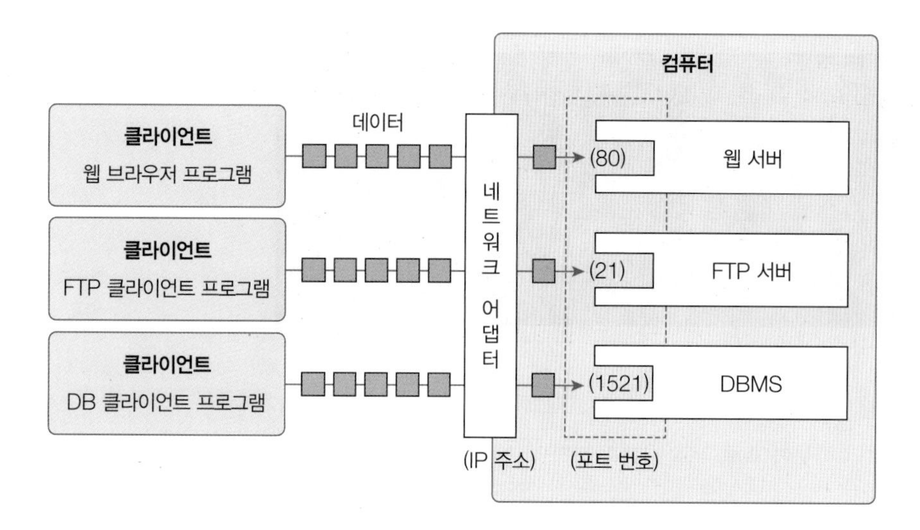

클라이언트도 서버에서 보낸 정보를 받기 위해서는 Port 번호가 필요한데, 서버와 같이 고정적인 Port 번호에 바인딩하는 것이 아니라 운영체제가 자동으로 부여하는 번호를 사용한다. 이 번호는 클라이언트가 서버로 요청할 때 함께 전송되어 서버가 클라이언트로 데이터를 보낼 때 사용된다.

프로그램에서 사용할 수 있는 전체 Port 번호의 범위는 0~65535로, 다음과 같이 사용 목적에 따라 세 가지 범위를 가진다.

구분명	범위	설명
Well Know Port Numbers	0~1023	국제인터넷주소관리기구(ICANN)가 특정 애플리케이션용으로 미리 예약한 Port
Registered Port Numbers	1024~49151	회사에서 등록해서 사용할 수 있는 Port
Dynamic Or Private Port Numbers	49152~65535	운영체제가 부여하는 동적 Port 또는 개인적인 목적으로 사용할 수 있는 Port

19.2 IP 주소 얻기

자바는 IP 주소를 java.net 패키지의 InetAddress로 표현한다. InetAddress를 이용하면 로컬 컴퓨터의 IP 주소를 얻을 수 있고, 도메인 이름으로 DNS에서 검색한 후 IP 주소를 가져올 수도 있다.

로컬 컴퓨터의 InetAddress를 얻고 싶다면 InetAddress.getLocalHost() 메소드를 다음과 같이 호출하면 된다.

```
InetAddress ia = InetAddress.getLocalHost();
```

만약 컴퓨터의 도메인 이름을 알고 있다면 다음 두 개의 메소드를 사용하여 InetAddress 객체를 얻을 수 있다.

```
InetAddress ia = InetAddress.getByName(String domainName);
InetAddress[ ] iaArr = InetAddress.getAllByName(String domainName);
```

getByName() 메소드는 DNS에서 도메인 이름으로 등록된 단 하나의 IP 주소를 가져오고, getAllByName() 메소드는 등록된 모든 IP 주소를 배열로 가져온다. 하나의 도메인 이름으로 여러 IP가 등록되어 있는 이유는 클라이언트가 많이 연결되었을 경우 서버 부하를 나누기 위해서이다.

이 메소드들로부터 얻은 InetAddress 객체에서 IP 주소를 얻으려면 getHostAddress() 메소드를 다음과 같이 호출하면 된다. 리턴값은 문자열로 된 IP 주소이다.

```
String ip = InetAddress.getHostAddress();
```

다음 예제는 로컬 컴퓨터의 IP와 네이버 웹 사이트(www.naver.com)의 IP 정보를 출력한다.

>>> InetAddressExample.java

```java
package ch19.sec02;

import java.net.InetAddress;
import java.net.UnknownHostException;

public class InetAddressExample {
  public static void main(String[] args) {
    try {
      InetAddress local = InetAddress.getLocalHost();
      System.out.println("내 컴퓨터 IP 주소: " + local.getHostAddress());

      InetAddress[] iaArr = InetAddress.getAllByName("www.naver.com");
      for(InetAddress remote : iaArr) {
        System.out.println("www.naver.com IP 주소: " + remote.getHostAddress());
      }
    } catch(UnknownHostException e) {
      e.printStackTrace();
    }
  }
}
```

실행 결과

```
내 컴퓨터 IP 주소: 192.168.3.3
www.naver.com IP 주소: 223.130.195.200
www.naver.com IP 주소: 223.130.195.95
```

19.3 TCP 네트워킹

IP 주소로 프로그램들이 통신할 때는 약속된 데이터 전송 규약이 있다. 이것을 전송용 프로토콜protocol이라고 부른다. 인터넷에서 전송용 프로토콜은 TCPTransmission Control Protocol와 UDPUser Datagram Protocol가 있다.

TCP는 연결형 프로토콜로, 상대방이 연결된 상태에서 데이터를 주고받는다. 클라이언트가 연결 요청을 하고 서버가 연결을 수락하면 통신 회선이 고정되고, 데이터는 고정 회선을 통해 전달된다. 그렇기 때문에 TCP는 보낸 데이터가 순서대로 전달되며 손실이 발생하지 않는다.

TCP는 IP와 함께 사용하기 때문에 TCP/IP라고도 한다. TCP는 웹 브라우저가 웹 서버에 연결할 때 사용되며 이메일 전송, 파일 전송, DB 연동에도 사용된다.

자바는 TCP 네트워킹을 위해 java.net 패키지에서 ServerSocket과 Socket 클래스를 제공하고 있다. ServerSocket은 클라이언트의 연결을 수락하는 서버 쪽 클래스이고, Socket은 클라이언트에서 연결 요청할 때와 클라이언트와 서버 양쪽에서 데이터를 주고받을 때 사용되는 클래스이다.

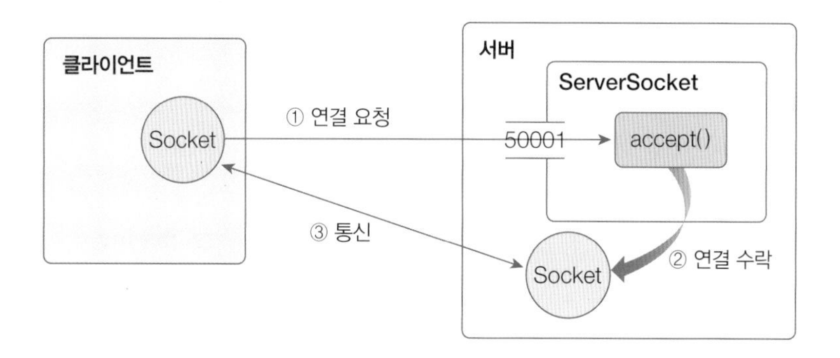

ServerSocket을 생성할 때는 바인딩할 Port 번호를 지정해야 한다. 위 그림에서는 50001번이 Port이다. 서버가 실행되면 클라이언트는 Socket을 이용해서 서버의 IP 주소와 Port 번호로 연결 요청을 할 수 있다. ServerSocket은 accept() 메소드로 연결 수락을 하고 통신용 Socket을 생성한다. 그리고 나서 클라이언트와 서버는 양쪽의 Socket을 이용해서 데이터를 주고받게 된다.

TCP 서버

TCP 서버 프로그램을 개발하려면 우선 ServerSocket 객체를 생성해야 한다. 다음은 50001번 Port에 바인딩하는 ServerSocket를 생성하는 코드이다.

```
ServerSocket serverSocket = new ServerSocket(50001);
```

ServerSocket을 생성하는 또 다른 방법은 기본 생성자로 객체를 생성하고 Port 바인딩을 위해 bind() 메소드를 호출하는 것이다.

```
ServerSocket serverSocket = new ServerSocket();
serverSocket.bind(new InetSocketAddress(50001));
```

만약 서버 컴퓨터에 여러 개의 IP가 할당되어 있을 경우, 특정 IP에서만 서비스를 하고 싶다면 InetSocketAddress의 첫 번째 매개값으로 해당 IP를 주면 된다.

```
ServerSocket serverSocket = new ServerSocket();
serverSocket.bind( new InetSocketAddress("xxx.xxx.xxx.xxx", 50001) );
```

만약 Port가 이미 다른 프로그램에서 사용 중이라면 BindException이 발생한다. 이 경우에는 다른 Port로 바인딩하거나 Port를 사용 중인 프로그램을 종료하고 다시 실행하면 된다.

ServerSocket이 생성되었다면 연결 요청을 수락을 위해 accept() 메소드를 실행해야 한다. accept()는 클라이언트가 연결 요청하기 전까지 블로킹된다. 블로킹이란 실행을 멈춘 상태가 된다는 뜻이다. 클라이언트의 연결 요청이 들어오면 블로킹이 해제되고 통신용 Socket을 리턴한다.

```
Socket socket = serverSocket.accept();
```

만약 리턴된 Socket을 통해 연결된 클라이언트의 IP 주소와 Port 번호를 얻고 싶다면 방법은 getRemoteSocketAddress() 메소드를 호출해서 InetSocketAddress를 얻은 다음 getHostToString()과 getPort() 메소드를 호출하면 된다.

```
InetSocketAddress isa = (InetSocketAddress) socket.getRemoteSocketAddress();
String clientIp = isa.getHostToString();
String portNo = isa.getPort();
```

서버를 종료하려면 ServerSocket의 close() 메소드를 호출해서 Port 번호를 언바인딩시켜야 한다. 그래야 다른 프로그램에서 해당 Port 번호를 재사용할 수 있다.

```
serverSocket.close();
```

다음 예제는 반복적으로 accept() 메소드를 호출해서 클라이언트의 연결 요청을 계속 수락하는 TCP 서버의 가장 기본적인 코드를 보여 준다.

>>> ServerExample.java

```
1   package ch19.sec03.exam01;
2
3   import java.io.IOException;
4   import java.net.InetSocketAddress;
5   import java.net.ServerSocket;
6   import java.net.Socket;
7   import java.util.Scanner;
8
9   public class ServerExample {
10    private static ServerSocket serverSocket = null;
11
12    public static void main(String[] args) {
13      System.out.println("--------------------------------------------------------");
14      System.out.println("서버를 종료하려면 q 또는 Q를 입력하고 Enter 키를 입력하세요.");
15      System.out.println("--------------------------------------------------------");
16
17      //TCP 서버 시작
18      startServer();
19
20      //키보드 입력
21      Scanner scanner = new Scanner(System.in);
22      while(true) {
23        String key = scanner.nextLine();
24        if(key.toLowerCase().equals("q")) {
25          break;
26        }
27      }
28      scanner.close();
29
30        //TCP 서버 종료
31        stopServer();
32    }
33
34    public static void startServer() {
35      //작업 스레드 정의
```

```
36          Thread thread = new Thread() {
37            @Override
38            public void run() {
39              try {
40                //ServerSocket 생성 및 Port 바인딩
41                serverSocket = new ServerSocket(50001);
42                System.out.println("[서버] 시작됨");
43
44                while(true) {
45                  System.out.println( "\n[서버] 연결 요청을 기다림\n");
46                  //연결 수락
47                  Socket socket = serverSocket.accept();
48
49                  //연결된 클라이언트 정보 얻기
50                  InetSocketAddress isa =
                        (InetSocketAddress) socket.getRemoteSocketAddress();
51                  System.out.println("[서버] " + isa.getHostToString() + "의 연결
                        요청을 수락함");
52
53                  //연결 끊기
54                  socket.close();
55                  System.out.println("[서버] " + isa.getHostToString() + "의 연결을
                        끊음");
56                }
57              } catch(IOException e) {
58                System.out.println("[서버] " + e.getMessage());
59              }
60            }
61          };
62          //스레드 시작
63          thread.start();
64        }
65
66        public static void stopServer() {
67          try {
68            //ServerSocket을 닫고 Port 언바인딩
69            serverSocket.close();
70            System.out.println("[서버] 종료됨 ");
71          } catch (IOException e1) {}
72        }
73      }
```

실행 결과

```
------------------------------------------------------------
서버를 종료하려면 q 또는 Q를 입력하고 Enter 키를 입력하세요.
------------------------------------------------------------
[서버] 시작됨

[서버] 연결 요청을 기다림

q
[서버] 종료됨
[서버] Socket closed
```

Console 뷰에서 q를 입력하지 않고 ServerExample 프로세스를 빠르게 강제 종료하고 싶다면 다음 그림과 같이 빨간 네모 아이콘을 클릭하면 된다.

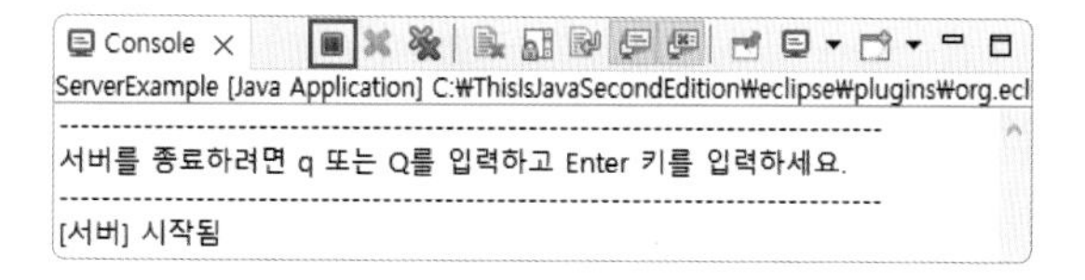

만약 ServerExample이 실행된 상태에서 다시 ServerExample을 실행하면 50001번 포트가 사용 중이므로 다음과 같은 에러 메시지가 출력된다.

```
[서버] Address already in use: bind
```

이 경우에는 이전 ServerExample을 강제 종료시키고 다시 ServerExample을 실행한다.

TCP 클라이언트

클라이언트가 서버에 연결 요청을 하려면 Socket 객체를 생성할 때 생성자 매개값으로 서버 IP 주소와 Port 번호를 제공하면 된다. 로컬 컴퓨터에서 실행하는 서버로 연결 요청을 할 경우에는 IP 주소 대신 localhost를 사용할 수 있다.

```
Socket socket = new Socket( "IP",  50001 );
```

만약 IP 주소 대신 도메인 이름을 사용하고 싶다면, DNS에서 IP 주소를 검색할 수 있도록 생성자 매개값으로 InetAddress를 제공해야 한다.

```
Socket socket = new Socket(InetAddress.getByName("domainName"), 50001);
```

Socket 생성과 동시에 연결 요청을 하지 않고 다음과 같이 기본 생성자로 Socket을 생성한 후 connect() 메소드로 연결 요청을 할 수도 있다.

```
socket = new Socket();
socket.connect( new InetSocketAddress("domainName", 50001) );
```

연결 요청 시 두 가지 예외가 발생할 수 있다. UnknownHostException은 IP 주소가 잘못 표기되었을 때 발생하고, IOException은 제공된 IP와 Port 번호로 연결할 수 없을 때 발생한다. 따라서 두 가지 예외를 모두 처리해야 한다.

```
try {
  Socket socket = new Socket("IP", 50001);
} catch (UnknownHostException e) {
  //IP 표기 방법이 잘못되었을 경우
} catch (IOException e) {
  //IP와 Port로 서버에 연결할 수 없는 경우
}
```

서버와 연결된 후에 클라이언트에서 연결을 끊고 싶다면 Socket의 close() 메소드를 다음과 같이 호출하면 된다.

```
socket.close();
```

다음은 이전 예제인 ServerExample에 연결 요청을 하는 TCP 클라이언트의 가장 기본적인 코드를 보여 준다.

>>> ClientExample.java

```java
package ch19.sec03.exam01;

import java.io.IOException;
import java.net.Socket;
import java.net.UnknownHostException;

public class ClientExample {
  public static void main(String[] args) {
    try {
      //Socket 생성과 동시에 localhost의 50001 Port로 연결 요청;
      Socket socket = new Socket("localhost", 50001);

      System.out.println( "[클라이언트] 연결 성공");

      //Socket 닫기
      socket.close();
      System.out.println("[클라이언트] 연결 끊음");
    } catch (UnknownHostException e) {
      //IP 표기 방법이 잘못되었을 경우
    } catch (IOException e) {
      //해당 포트의 서버에 연결할 수 없는 경우
    }
  }
}
```

NOTE 이전 예제인 ServerExample을 먼저 실행시키고 ClientExample을 실행하면 다음과 같은 내용이 Console 뷰에 출력된다.

ServerExample 실행 결과(먼저 실행되어 있어야 함)

```
--------------------------------------------------------
서버를 종료하려면 q 또는 Q를 입력하고 Enter 키를 입력하세요.
--------------------------------------------------------
[서버] 시작됨

[서버] 연결 요청을 기다림

[서버] 127.0.0.1의 연결 요청을 수락함
```

```
[서버] 127.0.0.1의 연결을 끊음

[서버] 연결 요청을 기다림
```

ClientExample 실행 결과

```
[클라이언트] 연결 성공
[클라이언트] 연결 끊음
```

이클립스는 실행 중인 프로세스가 여러 개이면 각각의 출력 내용은 별도의 Console 뷰에 표시한다. ServerExample과 ClientExample의 Console 뷰를 보고 싶다면 다음과 같이 모니터 아이콘을 클릭하거나 아래 화살표를 클릭해서 프로세스를 선택하면 된다.

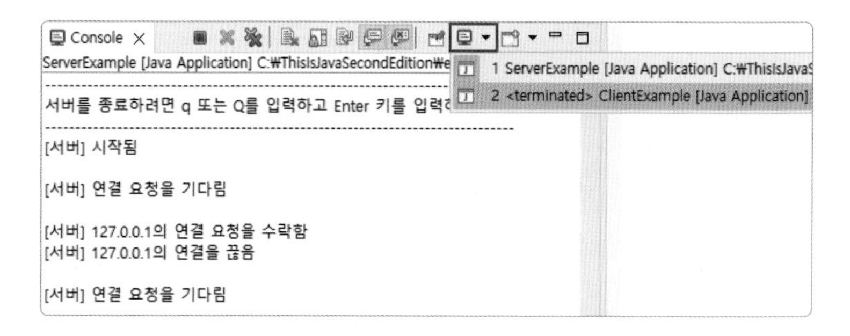

입출력 스트림으로 데이터 주고받기

클라이언트가 연결 요청(connect())을 하고 서버가 연결 수락(accept())했다면, 다음 그림과 같이 양쪽의 Socket 객체로부터 각각 입력 스트림InputStream과 출력 스트림OutputStream을 얻을 수 있다.

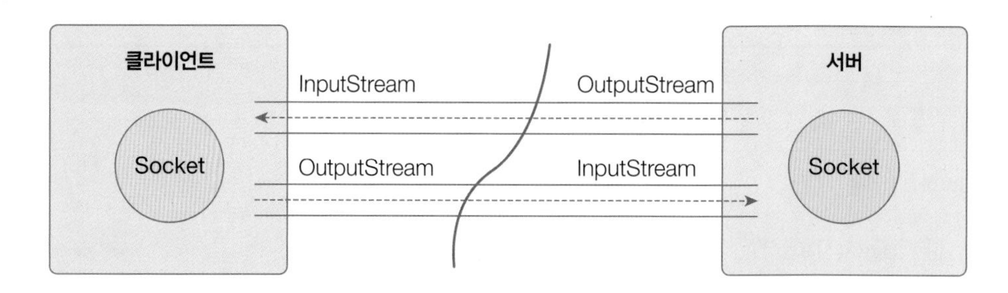

다음은 Socket으로부터 InputStream과 OutputStream을 얻는 코드이다.

```
InputStream is = socket.getInputStream();
OutputStream os = socket.getOutputStream();
```

상대방에게 데이터를 보낼 때에는 보낼 데이터를 byte[] 배열로 생성하고, 이것을 매개값으로 해서 OutputStream의 write() 메소드를 호출하면 된다. 다음 코드는 문자열로부터 UTF-8로 인코딩한 바이트 배열을 얻어내고, write() 메소드로 전송한다.

```
String data = "보낼 데이터";
byte[ ] bytes = data.getBytes("UTF-8");
OutputStream os = socket.getOutputStream();
os.write(bytes);
os.flush();
```

문자열을 좀 더 간편하게 보내고 싶다면 보조 스트림인 DataOutputStream을 연결해서 사용하면 된다.

```
String data = "보낼 데이터";
DataOutputStream dos = new DataOutputStream(socket.getOutputStream());
dos.writeUTF(data);
dos.flush();
```

데이터를 받기 위해서는 받은 데이터를 저장할 byte[] 배열을 하나 생성하고, 이것을 매개값으로 해서 InputStream의 read() 메소드를 호출하면 된다. read() 메소드는 읽은 데이터를 byte[] 배열에 저장하고 읽은 바이트 수를 리턴한다. 받는 데이터가 문자열이라면 다음과 같이 byte[] 배열을 UTF-8로 디코딩해서 문자열로 얻을 수 있다.

```
byte[ ] bytes = new byte[1024];
InputStream is = socket.getInputStream();
int num = is.read(bytes);
String data = new String(bytes, 0, num, "UTF-8");
```

문자열을 좀 더 간편하게 받고 싶다면 보조 스트림인 DataInputStream을 연결해서 사용하면 된다.

단, 이 방법은 상대방이 DataOutputStream으로 문자열을 보낼 때만 가능하다.

```
DataInputStream dis = new DataInputStream(socket.getInputStream());
String data = dis.readUTF();
```

다음은 TCP 클라이언트가 보낸 메시지를 다시 돌려보내는 에코(메아리) TCP 서버를 구현한 예제이다.

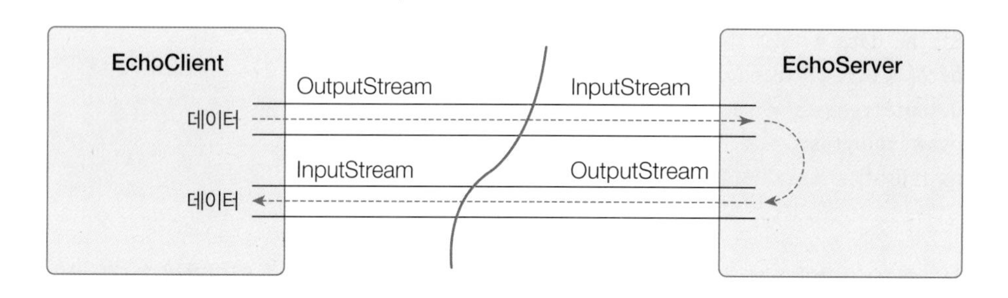

>>> EchoServer.java

```
1	package ch19.sec03.exam02;
2	
3	import java.io.DataInputStream;
4	import java.io.DataOutputStream;
5	import java.io.IOException;
6	import java.io.InputStream;
7	import java.io.OutputStream;
8	import java.net.InetSocketAddress;
9	import java.net.ServerSocket;
10	import java.net.Socket;
11	import java.util.Scanner;
12	
13	public class EchoServer {
14	  private static ServerSocket serverSocket = null;
15	
16	  public static void main(String[] args) {
17	    System.out.println("--------------------------------------------------------");
18	    System.out.println("서버를 종료하려면 q를 입력하고 Enter 키를 입력하세요.");
19	    System.out.println("--------------------------------------------------------");
20	
```

```
21          //TCP 서버 시작
22          startServer();
23
24          //키보드 입력
25          Scanner scanner = new Scanner(System.in);
26          while(true) {
27            String key = scanner.nextLine();
28            if(key.toLowerCase().equals("q")) {
29              break;
30            }
31          }
32          scanner.close();
33
34          //TCP 서버 종료
35          stopServer();
36        }
37
38        public static void startServer() {
39          //작업 스레드 정의
40          Thread thread = new Thread() {
41            @Override
42            public void run() {
43              try {
44                //ServerSocket 생성 및 Port 바인딩
45                serverSocket = new ServerSocket(50001);
46                System.out.println("[서버] 시작됨");
47
48                //연결 수락 및 데이터 통신
49                while(true) {
50                  System.out.println( "\n[서버] 연결 요청을 기다림\n");
51                  //연결 수락
52                  Socket socket = serverSocket.accept();
53
54                  //연결된 클라이언트 정보 얻기
55                  InetSocketAddress isa =
                        (InetSocketAddress) socket.getRemoteSocketAddress();
56                  System.out.println("[서버] " + isa.getHostName() + "의 연결 요청을
                        수락함");
57
58                  //-------------------------------------------------------------------
59                  /*
```

```
60            //데이터 받기
61            InputStream is = socket.getInputStream();
62            byte[] bytes = new byte[1024];
63            int readByteCount = is.read(bytes);
64            String message = new String(bytes, 0, readByteCount, "UTF-8");
65
66            //데이터 보내기
67            OutputStream os = socket.getOutputStream();
68            bytes = message.getBytes("UTF-8");
69            os.write(bytes);
70            os.flush();
71            System.out.println("[서버] 받은 데이터를 다시 보냄: " + message);
72            */
73            //-----------------------------------------------------------------
74            //데이터 받기
75            DataInputStream dis = new DataInputStream(socket.
                  getInputStream());
76            String message = dis.readUTF();
77
78            //데이터 보내기
79            DataOutputStream dos = new DataOutputStream(socket.
                  getOutputStream());
80            dos.writeUTF(message);
81            dos.flush();
82            System.out.println("[서버] 받은 데이터를 다시 보냄: " + message);
83            //-----------------------------------------------------------------
84
85            //연결 끊기
86            socket.close();
87            System.out.println("[서버] " + isa.getHostName() + "의 연결을 끊음");
88          }
89        } catch(IOException e) {
90          System.out.println("[서버] " + e.getMessage());
91        }
92      }
93    };
94    //스레드 시작
95    thread.start();
96  }
97
98  public static void stopServer() {
```

```
99          try {
100           //ServerSocket을 닫고 Port 언바인딩
101           serverSocket.close();
102           System.out.println("[서버] 종료됨 ");
103         } catch (IOException e1) {}
104       }
105     }
```

>>> EchoClient.java

```
1     package ch19.sec03.exam02;
2
3     import java.io.DataInputStream;
4     import java.io.DataOutputStream;
5     import java.io.InputStream;
6     import java.io.OutputStream;
7     import java.net.Socket;
8
9     public class EchoClient {
10      public static void main(String[] args) {
11        try {
12          //Socket 생성과 동시에 localhost의 50001 포트로 연결 요청;
13          Socket socket = new Socket("localhost", 50001);
14
15          System.out.println( "[클라이언트] 연결 성공");
16
17          //------------------------------------------------------------------------
18          /*
19          //데이터 보내기
20          String sendMessage = "나는 자바가 좋아~~";
21          OutputStream os = socket.getOutputStream();
22          byte[] bytes = sendMessage.getBytes("UTF-8");
23          os.write(bytes);
24          os.flush();
25          System.out.println("[클라이언트] 데이터 보냄: " + sendMessage);
26
27          //데이터 받기
28          InputStream is = socket.getInputStream();
29          bytes = new byte[1024];
```

```
30          int readByteCount = is.read(bytes);
31          String receiveMessage = new String(bytes, 0, readByteCount, "UTF-8");
32          System.out.println("[클라이언트] 데이터 받음: " + receiveMessage);
33          */
34          //--------------------------------------------------------------------
35          //데이터 보내기
36          String sendMessage = "나는 자바가 좋아~~";
37          DataOutputStream dos = new DataOutputStream(socket.getOutputStream());
38          dos.writeUTF(sendMessage);
39          dos.flush();
40          System.out.println("[클라이언트] 데이터 보냄: " + sendMessage);
41
42          //데이터 받기
43          DataInputStream dis = new DataInputStream(socket.getInputStream());
44          String receiveMessage = dis.readUTF();
45          System.out.println("[클라이언트] 데이터 받음: " + receiveMessage);
46          //--------------------------------------------------------------------
47
48          //연결 끊기
49          socket.close();
50          System.out.println("[클라이언트] 연결 끊음");
51      } catch(Exception e) {
52      }
53    }
54  }
```

EchoServer 실행 결과 (먼저 실행되어 있어야 함)

```
-------------------------------------------------------
서버를 종료하려면 q를 입력하고 Enter 키를 입력하세요.
-------------------------------------------------------
[서버] 시작됨

[서버] 연결 요청을 기다림

[서버] 127.0.0.1의 연결 요청을 수락함
[서버] 받은 데이터를 다시 보냄: 나는 자바가 좋아~~
[서버] 127.0.0.1의 연결을 끊음

[서버] 연결 요청을 기다림
```

EchoClient 실행 결과

```
[클라이언트] 연결 성공
[클라이언트] 데이터 보냄: 나는 자바가 좋아~~
[클라이언트] 데이터 받음: 나는 자바가 좋아~~
[클라이언트] 연결 끊음
```

19.4 UDP 네트워킹

UDP[User Datagram Protocol]는 발신자가 일방적으로 수신자에게 데이터를 보내는 방식으로, TCP처럼 연결 요청 및 수락 과정이 없기 때문에 TCP보다 데이터 전송 속도가 상대적으로 빠르다.

UDP는 TCP처럼 고정 회선이 아니라 여러 회선을 통해 데이터가 전송되기 때문에 특정 회선의 속도에 따라 데이터가 순서대로 전달되지 않거나 잘못된 회선으로 인해 데이터 손실이 발생할 수 있다.

하지만 실시간 영상 스트리밍에서 한 컷의 영상이 손실되더라도 영상은 계속해서 수신되므로 문제가 되지는 않는다. 따라서 데이터 전달의 신뢰성보다 속도가 중요하다면 UDP를 사용하고, 데이터 전달의 신뢰성이 중요하다면 TCP를 사용해야 한다.

자바는 UDP 네트워킹을 위해 java.net 패키지에서 DatagramSocket과 DatagramPacket 클래스를 제공하고 있다. DatagramSocket은 발신점과 수신점에 해당하고 DatagramPacket은 주고받는 데이터에 해당한다.

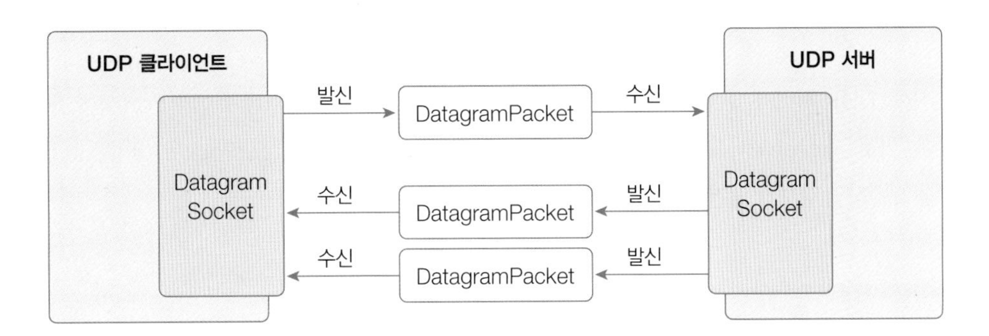

UDP 서버

UDP 서버를 위한 DatagramSocket 객체를 생성할 때에는 다음과 같이 바인딩할 Port 번호를 생성자 매개값으로 제공해야 한다.

```
DatagramSocket datagramSocket = new DatagramSocket(50001);
```

UDP 서버는 클라이언트가 보낸 DatagramPacket을 항상 받을 준비를 해야 한다. 이 역할을 하는 메소드가 receive()이다. receive() 메소드는 데이터를 수신할 때까지 블로킹되고, 데이터가 수신되면 매개값으로 주어진 DatagramPacket에 저장한다.

```
DatagramPacket receivePacket = new DatagramPacket(new byte[1024], 1024);
datagramSocket.receive(receivePacket);
```

DatagramPacket 생성자의 첫 번째 매개값은 수신된 데이터를 저장할 배열이고 두 번째 매개값은 수신할 수 있는 최대 바이트 수이다. 보통 첫 번째 바이트 배열의 크기를 준다. receive() 메소드가 실행된 후 수신된 데이터와 바이트 수를 얻는 방법은 다음과 같다.

```
byte[] bytes = receivePacket.getData();
int num = receivePacket.getLength();
```

읽은 데이터가 문자열이라면 다음과 같이 String 생성자를 이용해서 문자열을 얻을 수 있다.

```
String data = new String(bytes, 0, num, "UTF-8");
```

이제 반대로 UDP 서버가 클라이언트에게 처리 내용을 보내려면 클라이언트 IP 주소와 Port 번호가 필요한데, 이것은 receive()로 받은 DatagramPacket에서 얻을 수 있다. getSocketAddress() 메소드를 호출하면 정보가 담긴 SocketAddress 객체를 얻을 수 있다.

```
SocketAddress socketAddress = receivePacket.getSocketAddress();
```

이렇게 얻은 SocketAddress 객체는 다음과 같이 클라이언트로 보낼 DatagramPacket을 생성할 때 네 번째 매개값으로 사용된다. DatagramPacket 생성자의 첫 번째 매개값은 바이트 배열이고 두 번째는 시작 인덱스, 세 번째는 보낼 바이트 수이다.

```
String data = "처리 내용";
byte[] bytes = data.getBytes("UTF-8");
DatagramPacket sendPacket = new DatagramPacket( bytes, 0, bytes.length,
socketAddress );
```

DatagramPacket을 클라이언트로 보낼 때는 DatagramSocket의 send() 메소드를 이용한다.

```
datagramSocket.send( sendPacket );
```

더 이상 UDP 클라이언트의 데이터를 수신하지 않고 UDP 서버를 종료하고 싶을 경우에는 다음과 같이 DatagramSocket의 close() 메소드를 호출하면 된다.

```
datagramSocket.close();
```

다음 예제는 UDP 클라이언트가 구독하고 싶은 뉴스 10개를 전송하는 UDP 서버이다.

>>> **NewsServer.java**

```
1   package ch19.sec04;
2
3   import java.net.DatagramPacket;
4   import java.net.DatagramSocket;
5   import java.net.SocketAddress;
6   import java.util.Scanner;
7
8   public class NewsServer {
9     private static DatagramSocket datagramSocket = null;
10
11    public static void main(String[] args) throws Exception {
12      System.out.println("--------------------------------------------------------");
13      System.out.println("서버를 종료하려면 q를 입력하고 Enter 키를 입력하세요.");
14      System.out.println("--------------------------------------------------------");
15
16      //UDP 서버 시작
```

```
17        startServer();
18
19        //키보드 입력
20        Scanner scanner = new Scanner(System.in);
21        while(true) {
22          String key = scanner.nextLine();
23          if(key.toLowerCase().equals("q")) {
24            break;
25          }
26        }
27        scanner.close();
28
29        //UDP 서버 종료
30        stopServer();
31      }
32
33      public static void startServer() {
34        //작업 스레드 정의
35        Thread thread = new Thread() {
36          @Override
37          public void run() {
38            try {
39              //DatagramSocket 생성 및 Port 바인딩
40              datagramSocket = new DatagramSocket(50001);
41              System.out.println("[서버] 시작됨");
42
43              while(true) {
44                //클라이언트가 구독하고 싶은 뉴스 주제 얻기
45                DatagramPacket receivePacket = new DatagramPacket
                    (new byte[1024], 1024);
46                datagramSocket.receive(receivePacket);
47                String newsKind =
                    new String(receivePacket.getData(), 0,
                    receivePacket.getLength(), "UTF-8");
48
49                //클라이언트의 IP와 Port 얻기
50                SocketAddress socketAddress = receivePacket.getSocketAddress();
51
52                //10개의 뉴스를 클라이언트로 전송
53                for(int i=1; i<=10; i++) {
54                  String data = newsKind + ": 뉴스" + i;
```

```
55                  byte[] bytes = data.getBytes("UTF-8");
56                  DatagramPacket sendPacket =
                      new DatagramPacket(bytes, 0, bytes.length, socketAddress);
57                    datagramSocket.send(sendPacket);
58                }
59              }
60            } catch (Exception e) {
61              System.out.println("[서버] " + e.getMessage());
62            }
63          }
64        };
65        //스레드 시작
66        thread.start();
67      }
68
69      public static void stopServer() {
70        //DatagramSocket을 닫고 Port 언바인딩
71        datagramSocket.close();
72        System.out.println("[서버] 종료됨 ");
73      }
74    }
```

NewsServer 실행 결과

```
--------------------------------------------------------
서버를 종료하려면 q를 입력하고 Enter 키를 입력하세요.
--------------------------------------------------------
[서버] 시작됨
```

UDP 클라이언트

UDP 클라이언트는 서버에 요청 내용을 보내고 그 결과를 받는 역할을 한다. UDP 클라이언트를 위한 DatagramSocket 객체는 기본 생성자로 생성한다. Port 번호는 자동으로 부여되기 때문에 따로 지정할 필요가 없다.

```
DatagramSocket datagramSocket = new DatagramSocket();
```

요청 내용을 보내기 위한 DatagramPacket을 생성하는 방법은 다음과 같다.

```
String data = "요청 내용";
byte[ ] bytes = data.getBytes("UTF-8");
DatagramPacket sendPacket = new DatagramPacket(
  bytes, bytes.length, new InetSocketAddress("localhost", 50001)
);
```

DatagramPacket 생성자의 첫 번째 매개값은 바이트 배열이고, 두 번째 매개값은 바이트 배열에서 보내고자 하는 바이트 수이다. 세 번째 매개값은 UDP 서버의 IP와 Port 정보를 가지고 있는 InetSocketAddress 객체이다.

생성된 DatagramPacket을 매개값으로해서 DatagramSocket의 send() 메소드를 호출하면 UDP 서버로 DatagramPacket이 전송된다.

```
datagramSocket.send(sendPacket);
```

UDP 서버에서 처리 결과가 언제 올지 모르므로 항상 받을 준비를 하기 위해 receive() 메소드를 호출한다. receive() 메소드는 데이터를 수신할 때까지 블로킹되고, 데이터가 수신되면 매개값으로 주어진 DatagramPacket에 저장한다. 이 부분은 UDP 서버와 동일하다.

더 이상 UDP 서버와 통신할 필요가 없다면 DatagramSocket을 닫기 위해 close() 메소드를 다음과 같이 호출한다.

```
datagramSocket.close();
```

다음은 이전 예제인 NewsServer로 구독하고 싶은 뉴스 주제를 보내고 관련 뉴스 10개를 받는 UDP 클라이언트이다.

>>> **NewsClient.java**

```
1   package ch19.sec04;
2
3   import java.net.DatagramPacket;
4   import java.net.DatagramSocket;
5   import java.net.InetSocketAddress;
6
7   public class NewsClient {
8     public static void main(String[] args) {
9       try {
10        //DatagramSocket 생성
11        DatagramSocket datagramSocket = new DatagramSocket();
12
13        //구독하고 싶은 뉴스 주제 보내기
14        String data = "정치";
15        byte[] bytes = data.getBytes("UTF-8");
16        DatagramPacket sendPacket = new DatagramPacket(
17          bytes, bytes.length, new InetSocketAddress("localhost", 50001)
18        );
19        datagramSocket.send(sendPacket);
20
21        while(true) {
22          //뉴스 받기
23          DatagramPacket receivePacket = new DatagramPacket(new byte[1024],
              1024);
24          datagramSocket.receive(receivePacket);
25
26          //문자열로 변환
27          String news = new String(receivePacket.getData(), 0,
              receivePacket.getLength(), "UTF-8");
28          System.out.println(news);
29
30          //10번째 뉴스를 받으면 while 문 종료
31          if(news.contains("뉴스10")) {
32            break;
33          }
34        }
35
36        //DatagramSocket 닫기
```

```
37            datagramSocket.close();
38        } catch(Exception e) {
39        }
40      }
41    }
```

NewsServer 실행 결과 (먼저 실행되어 있어야 함)

```
------------------------------------------------------
서버를 종료하려면 q를 입력하고 Enter 키를 입력하세요.
------------------------------------------------------
[서버] 시작됨
```

NewsClient 실행 결과

```
정치: 뉴스1
정치: 뉴스2
정치: 뉴스3
정치: 뉴스4
정치: 뉴스5
정치: 뉴스6
정치: 뉴스7
정치: 뉴스8
정치: 뉴스9
정치: 뉴스10
```

19.5 서버의 동시 요청 처리

일반적으로 서버는 다수의 클라이언트와 통신을 한다. 서버는 클라이언트들로부터 동시에 요청을 받아서 처리하고, 처리 결과를 개별 클라이언트로 보내줘야 한다.

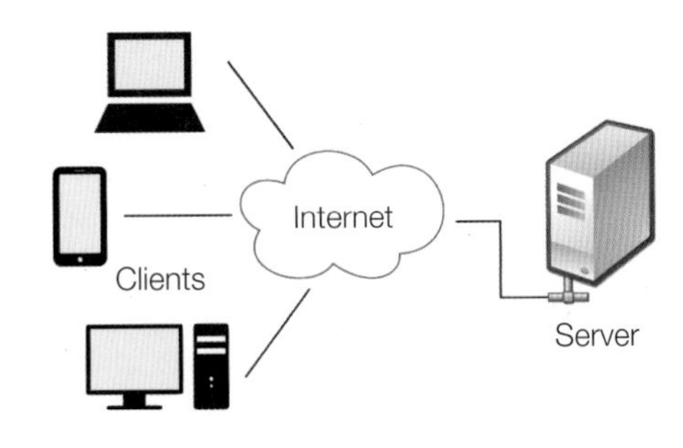

19.3 TCP 네트워킹과 19.4 UDP 네트워킹에서 다룬 서버 예제는 먼저 연결한 클라이언트의 요청을 처리한 후, 다음 클라이언트의 요청을 처리하도록 되어 있다.

다음은 19.3의 EchoServer의 동작 방식이다.

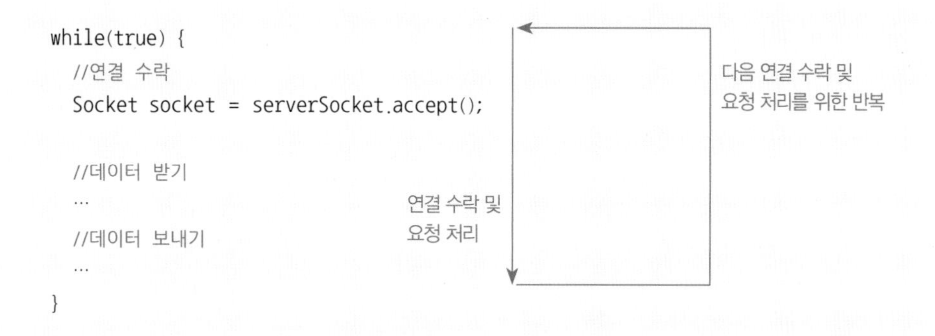

다음은 19.4의 NewsServer의 동작 방식이다.

이와 같은 방식은 먼저 연결한 클라이언트의 요청 처리 시간이 길어질수록 다음 클라이언트의 요청 처리 작업이 지연될 수 밖에 없다. 따라서 accept()와 receive()를 제외한 요청 처리 코드를 별도의 스레드에서 작업하는 것이 좋다.

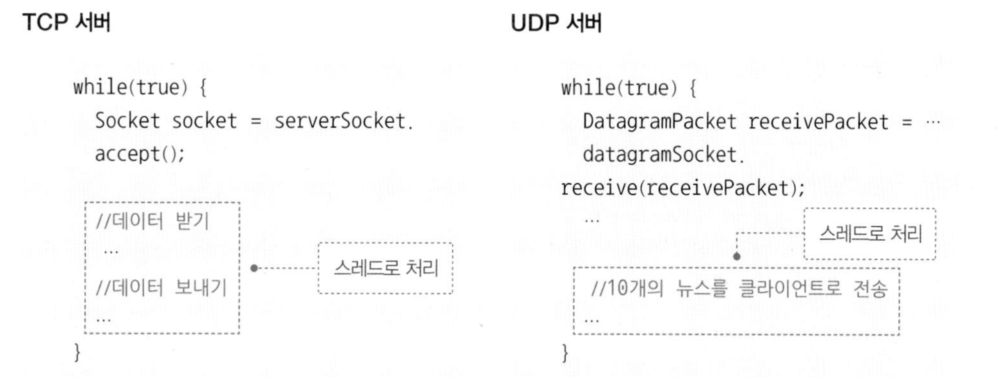

스레드를 처리할 때 주의할 점은 클라이언트의 폭증으로 인한 서버의 과도한 스레드 생성을 방지해야 한다는 것이다. 그래서 스레드풀을 사용하는 것이 바람직하다. 다음은 스레드풀을 이용해서 요청을 처리하는 방식이다.

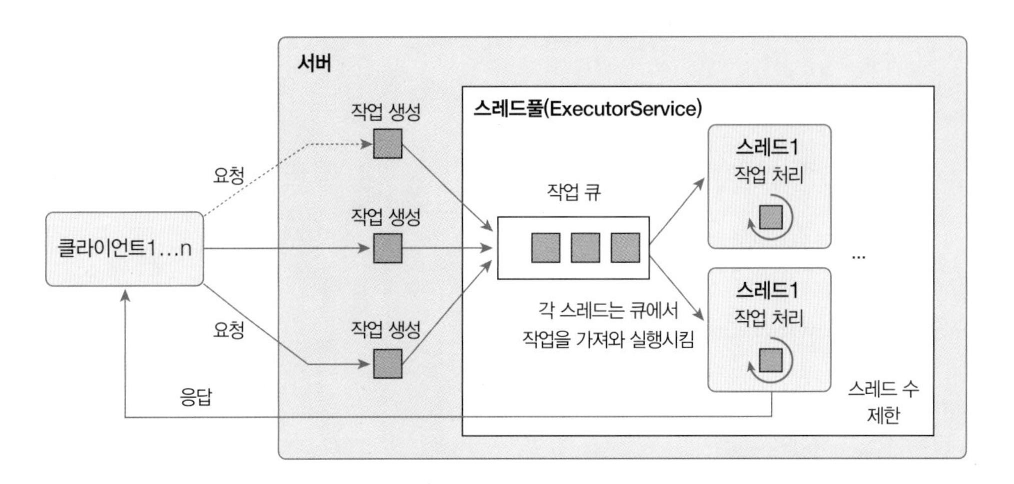

스레드풀은 작업 처리 스레드 수를 제한해서 사용하기 때문에 갑작스런 클라이언트 폭증이 발생해도 크게 문제가 되지 않는다. 다만 작업 큐의 대기 작업이 증가되어 클라이언트에서 응답을 늦게 받을 수 있다.

TCP EchoServer 동시 요청 처리

다음은 19.3의 TCP 서버인 EchoServer를 수정한 것으로, 스레드풀을 이용해서 클라이언트의 요청을 동시에 처리하도록 했다.

>>> EchoServer.java

```
1    package ch19.sec05.exam01;
2
3    import java.io.DataInputStream;
4    import java.io.DataOutputStream;
5    import java.io.IOException;
6    import java.net.InetSocketAddress;
7    import java.net.ServerSocket;
```

```
8   import java.net.Socket;
9   import java.util.Scanner;
10  import java.util.concurrent.ExecutorService;
11  import java.util.concurrent.Executors;
12
13  public class EchoServer {
14    private static ServerSocket serverSocket = null;
15    private static ExecutorService executorService =
          Executors.newFixedThreadPool(10);
16
17    public static void main(String[] args) {
18      System.out.println("--------------------------------------------------------");
19      System.out.println("서버를 종료하려면 q를 입력하고 Enter 키를 입력하세요.");
20      System.out.println("--------------------------------------------------------");
21
22      //TCP 서버 시작
23      startServer();
24
25      //키보드 입력
26      Scanner scanner = new Scanner(System.in);
27      while(true) {
28        String key = scanner.nextLine();
29        if(key.toLowerCase().equals("q")) {
30          break;
31        }
32      }
33      scanner.close();
34
35      //TCP 서버 종료
36      stopServer();
37    }
38
39    public static void startServer() {
40      //작업 스레드 정의
41      Thread thread = new Thread() {
42        @Override
43        public void run() {
44          try {
45            //ServerSocket 생성 및 Port 바인딩
46            serverSocket = new ServerSocket(50001);
```

10개의 스레드로 요청을 처리하는 스레드풀 생성

```
47              System.out.println("[서버] 시작됨\n");
48
49              //연결 수락 및 데이터 통신
50              while(true) {
51                //연결 수락
52                Socket socket = serverSocket.accept();
53
54                executorService.execute(() -> {
55                  try {
56                    //연결된 클라이언트 정보 얻기
57                    InetSocketAddress isa =
                          (InetSocketAddress) socket.getRemoteSocketAddress();
58                    System.out.println("[서버] " + isa.getHostName() +
                                          "의 연결 요청을 수락함");
59
60                    //데이터 받기
61                    DataInputStream dis = new DataInputStream
                          (socket.getInputStream());
62                    String message = dis.readUTF();
63
64                    //데이터 보내기
65                    DataOutputStream dos =
                          new DataOutputStream(socket.getOutputStream());
66                    dos.writeUTF(message);
67                    dos.flush();
68                    System.out.println("[서버] 받은 데이터를 다시 보냄: " + message);
69
70                    //연결 끊기
71                    socket.close();
72                    System.out.println("[서버] " + isa.getHostName() + "의 연결을
                                  끊음\n");
73                  } catch(IOException e) {
74                  }
75                });
76              }
77            } catch(IOException e) {
78              System.out.println("[서버] " + e.getMessage());
79            }
80          }
81        };
```

작업 큐에 처리 작업 넣기, Runnable은 함수형 인터페이스이므로 람다식으로 표현 가능

```
82        //스레드 시작
83        thread.start();
84      }
85
86      public static void stopServer() {
87        try {
88          //ServerSocket을 닫고 Port 언바인딩
89          serverSocket.close();
90          executorService.shutdownNow();    // 스레드풀 종료
91          System.out.println("[서버] 종료됨 ");
92        } catch (IOException e1) {}
93      }
94    }
```

EchoServer 실행 결과

```
--------------------------------------------------------
서버를 종료하려면 q를 입력하고 Enter 키를 입력하세요.
--------------------------------------------------------
[서버] 시작됨
```

UDP NewsServer 동시 요청 처리

다음 예제는 19.4절의 UDP 서버인 NewsServer를 수정한 것으로, 스레드풀을 이용해서 클라이언트의 요청을 동시에 처리하도록 하였다.

>>> NewsServer.java

```
1    package ch19.sec05.exam02;
2
3    import java.net.DatagramPacket;
4    import java.net.DatagramSocket;
5    import java.net.SocketAddress;
6    import java.util.Scanner;
7    import java.util.concurrent.ExecutorService;
8    import java.util.concurrent.Executors;
```

```
9
10    public class NewsServer {
11      private static DatagramSocket datagramSocket = null;
12      private static ExecutorService executorService =
          Executors.newFixedThreadPool(10);
13
14      public static void main(String[] args) throws Exception {
15        System.out.println("--------------------------------------------------------");
16        System.out.println("서버를 종료하려면 q를 입력하고 Enter 키를 입력하세요.");
17        System.out.println("--------------------------------------------------------");
18
19        //UDP 서버 시작
20        startServer();
21
22        //키보드 입력
23        Scanner scanner = new Scanner(System.in);
24        while(true) {
25          String key = scanner.nextLine();
26          if(key.toLowerCase().equals("q")) {
27            break;
28          }
29        }
30        scanner.close();
31
32          //TCP 서버 종료
33          stopServer();
34      }
35
36      public static void startServer() {
37        //작업 스레드 정의
38        Thread thread = new Thread() {
39          @Override
40          public void run() {
41            try {
42              //DatagramSocket 생성 및 Port 바인딩
43              datagramSocket = new DatagramSocket(50001);
44              System.out.println("[서버] 시작됨");
45
46              while(true) {
47                //클라이언트가 구독하고 싶은 뉴스 종류 얻기
```

10개의 스레드로 요청을 처리하는 스레드풀 생성

```
48              DatagramPacket receivePacket = new DatagramPacket(
                    new byte[1024], 1024);
49              datagramSocket.receive(receivePacket);
50
51              executorService.execute(() -> {
52                try {
53                  String newsKind = new String(
                      receivePacket.getData(), 0, receivePacket.getLength(),
                      "UTF-8");
54
55                  //클라이언트의 IP와 Port 얻기
56                  SocketAddress socketAddress =
                      receivePacket.getSocketAddress();
57
58                  //10개의 뉴스를 클라이언트로 전송
59                  for(int i=1; i<=10; i++) {
60                    String data = newsKind + ": 뉴스" + i;
61                    byte[] bytes = data.getBytes("UTF-8");
62                    DatagramPacket sendPacket = new DatagramPacket(
                        bytes, 0, bytes.length, socketAddress);
63                    datagramSocket.send(sendPacket);
64                  }
65                } catch (Exception e) {
66                }
67              });
68            }
69          } catch (Exception e) {
70            System.out.println("[서버] " + e.getMessage());
71          }
72        }
73      };
74      //스레드 시작
75      thread.start();
76    }
77
78    public static void stopServer() {
79      //DatagramSocket을 닫고 Port 언바인딩
80      datagramSocket.close();
81      executorService.shutdownNow();
82      System.out.println("[서버] 종료됨 ");
```

작업 큐에 처리 작업 넣기, Runnable은 함수형 인터페이스이므로 람다식으로 표현 가능

스레드풀 종료

```
83        }
84    }
```

NewServer 실행 결과

```
------------------------------------------------------
서버를 종료하려면 q를 입력하고 Enter 키를 입력하세요.
------------------------------------------------------
[서버] 시작됨
```

19.6 JSON 데이터 형식

네트워크로 전달하는 데이터가 복잡할수록 구조화된 형식이 필요하다. 네트워크 통신에서 가장 많이 사용되는 데이터 형식은 JSON(JavaScript Object Notation)이다. JSON의 표기법은 다음과 같다.

객체 표기	{
	"속성명": 속성값,
	"속성명": 속성값,
	…
	}
		속성명: 반드시 "로 감싸야 함
		속성값으로 가능한 것
		- "문자열", 숫자, true/false
		- 객체 { … }
		- 배열 […]

배열 표기	[항목, 항목, …]	항목으로 가능한 것 - "문자열", 숫자, true/false - 객체 { … } - 배열 […]

두 개 이상의 속성이 있는 경우에는 객체 { }로 표기하고, 두 개 이상의 값이 있는 경우에는 배열 [ ]로 표기한다. 예를 들어 어떤 회원의 정보를 JSON으로 표기하면 다음과 같다.

```
{
  "id": "winter",
  "name": "한겨울",
  "age": 25,
  "student": true,
  "tel": { "home": "02-123-1234", "mobile": "010-123-1234" },
  "skill": [ "java", "c", "c++" ]
}
```

JSON을 문자열로 직접 작성할 수 있지만 대부분은 라이브러리를 이용해서 생성한다. 가장 많이 사용하는 라이브러리는 다음 URL에서 받을 수 있다.

https://github.com/stleary/JSON-java

JSON in Java [package org.json]

maven-central v20220320

Click here if you just want the latest release jar file.

'Click here if you just want the latest release jar file' 링크를 클릭하면 다음과 같은 파일을 다운로드받을 수 있다.

```
json-20231013.jar
```

NOTE ▶ 다운로드하는 시점에 따라 버전 날짜가 다를 수 있다.

다운로드한 파일을 오른쪽 화면과 같이 이클립스 thisisjava 프로젝트의 lib 폴더 안에 복사한다. lib 폴더가 없으면 thisisjava 프로젝트를 마우스 오른쪽 버튼으로 클릭한 후 [New] – [Folder]를 선택해서 생성한다.

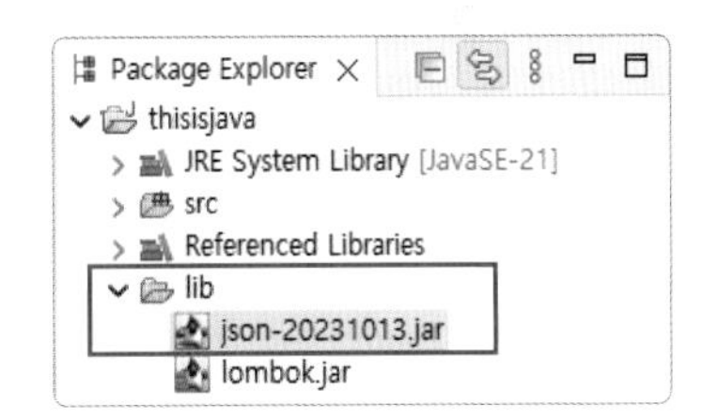

JAR 파일 안에는 JSON을 생성하거나 파싱(분석)하는 클래스들이 들어있다. 이 클래스들을 이클립스에서 사용하려면 다음 화면과 같이 JAR 파일을 Build Path에 추가해야 한다.

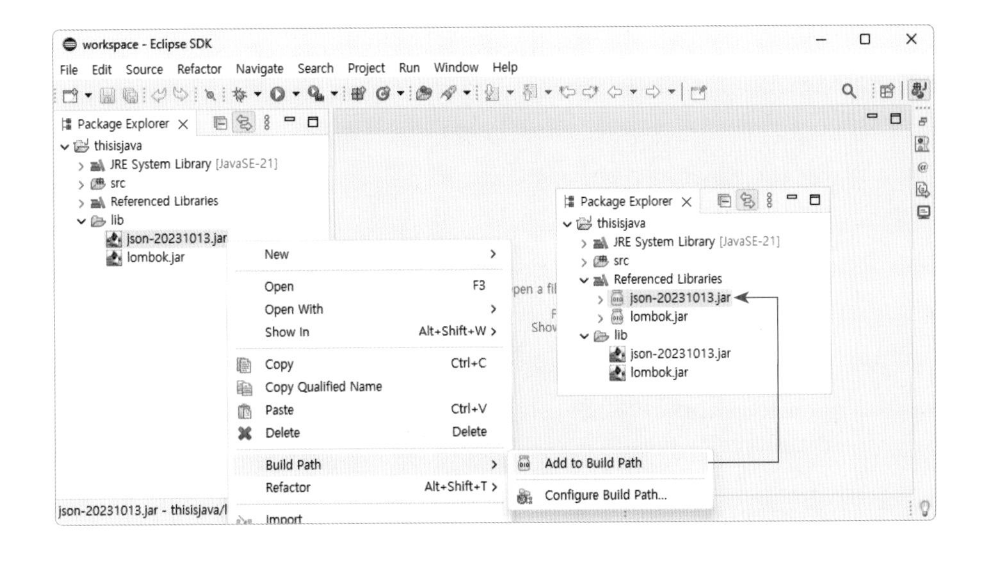

다음은 JSON 표기법과 관련된 클래스들이다.

클래스	용도
JSONObject	JSON 객체 표기를 생성하거나 파싱할 때 사용
JSONArray	JSON 배열 표기를 생성하거나 파싱할 때 사용

다음은 회원 정보를 JSON으로 만드는 예제이다. 생성된 JSON은 콘솔에 출력되며, 파일에도 저장된다.

>>> CreateJsonExample.java

```java
1	package ch19.sec06;
2	
3	import java.io.FileWriter;
4	import java.io.IOException;
5	import java.io.Writer;
6	import java.nio.charset.Charset;
7	
8	import org.json.JSONArray;
9	import org.json.JSONObject;
10	
11	public class CreateJsonExample {
12	  public static void main(String[] args) throws IOException {
13	    //JSON 객체 생성
14	    JSONObject root = new JSONObject();
15	
16	    //속성 추가
17	    root.put("id", "winter");
18	    root.put("name", "한겨울");
19	    root.put("age", 25);
20	    root.put("student", true);
21	
22	    //객체 속성 추가
23	    JSONObject tel = new JSONObject();
24	    tel.put("home", "02-123-1234");
25	    tel.put("mobile", "010-123-1234");
26	    root.put("tel", tel);
27	
```

```
28          //배열 속성 추가
29          JSONArray skill = new JSONArray();
30          skill.put("java");
31          skill.put("c");
32          skill.put("c++");
33          root.put("skill", skill);
34
35          //JSON 얻기
36          String json = root.toString();
37
38          //콘솔에 출력
39          System.out.println(json);
40
41          //파일로 저장
42          Writer writer = new FileWriter("C:/Temp/member.json",
                Charset.forName("UTF-8"));
43          writer.write(json);
44          writer.flush();
45          writer.close();
46      }
47  }
```

실행 결과

```
{"student":true,"skill":["java","c","c++"],"name":"한겨울","tel":{"mobile":"010-123-
1234","home":"02-123-1234"},"id":"winter","age":25}
```

JSON에서 속성 순서는 중요하지 않기 때문에 추가한 순서대로 작성되지 않아도 상관없다. 그리고 줄바꿈 처리가 되지 않는데, 오히려 이것이 네트워크 전송량을 줄여주기 때문에 더 좋다. 다음은 member.json 파일을 읽고 JSON을 파싱하는 방법을 보여 준다.

>>> **ParseJsonExample.java**

```
1   package ch19.sec06;
2
3   import java.io.BufferedReader;
4   import java.io.FileReader;
```

```
5     import java.io.IOException;
6     import java.nio.charset.Charset;
7
8     import org.json.JSONArray;
9     import org.json.JSONObject;
10
11    public class ParseJsonExample {
12      public static void main(String[] args) throws IOException {
13        //파일로부터 JSON 읽기
14        BufferedReader br = new BufferedReader(
15          new FileReader("C:/Temp/member.json", Charset.forName("UTF-8"))
16        );
17        String json  = br.readLine();
18        br.close();
19
20        //JSON 파싱
21        JSONObject root = new JSONObject(json);
22
23        //속성 정보 읽기
24        System.out.println("id: " + root.getString("id"));
25        System.out.println("name: " + root.getString("name"));
26        System.out.println("age: " + root.getInt("age"));
27        System.out.println("student: " + root.getBoolean("student"));
28
29        //객체 속성 정보 읽기
30        JSONObject tel = root.getJSONObject("tel");
31        System.out.println("home: " + tel.getString("home"));
32        System.out.println("mobile: " + tel.getString("mobile"));
33
34        //배열 속성 정보 읽기
35        JSONArray skill = root.getJSONArray("skill");
36        System.out.print("skill: ");
37        for(int i=0; i<skill.length(); i++) {
38          System.out.print(skill.get(i) + ", ");
39        }
40      }
41    }
```

실행 결과

```
id: winter
name: winter
age: 25
student: true
home: 02-123-1234
mobile: 010-123-1234
skill: java, c, c++,
```

여기서 잠깐

환경 변수 CLASSPATH에 JAR 파일 경로 추가하기

이클립스에서 프로그램을 실행하는 대신 명령 프롬프트에서 다음과 같이 실행할 수도 있다.

```
C:\ThisIsJavaSecondEdition\workspace\thisisjava\bin>java ch19.sec06.CreateJsonExample
C:\ThisIsJavaSecondEdition\workspace\thisisjava\bin>java ch19.sec06.ParseJsonExample
```

이렇게 실행할 경우에는 환경 변수 CLASSPATH에 JAR 파일 경로가 추가되어 있어야 한다. 다음 순서를 따라 CLASSPATH를 생성해 보자.

1. C:\Program Files\Java\jdk-21 안에 외부 라이브러리가 저장될 extlib 디렉토리를 생성한다.
2. C:\Program Files\Java\jdk-21\extlib 디렉토리 안에 json-20231013.jar 파일을 저장한다.
3. 환경 변수 CLASSPATH에 다음 경로를 추가한다.
   .C:\Program Files\Java\jdk-21\extlib\ json-20231013.jar
   (주의: 맨 앞에 .가 있는지 반드시 확인해야 함. 이것은 현재 디렉토리에서 먼저 찾는다는 의미이다.)

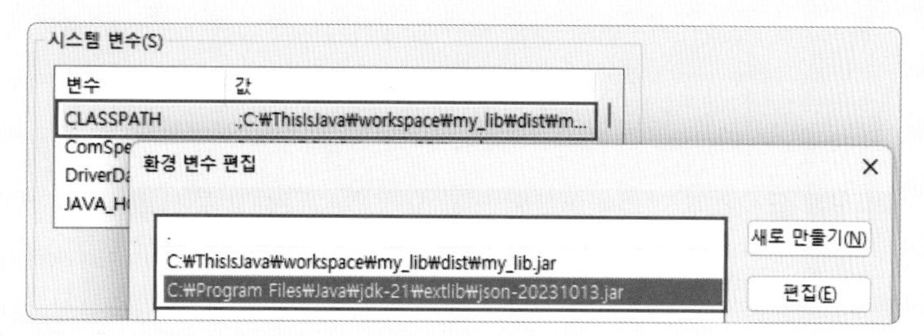

4. 새 명령 프롬프트를 열고 프로그램을 실행한다.

19.7 TCP 채팅 프로그램

TCP 네트워킹을 이용해서 채팅 서버와 클라이언트를 구현해 보자. 다음은 채팅 서버와 클라이언트에서 사용할 클래스 이름을 보여 준다.

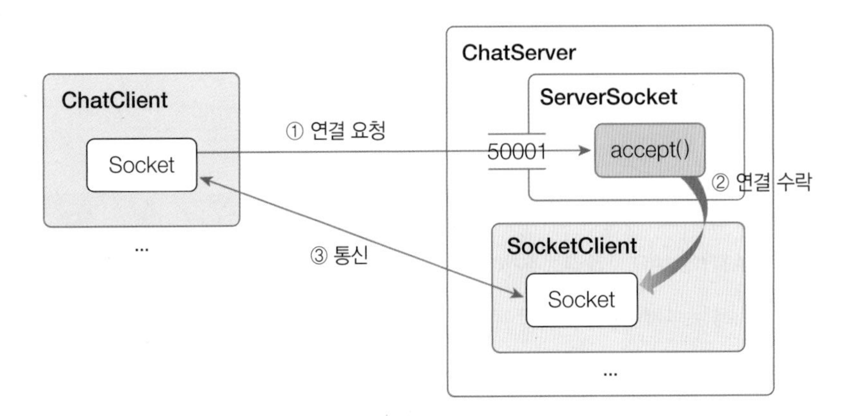

클래스	용도
ChatServer	– 채팅 서버 실행 클래스 – ServerSocket을 생성하고 50001에 바인딩 – ChatClient 연결 수락 후 SocketClient 생성
SocketClient	– ChatClient와 1:1로 통신
ChatClient	– 채팅 클라이언트 실행 클래스 – ChatServer에 연결 요청 – SocketClient와 1:1로 통신

채팅 서버

ChatServer는 채팅 서버 실행 클래스로 클라이언트의 연결 요청을 수락하고 통신용 SocketClient를 생성하는 역할을 한다. 먼저 ChatServer 클래스의 선언부와 필드를 다음과 같이 작성해 보자.

>>> ChatServer.java

```
1    package ch19.sec07;
2
```

```
3     import java.io.IOException;
4     import java.net.ServerSocket;
5     import java.net.Socket;
6     import java.util.Collection;
7     import java.util.Collections;
8     import java.util.HashMap;
9     import java.util.Map;
10    import java.util.Scanner;
11    import java.util.concurrent.ExecutorService;
12    import java.util.concurrent.Executors;
13
14    import org.json.JSONObject;
15
16    public class ChatServer {
17      //필드
18      ServerSocket serverSocket;
19      ExecutorService threadPool = Executors.newFixedThreadPool(100);
20      Map<String, SocketClient> chatRoom =
          Collections.synchronizedMap(new HashMap<>());
21    }
```

3개의 필드가 있는데 serverSocket은 클라이언트의 연결 요청을 수락하고, threadPool은 100개의 클라이언트가 동시에 채팅할 수 있도록 한다. chatRoom은 통신용 SocketClient를 관리하는 동기화된 Map 컬렉션이다.

이전 코드에 이어서 start() 메소드를 작성해 보자.

››› **ChatServer.java**

```
22    //메소드: 서버 시작
23    public void start() throws IOException {
24      serverSocket = new ServerSocket(50001);
25      System.out.println("[서버] 시작됨");
26
27      Thread thread = new Thread(() -> {
28        try {
29          while(true) {
```

```
30            Socket socket = serverSocket.accept();
31            SocketClient sc = new SocketClient(this, socket);
32          }
33        } catch(IOException e) {
34        }
35      });
36      thread.start();
37    }
```

start() 메소드는 채팅 서버가 시작할 때 제일 먼저 호출되는 것으로, 50001번 Port에 바인딩하는 ServerSocket을 생성하고 작업 스레드가 처리할 Runnable을 람다식 () -> {…}으로 제공한다. 람다식은 accept() 메소드로 연결 수락하고, 통신용 SocketClient를 반복해서 생성한다.

다음으로 addSocketClient()와 removeSocketClient() 메소드를 작성해 보자.

>>> **ChatServer.java**

```
38    //메소드: 클라이언트 연결 시 SocketClient 생성 및 추가
39    public void addSocketClient(SocketClient socketClient) {
40      String key = socketClient.chatName + "@" + socketClient.clientIp;
41      chatRoom.put(key, socketClient);
42      System.out.println("입장: " + key);
43      System.out.println("현재 채팅자 수: " + chatRoom.size() + "\n");
44    }
45
46    //메소드: 클라이언트 연결 종료 시 SocketClient 제거
47    public void removeSocketClient(SocketClient socketClient) {
48      String key = socketClient.chatName + "@" + socketClient.clientIp;
49      chatRoom.remove(key);
50      System.out.println("나감: " + key);
51      System.out.println("현재 채팅자 수: " + chatRoom.size() + "\n");
52    }
```

addSocketClient() 메소드는 연결된 클라이언트의 SocketClient를 chatRoom(채팅방)에 추가하는 역할을 한다. 키는 "chatName@clientIp"로하고 SocketClient를 값으로 해서 저장한다.

removeSocketClient() 메소드는 연결이 끊긴 클라이언트의 SocketClient를 chatRoom(채팅방)에서 제거하는 역할을 한다.

다음으로 sendToAll() 메소드를 작성해 보자.

>>> **ChatServer.java**

```
53    //메소드: 모든 클라이언트에게 메시지 보냄
54    public void sendToAll(SocketClient sender, String message) {
55      JSONObject root = new JSONObject();
56      root.put("clientIp", sender.clientIp);
57      root.put("chatName", sender.chatName);
58      root.put("message", message);
59      String json = root.toString();
60
61      Collection<SocketClient> socketClients = chatRoom.values();
62      for(SocketClient sc : socketClients) {
63        if(sc == sender) continue;
64        sc.send(json);
65      }
66    }
```

sendToAll() 메소드는 JSON 메시지를 생성해 채팅방에 있는 모든 클라이언트에게 보내는 역할을 한다. JSON 메시지는 다음과 같은 구조로 되어 있다.

```
{
  "clientIp": "xxx.xxx.xxx.xxx",
  "chatName": "winter",
  "message": "날씨가 매우 춥습니다."
}
```

chatRoom.values()로 Collection<SocketClient>를 얻은 후 모든 SocketClient로 하여금 send() 메소드로 JSON 메시지를 보내게 하였다. 단, 메시지를 보낸 SocketClient는 제외한다.

다음으로 stop() 메소드를 작성해 보자.

>>> **ChatServer.java**

```
67    //메소드: 서버 종료
68    public void stop() {
69      try {
70        serverSocket.close();
71        threadPool.shutdownNow();
72        chatRoom.values().stream().forEach(sc -> sc.close());
73        System.out.println("[서버] 종료됨 ");
74      } catch (IOException e1) {}
75    }
```

stop() 메소드는 채팅 서버를 종료시키는 역할을 한다. serverSocket과 threadPool을 닫고 chatRoom에 있는 모든 SocketClient를 닫는다. 그리고 chatRoom.values()로 Collection <SocketClient>를 얻고, 요소 스트림을 이용해서 전체 SocketClient의 close() 메소드를 호출한다.

마지막으로 main() 메소드를 작성해 보자.

>>> **ChatServer.java**

```
76    //메소드: 메인
77    public static void main(String[] args) {
78      try {
79        ChatServer chatServer = new ChatServer();
80        chatServer.start();
81
82        System.out.println("----------------------------------------------------");
83        System.out.println("서버를 종료하려면 q를 입력하고 Enter");
84        System.out.println("----------------------------------------------------");
85
86        Scanner scanner = new Scanner(System.in);
87        while(true) {
88          String key = scanner.nextLine();
89          if(key.equals("q"))  break;
90        }
91        scanner.close();
92        chatServer.stop();
93      } catch(IOException e) {
```

```
94            System.out.println("[서버] " + e.getMessage());
95          }
96        }
97      }
```

main() 메소드는 채팅 서버를 시작하기 위해 ChatServer 객체를 생성하고 start() 메소드를 호출한다. 키보드로 q를 입력하면 stop() 메소드를 호출해서 채팅 서버를 종료한다.

이제 SocketClient 클래스의 선언부와 필드를 선언해 보자.

>>> **SocketClient.java**

```
1   package ch19.sec07;
2   
3   import java.io.DataInputStream;
4   import java.io.DataOutputStream;
5   import java.io.IOException;
6   import java.net.InetSocketAddress;
7   import java.net.Socket;
8   
9   import org.json.JSONObject;
10  
11  public class SocketClient {
12    //필드
13    ChatServer chatServer;
14    Socket socket;
15    DataInputStream dis;
16    DataOutputStream dos;
17    String clientIp;
18    String chatName;
```

SocketClient는 클라이언트와 1:1로 통신하는 역할을 한다. chatServer 필드는 ChatServer()의 메소드를 호출하기 위해 필요하다. socket은 연결을 끊을 때 필요하고, dis와 dos는 문자열을 읽고 보내기 위한 보조 스트림이다. clientIp와 chatName은 클라이언트의 IP 주소와 대화명이다.

이전 코드에 이어서 SocketClient의 생성자를 작성해 보자.

```java
>>> SocketClient.java

19    //생성자
20    public SocketClient(ChatServer chatServer, Socket socket) {
21      try {
22        this.chatServer = chatServer;
23        this.socket = socket;
24        this.dis = new DataInputStream(socket.getInputStream());
25        this.dos = new DataOutputStream(socket.getOutputStream());
26        InetSocketAddress isa =
              (InetSocketAddress) socket.getRemoteSocketAddress();
27        this.clientIp = isa.getHostName();
28        receive();
29      } catch(IOException e) {
30      }
31    }
```

매개값으로 받은 ChatServer와 Socket을 필드에 저장한 다음 문자열 입출력을 위해 DataInputStream과 DataOutputStream을 생성해서 필드에 저장한다. 그리고 클라이언트의 주소를 필드에 저장한다. 마지막으로 receive() 메소드를 호출한다.

다음으로 receive() 메소드를 작성해 보자.

```java
>>> SocketClient.java

32    //메소드: JSON 받기
33    public void receive() {
34      chatServer.threadPool.execute(() -> {
35        try {
36          while(true) {
37            String receiveJson = dis.readUTF();
38
39            JSONObject jsonObject = new JSONObject(receiveJson);
40            String command = jsonObject.getString("command");
41
42            switch(command) {
43              case "incoming":
44                this.chatName = jsonObject.getString("data");
45                chatServer.sendToAll(this, "들어오셨습니다.");
```

```
46                chatServer.addSocketClient(this);
47                break;
48              case "message":
49                String message = jsonObject.getString("data");
50                chatServer.sendToAll(this, message);
51                break;
52            }
53          }
54        } catch(IOException e) {
55          chatServer.sendToAll(this, "나가셨습니다.");
56          chatServer.removeSocketClient(this);
57        }
58      });
59    }
```

receive() 메소드는 클라이언트가 보낸 JSON 메시지를 읽는 역할을 한다. dis.readUTF()로 JSON을 읽고 JSONObject로 파싱해 command 값을 먼저 얻어낸다. 그 이유는 command에 따라 처리 내용이 달라지기 때문이다.

command가 incoming이라면 JSON에서 대화명을 읽고 chatRoom에 SocketClient를 추가한다. command가 message라면 JSON에서 메시지를 읽고 연결되어 있는 모든 클라이언트에게 보낸다.

클라이언트가 채팅을 종료할 경우 dis.readUTF()에서 IOException이 발생하기 때문에, 예외 처리를 해서 chatRoom에 저장되어 있는 SocketClient를 제거한다.

다음으로 send() 메소드를 작성해 보자.

>>> **SocketClient.java**

```
60    //메소드: JSON 보내기
61    public void send(String json) {
62      try {
63        dos.writeUTF(json);
64        dos.flush();
65      } catch(IOException e) {
66      }
67    }
```

send() 메소드는 연결된 클라이언트로, JSON 메시지를 보내는 역할을 한다. ChatServer의 sendToAll() 메소드에서 호출된다.

다음으로 close() 메소드를 작성해 보자.

>>> SocketClient.java

```
68    //메소드: 연결 종료
69    public void close() {
70        try {
71            socket.close();
72        } catch(Exception e) {}
73    }
74  }
```

close() 메소드는 클라이언트와 연결을 끊는 역할을 한다. ChatServer의 stop() 메소드에서 호출된다.

ChatServer와 SocketClient 클래스를 모두 작성했다면 ChatServer를 실행해 보자. 정상적으로 실행되면 다음과 같이 출력된다.

실행 결과

```
[서버] 시작됨
----------------------------------------
서버를 종료하려면 q를 입력하고 Enter
----------------------------------------
```

Console 뷰를 마우스로 클릭해 커서가 나오면 q를 입력하고 Enter 키를 눌러보자.

실행 결과

```
q
[서버] 종료됨
```

채팅 클라이언트

채팅 클라이언트는 ChatClient 단일 클래스이다. ChatClient는 채팅 서버로 연결을 요청하고, 연결된 후에는 제일 먼저 대화명을 보낸다. 그리고 난 다음 서버와 메시지를 주고받는다. 먼저 ChatClient 클래스의 선언부와 필드를 다음과 같이 작성해 보자.

>>> **ChatClient.java**

```
1   package ch19.sec07;
2
3   import java.io.DataInputStream;
4   import java.io.DataOutputStream;
5   import java.io.IOException;
6   import java.net.Socket;
7   import java.util.Scanner;
8
9   import org.json.JSONObject;
10
11  public class ChatClient {
12    //필드
13    Socket socket;
14    DataInputStream dis;
15    DataOutputStream dos;
16    String chatName;
```

socket은 연결 요청과 연결을 끊을 때 필요하고, dis와 dos는 문자열을 읽고 보내기 위한 보조 스트림이다. chatName은 클라이언트의 대화명이다.

다음으로 connect() 메소드를 작성해 보자.

>>> **ChatClient.java**

```
17  //메소드: 서버 연결
18  public  void connect() throws IOException {
19    socket = new Socket("localhost", 50001);
20    dis = new DataInputStream(socket.getInputStream());
21    dos = new DataOutputStream(socket.getOutputStream());
22    System.out.println("[클라이언트] 서버에 연결됨");
23  }
```

connect() 메소드는 채팅 서버(localhost, 50001)에 연결 요청을 하고 Socket을 필드에 저장한다. 그리고 문자열 입출력을 위해 DataInputStream과 DataOutputStream을 생성해서 필드에 저장한다. 만약 다른 PC에 있는 채팅 서버와 연결을 하고 싶다면 localhost 대신 IP 주소로 변경하면 된다.

다음으로 receive() 메소드를 작성해 보자.

>>> **ChatClient.java**

```
24    //메소드: JSON 받기
25    public void receive() {
26      Thread thread = new Thread(() -> {
27        try {
28          while(true) {
29            String json = dis.readUTF();
30            JSONObject root = new JSONObject(json);
31            String clientIp = root.getString("clientIp");
32            String chatName = root.getString("chatName");
33            String message = root.getString("message");
34            System.out.println("<" + chatName + "@" + clientIp + "> " + message);
35          }
36        } catch(Exception e1) {
37          System.out.println("[클라이언트] 서버 연결 끊김");
38          System.exit(0);
39        }
40      });
41      thread.start();
42    }
```

receive() 메소드는 서버가 보낸 JSON 메시지를 읽는 역할을 한다. dis.readUTF()로 JSON을 읽고 JSONObject로 파싱해서 clientIp, chatName, message를 얻어낸다. 그리고 Console 뷰에 "<chatName@clientIp> message"로 출력한다.

서버와 통신이 끊어지면 dis.readUTF()에서 IOException이 발생하기 때문에, 예외 처리를 해서 클라이언트도 종료되도록 한다.

다음으로 send() 메소드를 작성해 보자.

>>> **ChatClient.java**

```
43    //메소드: JSON 보내기
44    public void send(String json) throws IOException {
45      dos.writeUTF(json);
46      dos.flush();
47    }
```

send() 메소드는 서버로 JSON 메시지를 보내는 역할을 한다. main() 메소드에서 키보드로 입력한 메시지를 보낼 때 호출된다.

다음으로 unconnect() 메소드를 작성해 보자.

>>> **ChatClient.java**

```
48    //메소드: 서버 연결 종료
49    public void unconnect() throws IOException {
50      socket.close();
51    }
```

unconnect() 메소드는 Socket의 close() 메소드를 호출해서 서버와 연결을 끊는다. main() 메소드에서 q가 입력되었을 때 채팅을 종료하기 위해 호출된다.

다음으로 main() 메소드를 작성해 보자.

>>> **ChatClient.java**

```
52    //메소드: 메인
53    public static void main(String[] args) {
54      try {
55        ChatClient chatClient = new ChatClient();
56        chatClient.connect();
57
58        Scanner scanner = new Scanner(System.in);
59        System.out.println("대화명 입력: ");
60        chatClient.chatName = scanner.nextLine();
```

```
61
62          JSONObject jsonObject = new JSONObject();
63          jsonObject.put("command", "incoming");
64          jsonObject.put("data", chatClient.chatName);
65          String json = jsonObject.toString();
66          chatClient.send(json);
67
68          chatClient.receive();
69
70          System.out.println("--------------------------------------------------");
71          System.out.println("보낼 메시지를 입력하고 Enter");
72          System.out.println("채팅를 종료하려면 q를 입력하고 Enter");
73          System.out.println("--------------------------------------------------");
74          while(true) {
75              String message = scanner.nextLine();
76              if(message.toLowerCase().equals("q")) {
77                break;
78              } else {
79                jsonObject = new JSONObject();
80                jsonObject.put("command", "message");
81                jsonObject.put("data", message);
82                json = jsonObject.toString();
83                chatClient.send(json);
84              }
85            }
86            scanner.close();
87            chatClient.unconnect();
88          } catch(IOException e) {
89            System.out.println("[클라이언트] 서버 연결 안됨");
90          }
91      }
92  }
```

main() 메소드는 채팅 클라이언트를 시작하기 위해 ChatClient 객체를 생성하고, 채팅 서버와 연결하기 위해 connect() 메소드를 호출한다. 연결이 되면 대화명을 키보드로부터 입력받고 다음과 같은 JSON 메시지를 서버로 보낸다.

```
{
  "command": "incoming",
  "data": "winter"
}
```

다음으로 채팅 서버에서 보내는 메시지를 받기 위해 receive() 메소드를 호출하고, 사용자가 키보드로 메시지를 입력하면 다음과 같은 JSON 메시지를 생성해서 서버로 보낸다.

```
{
  "command": "message",
  "data": "키보드에서 입력한 내용"
}
```

만약 사용자가 q를 입력하면 unconnect() 메소드를 호출하고 클라이언트를 종료한다.

이제 ChatClient를 실행해서 채팅을 해보자. 먼저 ChatServer를 다음과 같이 실행한다.

실행 결과

```
[서버] 시작됨
--------------------------------------
서버를 종료하려면 q를 입력하고 Enter
--------------------------------------
```

ChatClient를 실행하고, Console 뷰에 마우스로 클릭해서 커서가 나오면 대화명으로 'winter'를 입력하고 Enter를 누른다.

실행 결과

```
[클라이언트] 서버에 연결됨
대화명 입력:
winter
--------------------------------------
보낼 메시지를 입력하고 Enter
채팅를 종료하려면 q를 입력하고 Enter
--------------------------------------
```

ChatClient를 하나 더 실행하고, 대화명으로 'spring'을 입력한 다음 Enter를 눌러보자.

실행 결과

```
[클라이언트] 서버에 연결됨
대화명 입력:
spring
--------------------------------------
보낼 메시지를 입력하고 Enter
채팅을 종료하려면 q를 입력하고 Enter
--------------------------------------
```

winter 채팅 Console 뷰에 'spring'이 들어왔다는 내용이 출력된다.

실행 결과

```
[클라이언트] 서버에 연결됨
대화명 입력:
winter
--------------------------------------
보낼 메시지를 입력하고 Enter
채팅를 종료하려면 q를 입력하고 Enter
--------------------------------------
<spring@127.0.0.1> 들어오셨습니다.
```

ChatServer가 실행되고 있는 Console 뷰에는 채팅방에 입장하는 사용자 정보와 현재 채팅자 수가 출력된다.

실행 결과

```
[서버] 시작됨
--------------------------------------
서버를 종료하려면 q를 입력하고 Enter
--------------------------------------
입장: winter@127.0.0.1
현재 채팅자 수: 1

입장: spring@127.0.0.1
현재 채팅자 수: 2
```

winter의 채팅 Console 뷰와 spring의 채팅 Console 뷰를 각각 마우스로 클릭해서 커서가 나오면 보낼 메시지를 입력하고 Enter 를 해보자.

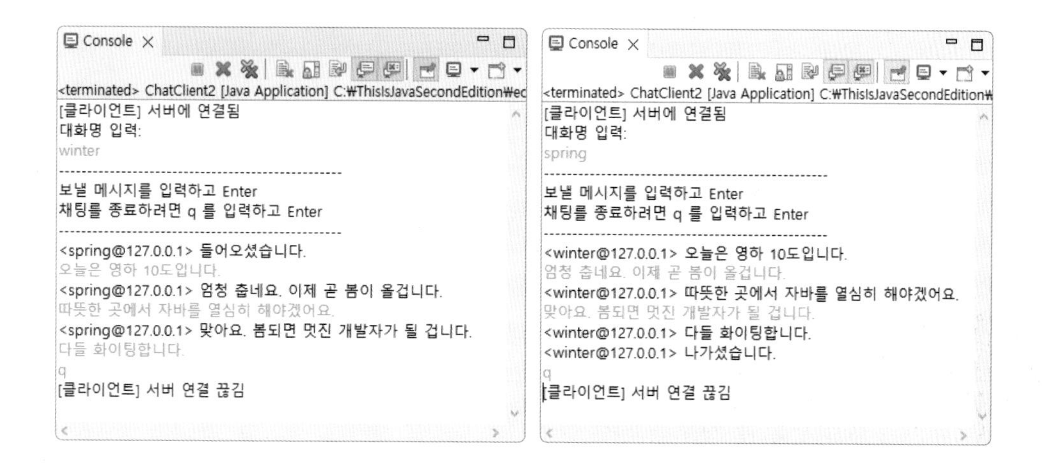

마지막으로 ChatClient 프로세스를 하나씩 종료시켜 보자. ChatServer가 실행하고 있는 Console 뷰에는 채팅방을 나간 사용자 정보와 현재 채팅자 수가 출력된다.

실행 결과

```
...
나감: winter@127.0.0.1
현재 채팅자 수: 1

나감: spring@127.0.0.1
현재 채팅자 수: 0
```

확인문제

1. 서버와 클라이언트에 대한 설명으로 틀린 것은 무엇입니까?

❶ 서비스를 제공하는 쪽이 서버이고, 서비스를 요청하는 쪽이 클라이언트이다.

❷ 클라이언트가 서버에 연결하기 위해서는 IP 주소만 있으면 된다.

❸ 포트(Port)는 여러 서버 중에 특정 서버와 연결하기 위해 필요한 정보다.

❹ 서버와 클라이언트는 양쪽 모두 포트가 배정되어야 한다.

2. TCP와 UDP에 대한 설명으로 틀린 것을 모두 선택하세요.

❶ TCP는 데이터 입출력에 앞서 연결 요청과 수락 과정이 필요하다.

❷ TCP는 여러 회선으로 데이터를 전달하므로, 데이터의 전달 순서가 달라질 수 있다.

❸ UDP는 연결 수락 과정이 없기 때문에 TCP보다 상대적으로 빠르다.

❹ UDP는 고정된 회선으로 데이터를 전달하기 때문에 전달 신뢰도가 높다.

3. 다음은 TCP 클라이언트가 서버로 연결 요청을 하고 서버는 연결을 수락하는 코드이다. 빈칸에 들어갈 코드를 작성하세요. (단, 클라이언트와 서버는 같은 컴퓨터에서 실행하고 있습니다.)

[클라이언트]

```
Socket socket = [                    ]
```

[서버]

```
ServerSocket serverSocket = new ServerSocket(5001);
Socket socket = [                         ];
```

4. TCP를 사용하는 클라이언트를 서버에 연결해 Socket으로 데이터 입출력을 하려고 합니다. 빈칸에 Socket을 통해 얻는 입출력 스트림의 타입을 적어 보세요.

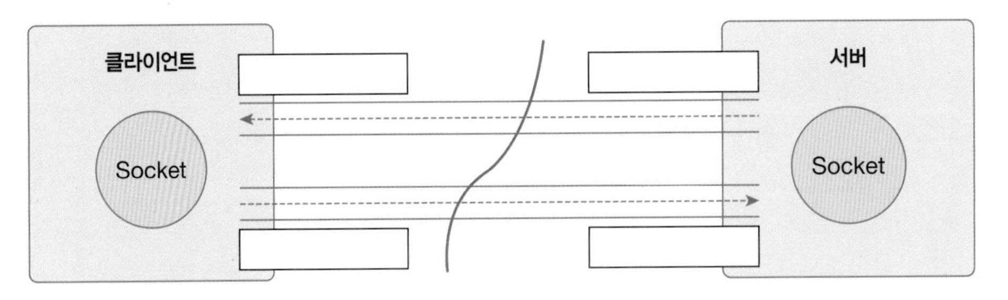

5. UDP를 사용하는 클라이언트를 서버에서 사용되는 클래스 이름 및 데이터와 수신 · 발신할 때, 사용되는 클래스 이름을 ①~⑤ 빈칸에 작성해 보세요.

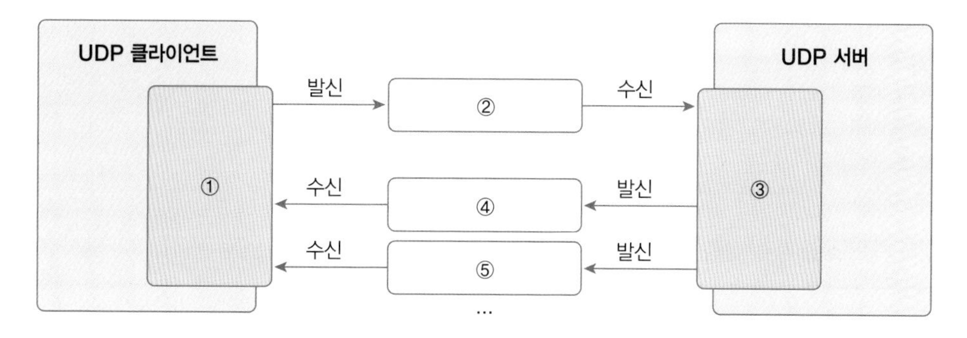

6. 서버 측 DatagramSocket에 대한 설명으로 틀린 것은 무엇입니까?

❶ 서버에서는 고정된 Port 번호를 제공하고 생성해야 한다.

❷ receive() 메소드는 데이터를 수신할 때까지 블로킹된다.

❸ 클라이언트의 IP 주소와 Port 번호는 수신된 DatagramPacket에서 얻을 수 있다.

❹ 클라이언트로 DatagramPacket을 발신할 때 write() 메소드를 사용한다.

7. 상품 관리 프로그램을 TCP를 이용해서 개발하려고 합니다. 다음 내용에 맞게 서버와 클라이언트를 직접 개발해 보세요.

[실행 내용]

1. 클라이언트를 실행하면 콘솔에서 다음과 같이 [상품 목록]과 메뉴가 출력된다.

```
[상품 목록]
-----------------------------------------------------------------------
no    name                              price            stock
-----------------------------------------------------------------------
-----------------------------------------------------------------------
메뉴: 1.Create | 2.Update | 3.Delete | 4.Exit
선택:
```

확인문제

2. 선택에서 1을 입력하고 Enter 키를 누르면 다음과 같이 상품 생성을 위한 정보를 입력할 수 있다.

```
메뉴: 1.Create | 2.Update | 3.Delete | 4.Exit
선택: 1
[상품 생성]
상품 이름: Television
상품 가격: 3000000
상품 재고: 10
```

3. 상품 이름, 상품 가격, 상품 재고까지 모두 입력하고 Enter 키를 누르면 다시 [상품 목록]으로 되돌아간다.

```
[상품 목록]
-----------------------------------------------------------------------
no    name                                 price            stock
-----------------------------------------------------------------------
1     Television                             3000000        10

-----------------------------------------------------------------------
메뉴: 1.Create | 2.Update | 3.Delete | 4.Exit
선택:
```

4. 선택에서 2를 입력하고 Enter 키를 누르면 다음과 같이 상품 수정을 위한 정보를 입력할 수 있다.

```
메뉴: 1.Create | 2.Update | 3.Delete | 4.Exit
선택: 2

[상품 수정]
상품 번호: 1
이름 변경: SmartTV
가격 변경: 3500000
재고 변경: 20
```

5. 상품 번호, 이름 변경, 가격 변경, 재고 변경까지 모두 입력하고 Enter 키를 누르면 다시 [상품 목록]으로 되돌아간다.

```
[상품 목록]
--------------------------------------------------------------------------------
no     name                                  price          stock
--------------------------------------------------------------------------------
1      SmartTV                               3500000        20

--------------------------------------------------------------------------------
메뉴: 1.Create | 2.Update | 3.Delete | 4.Exit
선택:
```

6. 선택에서 3을 입력하고 Enter 키를 누르면 다음과 같이 상품 삭제를 위한 정보를 입력할 수 있다.

```
메뉴: 1.Create | 2.Update | 3.Delete | 4.Exit
선택: 3

[상품 삭제]
상품 번호: 1
```

7. 삭제할 상품 번호를 입력하고 Enter 키를 누르면 다시 [상품 목록]으로 되돌아간다. 목록에서는 삭제된 상품이 보이지 않아야 한다.

```
[상품 목록]
--------------------------------------------------------------------------------
no     name                                  price          stock
--------------------------------------------------------------------------------
--------------------------------------------------------------------------------
메뉴: 1.Create | 2.Update | 3.Delete | 4.Exit
선택:
```

8. 마지막으로 선택에서 4를 입력하고 Enter 키를 누르면 클라이언트 프로그램이 종료된다.

확인문제

[요약]

클라이언트 요청부터 서버 응답까지의 전 과정을 요약하면 다음과 같다.

❶ 선택에서 메뉴 번호를 입력한다.

❷ 필요한 정보를 키보드로 추가 입력받는다.

❸ 메뉴 번호와 입력된 데이터를 JSON 형식으로 만들고, 서버로 처리 요청을 한다.

❹ 서버는 요청 JSON을 해석하고 처리한다(동시 요청 처리를 위한 스레드풀 적용).

❺ 서버는 처리 결과를 JSON 형식으로 만들고 클라이언트로 응답을 보낸다.

❻ 클라이언트는 응답 JSON을 해석하고 status가 success일 경우 다시 목록과 메뉴를 보여 준다.

[실행 조건]

1. 클라이언트가 서버로 보내는 요청 JSON은 다음과 같은 구조로 작성한다. menu는 입력된 메뉴 번호이며, data는 서버에서 요청을 처리하는 데 필요한 데이터이다.

```
{
  "menu": 메뉴 번호,
  "data": { … }
}
```

2. 서버가 클라이언트로 보내는 응답 JSON은 다음과 같은 구조로 작성한다. status는 처리 상태이므로 "success" 또는 "fail"로 작성하고, data는 클라이언트로 전달하고자 하는 데이터를 넣는다. 상품 목록을 보낼 경우 data는 배열 형태가 된다.

```
{
  "status": "success" 또는 "fail",
  "data": { … } 또는 [ … ]
}
```

3. 상품 정보를 담을 때 사용하는 Product 클래스는 다음과 같이 설계한다. 그리고 서버는 상품을 List〈Product〉 컬렉션으로 메모리에 저장해서 관리한다.

```
import lombok.AllArgsConstructor;
import lombok.Data;
import lombok.NoArgsConstructor;

@Data
@NoArgsConstructor
@AllArgsConstructor
public class Product {
  private int no;
  private String name;
  private int price;
  private int stock;
}
```

[작성할 파일]

이 문제를 위해 작성해야 할 소스 파일은 다음 3가지이다.

❶ 서버: ProductServer.java (ProductServer 클래스와 SocketClient 중첩 클래스 선언)

❷ 클라이언트: ProductClient.java (ProductClient 클래스 선언)

❸ 공통: Product.java (Product 클래스 선언)

Chapter

20

데이터베이스 입출력

20.1 JDBC 개요

자바는 데이터베이스(DB)와 연결해서 데이터 입출력 작업을 할 수 있도록 JDBCJava Database Connectivity 라이브러리(java.sql 패키지)를 제공한다. JDBC는 데이터베이스 관리시스템(DBMS)의 종류와 상관없이 동일하게 사용할 수 있는 클래스와 인터페이스로 구성되어 있다.

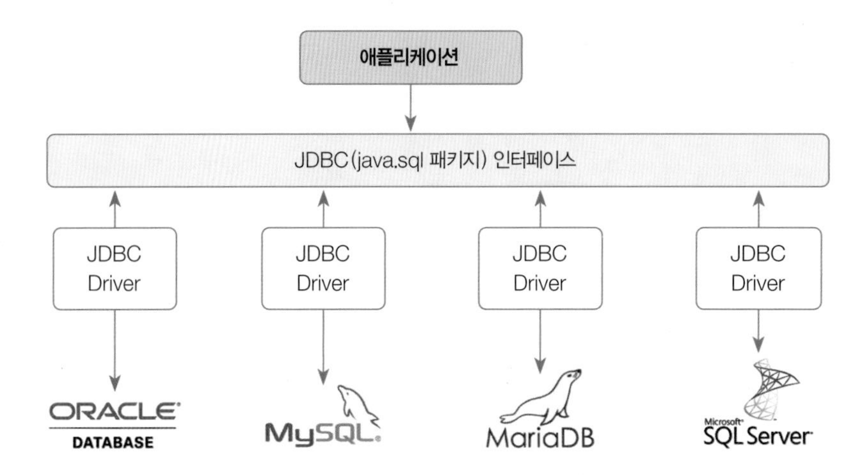

JDBC 인터페이스를 통해 실제로 DB와 작업하는 것은 JDBC Driver이다. JDBC Driver는 JDBC 인터페이스를 구현한 것으로, DBMS마다 별도로 다운로드받아 사용해야 한다.

JDBC에 포함되어 있는 클래스와 인터페이스들의 연관 관계는 다음과 같다.

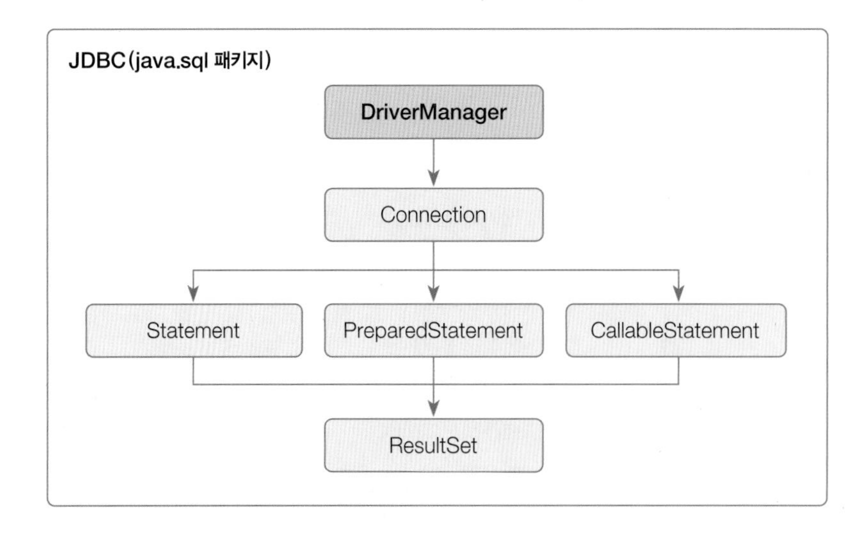

DriverManager

DriverManager 클래스는 JDBC Driver를 관리하며 DB와 연결해서 Connection 구현 객체를 생성한다.

Connection

Connection 인터페이스는 Statement, PreparedStatement, CallableStatement 구현 객체를 생성하며, 트랜잭션Transaction 처리 및 DB 연결을 끊을 때 사용한다.

Statement

Statement 인터페이스는 SQL의 DDLData Definition Language과 DMLData Manipulation Language을 실행할 때 사용한다. 주로 변경되지 않는 정적 SQL 문을 실행할 때 사용한다.

PreparedStatement

PreparedStatement는 Statement와 동일하게 SQL의 DDL, DML 문을 실행할 때 사용한다. 차이점은 매개변수화된 SQL 문을 사용할 수 있기 때문에 편리성과 보안성이 좋다. 그래서 Statement보다는 PreparedStatement를 주로 사용한다.

CallableStatement

CallableStatement는 DB에 저장되어 있는 프로시저procuder와 함수function를 호출할 때 사용한다.

ResultSet

ResultSet은 DB에서 가져온 데이터를 읽을 때 사용한다.

여기서 잠깐

DBMS별 학습 내용 선택

다음 절부터는 DBMS를 설치하고 JDBC를 사용해서 데이터베이스 연동 프로그램을 어떻게 작성하는지를 학습한다. 여기에서 문제는 DBMS별로 설치 방법과 SQL 문이 다르기 때문에 연동 프로그램 소스가 달라진다는 것이다.

학습용 DBMS로 Oracle을 사용한다면 이 책으로 계속해서 학습하고, MySQL을 사용한다면 부록으로 제공되는 '부록 1: 데이터베이스 입출력(MySQL용)' PDF로 대체해서 학습하길 바란다.

- Oracle 학습 환경일 경우: 책 본문으로 학습
- MySQL 학습 환경일 경우: 부록으로 제공되는 PDF로 학습

20.2 DBMS 설치

DBMS마다 조금씩 다른 SQL을 사용하기 때문에 이 책에서는 개발자 교육 과정 중 기업체에서 가장 많이 요구하는 Oracle을 기준으로 설명한다.

Oracle 설치

Oracle를 설치하려면 11GB 이상의 하드디스크 공간과 2GB 이상의 여유 메모리가 있어야 한다. 가능하면 전체 메모리가 16GB 이상인 컴퓨터에서 설치하는 것을 권장한다. 윈도우 운영체제에서 Oracle을 설치해 보자.

01 다음 URL을 통해 Enterprise Edition 설치 파일을 다운로드한다. 다운로드 팝업창이 뜨면 라이선스에 동의하는 체크박스에 체크를 한 후 [Download WINDOWS.X64_193000_db_home.zip] 버튼을 눌러 파일을 다운로드한다.

```
https://www.oracle.com/database/technologies/oracle-database-software-downloads.html#19c
```

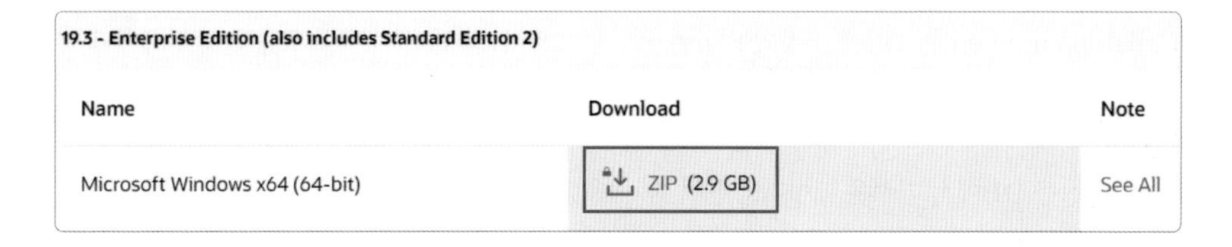

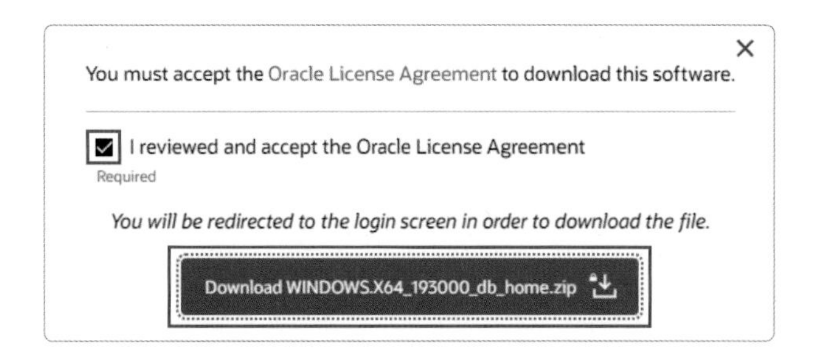

02 C:\ 디렉토리에 Oracle 디렉토리를 생성한 다음 그 안에 다운로드한 압축 파일(WINDOWS.X64_193000_db_home.zip)을 넣고 다음과 같이 압축 파일명이 디렉토리명이 되도록 압축을 해제한다.(매우 중요)

```
C:\Oracle\WINDOWS.X64_193000_db_home
```

03 압축을 해제한 후 생성된 setup.exe 파일을 더블 클릭해서 실행한다. 그리고 기본 설치 화면이 나올 때까지 계속해서 [다음] 버튼을 클릭한다.

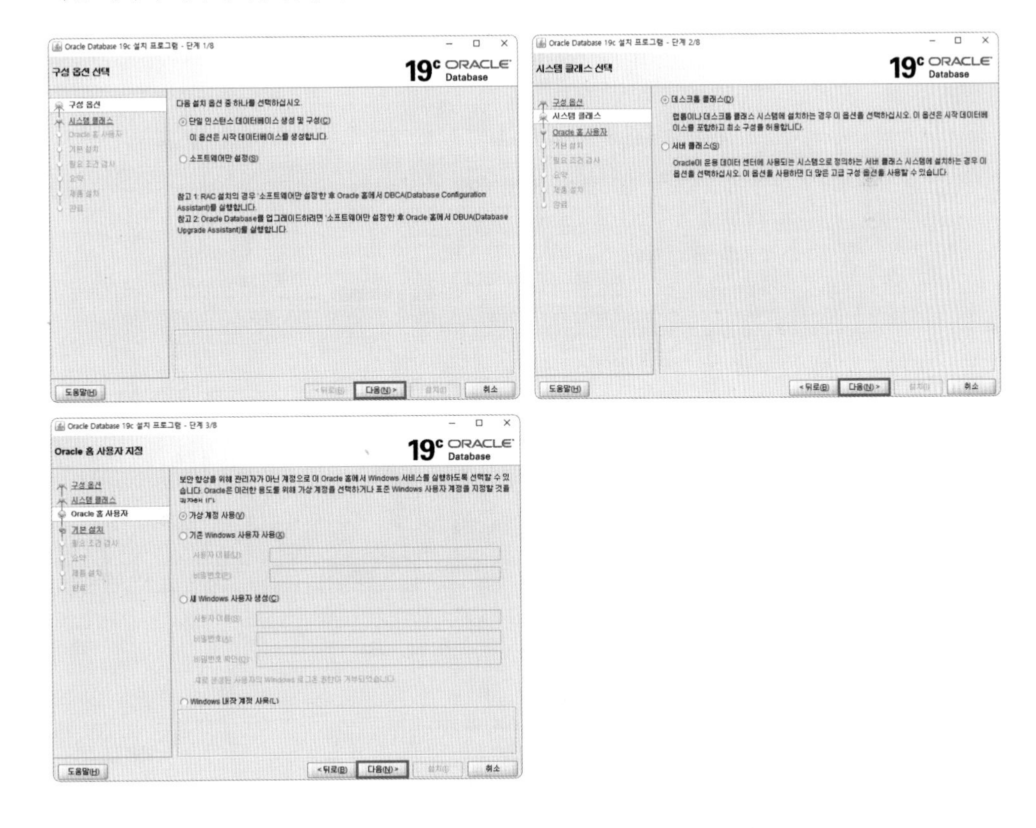

04 기본 설치 화면에서 다음과 같이 변경하고 [다음] 버튼을 클릭한다.

```
Oracle Base: C:\Oracle
비밀번호: oracle
컨테이너 데이터베이스로 생성: 체크 해제 (매우 중요)
```

그리고 '비밀번호가 Oracle 권장 표준을 따르지 않습니다.'라는 알림 창이 나타나면 [예] 버튼을 클릭한다.

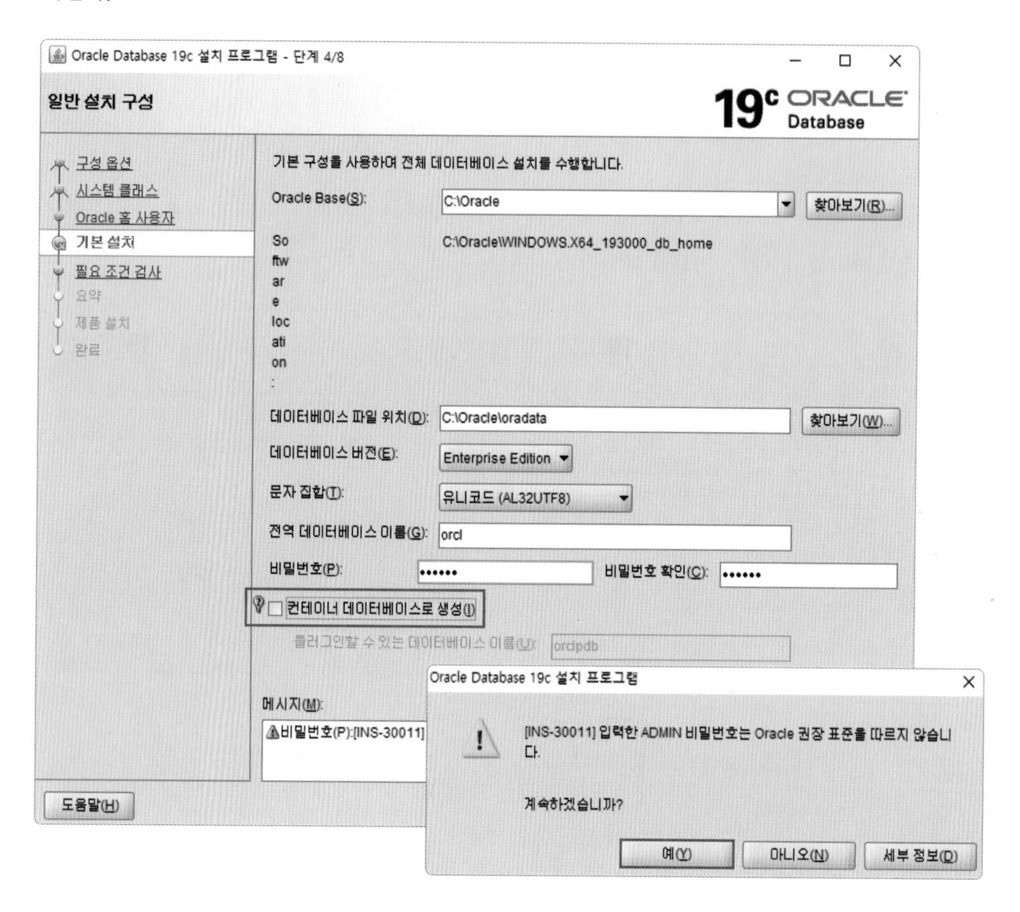

05 요약 내용이 나오면 [설치] 버튼을 클릭한다.

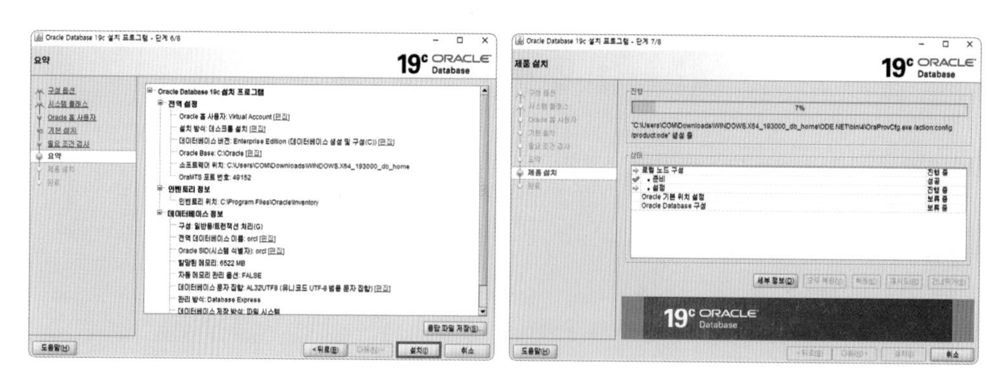

06 설치 중간에 다음과 같은 보안 경고 창이 나오면 [액세스 허용] 버튼을 클릭한다. 설치가 완료되면 [닫기] 버튼을 클릭한다.

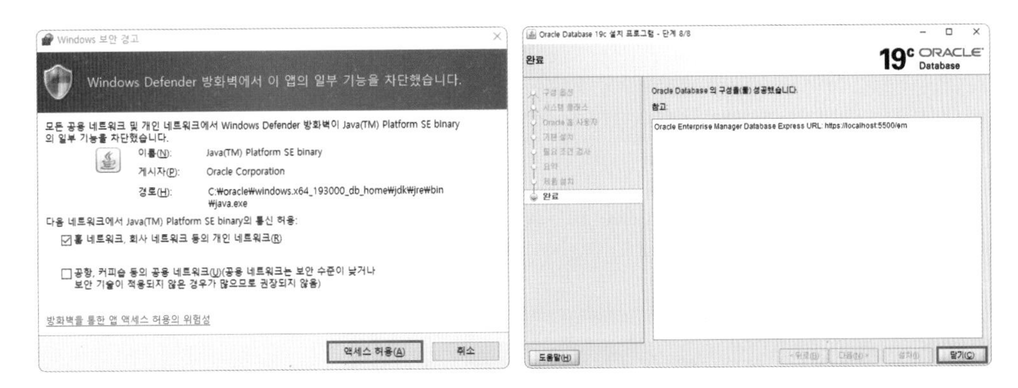

07 Oracle은 관리자 비밀번호 만료 기간을 기본 180일로 제한하고 있어 180일 뒤에는 사용할 수 없는 상태가 된다. 따라서 만료 기간을 제한 없음으로 변경할 필요가 있다. 명령 프롬프트에서 다음과 같이 SQL Plus를 실행하고, 다음과 같이 기본 프로파일을 변경한다.

```
C:\...> sqlplus / as sysdba
SQL> alter profile default limit password_life_time unlimited;
```

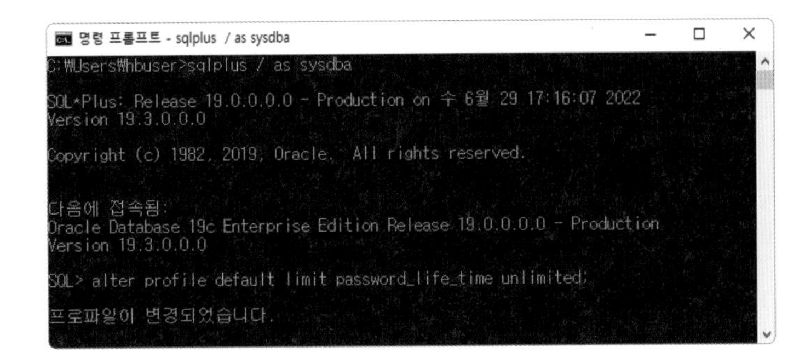

08 프로그램에서 사용할 DB 계정을 생성하기 위해 SQL Plus에서 다음 SQL 문을 실행한다. 계정 이름은 java이고 비밀번호는 oracle이며, connect, resource, unlimited tablespace 권한을 부여했다.

```
SQL> create user java identified by oracle;
SQL> grant connect to java;
SQL> grant resource to java;
SQL> grant unlimited tablespace to java;
```

```
명령 프롬프트 - sqlplus / as sysdba
SQL> create user java identified by oracle;
사용자가 생성되었습니다.
SQL> grant connect to java;
권한이 부여되었습니다.
SQL> grant resource to java;
권한이 부여되었습니다.
SQL> grant unlimited tablespace to java;
권한이 부여되었습니다.
```

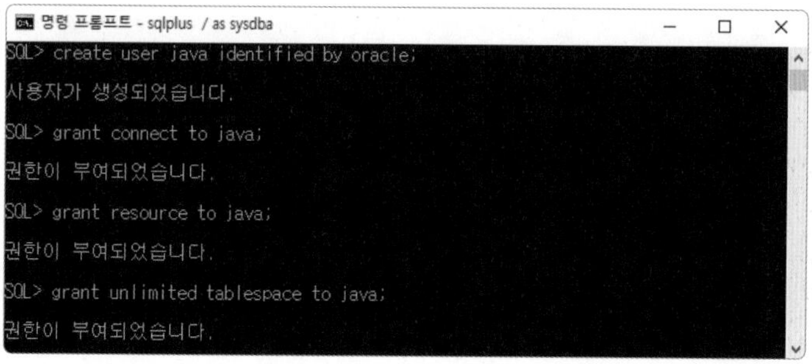

원격 연결

Oracle을 설치하면 기본적으로 로컬(설치된 컴퓨터) 환경에서만 Oracle에 연결할 수 있다. 원격(외부 컴퓨터)에서 Oracle에 연결해서 사용하려면 다음 순서대로 원격 접속 허용 설정을 해야 한다.

01 원격 연결 요청을 수락하기 위해 Net Configuration Assistant를 실행시킨다. 윈도우의 [시작] 메뉴를 이용하거나 작업 표시줄의 검색 아이콘을 클릭해서 Net Configuration Assistant를 찾으면 된다.

[시작] 메뉴 – [Oracle] – [OraDB19Home1] – [Net Configuration Assistant]

02 '리스너 구성'을 선택하고 [다음] 버튼을 클릭한다. 수행할 작업으로 '재구성'을 선택하고 [다음] 버튼을 클릭한다.

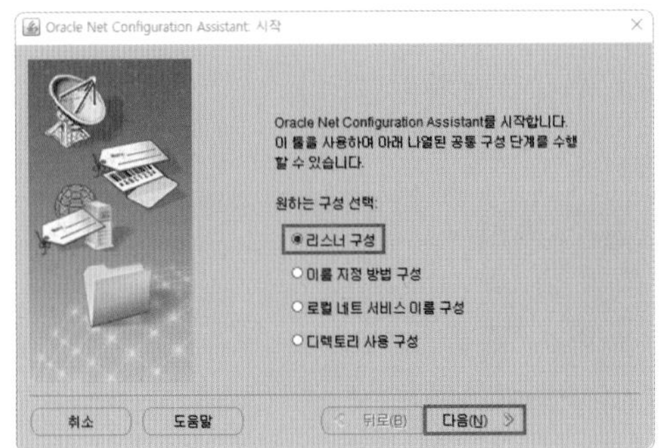

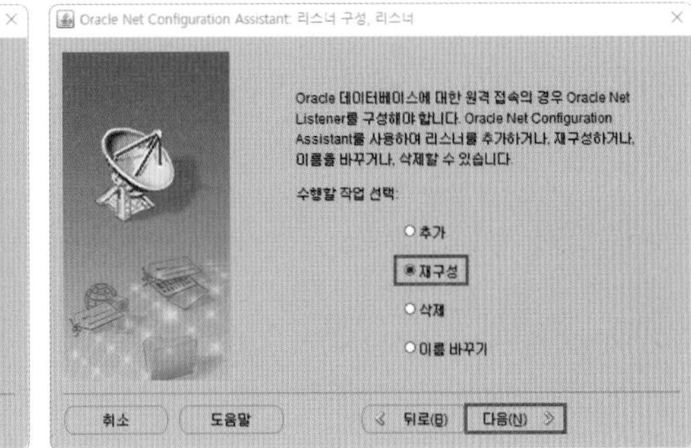

03 재구성할 리스너 선택은 'LISTENER'로 그냥 두고 [다음] 버튼을 클릭한다. 그리고 리스너를 정지하고 수정하기 위해 [예] 버튼을 클릭한다.

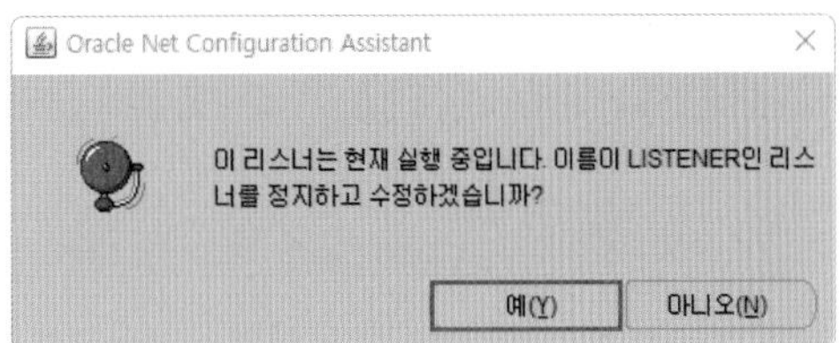

04 원격 연결 시 사용할 프로토콜로 'TCP'가 기본적으로 선택되어 있는데, 그대로 둔 채로 [다음] 버튼을 클릭한다. '표준 포트 번호 1521 사용'이 기본적으로 선택되어 있는데, 이것도 그대로 두고 [다음] 버튼을 클릭한다.

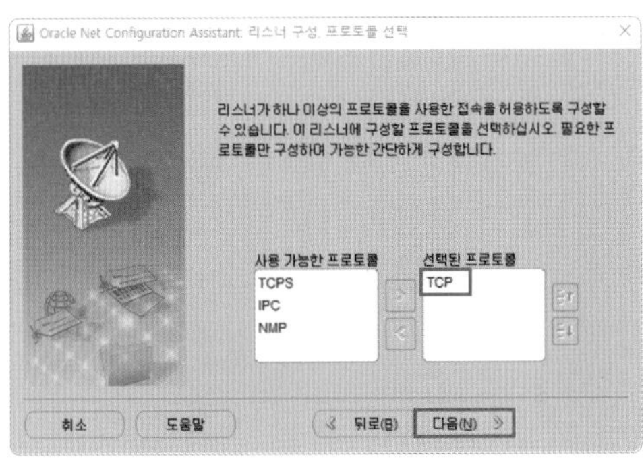

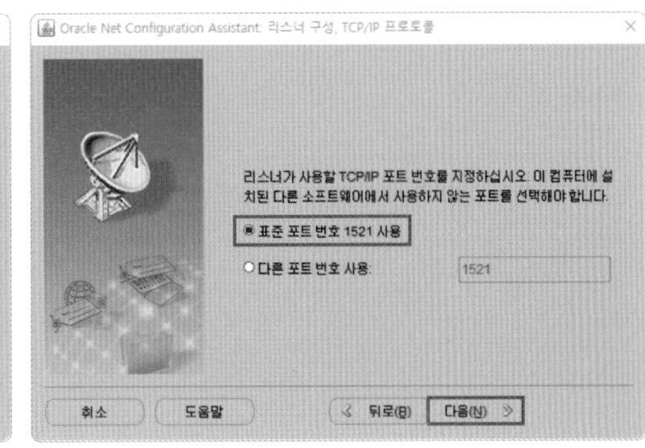

05 '다른 리스너를 구성하겠습니까?'라는 물음에서는 '아니오'를 선택하고 [다음] 버튼을 클릭한다. 마지막으로 [완료] 버튼을 클릭해 Net Configuration Assistant 창을 닫는다.

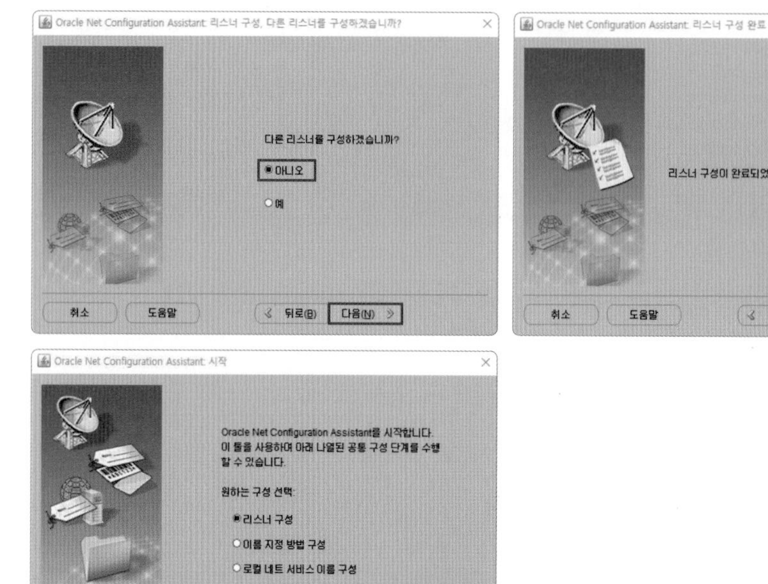

방화벽 해제

Oracle에서 원격 연결을 위해 1521 포트를 허용했다 하더라도 Oracle이 설치된 운영체제에서 1521 포트를 방화벽에서 막고 있다면 내부 Oracle로 연결할 수 없다. 따라서 운영체제의 방화벽 설정에서 1521 포트를 개방해야 한다.

01 윈도우에서 1521 Port를 방화벽으로부터 해제해 보자. 작업 표시줄의 검색 입력란에 '방화벽'이라고 입력하고 '방화벽 및 네트워크 보호'를 선택해 연다. 그리고 '고급 설정'을 클릭하면 [고급 보안이 포함된 Windows Defender 방화벽] 대화상자가 나타난다. 왼쪽 창에서 [인바운드 규칙]을, 오른쪽 작업 창에서 [새 규칙]을 선택한다.

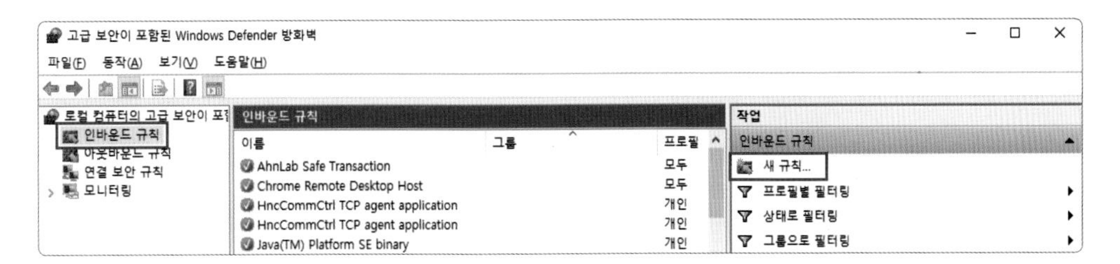

02 [새 인바운드 규칙 마법사]의 규칙 종류 단계에서 만들려는 규칙 종류를 '포트'로 선택하고 [다음] 버튼을 클릭한다.

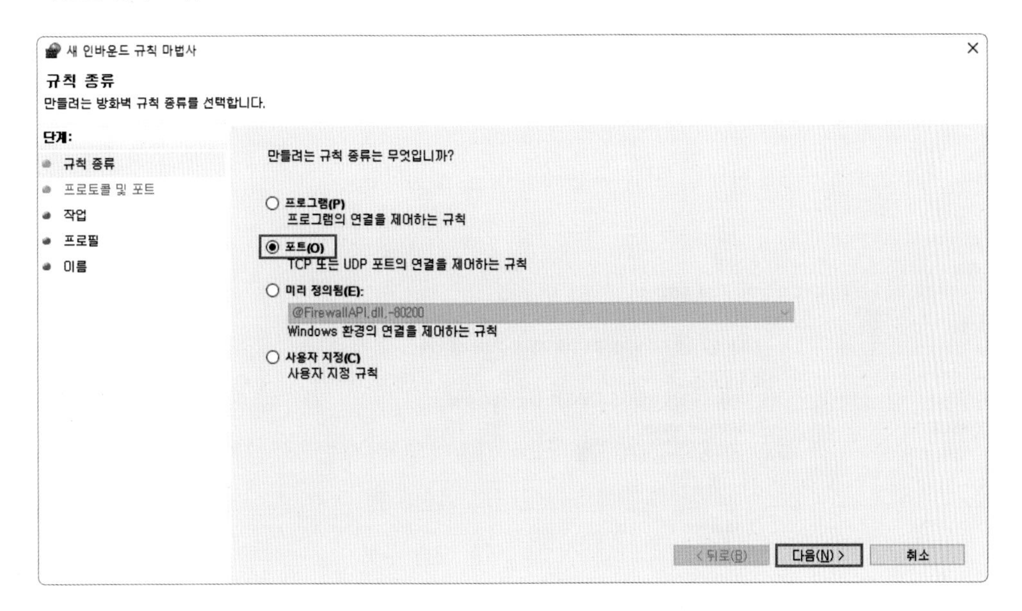

03 프로토콜 및 포트 단계에서 'TCP'를 선택하고 '특정 로컬 포트'에 '1521'을 입력한 후 [다음] 버튼을 클릭한다.

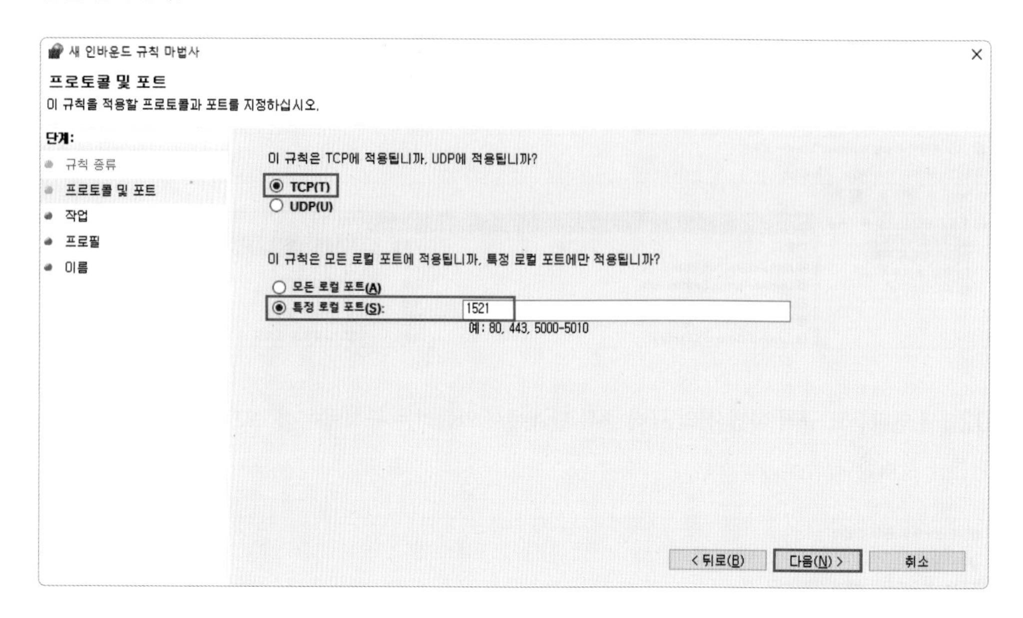

04 작업 단계에서 '연결 허용'을 선택하고 [다음] 버튼을 클릭한다.

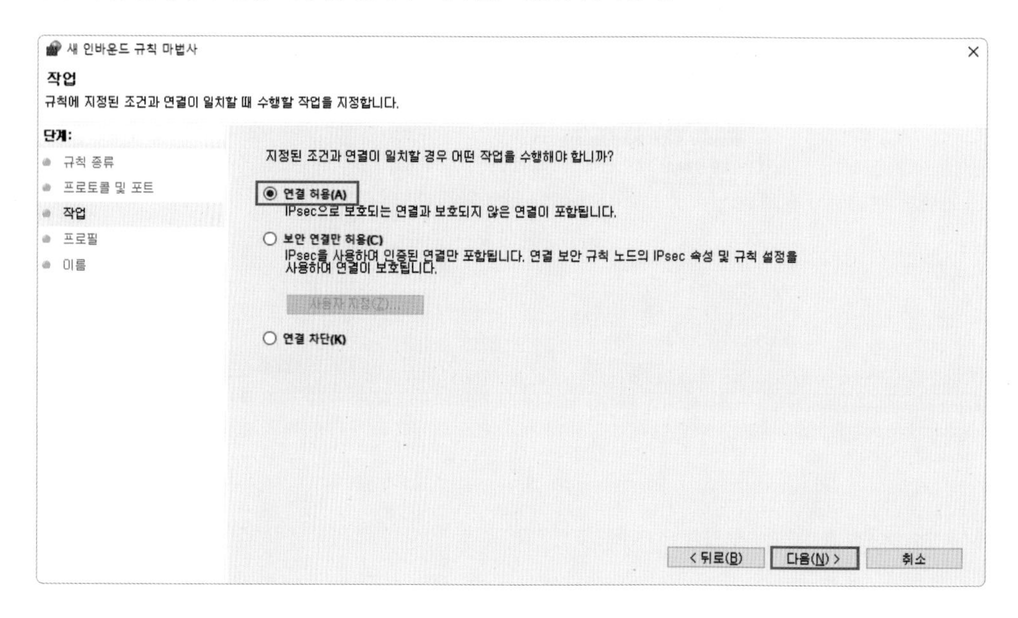

05 프로필 단계에서 규칙이 적용되는 시기는 기본 상태 그대로 두고 [다음] 버튼을 클릭한다.

새 인바운드 규칙 마법사
프로필
이 규칙을 적용할 프로필을 지정합니다.
단계:
규칙 종류
프로토콜 및 포트
작업
프로필
이름
이 규칙이 적용되는 시기는 언제입니까?
도메인(D)
컴퓨터가 회사 도메인에 연결된 경우 적용됩니다.
개인(P)
컴퓨터가 개인 네트워크 위치(가정 또는 직장)에 연결된 경우 적용됩니다.
공용(U)
컴퓨터가 공용 네트워크 위치에 연결된 경우 적용됩니다.
< 뒤로(B)
다음(N) >
취소

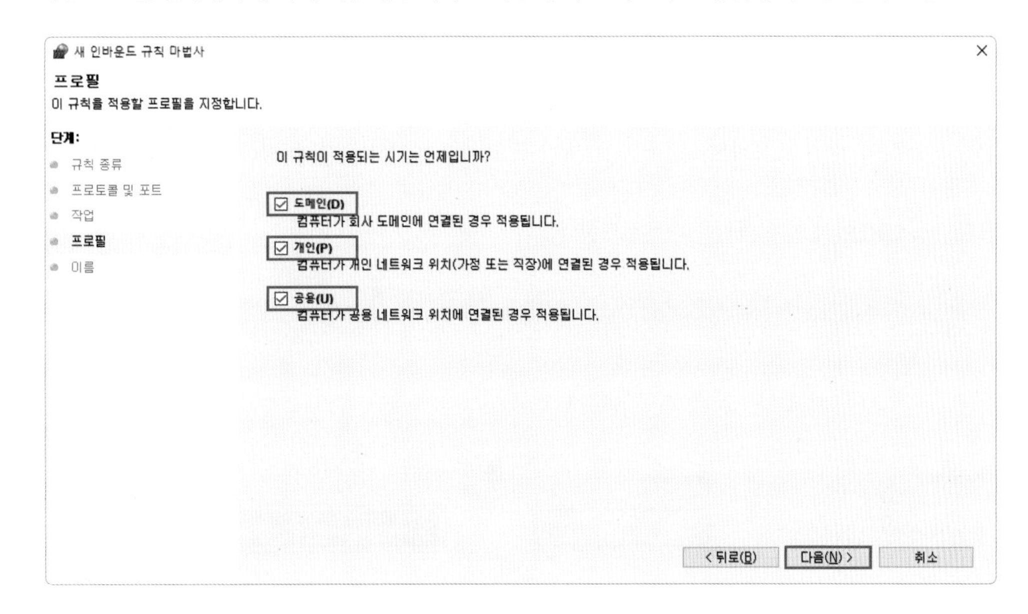

06 마지막 이름 단계에서 이름을 'Oracle'로 입력하고 [마침] 버튼을 클릭한다.

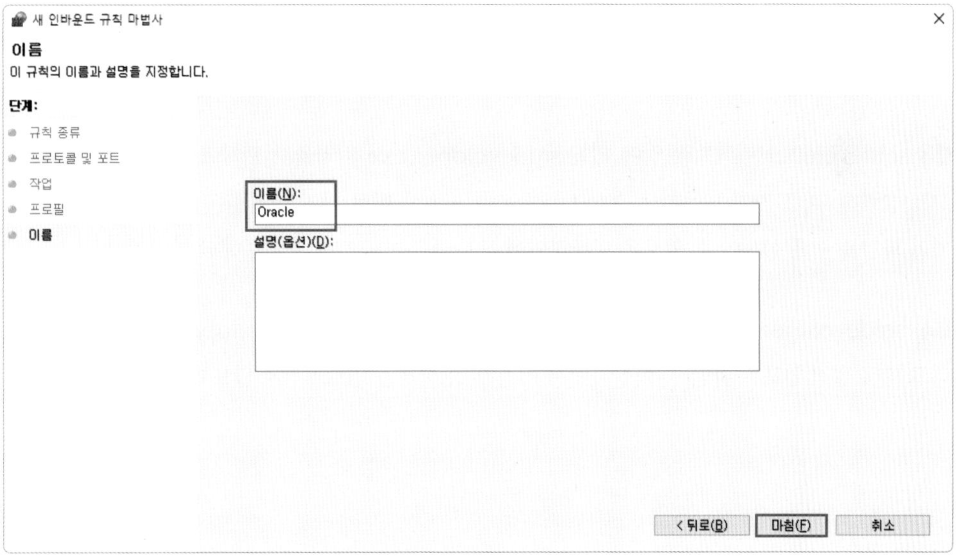

새 인바운드 규칙 마법사
이름
이 규칙의 이름과 설명을 지정합니다.
단계:
규칙 종류
프로토콜 및 포트
작업
프로필
이름
이름(N):
Oracle
설명(옵션)(D):
< 뒤로(B)
마침(F)
취소

20.3 Client Tool 설치

SQL Developer는 Oracle DB 개발 및 관리를 간편하게 해주는 무료 Client Tool이다. 명령어 기반 SQL Plus를 이용해도 되지만, UI 기반의 SQL Developer를 사용하면 DB 모델링에서부터 DB 상태 확인, SQL 스크립트 및 PL/SQL 개발 등을 매우 편리하게 할 수 있다.

01 다음 URL에서 설치 파일을 다운로드한다.

```
https://www.oracle.com/tools/downloads/sqldev-downloads.html
```

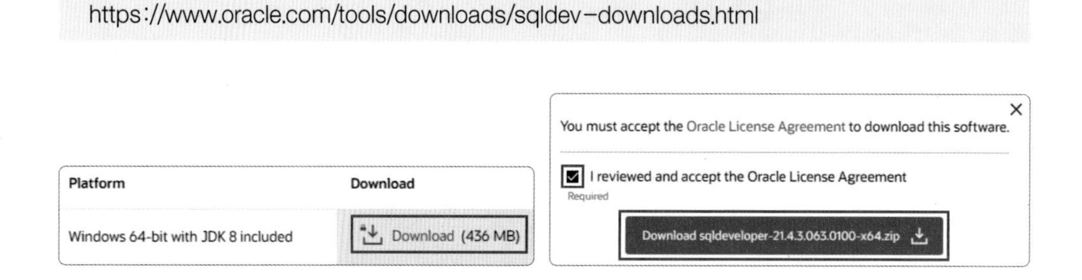

02 C:\Oracle 디렉토리 안에 다운로드받은 압축 파일(sqldeveloper-21.4.3.063.0100-x64.zip)을 넣고, 다음과 같이 디렉토리명이 나오도록 압축을 해제한다.

```
C:\Oracle\sqldeveloper
```

03 sqldeveloper 디렉토리 안에 있는 sqldeveloper.exe 파일을 선택하고 마우스 오른쪽 버튼으로 클릭해 [바로 가기 만들기]로 'sqldeveloper.exe - 바로 가기 파일'을 생성한다. 그리고 바로 가기 파일을 쉽게 실행할 수 있도록 바탕화면에 복사해 두거나 작업 표시줄에 추가시킨다.

04 'sqldeveloper.exe - 바로 가기' 파일을 더블 클릭해서 SQL Developer를 실행시킨다. 그리고 [환경설정 임포트 확인] 대화상자에서 이전 환경 설정을 임포트하지 않도록 [아니오] 버튼을 클릭한다.

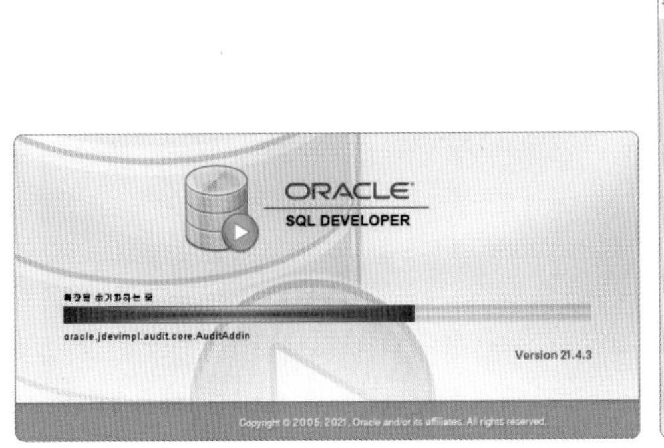

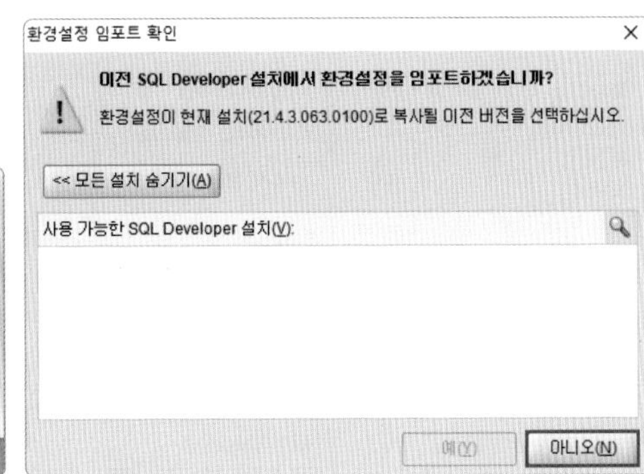

05 새 접속을 생성하기 위해 접속 뷰의 ➕ 아이콘을 클릭한다.

06 [새로 만들기/데이터베이스 접속 선택] 대화상자에서 Name은 'thisisjava', 사용자 이름은 'java', 비밀번호는 'oracle', 비밀번호 저장 체크박스에 체크, 호스트 이름에 'localhost', 포트에 '1521', SID를 선택 후 'orsl'을 입력한다. 그리고 [테스트] 버튼을 클릭해서 상태가 성공으로 나오는지 확인한다. 만약 다른 컴퓨터에 설치된 Oracle에 접속할 경우에는 호스트 이름에 IP 주소를 입력한다. 상태가 '성공'으로 출력되면 [접속] 버튼을 클릭해서 접속 정보를 저장한다.

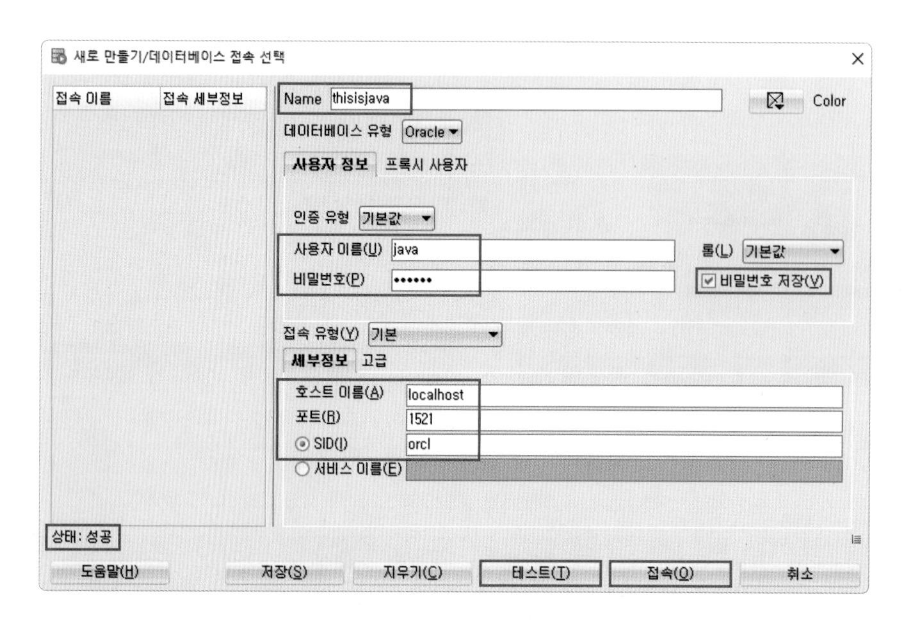

NOTE ▸ Enterpise Edition을 설치하면 orcl이라는 DB가 자동 생성된다. 이 orcl를 SID라고도 한다.

07 Oracle DB에 접속되면 다음과 같은 상태가 된다. 왼쪽 접속 뷰에서는 thisisjava 접속 이름 아래에 java 계정이 소유한 객체 목록을 보여 준다. 오른쪽 워크시트에서는 SQL 문을 편집하고 실행할 수 있다.

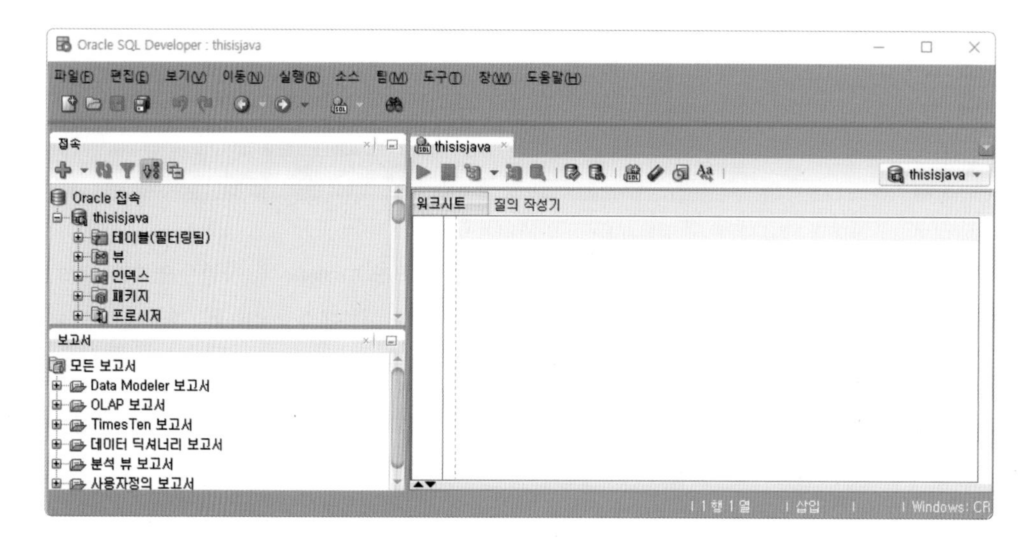

20.4 DB 구성

Oracle이 설치되었다면 학습에 필요한 테이블, 시퀀스, 프로시저, 함수를 생성하여 데이터베이스를 구성해 보자.

01 사용자 정보가 저장될 users 테이블을 생성하기 위해 예제 소스 sql/oracle/users.sql 파일의 텍스트 내용을 복사해 워크시트에 붙여 넣는다. 그리고 마우스로 CREATE 문 전체를 선택한 다음, 상단 초록색 세모 아이콘(▶)을 클릭해 명령문을 실행한다.

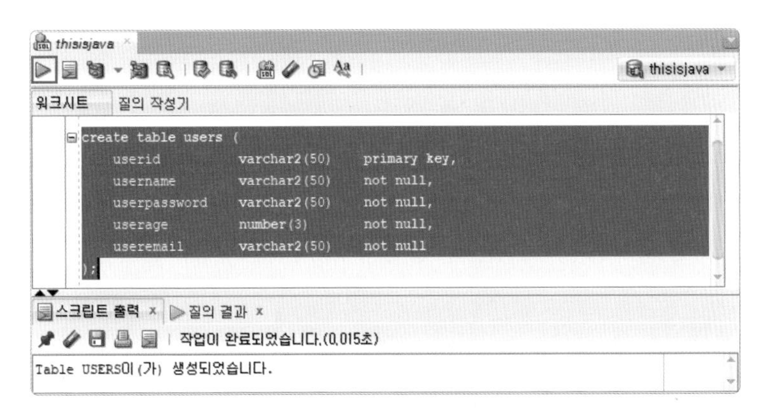

02 게시물 정보가 저장될 boards 테이블을 생성하기 위해 예제 소스 sql/oracle/boards.sql 파일의 텍스트 내용을 복사해 워크시트에 붙여 넣는다. 그리고 마우스로 CREATE 문 전체를 선택한 다음, 상단 초록색 세모 아이콘(▶)을 클릭해 명령문을 실행한다.

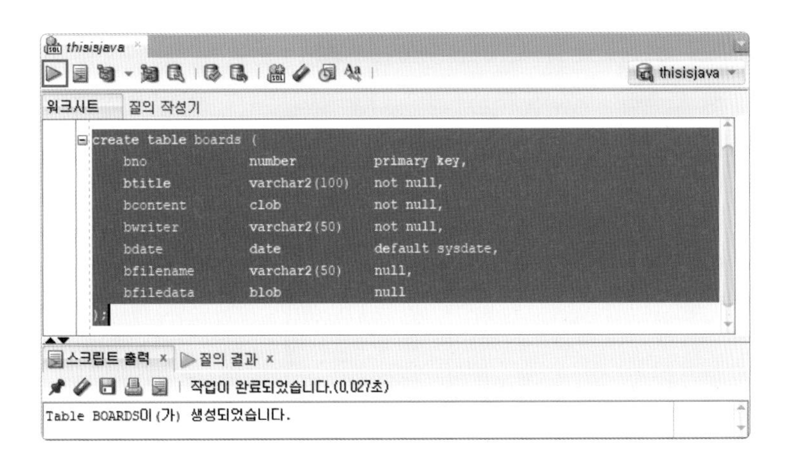

03 boards 테이블의 bno 값을 제공하는 시퀀스를 생성하기 위해 예제 소스 sql/oracle/sequence.sql 파일의 텍스트 내용을 복사해 워크시트에 붙여 넣는다. 그리고 마우스로 CREATE 문 전체를 선택한 다음, 상단 초록색 세모 아이콘(▶)을 클릭해 명령문을 실행한다.

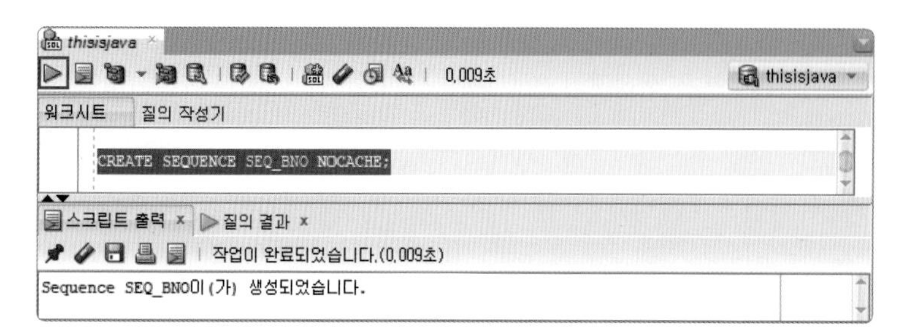

04 계좌 정보가 저장될 accounts 테이블을 생성하기 위해 예제 소스 sql/oracle/accounts.sql 파일의 텍스트 내용을 복사해 워크시트에 붙여 넣는다. 그리고 마우스로 CREATE 문에서 commit 문까지 전체를 선택한 다음, 상단 초록색 세모 아이콘(▶)을 클릭해 명령문을 실행한다.

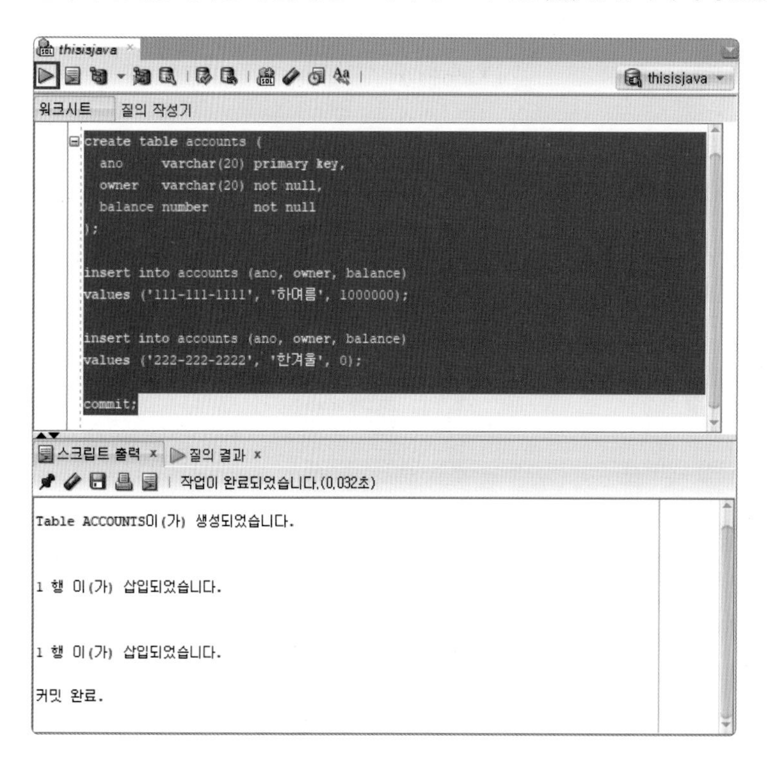

05 users 테이블에 새로운 사용자 정보를 저장하는 user_create 프로시저를 생성하기 위해 예제 소스 sql/oracle/procedure.sql 파일의 텍스트 내용을 복사해 워크시트에 붙여 넣는다. 그리고 마우스로 CREATE 문 전체를 선택한 다음, 상단 초록색 세모 아이콘(▶)을 클릭해 명령문을 실행한다.

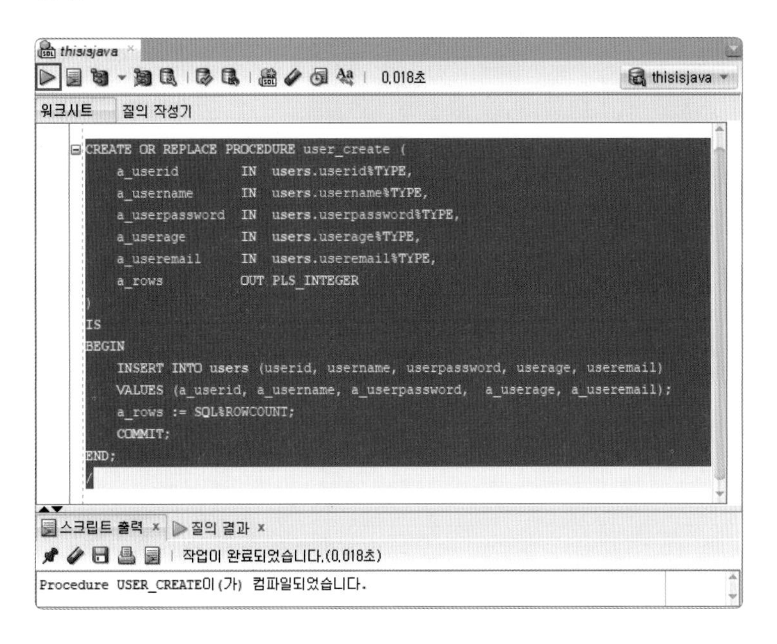

user_create 프로시저는 사용자 정보를 저장하고 나서 1개의 행을 삽입했다는 의미로 1을 OUT 타입 매개변수에 저장한다.

06 users 테이블에서 userid와 userpassword를 확인하고 그 결과를 리턴하는 user_login() 함수를 생성하기 위해 예제 소스 sql/oracle/function.sql 파일의 텍스트 내용을 워크시트에 복사해 붙여 넣는다. 그리고 마우스로 CREATE 문 전체를 선택한 다음, 상단 초록색 세모 아이콘(▶)을 클릭해 명령문을 실행한다.

user_login() 함수는 userid와 userpassword가 일치하면 0을, userpassword가 틀리면 1을, userid가 존재하지 않으면 2를 리턴한다.

20.5 DB 연결

클라이언트 프로그램에서 DB와 연결하려면 해당 DBMS의 JDBC Driver가 필요하다. 또한 연결에 필요한 다음 네 가지 정보가 있어야 한다.

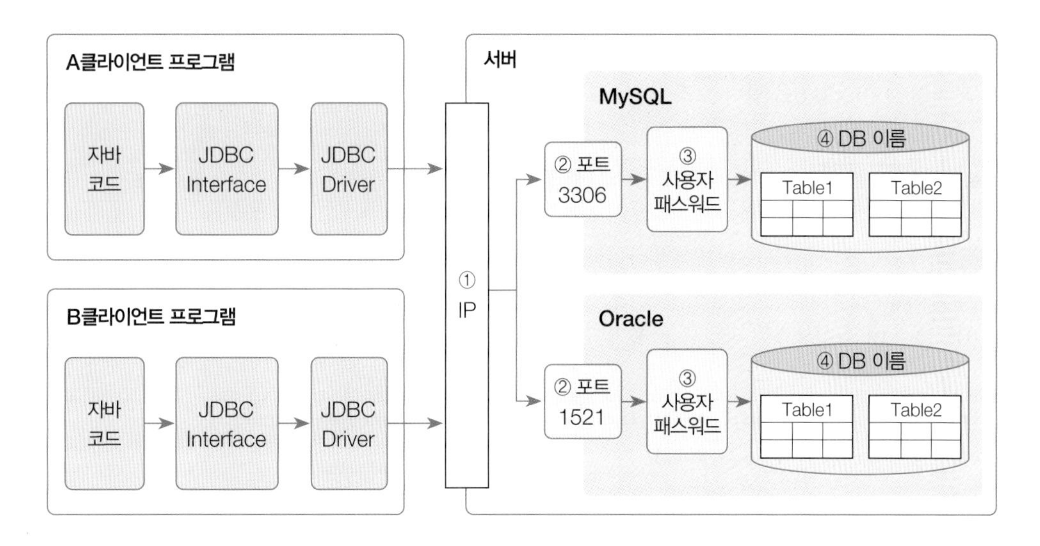

① DBMS가 설치된 컴퓨터의 IP 주소

② DBMS가 허용하는 포트(Port) 번호

③ 사용자(DB 계정) 및 비밀번호

④ 사용하고자 하는 DB 이름

IP 주소는 컴퓨터를 찾아가기 위해, Port 번호는 DBMS로 연결하기 위해 필요하다. DBMS는 여러 개의 DB를 관리하므로 실제로 사용할 DB 이름이 필요하며, 어떤 사용자인지 인증받기 위한 계정 및 비밀번호도 필요하다.

JDBC Driver 설치

20.2절에서 로컬 PC에 Oracle을 설치했다면 다음 경로에서 JDBC Driver 파일을 찾을 수 있다.

```
C:\Oracle\WINDOWS.X64_193000_db_home\jdbc\lib\ojdbc8.jar
```

만약 원격 PC에 Oracle을 설치했다면 JDBC Driver만 별도로 다음 URL에서 다운로드할 수 있다.

```
https://mvnrepository.com/artifact/com.oracle.database.jdbc/ojdbc8
```

위 사이트에서는 Oracle 버전별로 JDBC Driver를 제공하는데, Oracle 19c와 호환되는 가장 마지막 버전인 19.x.0.0을 받아 보자. 다음 그림과 같이 버전 링크를 클릭한다.

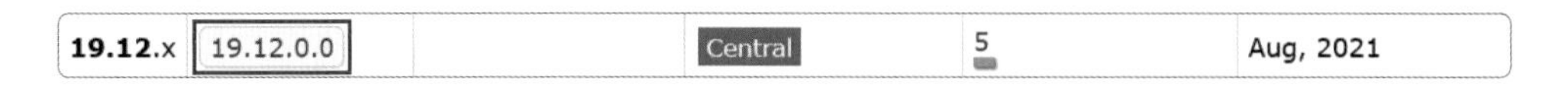

NOTE ▸ 19.x.0.0은 다운로드하는 시점에 따라 달라질 수 있다.

JDBC Driver 라이브러리 파일(jar)을 받기 위해 Files에 있는 jar 링크를 클릭한다.

HomePage	https://www.oracle.com/database/technologies/maven-central-g ...
Date	(Aug 24, 2021)
Files	pom (1 KB) jar (4.2 MB) View All

로컬 PC에서 찾은 ojdbc8.jar 파일 또는 URL에서 내려받은 ojdbc8-19.x.0.0.jar 파일을 thisisjava 프로젝트의 lib 폴더에 복사한다. lib 폴더가 없으면 thisisjava 프로젝트를 마우스 오른쪽 버튼으로 클릭한 후 [New] – [Folder]를 선택해서 생성한다.

그리고 JAR 파일 안에 있는 클래스를 사용하기 위해 JAR 파일을 선택 후 마우스 오른쪽 버튼으로 클릭해서 다음과 같이 Build Path에 추가한다.

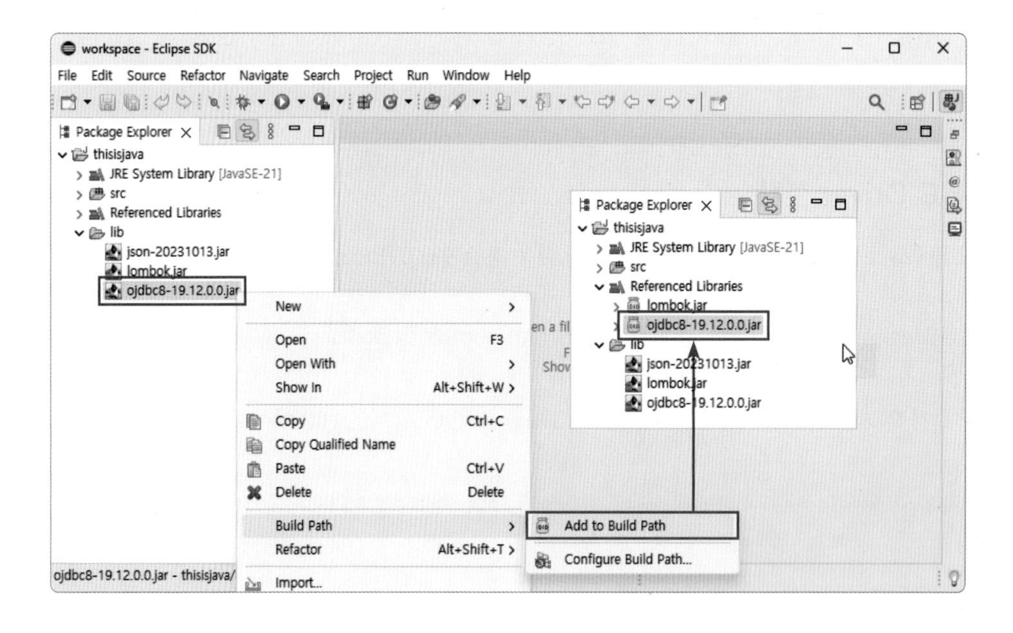

여기서 잠깐

환경 변수 CLASSPATH에 JAR 파일 경로 추가하기

명령 프롬프트에서 클라이언트 프로그램을 실행하려면 환경 변수 CLASSPATH에 JDBC Driver JAR 파일 경로를 추가해야 한다. 다음 순서대로 CLASSPATH에 경로를 추가해 보자.

1. C:\Program Files\Java\jdk-21 안에 외부 라이브러리가 저장될 extlib 디렉토리를 생성한다.
2. C:\Program Files\Java\jdk-21\extlib 디렉토리 안에 ojdbc8 JAR 파일을 저장한다.
3. 환경 변수 CLASSPATH에 다음과 같이 JAR 파일 경로를 추가해 준다.
   (주의: 첫 줄에는 .(마침표)가 반드시 있어야 함)

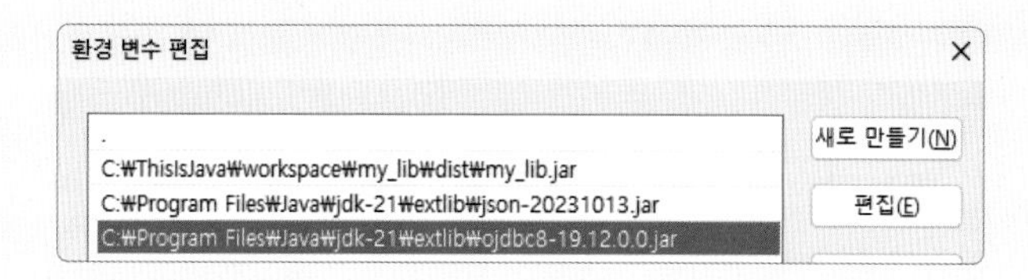

DB 연결

클라이언트 프로그램을 DB와 연결하기 위해 가장 먼저 해야 할 작업은 JDBC Driver를 메모리로 로딩하는 것이다. Class.forName() 메소드는 문자열로 주어진 JDBC Driver 클래스를 Build Path에서 찾고, 메모리로 로딩한다.

```
Class.forName("oracle.jdbc.OracleDriver");
```

이 과정에서 JDBC Driver 클래스의 static 블록이 실행되면서 DriverManager에 JDBC Driver 객체를 등록하게 된다. 만약 Build Path에서 JDBC Driver 클래스를 찾지 못하면 ClassNotFoundException이 발생하므로 예외 처리를 해야 한다.

DriverManager에 JDBC Driver가 등록되면 getConnection() 메소드로 DB와 연결할 수 있다.

```
Connection conn = DriverManager.getConnection("연결 문자열", "사용자", "비밀번호");
```

첫 번째 매개값은 연결 문자열인데, DBMS마다 다른 형식을 가지고 있다. 다음은 Oracle의 연결 문자열을 보여 준다.

jdbc:oracle:thin은 TCP용 JDBC Driver를 사용한다는 뜻이고, @localhost는 로컬에 설치된 Oracle에 연결하겠다는 의미이다. 원격으로 Oracle을 연결하려면 @IP주소로 기술해야 한다. 1521은 Port 번호, orcl은 DB명이다.

연결이 성공하면 getConnection() 메소드는 Connection 객체를 리턴한다. 만약 연결이 실패하면 SQLException이 발생하므로 예외 처리를 해야 한다.

다음은 20.2에서 설치한 Oracle DB에 연결하는 방법을 보여 준다.

>>> ConnectionExample.java

```
1   package ch20.oracle.sec05;
2
3   import java.sql.Connection;
4   import java.sql.DriverManager;
5   import java.sql.SQLException;
6
7   public class ConnectionExample {
8     public static void main(String[] args) {
9       Connection conn = null;
10      try {
11        //JDBC Driver 등록
12        Class.forName("oracle.jdbc.OracleDriver");
13
14        //연결하기
15        conn = DriverManager.getConnection(
16          "jdbc:oracle:thin:@localhost:1521/orcl",
17          "java",
18          "oracle"
```

```
19            );
20
21            System.out.println("연결 성공");
22          } catch (ClassNotFoundException e) {
23            e.printStackTrace();
24          } catch (SQLException e) {
25            e.printStackTrace();
26          } finally {
27            if(conn != null) {
28              try {
29                //연결 끊기
30                conn.close();
31                System.out.println("연결 끊기");
32              } catch (SQLException e) {}
33            }
34          }
35        }
36      }
```

실행 결과

```
연결 성공
연결 끊기
```

성공했던 DB 연결을 끊을 때에는 Connection 객체의 close() 메소드를 호출한다. 이 메소드는 SQLException이 발생할 수 있으므로 예외 처리가 필요하다.

20.6 데이터 저장

이번 절에서는 JDBC를 이용해서 INSERT 문을 실행하는 방법을 알아보자. users 테이블에 새로운 사용자 정보를 저장하는 INSERT 문은 다음과 같다.

```
INSERT INTO users (userid, username, userpassword, userage, useremail)
VALUES ('winter', '한겨울', '12345', 25, 'winter@mycompany.com')
```

값을 ?(물음표)로 대체한 매개변수화된 INSERT 문으로 변경하면 다음과 같다.

```
INSERT INTO users (userid, username, userpassword, userage, useremail)
VALUES (?, ?, ?, ?, ?)
```

그리고 INSERT 문을 String 타입 변수 sql에 문자열로 대입한다.

```
String sql = new StringBuilder()
  .append("INSERT INTO users (userid, username, userpassword, userage, useremail) ")
  .append("VALUES (?, ?, ?, ?, ?)")
  .toString();

또는

String sql = "" +
  "INSERT INTO users (userid, username, userpassword, userage, useremail) " +
  "VALUES (?, ?, ?, ?, ?)";
```

매개변수화된 SQL 문을 실행하려면 PreparedStatement가 필요하다. 다음과 같이 Connection의 prepareStatement() 메소드로부터 PreparedStatement를 얻는다.

```
PreparedStatement pstmt = conn.prepareStatement(sql);
```

그리고 ?에 들어갈 값을 지정해주는데, ?는 순서에 따라 1번부터 번호가 부여된다. 값의 타입에 따라 Setter 메소드를 선택한 후 첫 번째에는 ? 순번, 두 번째에는 값을 지정한다.

```
pstmt.setString(1, "winter");
pstmt.setString(2, "한겨울");
pstmt.setString(3, "12345");
pstmt.setInt(4, 25);
pstmt.setString(5, "winter@mycompany.com");
```

값을 지정한 후 executeUpdate() 메소드를 호출하면 SQL 문이 실행되면서 users 테이블에 1개의 행이 저장된다. executeUpdate() 메소드가 리턴하는 값은 저장된 행 수인데, 정상적으로 실행되었을 경우 1을 리턴한다.

```
int rows = pstmt.executeUpdate();
```

PreparedStatement를 더 이상 사용하지 않을 경우에는 다음과 같이 close() 메소드를 호출해서 PreparedStatement가 사용했던 메모리를 해제한다.

```
pstmt.close();
```

다음 예제는 users 테이블에 사용자 정보를 저장하는 전체 코드이다.

>>> **UserInsertExample.java**

```
1   package ch20.oracle.sec06;
2
3   import java.sql.Connection;
4   import java.sql.DriverManager;
5   import java.sql.PreparedStatement;
6   import java.sql.SQLException;
7
8   public class UserInsertExample {
9     public static void main(String[] args) {
10      Connection conn = null;
11      try {
12        //JDBC Driver 등록
13        Class.forName("oracle.jdbc.OracleDriver");
14
15        //연결하기
16        conn = DriverManager.getConnection(
17          "jdbc:oracle:thin:@localhost:1521/orcl",
18          "java",
19          "oracle"
20        );
```

```
21
22            //매개변수화된 SQL 문 작성
23            String sql = "" +
24              "INSERT INTO users (userid, username, userpassword, userage,
                   useremail) " + "VALUES (?, ?, ?, ?, ?)";
25
26            //PreparedStatement 얻기 및 값 지정
27            PreparedStatement pstmt = conn.prepareStatement(sql);
28            pstmt.setString(1, "winter");
29            pstmt.setString(2, "한겨울");
30            pstmt.setString(3, "12345");
31            pstmt.setInt(4, 25);
32            pstmt.setString(5, "winter@mycompany.com");
33
34            //SQL 문 실행
35            int rows = pstmt.executeUpdate();
36            System.out.println("저장된 행 수: " + rows);
37
38            //PreparedStatement 닫기
39            pstmt.close();
40          } catch (ClassNotFoundException e) {
41            e.printStackTrace();
42          } catch (SQLException e) {
43            e.printStackTrace();
44          } finally {
45            if(conn != null) {
46              try {
47                //연결 끊기
48                conn.close();
49              } catch (SQLException e) {}
50            }
51          }
52        }
53      }
```

실행 결과

```
저장된 행 수: 1
```

이번에는 boards 테이블에 게시물 정보를 저장해 보자. 새로운 게시물 정보를 저장하는 INSERT 문은 다음과 같다. SEQ_BNO.NEXTVAL은 SEQ_BNO 시퀀스에서 가져올 번호이고, SYSDATE는 현재 시간이다.

```
INSERT INTO boards (bno, btitle, bcontent, bwriter, bdate, bfilename, bfiledata)
VALUES (SEQ_BNO.NEXTVAL, '눈 오는 날', '함박눈이 내려요', 'winter', SYSDATE, 'snow.jpg',
        binaryData)
```

SEQ_BNO.NEXTVAL와 SYSDATE를 제외하고 나머지는 ?로 대체한 매개변수화된 INSERT 문으로 만들고 String 타입 변수 sql에 저장한다.

```
String sql = "" +
  "INSERT INTO boards (bno, btitle, bcontent, bwriter, bdate, bfilename,
                      bfiledata) " +
  "VALUES (SEQ_BNO.NEXTVAL, ?, ?, ?, SYSDATE, ?, ?)";
```

매개변수화된 INSERT 문을 실행하기 위해 다음과 같이 prepareStatement() 메소드로부터 PreparedStatement를 얻는데, 이전과는 다르게 두 번째 매개값이 있다.

```
PreparedStatement pstmt = conn.prepareStatement(sql, new String[] {"bno"});
```

두 번째 매개값은 INSERT 문이 실행된 후 가져올 컬럼 값으로, new String[] {"bno"}라고 주면 bno 컬럼 값을 가져온다. SQL 문이 실행되기 전까지는 SEQ_BNO.NEXTVAL로 얻은 번호를 모르기 때문에 SQL 문이 실행된 후에 bno 컬럼에 실제로 저장된 값을 얻어보는 것이다.

이제 ?에 해당하는 값을 지정한다. bfiledata 컬럼은 바이너리 타입(blob)이므로 ?에 값을 지정하려면 setBinaryStream(), setBlob(), setBytes() 메소드 중 하나를 이용해야 한다. 다음은 setBlob을 이용해서 바이트 입력 스트림을 제공한 것이다.

```
pstmt.setString(1, "눈 오는 날");
pstmt.setString(2, "함박눈이 내려요.");
pstmt.setString(3, "winter");
pstmt.setString(4, "snow.jpg");
pstmt.setBlob(5, new FileInputStream("src/ch20/oracle/sec06/snow.jpg"));
```

INSERT 문을 실행하고 저장된 bno 값을 얻는 방법은 다음과 같다. 게시물 정보가 저장되었을 경우(rows가 1일 경우) getGeneratedKeys() 메소드로 ResultSet을 얻고, getInt() 메소드로 bno를 얻는다. ResultSet에 대해서는 20.9절에서 자세히 설명한다.

```
int rows = pstmt.executeUpdate();              //SQL 문 실행
if(rows == 1) {
  ResultSet rs = pstmt.getGeneratedKeys();    //new String[] { "bno" }에 기술된 컬럼
                                                값을 가져옴
  if(rs.next()) {                              //값이 있다면
    int bno = rs.getInt(1);  //new String[] { "bno" }의 첫 번째 항목 bno 컬럼 값을 읽음
  }
  rs.close();                  //ResultSet이 사용했던 메모리 해제
}
```

다음은 boards 테이블에 게시물 정보를 저장하는 전체 코드이다.

>>> **BoardWithFileInsertExample.java**

```
1     package ch20.oracle.sec06;
2
3     import java.io.FileInputStream;
4     import java.sql.Connection;
5     import java.sql.DriverManager;
6     import java.sql.PreparedStatement;
7     import java.sql.ResultSet;
8     import java.sql.SQLException;
9
10    public class BoardWithFileInsertExample {
11      public static void main(String[] args) {
12        Connection conn = null;
```

```
13        try {
14          //JDBC Driver 등록
15          Class.forName("oracle.jdbc.OracleDriver");
16
17          //연결하기
18          conn = DriverManager.getConnection(
19            "jdbc:oracle:thin:@localhost:1521/orcl",
20            "java",
21            "oracle"
22          );
23
24          //매개변수화된 SQL 문 작성
25          String sql = "" +
26            "INSERT INTO boards (bno, btitle, bcontent, bwriter, bdate,
                 bfilename, bfiledata) " +
27            "VALUES (SEQ_BNO.NEXTVAL, ?, ?, ?, SYSDATE, ?, ?)";
28
29          //PreparedStatement 얻기 및 값 지정
30          PreparedStatement pstmt = conn.prepareStatement(sql, new String[]
               {"bno"});
31          pstmt.setString(1, "눈 오는 날");
32          pstmt.setString(2, "함박눈이 내려요.");
33          pstmt.setString(3, "winter");
34          pstmt.setString(4, "snow.jpg");
35          pstmt.setBlob(5, BoardWithFileInsertExample.class.getResourceAsStream
               ("snow.jpg"));
36
37          //SQL 문 실행
38          int rows = pstmt.executeUpdate();
39          System.out.println("저장된 행 수: " + rows);
40
41          //bno 값 얻기
42          if(rows == 1) {
43            ResultSet rs = pstmt.getGeneratedKeys();
44            if(rs.next()) {
45              int bno = rs.getInt(1);
46              System.out.println("저장된 bno: " + bno);
47            }
48            rs.close();
49          }
```

```
50
51          //PreparedStatement 닫기
52          pstmt.close();
53        } catch (Exception e) {
54          e.printStackTrace();
55        } finally {
56          if(conn != null) {
57            try {
58              //연결 끊기
59              conn.close();
60            } catch (SQLException e) {}
61          }
62        }
63      }
64    }
```

실행 결과

```
저장된 행 수: 1
저장된 bno: 1 (실행한 횟수에 따라 bno 값은 다를 수 있음)
```

20.7 데이터 수정

이번 절에서는 JDBC를 이용해서 UPDATE 문을 실행하는 방법을 알아보자. boards 테이블에 저장된 게시물 중에서 bno가 1인 게시물의 btitle, bcontent, bfilename, bfiledata를 변경하는 SQL 문은 다음과 같다.

```
UPDATE boards SET
  btitle='눈사람',
  bcontent='눈으로 만든 사람',
  bfilename='snowman.jpg',
  bfiledata=binaryData
WHERE bno=1
```

값을 ?로 대체한 매개변수화된 UPDATE 문으로 변경한다.

```
UPDATE boards SET
  btitle=?,
  bcontent=?,
  bfilename=?,
  bfiledata=?
WHERE bno=?
```

String 타입 변수 sql에 매개변수화된 UPDATE 문을 저장한다.

```
String sql = new StringBuilder()
    .append("UPDATE boards SET ")
    .append("btitle=?, ")
    .append("bcontent=?, ")
    .append("bfilename=?, ")
    .append("bfiledata=? ")
    .append("WHERE bno=?")
    .toString();
```

매개변수화된 UPDATE 문을 실행하기 위해 다음과 같이 prepareStatement() 메소드로부터 PreparedStatement를 얻고, ?에 해당하는 값을 지정한다.

```
PreparedStatement pstmt = conn.prepareStatement(sql);
pstmt.setString(1, "눈사람");
pstmt.setString(2, "눈으로 만든 사람");
pstmt.setString(3, "snowman.jpg");
pstmt.setBlob(4, new FileInputStream("src/ch20/oracle/sec07/snowman.jpg"));
pstmt.setInt(5, 3);
```

값을 모두 지정하였다면 UPDATE 문을 실행하기 위해 executeUpdate() 메소드를 호출한다. 성공적으로 실행되면 수정된 행의 수가 리턴된다. 0이 리턴되면 조건에 맞는 행이 없어 수정된 내용이 없음을 의미한다.

```
int rows = pstmt.executeUpdate();
```

다음은 boards 테이블에 저장된 게시물 정보를 수정하는 전체 코드이다. 39라인의 게시물 번호 3은 여러분의 boards 테이블에 저장된 번호로 알맞게 수정해야 한다.

>>> **BoardUpdateExample.java**

```
1   package ch20.oracle.sec07;
2
3   import java.io.FileInputStream;
4   import java.sql.Connection;
5   import java.sql.DriverManager;
6   import java.sql.PreparedStatement;
7   import java.sql.SQLException;
8
9   public class BoardUpdateExample {
10    public static void main(String[] args) {
11      Connection conn = null;
12      try {
13        //JDBC Driver 등록
14        Class.forName("oracle.jdbc.OracleDriver");
15
16        //연결하기
17        conn = DriverManager.getConnection(
18          "jdbc:oracle:thin:@localhost:1521/orcl",
19          "java",
20          "oracle"
21        );
22
23        //매개변수화된 SQL 문 작성
24        String sql = new StringBuilder()
25            .append("UPDATE boards SET ")
26            .append("btitle=?, ")
27            .append("bcontent=?, ")
28            .append("bfilename=?, ")
29            .append("bfiledata=? ")
30            .append("WHERE bno=?")
31            .toString();
32
33        //PreparedStatement 얻기 및 값 지정
34        PreparedStatement pstmt = conn.prepareStatement(sql);
35        pstmt.setString(1, "눈사람");
```

```
36            pstmt.setString(2, "눈으로 만든 사람");
37            pstmt.setString(3, "snowman.jpg");
38            pstmt.setBlob(4, BoardUpdateExample.class.getResourceAsStream
                ("snowman.jpg"));
39            pstmt.setInt(5, 3);  //boards 테이블에 있는 게시물 번호(bno) 지정
40
41            //SQL 문 실행
42            int rows = pstmt.executeUpdate();
43            System.out.println("수정된 행 수: " + rows);
44
45            //PreparedStatement 닫기
46            pstmt.close();
47          } catch (Exception e) {
48            e.printStackTrace();
49          } finally {
50            if(conn != null) {
51              try {
52                //연결 끊기
53                conn.close();
54              } catch (SQLException e) {}
55            }
56          }
57        }
58      }
```

실행 결과

```
수정된 행 수: 1
```

20.8 데이터 삭제

이번 절에서는 JDBC를 이용해서 DELETE 문을 실행하는 방법을 알아보자. boards 테이블에서 bwriter가 winter인 모든 게시물을 삭제하는 DELETE 문은 다음과 같다.

```
DELETE FROM boards WHERE bwriter='winter'
```

조건절의 값을 ?로 대체한 매개변수화된 DELETE 문으로 변경한다.

```
DELETE FROM boards WHERE bwriter=?
```

매개변수화된 DELETE 문을 String 타입 변수 sql에 대입한다.

```
String sql = "DELETE FROM boards WHERE bwriter=?";
```

매개변수화된 DELETE 문을 실행하기 위해 다음과 같이 prepareStatement() 메소드로부터 PreparedStatement를 얻고 ?에 값을 지정한 후, executeUpdate로 SQL 문을 실행한다. 리턴값은 삭제된 행 수이다.

```
String sql = "DELETE FROM boards WHERE bwriter=?";
PreparedStatement pstmt = conn.prepareStatement(sql);
pstmt.setString(1, "winter");
int rows = pstmt.executeUpdate();
```

다음은 boards 테이블에 저장된 게시물 정보를 삭제하는 전체 코드이다.

>>> **BoardDeleteExample.java**

```
1    package ch20.oracle.sec08;
2
3    import java.sql.Connection;
4    import java.sql.DriverManager;
5    import java.sql.PreparedStatement;
6    import java.sql.SQLException;
7
8    public class BoardDeleteExample {
9      public static void main(String[] args) {
10       Connection conn = null;
11       try {
12         //JDBC Driver 등록
13         Class.forName("oracle.jdbc.OracleDriver");
```

```
14
15            //연결하기
16            conn = DriverManager.getConnection(
17              "jdbc:oracle:thin:@localhost:1521/orcl",
18              "java",
19              "oracle"
20            );
21
22            //매개변수화된 SQL 문 작성
23            String sql = "DELETE FROM boards WHERE bwriter=?";
24
25            //PreparedStatement 얻기 및 값 지정
26            PreparedStatement pstmt = conn.prepareStatement(sql);
27            pstmt.setString(1, "winter");
28
29            //SQL 문 실행
30            int rows = pstmt.executeUpdate();
31            System.out.println("삭제된 행 수: " + rows);
32
33            //PreparedStatement 닫기
34            pstmt.close();
35          } catch (Exception e) {
36            e.printStackTrace();
37          } finally {
38            if(conn != null) {
39              try {
40                //연결 끊기
41                conn.close();
42              } catch (SQLException e) {}
43            }
44          }
45        }
46      }
```

실행 결과

```
삭제된 행 수: 10  (winter가 작성한 게시물 개수에 따라 삭제된 행 수는 다를 수 있음)
```

20.9 데이터 읽기

PreparedStatement를 생성할 때 SQL 문이 INSERT, UPDATE, DELETE일 경우에는 executeUpdate() 메소드를 호출하지만, 데이터를 가져오는 SELECT 문일 경우에는 executeQuery() 메소드를 호출해야 한다. executeQuery() 메소드는 가져온 데이터를 ResultSet에 저장하고 리턴한다.

```
ResultSet rs = pstmt.executeQuery();
```

ResultSet 구조

ResultSet은 SELECT 문에 기술된 컬럼으로 구성된 행row의 집합이다. 예를 들어 다음 SELECT 문은 userid, username, userage 컬럼으로 구성된 ResultSet을 리턴한다.

```
SELECT userid, username, userage FROM users
```

위의 SELECT 문이 가져온 데이터 행이 4개라면 ResultSet의 내부 구조는 다음과 같다.

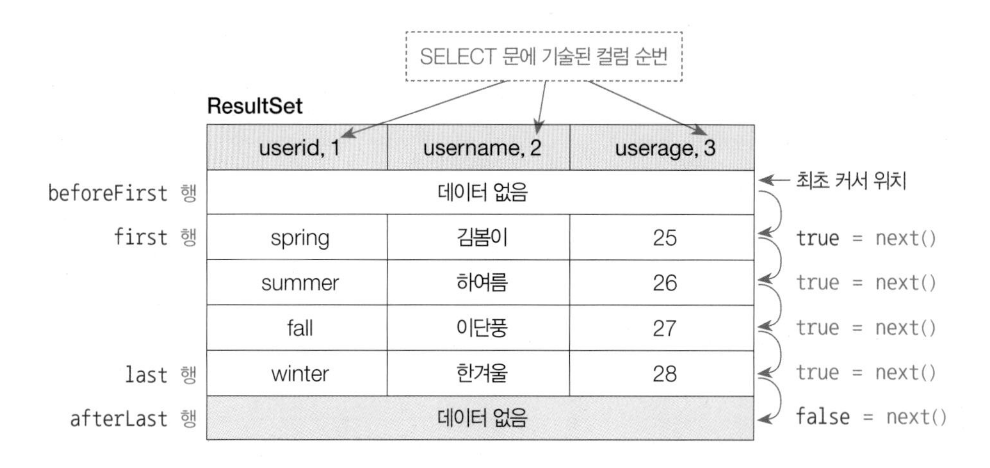

ResultSet의 특징은 커서cursor가 있는 행의 데이터만 읽을 수 있다는 것이다. 여기서 커서는 행을 가리키는 포인터를 말한다. ResultSet에는 실제 가져온 데이터 행의 앞과 뒤에 beforeFirst 행과

afterLast 행이 붙는데, 최초 커서는 beforeFirst를 가리킨다. 따라서 첫 번째 데이터 행인 first 행을 읽으려면 커서를 이동시켜야 한다. 이때 next() 메소드를 사용한다.

```
boolean result = rs.next();
```

next() 메소드는 커서를 다음 행으로 이동시키는데, 이동한 행에 데이터가 있으면 true를, 없으면 false를 리턴한다. 앞의 그림을 보면 last 행까지는 true를 리턴하고 afterLast 행으로 이동하면 false를 리턴하는 것을 볼 수 있다.

만약 SELECT 문으로 가져온 데이터 행이 없다면 beforeFirst 행과 afterLast 행이 붙어 있기 때문에 첫 번째 next() 결과는 false가 된다. 다음은 SELECT 문으로 가져온 행의 수에 따라서 커서를 이동시키는 코드이다.

1개의 데이터 행만 가져올 경우

```
ResultSet rs = pstmt.executeQuery();
if(rs.next()) {
  //첫 번째 데이터 행 처리
} else {
  //afterLast 행으로 이동했을 경우
}
```

n개의 데이터 행을 가져올 경우

```
ResultSet rs = pstmt.executeQuery();
while(rs.next()) {
  //last 행까지 이동하면서 데이터 행 처리
}
  //afterLast 행으로 이동했을 경우
```

1개의 데이터 행만 가져올 경우에는 if 조건식에서 next() 메소드를 1번 호출한다. true일 경우(첫 번째 데이터 행이 있을 경우)와 false일 경우(afterLast 행으로 이동했을 경우)에 따라서 적절한 처리를 해야 한다. 주로 SELECT 문이 기본 키primary key를 조건으로 데이터를 가져오는 경우에 해당한다.

n개의 데이터 행을 가져올 경우에는 while 문을 이용해서 next() 메소드를 반복 호출해 true가 리턴될 동안(last 행까지 이동할 때까지) 데이터 행을 처리하고, false가 리턴되면(afterLast 행으로 이동할 때) 반복을 종료시킨다.

SELECT 문에 따라 ResultSet에는 많은 데이터 행이 저장될 수 있기 때문에 ResultSet을 더 이상 사용하지 않는다면 close() 메소드를 호출해서 ResultSet이 사용한 메모리를 해제하는 것이 좋다.

```
rs.close();
```

데이터 행 읽기

커서가 있는 데이터 행에서 각 컬럼의 값은 Getter 메소드로 읽을 수 있다. 컬럼의 데이터 타입에 따라 getXxx() 메소드가 사용되며, 매개값으로 컬럼의 이름 또는 컬럼 순번을 줄 수 있다.

ResultSet에서 컬럼 순번은 1부터 시작하기 때문에 userid = 1, username = 2, userage = 3이 된다.

컬럼 이름으로 읽기

```
String userId =
  rs.getString("userid");
String userName =
  rs.getString("username");
int userAge = rs.getInt("userage");
```

컬럼 순번으로 읽기

```
String userId = rs.getString(1);
String userName = rs.getString(2);
int userAge = rs.getInt(3);
```

만약 SELECT 문에 연산식이나 함수 호출이 포함되어 있다면 컬럼 이름 대신에 컬럼 순번으로 읽어야 한다. 예를 들어 다음과 같은 SELECT 문에서 userage – 1 연산식이 사용되면 컬럼 순번으로만 읽을 수 있다. userage – 1은 컬럼명이 아니기 때문이다.

```
SELECT userid, userage - 1
FROM users
```

```
String userId =
  rs.getString("userid");
int userAge = rs.getInt(2);
```

NOTE (userage – 1) as userage와 같이 별명(alias)이 있다면 별명이 컬럼 이름이 된다.

사용자 정보 읽기

users 테이블에서 userid가 winter인 사용자의 정보를 가져와 출력해 보자. 먼저 users 테이블의 한 개의 행(사용자)을 저장할 User 클래스를 작성한다. 컬럼 개수와 타입에 맞게 필드를 선언하고, 롬복 @Data 어노테이션을 이용해서 Getter, Setter, toString() 메소드를 자동 생성시킨다.

>>> **User.java**

```
1     package ch20.oracle.sec09.exam01;
2
3     import lombok.Data;
4
5     @Data //Constructor, Getter, Setter, hashCode(), equals(), toString() 자동 생성
6     public class User {
7       private String userId;
8       private String userName;
9       private String userPassword;
10      private int userAge;
11      private String userEmail;
12    }
```

userid가 winter인 사용자 정보를 가져오는 SELECT 문은 다음과 같다.

```
SELECT userid, username, userpassword, userage, useremail
FROM users
WHERE userid='winter';
```

조건절의 값을 ?로 대체한 매개변수화된 SQL 문을 String 타입 변수 sql에 대입한다.

```
String sql = "" +
  "SELECT userid, username, userpassword, userage, useremail " +
  "FROM users " +
  "WHERE userid=?";
```

매개변수화된 SELECT 문을 실행하기 위해 다음과 같이 prepareStatement() 메소드로부터 PreparedStatement를 얻고, ?에 값을 지정한다.

```
PreparedStatement pstmt = conn.prepareStatement(sql);
pstmt.setString(1, "winter");
```

executeQuery() 메소드로 SELECT 문을 실행해서 ResultSet을 얻는다. userid는 기본 키이므로 조건에 맞는 행은 1개이거나 0개이다. if 문을 이용해서 next() 메소드가 true를 리턴할 경우에는 데이터 행을 User 객체에 저장하고 출력한다.

```
ResultSet rs = pstmt.executeQuery();
if(rs.next()) {                              //1개의 데이터 행을 가져왔을 경우
  User user = new User();
  user.setUserId(rs.getString("userid"));
  user.setUserName(rs.getString("username"));
  user.setUserPassword(rs.getString("userpassword"));
  user.setUserAge(rs.getInt(4));             //컬럼 순번을 이용해서 컬럼 지정
  user.setUserEmail(rs.getString(5));        //컬럼 순번을 이용해서 컬럼 지정
  System.out.println(user);
} else {                                     //데이터 행을 가져오지 않았을 경우
  System.out.println("사용자 아이디가 존재하지 않음");
}
```

System.out.println(user)는 롬복이 생성한 User의 toString() 메소드를 호출해서 받은 리턴값을 출력한다. 다음은 users 테이블에서 userid가 winter인 사용자 정보를 가져오는 전체 코드를 보여 준다.

>>> **UserSelectExample.java**

```
1   package ch20.oracle.sec09.exam01;
2
3   import java.sql.Connection;
4   import java.sql.DriverManager;
5   import java.sql.PreparedStatement;
6   import java.sql.ResultSet;
7   import java.sql.SQLException;
8
9   public class UserSelectExample {
10    public static void main(String[] args) {
11      Connection conn = null;
12      try {
13        //JDBC Driver 등록
```

```
14          Class.forName("oracle.jdbc.OracleDriver");
15
16          //연결하기
17          conn = DriverManager.getConnection(
18            "jdbc:oracle:thin:@localhost:1521/orcl",
19            "java",
20            "oracle"
21          );
22
23          //매개변수화된 SQL 문 작성
24          String sql = "" +
25            "SELECT userid, username, userpassword, userage, useremail " +
26            "FROM users " +
27            "WHERE userid=?";
28
29          //PreparedStatement 얻기 및 값 지정
30          PreparedStatement pstmt = conn.prepareStatement(sql);
31          pstmt.setString(1, "winter");
32
33          //SQL 문 실행 후, ResultSet을 통해 데이터 읽기
34          ResultSet rs = pstmt.executeQuery();
35          if(rs.next()) {   //1개의 데이터 행을 가져왔을 경우
36            User user = new User();
37            user.setUserId(rs.getString("userid"));
38            user.setUserName(rs.getString("username"));
39            user.setUserPassword(rs.getString("userpassword"));
40            user.setUserAge(rs.getInt(4));         //컬럼 순번을 이용
41            user.setUserEmail(rs.getString(5));   //컬럼 순번을 이용
42            System.out.println(user);
43          } else {                                 //데이터 행을 가져오지 않았을 경우
44            System.out.println("사용자 아이디가 존재하지 않음");
45          }
46          rs.close();
47
48          //PreparedStatement 닫기
49          pstmt.close();
50        } catch (Exception e) {
51          e.printStackTrace();
52        } finally {
53          if(conn != null) {
```

```
54              try {
55                  //연결 끊기
56                  conn.close();
57              } catch (SQLException e) {}
58          }
59      }
60    }
61  }
```

실행 결과

```
User(userId=winter, userName=한겨울, userPassword=12345, userAge=25,
userEmail=winter@mycompany.com)
```

게시물 정보 읽기

이번에는 boards 테이블에서 bwriter가 winter인 게시물의 정보를 가져와보자. 먼저 20.6절의 BoardInsertExample 예제를 이용해서 다음과 같이 boards 테이블에 bwriter를 winter로 하는 게시물을 2개 이상 저장해 둔다.

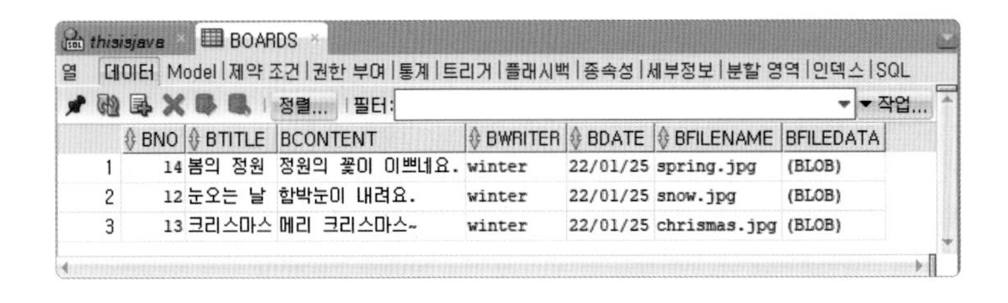

	BNO	BTITLE	BCONTENT	BWRITER	BDATE	BFILENAME	BFILEDATA
1	14	봄의 정원	정원의 꽃이 이쁘네요.	winter	22/01/25	spring.jpg	(BLOB)
2	12	눈오는 날	함박눈이 내려요.	winter	22/01/25	snow.jpg	(BLOB)
3	13	크리스마스	메리 크리스마스~	winter	22/01/25	chrismas.jpg	(BLOB)

NOTE ▸ bno의 값은 다를 수 있다.

먼저 boards 테이블의 1개 행(게시물)을 저장할 Board 클래스를 작성한다. 컬럼 개수와 타입에 맞게 필드를 선언하고, 롬복 @Data 어노테이션을 이용해서 Getter, Setter, toString() 메소드를 자동 생성한다.

>>> **Board.java**

```
1	package ch20.oracle.sec09.exam02;
2
3	import java.sql.Blob;
4	import java.util.Date;
5	import lombok.Data;
6
7	@Data //Constructor, Getter, Setter, hashCode(), equals(), toString() 자동 생성
8	public class Board {
9	  private int bno;
10	  private String btitle;
11	  private String bcontent;
12	  private String bwriter;
13	  private Date bdate;
14	  private String bfilename;
15	  private Blob bfiledata;
16	}
```

bwriter가 winter인 게시물 정보를 가져오는 SELECT 문은 다음과 같다.

```
SELECT bno, btitle, bcontent, bwriter, bdate, bfilename, bfiledata
FROM boards
WHERE bwriter='winter';
```

조건절의 값을 ?로 대체한 매개변수화된 SELECT 문을 String 타입 변수 sql에 대입한다.

```
String sql = "" +
  "SELECT bno, btitle, bcontent, bwriter, bdate, bfilename, bfiledata " +
  "FROM boards " +
  "WHERE bwriter=?";
```

매개변수화된 SELECT 문을 실행하기 위해 다음과 같이 prepareStatement() 메소드로부터 PreparedStatement를 얻고, ?에 값을 지정한다.

```
PreparedStatement pstmt = conn.prepareStatement(sql);
pstmt.setString(1, "winter");
```

executeQuery() 메소드로 SELECT 문을 실행해서 ResultSet을 얻는다. 조건에 맞는 행은 n개이므로 while 문을 이용해서 next() 메소드가 false를 리턴할 때까지 반복해서 데이터 행을 Board 객체에 저장하고 출력한다.

```
ResultSet rs = pstmt.executeQuery();
while(rs.next()) {
  //데이터 행을 읽고 Board 객체에 저장
  Board board = new Board();
  board.setBno(rs.getInt("bno"));
  board.setBtitle(rs.getString("btitle"));
  board.setBcontent(rs.getString("bcontent"));
  board.setBwriter(rs.getString("bwriter"));
  board.setBdate(rs.getDate("bdate"));
  board.setBfilename(rs.getString("bfilename"));
  board.setBfiledata(rs.getBlob("bfiledata"));

  //콘솔에 출력
  System.out.println(board);
}
```

System.out.println(board)는 롬복이 생성한 Board의 toString() 메소드를 호출해서 받은 리턴값을 출력한다. Board의 bfiledata는 Blob 객체이므로 콘솔에 출력하면 oracle.sql.BLOB@5f354bcf와 같이 의미 없는 타입 정보만 출력된다.

Blob 객체에 저장된 바이너리 데이터를 얻기 위해서는 다음과 같이 입력 스트림 또는 배열을 얻어내야 한다.

```
Blob blob = board.getBfiledata();
InputStream is =
  blob.getBinaryStream();
```

```
Blob blob = board.getBfiledata();
byte[] bytes = blob.getBytes(0,
  blob.length());
```

다음은 Blob 객체에서 InputStream을 얻고, 읽은 바이트를 파일로 저장하는 방법을 보여 준다.

```
InputStream is = blob.getBinaryStream();
OutputStream os = new FileOutputStream("C:/Temp/" + board.getBfilename());
is.transferTo(os);
os.flush();
os.close();
is.close();
```

다음은 boards 테이블에서 bwriter가 winter인 게시물 정보를 가져오는 전체 코드이다.

>>> **BoardSelectExample.java**

```
1   package ch20.oracle.sec09.exam02;
2
3   import java.io.FileOutputStream;
4   import java.io.InputStream;
5   import java.io.OutputStream;
6   import java.sql.Blob;
7   import java.sql.Connection;
8   import java.sql.DriverManager;
9   import java.sql.PreparedStatement;
10  import java.sql.ResultSet;
11  import java.sql.SQLException;
12
13  public class BoardSelectExample {
14    public static void main(String[] args) {
15      Connection conn = null;
16      try {
17        //JDBC Driver 등록
18        Class.forName("oracle.jdbc.OracleDriver");
19
20        //연결하기
21        conn = DriverManager.getConnection(
22          "jdbc:oracle:thin:@localhost:1521/orcl",
23          "java",
24          "oracle"
25        );
```

```
26
27          //매개변수화된 SQL 문 작성
28          String sql = "" +
29            "SELECT bno, btitle, bcontent, bwriter, bdate, bfilename, bfiledata " +
30            "FROM boards " +
31            "WHERE bwriter=?";
32
33          //PreparedStatement 얻기 및 값 지정
34          PreparedStatement pstmt = conn.prepareStatement(sql);
35          pstmt.setString(1, "winter");
36
37          //SQL 문 실행 후, ResultSet을 통해 데이터 읽기
38          ResultSet rs = pstmt.executeQuery();
39          while(rs.next()) {
40            //데이터 행을 읽고 Board 객체 생성
41            Board board = new Board();
42            board.setBno(rs.getInt("bno"));
43            board.setBtitle(rs.getString("btitle"));
44            board.setBcontent(rs.getString("bcontent"));
45            board.setBwriter(rs.getString("bwriter"));
46            board.setBdate(rs.getDate("bdate"));
47            board.setBfilename(rs.getString("bfilename"));
48            board.setBfiledata(rs.getBlob("bfiledata"));
49
50            //콘솔에 출력
51            System.out.println(board);
52
53            //파일로 저장
54            Blob blob = board.getBfiledata();
55            if(blob != null) {
56              InputStream is = blob.getBinaryStream();
57              OutputStream os = new FileOutputStream("C:/Temp/" +
                  board.getBfilename());
58              is.transferTo(os);
59              os.flush();
60              os.close();
61              is.close();
62            }
63          }
64          rs.close();
```

```
65
66          //PreparedStatement 닫기
67          pstmt.close();
68        } catch (Exception e) {
69          e.printStackTrace();
70        } finally {
71          if(conn != null) {
72            try {
73              //연결 끊기
74              conn.close();
75            } catch (SQLException e) {}
76          }
77        }
78      }
79    }
```

실행 결과

```
Board(bno=14, btitle=봄의 정원, bcontent=정원의 꽃이 예쁘네요., bwriter=winter,
bdate=2022-01-25, bfilename=spring.jpg, bfiledata=oracle.sql.BLOB@5f354bcf)

Board(bno=12, btitle=눈 오는 날, bcontent=함박눈이 내려요., bwriter=winter,
bdate=2022-01-25, bfilename=snow.jpg, bfiledata=oracle.sql.BLOB@146dfe6)

Board(bno=13, btitle=크리스마스, bcontent=메리 크리스마스~, bwriter=winter,
bdate=2022-01-25, bfilename=christmas.jpg, bfiledata=oracle.sql.BLOB@4716be8b)
```

bfiledata 컬럼의 그림 데이터는 다음과 같이 C:\Temp 디렉토리에 bfilename 컬럼 값을 파일명으로 해서 저장된다.

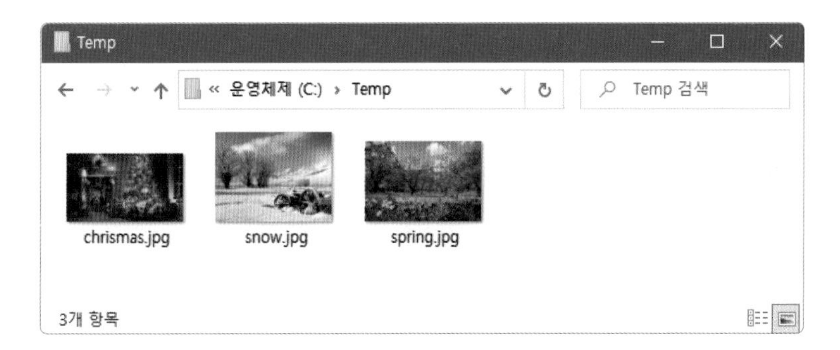

20.10 프로시저와 함수 호출

프로시저와 함수는 Oracle DB에 저장되는 PL/SQL 프로그램이다. 클라이언트 프로그램에서 매개값과 함께 프로시저 또는 함수를 호출하면 DB 내부에서 일련의 SQL 문을 실행하고, 실행 결과를 클라이언트 프로그램으로 돌려주는 역할을 한다.

JDBC에서 프로시저와 함수를 호출할 때는 CallableStatement를 사용한다. 프로시저와 함수의 매개변수화된 호출문을 작성하고 Connection의 prepareCall() 메소드로부터 CallableStatement 객체를 얻을 수 있다.

```
//프로시저를 호출할 경우
String sql = "{ call 프로시저명(?, ?, …) }";
CallableStatement cstmt = conn.prepareCall(sql);
```

```
//함수를 호출할 경우
String sql = "{ ? = call 함수명(?, ?, …) }";
CallableStatement cstmt = conn.prepareCall(sql);
```

프로시저와 함수의 매개변수화된 호출문은 조금 차이가 있다. 중괄호로 감싼 call 문이라는 점은 동일하지만, 함수는 call 문의 실행 결과를 대입할 좌측 리턴값의 자리(? =)를 명시해야 한다.

프로시저명과 함수명의 괄호 안에 작성된 ?는 호출 시 필요한 매개값의 자리이다. 주의할 점은 프로시저도 리턴값과 유사한 OUT 타입의 매개변수를 가질 수 있기 때문에 괄호 안의 ?중 일부는 OUT 값(리턴값)일 수 있다는 점이다.

prepareCall() 메소드로 CallableStatement을 얻었다면 리턴값에 해당하는 ?는 registerOutParameter() 메소드로 지정하고, 그 이외의 ?는 호출 시 필요한 매개값으로 Setter 메소드를 사용해서 값을 지정해야 한다. 함수는 첫 번째 ?가 무조건 리턴값이다.

```
String sql = "{ call 프로시저명(?, ?, ?) }";
CallableStatement cstmt = conn.prepareCall(sql);
cstmt.setString(1, "값");                    //프로시저의 첫 번째 매개값
cstmt.setString(2, "값");                    //프로시저의 두 번째 매개값
cstmt.registerOutParameter(3, 리턴타입);     //세 번째 ?는 OUT값(리턴값)임을 지정
```

```
String sql = "{? = call 함수명(?, ?)}";
CallableStatement cstmt = conn.prepareCall(sql);
cstmt.registerOutParameter(1, 리턴타입);   //첫 번째 ?는 리턴값임을 지정
cstmt.setString(2, "값");                  //함수의 첫 번째 매개값
cstmt.setString(3, "값");                  //함수의 두 번째 매개값
```

?에 대한 설정이 끝나면 프로시저 또는 함수를 호출하기 위해 execute() 메소드를 다음과 같이 호출한다.

```
cstmt.execute();
```

호출 후에는 Getter 메소드로 리턴값을 얻을 수 있다. 리턴 타입이 정수라고 가정하면, 프로시저의 세 번째 ?의 리턴값과 함수의 리턴값은 다음과 같이 얻을 수 있다.

프로시저

```
int result = cstmt.getInt(3);
```

함수

```
int result = cstmt.getInt(1);
```

더 이상 CallableStatement를 사용하지 않는다면 close() 메소드로 사용했던 메모리를 해제하는 것이 좋다.

```
cstmt.close();
```

프로시저 호출

20.4절에서 생성한 user_create 프로시저를 호출해 보자. user_create는 앞 5개의 IN 매개변수와 마지막 OUT 매개변수로 구성되어 있다. IN 매개변수는 호출 시 필요한 매개값으로 사용되며, OUT 매개변수는 리턴값으로 사용된다.

```
CREATE OR REPLACE PROCEDURE user_create (
    a_userid         IN     users.userid%TYPE,
    a_username       IN     users.username%TYPE,
    a_userpassword   IN     users.userpassword%TYPE,
    a_userage        IN     users.userage%TYPE,
    a_useremail      IN     users.useremail%TYPE,
    a_rows           OUT    PLS_INTEGER
)
...
```

그리고 user_create 프로시저를 호출하기 위해 다음과 같이 매개변수화된 호출문을 작성하고 CallableStatement를 얻는다.

```
String sql = "{call user_create(?, ?, ?, ?, ?, ?)}";
CallableStatement cstmt = conn.prepareCall(sql);
```

위 호출문에서 5번째 ?까지가 매개값이고 6번째 ?가 리턴값이다. 따라서 다음과 같이 ?의 값을 지정하고 리턴 타입을 지정한다. 리턴 타입은 Types의 상수인 INTEGER로 지정하였다. 그 이유는 user_create 프로시저의 6번째 매개변수 타입이 PLS_INTEGER이기 때문이다.

```
cstmt.setString(1, "summer");
cstmt.setString(2, "한여름");
cstmt.setString(3, "12345");
cstmt.setInt(4, 26);
cstmt.setString(5, "summer@mycompany.com");
cstmt.registerOutParameter(6, Types.INTEGER);
```

이제 user_create 프로시저를 실행하고, 다음과 같이 리턴값을 얻는다. user_create 프로시저의 리턴값은 사용자 정보가 성공적으로 저장되었을 때 항상 1이 된다.

```
cstmt.execute();
int rows = cstmt.getInt(6);    //6번째 ? 값 얻기
```

다음은 user_create 프로시저를 호출하는 전체 코드이다.

>>> ProcedureCallExample.java

```
1    package ch20.oracle.sec10;
2
3    import java.sql.CallableStatement;
4    import java.sql.Connection;
5    import java.sql.DriverManager;
6    import java.sql.SQLException;
7    import java.sql.Types;
8
9    public class ProcedureCallExample {
10     public static void main(String[] args) {
11       Connection conn = null;
12       try {
13         //JDBC Driver 등록
14         Class.forName("oracle.jdbc.OracleDriver");
15
16         //연결하기
17         conn = DriverManager.getConnection(
18           "jdbc:oracle:thin:@localhost:1521/orcl",
19           "java",
20           "oracle"
21         );
22
23         //매개변수화된 호출문 작성과 CallableStatement 얻기
24         String sql = "{call user_create(?, ?, ?, ?, ?, ?)}";
25         CallableStatement cstmt = conn.prepareCall(sql);
26
27         //? 값 지정 및 리턴 타입 지정
28         cstmt.setString(1, "summer");
29         cstmt.setString(2, "한여름");
30         cstmt.setString(3, "12345");
31         cstmt.setInt(4, 26);
32         cstmt.setString(5, "summer@mycompany.com");
33         cstmt.registerOutParameter(6, Types.INTEGER);
34
35         //프로시저 실행 및 리턴값 얻기
36         cstmt.execute();
```

```
37            int rows = cstmt.getInt(6);
38            System.out.println("저장된 행 수: " + rows);
39
40            //CallableStatement 닫기
41            cstmt.close();
42          } catch (Exception e) {
43            e.printStackTrace();
44          } finally {
45            if(conn != null) {
46              try {
47                //연결 끊기
48                conn.close();
49              } catch (SQLException e) {}
50            }
51          }
52        }
53      }
```

실행 결과

```
저장된 행 수: 1
```

함수 호출

20.4절에서 생성한 user_login() 함수를 호출해 보자. user_login()은 2개의 매개변수와 PLS_INTEGER 리턴 타입으로 구성되어 있다. 2개의 매개변수는 호출 시 값을 제공하고, 호출 후에는 정수 값을 리턴한다는 의미이다.

```
CREATE OR REPLACE FUNCTION user_login (
    a_userid          users.userid%TYPE,
    a_userpassword    users.userpassword%TYPE
) RETURN PLS_INTEGER
...
```

그리고 user_login() 함수를 호출하기 위해 다음과 같이 매개변수화된 호출문을 작성하고 CallableStatement를 얻는다.

```
String sql = "{? = call user_login(?, ?)}";
CallableStatement cstmt = conn.prepareCall(sql);
```

첫 번째 ?가 리턴값이고, 괄호 안에 있는 ?들이 매개값이다. 그래서 다음과 같이 ?의 값을 지정하고 리턴 타입을 지정한다. 리턴 타입은 Types의 상수인 INTEGER로 지정하였다. 그 이유는 user_login() 함수의 리턴 타입이 PLS_INTEGER이기 때문이다.

```
cstmt.registerOutParameter(1, Types.INTEGER);
cstmt.setString(2, "winter");
cstmt.setString(3, "12345");
```

이제 user_login() 함수를 실행하고 다음과 같이 리턴값을 얻어보자. user_login() 함수는 userid와 userpassword가 일치하면 0을, userpassword가 틀리면 1을, userid가 존재하지 않으면 2를 리턴한다.

```
cstmt.execute();
int result = cstmt.getInt(1);    //첫 번째 ? 값 얻기, 0|1|2 중 하나
```

다음은 user_login() 함수를 호출하는 전체 코드이다.

>>> **FunctionCallExample.java**

```
1    package ch20.oracle.sec10;
2
3    import java.sql.CallableStatement;
4    import java.sql.Connection;
5    import java.sql.DriverManager;
6    import java.sql.SQLException;
7    import java.sql.Types;
```

```
8
9    public class FunctionCallExample {
10     public static void main(String[] args) {
11       Connection conn = null;
12       try {
13         //JDBC Driver 등록
14         Class.forName("oracle.jdbc.OracleDriver");
15
16         //연결하기
17         conn = DriverManager.getConnection(
18           "jdbc:oracle:thin:@localhost:1521/orcl",
19           "java",
20           "oracle"
21         );
22
23         //매개변수화된 호출문 작성과 CallableStatement 얻기
24         String sql = "{? = call user_login(?, ?)}";
25         CallableStatement cstmt = conn.prepareCall(sql);
26
27         //? 값 지정 및 리턴 타입 지정
28         cstmt.registerOutParameter(1, Types.INTEGER);
29         cstmt.setString(2, "winter");
30         cstmt.setString(3, "12345");
31
32         //함수 실행 및 리턴값 얻기
33         cstmt.execute();
34         int result = cstmt.getInt(1);
35
36         //CallableStatement 닫기
37         cstmt.close();
38
39         //로그인 결과(Switch Expressions 이용)
40         String message = switch(result) {
41           case 0 -> "로그인 성공";
42           case 1 -> "비밀번호가 틀림";
43           default -> "아이디가 존재하지 않음";
44         };
45         System.out.println(message);
46       } catch (Exception e) {
47         e.printStackTrace();
```

```
48          } finally {
49             if(conn != null) {
50                try {
51                   //연결 끊기
52                   conn.close();
53                } catch (SQLException e) {}
54             }
55          }
56       }
57    }
```

실행 결과

```
로그인 성공
```

20.11 트랜잭션 처리

트랜잭션transaction은 기능 처리의 최소 단위를 말한다. 하나의 기능은 여러 가지 소작업들로 구성된다. 최소 단위라는 것은 이 소작업들을 분리할 수 없으며, 전체를 하나로 본다는 개념이다. 트랜잭션은 소작업들이 모두 성공하거나 실패해야 한다.

예를 들어 계좌 이체는 출금 작업과 입금 작업으로 구성된 트랜잭션이다. 출금과 입금 작업 중 하나만 성공할 수 없으며, 모두 성공하거나 모두 실패해야 한다.

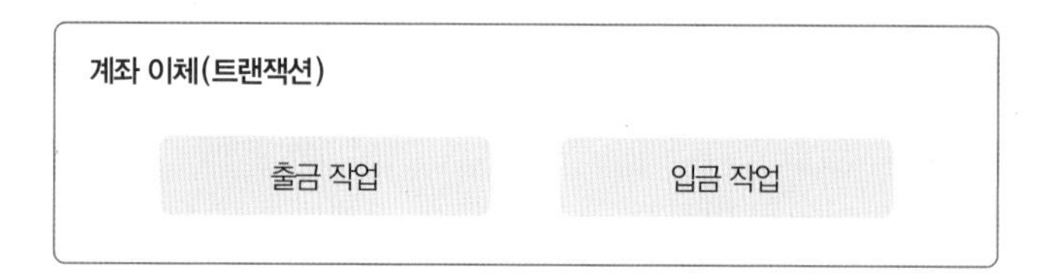

계좌 이체는 DB 입장에서 보면 두 개의 계좌 금액을 수정하는 작업이다. 출금 계좌에서 금액을 감소시키고, 입금 계좌에서 금액을 증가시킨다. 따라서 다음과 같이 두 개의 UPDATE 문이 필요하다. 두 UPDATE 문은 모두 성공하거나 모두 실패해야 하며, 하나만 성공할 수 없다.

계좌 이체(트랜잭션)

```
//출금 작업
UPDATE accounts SET balance=balance-이체금액 WHERE ano=출금계좌번호
```

```
//입금 작업
UPDATE accounts SET balance=balance+이체금액 WHERE ano=입금계좌번호
```

DB는 트랜잭션을 처리하기 위해 커밋commit과 롤백rollback을 제공한다. 커밋은 내부 작업을 모두 성공 처리하고, 롤백은 실행 전으로 돌아간다는 의미에서 모두 실패 처리한다.

JDBC에서는 INSERT, UPDATE, DELETE 문을 실행할 때마다 자동 커밋이 일어난다. 이 기능은 계좌 이체와 같이 두 가지 UPDATE 문을 실행할 때 문제가 된다. 출금 작업이 성공되면 바로 커밋이 되기 때문에 입금 작업의 성공 여부와 상관없이 출금 작업만 별도 처리된다.

따라서 JDBC에서 트랜잭션을 코드로 제어하려면 자동 커밋 기능을 꺼야 한다. 자동 커밋 설정 여부는 Connection의 setAutoCommit() 메소드로 할 수 있다. 다음 코드는 자동 커밋 기능을 끈다.

```
conn.setAutoCommit(false);
```

자동 커밋 기능이 꺼지면, 다음과 같은 코드로 커밋과 롤백을 제어할 수 있다.

```
conn.commit();      //커밋하기
conn.rollback();    //롤백하기
```

트랜잭션을 위한 일반적인 코드 작성 패턴은 다음과 같다.

```
Connection conn = null;
try {
  //트랜잭션 시작 ----------------------------------------------------
    //자동 커밋 기능 끄기
    conn.setAutoCommit(false);
```

```
      //소작업 처리
      ...
      //소작업 처리
      ...
      //커밋 -> 모두 성공 처리
      conn.commit();
    //트랜잭션 종료 ----------------------------------------------------
  } catch (Exception e) {
    try {
      //롤백 -> 모두 실패 처리
      conn.rollback();
    } catch (SQLException e1) {}
  } finally {
    if(conn != null) {
      try {
        //원래대로 자동 커밋 기능 켜기
        conn.setAutoCommit(true);
        //연결 끊기
        conn.close();
      } catch (SQLException e) {}
    }
  }
```

다음 예제는 accounts 테이블에서 111-111-1111 계좌에서 222-222-2222 계좌로 10000원을 이체하기 위해 트랜잭션 처리를 한다.

>>> **TransactionExample.java**

```
1    package ch20.oracle.sec11;
2
3    import java.sql.Connection;
4    import java.sql.DriverManager;
5    import java.sql.PreparedStatement;
6    import java.sql.SQLException;
7
8    public class TransactionExample {
9      public static void main(String[] args) {
10       Connection conn = null;
```

```
11        try {
12          //JDBC Driver 등록
13          Class.forName("oracle.jdbc.OracleDriver");
14
15          //연결하기
16          conn = DriverManager.getConnection(
17            "jdbc:oracle:thin:@localhost:1521/orcl",
18            "java",
19            "oracle"
20          );
21
22          //트랜잭션 시작 ----------------------------------------------------
23            //자동 커밋 기능 끄기
24            conn.setAutoCommit(false);
25
26            //출금 작업
27            String sql1 = "UPDATE accounts SET balance=balance-? WHERE ano=?";
28            PreparedStatement pstmt1 = conn.prepareStatement(sql1);
29            pstmt1.setInt(1, 10000);
30            pstmt1.setString(2, "111-111-1111");
31            int rows1 = pstmt1.executeUpdate();
32            if(rows1 == 0) throw new Exception("출금되지 않았음");
33            pstmt1.close();
34
35            //입금 작업
36            String sql2 = "UPDATE accounts SET balance=balance+? WHERE ano=?";
37            PreparedStatement pstmt2 = conn.prepareStatement(sql2);
38            pstmt2.setInt(1, 10000);
39            pstmt2.setString(2, "222-222-2222");
40            int rows2 = pstmt2.executeUpdate();
41            if(rows2 == 0) throw new Exception("입금되지 않았음");
42            pstmt2.close();
43
44            //수동 커밋 -> 모두 성공 처리
45            conn.commit();
46            System.out.println("계좌 이체 성공");
47          //트랜잭션 종료 ----------------------------------------------------
48        } catch (Exception e) {
49          try {
```

```
50                //수동 롤백 -> 모두 실패 처리
51                conn.rollback();
52              } catch (SQLException e1) {}
53              System.out.println("계좌 이체 실패");
54              e.printStackTrace();
55           } finally {
56              if(conn != null) {
57                try {
58                   //원래대로 자동 커밋 기능 켜기
59                   conn.setAutoCommit(true);
60                   //연결 끊기
61                   conn.close();
62                } catch (SQLException e) {}
63              }
64           }
65        }
66     }
```

실행 결과

```
계좌 이체 성공
```

39라인에서 입금 계좌를 '333-333-3333'과 같이 다르게 주면 rows2가 0이 되므로 41라인에서 예외가 발생하고, 예외 처리 코드 51라인에서 롤백된다. 롤백이 되면 출금도 실패 처리되므로 출금 계좌와 입금 계좌의 금액은 변동되지 않는다.

>>> TransactionExample.java

```
...     ...
39              pstmt2.setString(2, "333-333-3333");
...     ...
```

실행 결과

```
계좌 이체 실패
java.lang.Exception: 입금되지 않았음
  at ch20.oracle.sec11.TransactionExample.main(TransactionExample.java:41)
```

트랜잭션을 처리한 이후에는 원래대로 자동 커밋 기능을 켜둬야 한다. 앞의 예제는 더 이상 Connection을 사용하지 않기 때문에 상관은 없지만, Connection을 다른 기능 처리를 위해 계속 사용해야 한다면 setAutoCommit(true) 코드로 자동 커밋 기능을 켜둬야 한다. 특히 커넥션 풀 Connection Pool을 사용할 때 주의해야 할 부분이다.

여기서 잠깐

커넥션 풀

다수의 클라이언트의 요청을 처리하는 서버 프로그램은 대부분 커넥션 풀(Connection Pool)을 사용한다. 커넥션 풀은 일정량의 Connection을 미리 생성시켜놓고, 서버에서 클라이언트의 요청을 처리할 때 Connection을 제공해주고 다시 반환받는 역할을 수행한다.

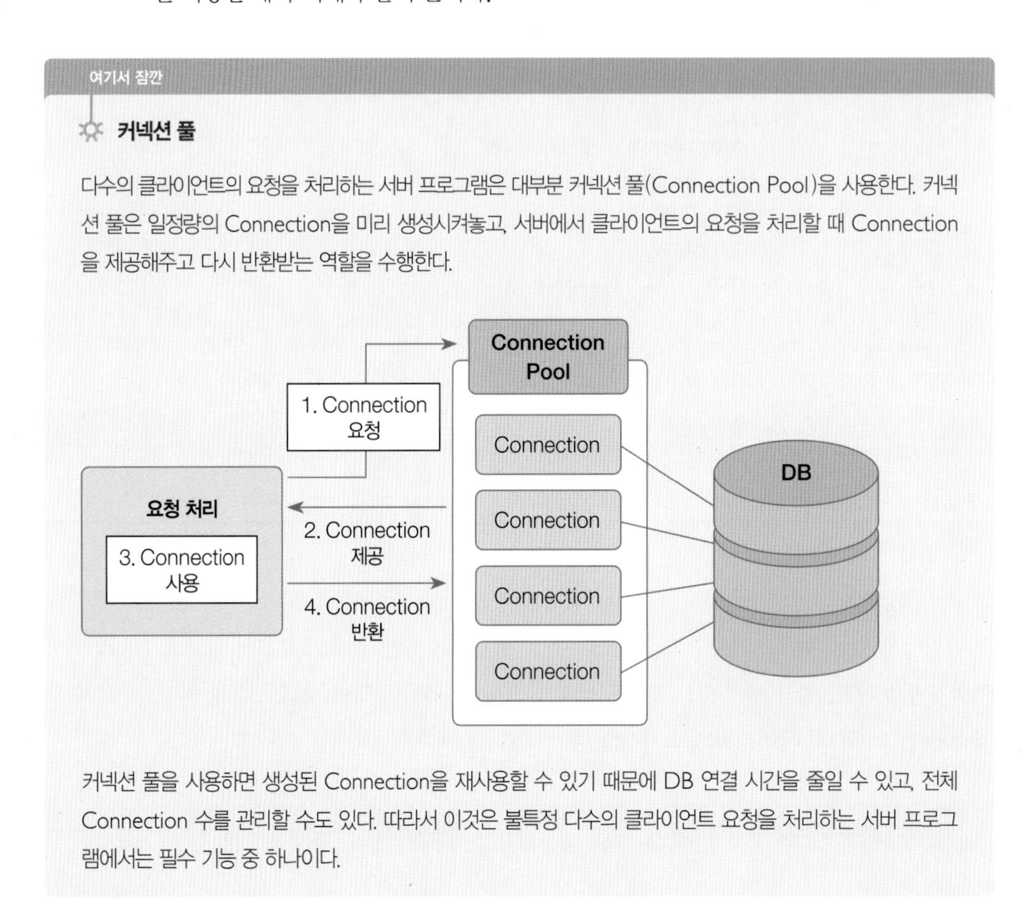

커넥션 풀을 사용하면 생성된 Connection을 재사용할 수 있기 때문에 DB 연결 시간을 줄일 수 있고, 전체 Connection 수를 관리할 수도 있다. 따라서 이것은 불특정 다수의 클라이언트 요청을 처리하는 서버 프로그램에서는 필수 기능 중 하나이다.

20.12 게시판 구현

지금까지 학습한 JDBC를 활용해서 명령 프롬프트(윈도우) 또는 터미널(맥OS)에서 실행되는 게시판을 구현해 보자. 게시판은 기본적인 CRUD(Create, Read, Update, Delete) 기능이 포함되어 있어 가장 좋은 실습 주제 중 하나이다.

메인 메뉴

BoardExample 클래스를 실행하면 다음과 같이 게시물 목록과 함께 메뉴가 나오도록 작성해 보자.

실행 결과

```
[게시물 목록]
-----------------------------------------------------------------------
no    writer      date              title
-----------------------------------------------------------------------
1     winter      2022-01-27      게시판에 오신 것을 환영합니다.
2     winter      2022-01-27      올 겨울은 많이 춥습니다.

-----------------------------------------------------------------------
메인 메뉴: 1.Create | 2.Read | 3.Clear | 4.Exit
메뉴 선택:
```

먼저 list(), mainMenu(), main() 메소드를 다음과 같이 작성한다. main() 메소드는 BoardExample 객체를 생성하고 list() 메소드를 호출한다. list() 메소드는 게시물 목록을 출력하고 mainMenu() 메소드를 호출한다.

››› BoardExample1.java

```
1    package ch20.oracle.sec12;
2
3    public class BoardExample1 {
4      //Field
5
6      //Constructor
7
8      //Method
9      public void list() {
10       System.out.println();
11       System.out.println("[게시물 목록]");
12       System.out.println("-----------------------------------------------------------");
13       System.out.printf("%-6s%-12s%-16s%-40s\n", "no", "writer", "date", "title");
14       System.out.println("-----------------------------------------------------------");
15       System.out.printf("%-6s%-12s%-16s%-40s \n",
16           "1", "winter", "2022.01.27", "게시판에 오신 것을 환영합니다.");
```

```
17        System.out.printf("%-6s%-12s%-16s%-40s \n",
18            "2", "winter", "2022.01.27", "올 겨울은 많이 춥습니다.");
19        mainMenu();
20      }
21
22      public void mainMenu() {
23        System.out.println();
24        System.out.println("-------------------------------------------------------");
25        System.out.println("메인 메뉴: 1.Create | 2.Read | 3.Clear | 4.Exit");
26        System.out.print("메뉴 선택: ");
27        System.out.println();
28      }
29
30      public static void main(String[] args) {
31        BoardExample1 boardExample = new BoardExample1();
32        boardExample.list();
33      }
34    }
```

메인 메뉴 선택 기능

메인 메뉴에서 1부터 4 중 하나를 선택하면 다음과 같이 해당 메소드가 실행되도록 작성해 보자.

실행 결과

```
[게시물 목록]
-----------------------------------------------------------------------
no    writer      date              title
-----------------------------------------------------------------------
1     winter      2022.01.27        게시판에 오신 것을 환영합니다.
2     winter      2022.01.27        올 겨울은 많이 춥습니다.

-----------------------------------------------------------------------
메인 메뉴: 1.Create | 2.Read | 3.Clear | 4.Exit
메뉴 선택: 1

*** create() 메소드 실행됨

[게시물 목록]
```

```
----------------------------------------------------------------------
no    writer      date            title
----------------------------------------------------------------------
1     winter      2022.01.27      게시판에 오신 것을 환영합니다.
2     winter      2022.01.27      올 겨울은 많이 춥습니다.

----------------------------------------------------------------------
메인 메뉴: 1.Create | 2.Read | 3.Clear | 4.Exit
메뉴 선택: 2

*** read() 메소드 실행됨

[게시물 목록]
----------------------------------------------------------------------
no    writer      date            title
----------------------------------------------------------------------
1     winter      2022.01.27      게시판에 오신 것을 환영합니다.
2     winter      2022.01.27      올 겨울은 많이 춥습니다.

----------------------------------------------------------------------
메인 메뉴: 1.Create | 2.Read | 3.Clear | 4.Exit
메뉴 선택: 3

*** clear() 메소드 실행됨

[게시물 목록]
----------------------------------------------------------------------
no    writer      date            title
----------------------------------------------------------------------
1     winter      2022.01.27      게시판에 오신 것을 환영합니다.
2     winter      2022.01.27      올 겨울은 많이 춥습니다.

----------------------------------------------------------------------
메인 메뉴: 1.Create | 2.Read | 3.Clear | 4.Exit
메뉴 선택: 4
```

키보드 입력을 받기 위해 Scanner 필드를 추가하고(7라인), mainMenu() 메소드에서 키보드 입력을 받기 위해 nextLine() 메소드를 호출한다(30라인). 그리고 메뉴 선택 번호에 따라 해당 메소드를 호출한다(33~38라인).

>>> **BoardExample2.java**

```java
package ch20.oracle.sec12;

import java.util.Scanner;

public class BoardExample2 {
  //Field
  private Scanner scanner = new Scanner(System.in);

  //Constructor

  //Method
  public void list() {
    System.out.println();
    System.out.println("[게시물 목록]");
    System.out.println("-------------------------------------------------------");
    System.out.printf("%-6s%-12s%-16s%-40s\n", "no", "writer", "date", "title");
    System.out.println("-------------------------------------------------------");
    System.out.printf("%-6s%-12s%-16s%-40s \n",
        "1", "winter", "2022.01.27", "게시판에 오신 것을 환영합니다.");
    System.out.printf("%-6s%-12s%-16s%-40s \n",
        "2", "winter", "2022.01.27", "올 겨울은 많이 춥습니다.");
    mainMenu();
  }

  public void mainMenu() {
    System.out.println();
    System.out.println("-------------------------------------------------------");
    System.out.println("메인 메뉴: 1.Create | 2.Read | 3.Clear | 4.Exit");
    System.out.print("메뉴 선택: ");
    String menuNo = scanner.nextLine();
    System.out.println();

    switch(menuNo) {
      case "1" -> create();
      case "2" -> read();
      case "3" -> clear();
      case "4" -> exit();
    }
```

```
39      }
40
41      public void create() {
42        System.out.println("*** create() 메소드 실행됨");
43        list();
44      }
45
46      public void read() {
47        System.out.println("*** read() 메소드 실행됨");
48        list();
49      }
50
51      public void clear() {
52        System.out.println("*** clear() 메소드 실행됨");
53        list();
54      }
55
56      public void exit() {
57        System.exit(0);
58      }
59
60      public static void main(String[] args) {
61        BoardExample2 boardExample = new BoardExample2();
62        boardExample.list();
63      }
64    }
```

Board 클래스 작성

boards 테이블의 한 개의 행(게시물)을 저장할 Board 클래스를 작성한다. 컬럼 개수와 타입에 맞게 필드를 선언하고, 롬복 @Data 어노테이션을 이용해서 Getter, Setter, toString() 메소드를 자동 생성시킨다.

```
>>> Board.java
```

```java
package ch20.oracle.sec12;

import java.util.Date;
import lombok.Data;

@Data
public class Board {
  private int bno;
  private String btitle;
  private String bcontent;
  private String bwriter;
  private Date bdate;
}
```

boards 테이블에는 bfilename과 bfiledata 컬럼이 있지만, 이번 게시판 구현에서는 첨부 파일은 제외할 것이므로 필드로 선언하지 않는다.

게시물 목록 기능

boards 테이블에서 모든 게시물 정보들을 가져온 다음 게시물 목록으로 출력시켜 보자.

실행 결과

```
[게시물 목록]
-----------------------------------------------------------------------
no    writer      date            title
-----------------------------------------------------------------------
3     winter      2022-01-27      봄의 정원
2     winter      2022-01-27      크리스마스
1     winter      2022-01-27      눈 오는 날

-----------------------------------------------------------------------
메인 메뉴: 1.Create | 2.Read | 3.Clear | 4.Exit
메뉴 선택:
```

DB 연결이 필요하므로 Connection 필드를 추가하고(15라인), 생성자에서 DB 연결을 한다(18~33라인). 그리고 boards 테이블에서 게시물 정보들을 가져와서 게시물 목록으로 출력하도록 list() 메소드를 수정한다(36~74라인).

>>> **BoardExample3.java**

```
1   package ch20.oracle.sec12;
2
3   import java.sql.Connection;
4   import java.sql.DriverManager;
5   import java.sql.PreparedStatement;
6   import java.sql.ResultSet;
7   import java.sql.SQLException;
8   import java.util.Scanner;
9
10  import ch20.oracle.sec09.exam02.Board;
11
12  public class BoardExample3 {
13    //Field
14    private Scanner scanner = new Scanner(System.in);
15    private Connection conn;
16
17    //Constructor
18    public BoardExample3() {
19      try {
20        //JDBC Driver 등록
21        Class.forName("oracle.jdbc.OracleDriver");
22
23        //연결하기
24        conn = DriverManager.getConnection(
25          "jdbc:oracle:thin:@localhost:1521/orcl",
26          "java",
27          "oracle"
28        );
29      } catch(Exception e) {
30        e.printStackTrace();
31        exit();
32      }
33    }
```

```
34
35    //Method
36    public void list() {
37      //타이틀 및 컬럼명 출력
38      System.out.println();
39      System.out.println("[게시물 목록]");
40      System.out.println("-------------------------------------------------------");
41      System.out.printf("%-6s%-12s%-16s%-40s\n", "no", "writer", "date", "title");
42      System.out.println("-------------------------------------------------------");
43
44      //boards 테이블에서 게시물 정보를 가져와서 출력하기
45      try {
46        String sql = "" +
47          "SELECT bno, btitle, bcontent, bwriter, bdate " +
48          "FROM boards " +
49          "ORDER BY bno DESC";
50        PreparedStatement pstmt = conn.prepareStatement(sql);
51        ResultSet rs = pstmt.executeQuery();
52        while(rs.next()) {
53          Board board = new Board();
54          board.setBno(rs.getInt("bno"));
55          board.setBtitle(rs.getString("btitle"));
56          board.setBcontent(rs.getString("bcontent"));
57          board.setBwriter(rs.getString("bwriter"));
58          board.setBdate(rs.getDate("bdate"));
59          System.out.printf("%-6s%-12s%-16s%-40s \n",
60              board.getBno(),
61              board.getBwriter(),
62              board.getBdate(),
63              board.getBtitle());
64        }
65        rs.close();
66        pstmt.close();
67      } catch(SQLException e) {
68        e.printStackTrace();
69        exit();
70      }
71
72      //메인 메뉴 출력
73      mainMenu();
```

```
74        }
75
76     //이하 동일
...    ...
```

게시물 생성 기능

메인 메뉴에서 '1.Create'를 선택하면 새로운 게시물의 제목, 내용, 작성자를 키보드로 입력받고, 보조 메뉴에서 '1.Ok'를 선택하면 boards 테이블에 새로운 게시물이 저장되도록 해보자.

실행 결과

```
메인 메뉴: 1.Create | 2.Read | 3.Clear | 4.Exit
메뉴 선택: 1

[새 게시물 입력]
제목: 여름에 가장 시원할 때
내용: 에어컨이 나오는 강의실에서 자바 공부할 때입니다^^.
작성자: summer
-----------------------------------------------------------------------
보조 메뉴: 1.Ok | 2.Cancel
메뉴 선택: 1

[게시물 목록]
-----------------------------------------------------------------------
no    writer      date            title
-----------------------------------------------------------------------
4     summer      2022-01-27      여름에 가장 시원할 때
3     winter      2022-01-27      봄의 정원
2     winter      2022-01-27      크리스마스
1     winter      2022-01-27      눈 오는 날

-----------------------------------------------------------------------
메인 메뉴: 1.Create | 2.Read | 3.Clear | 4.Exit
메뉴 선택:
```

메인 메뉴에서 '1.Create'를 선택했을 때 호출되는 create() 메소드를 다음과 같이 수정한다.

>>> BoardExample4.java

```
1     //이상 동일
...   ...
91
92      public void create() {
93        //입력 받기
94        Board board = new Board();
95        System.out.println("[새 게시물 입력]");
96        System.out.print("제목: ");
97        board.setBtitle(scanner.nextLine());
98        System.out.print("내용: ");
99        board.setBcontent(scanner.nextLine());
100       System.out.print("작성자: ");
101       board.setBwriter(scanner.nextLine());
102
103       //보조 메뉴 출력
104       System.out.println("-----------------------------------------------------------");
105       System.out.println("보조 메뉴: 1.Ok | 2.Cancel");
106       System.out.print("메뉴 선택: ");
107       String menuNo = scanner.nextLine();
108       if(menuNo.equals("1")) {
109         //boards 테이블에 게시물 정보 저장
110         try {
111           String sql = "" +
112             "INSERT INTO boards (bno, btitle, bcontent, bwriter, bdate) " +
113             "VALUES (SEQ_BNO.NEXTVAL, ?, ?, ?, SYSDATE)";
114           PreparedStatement pstmt = conn.prepareStatement(sql);
115           pstmt.setString(1, board.getBtitle());
116           pstmt.setString(2, board.getBcontent());
117           pstmt.setString(3, board.getBwriter());
118           pstmt.executeUpdate();
119           pstmt.close();
120         } catch (Exception e) {
121           e.printStackTrace();
122           exit();
123         }
124       }
```

```
125
126         //게시물 목록 출력
127         list();
128     }
129
130   //이하 동일
…     …
```

게시물 읽기 기능

메인 메뉴에서 '2.Read'를 선택했을 때 게시물의 번호를 키보드로 입력받고, boards 테이블에 있는 해당 게시물을 가져와서 출력해 보자.

실행 결과

```
[게시물 목록]
-----------------------------------------------------------------------
no    writer      date              title
-----------------------------------------------------------------------
4     summer      2022-01-27        여름에 가장 시원할 때
3     winter      2022-01-27        봄의 정원
2     winter      2022-01-27        크리스마스
1     winter      2022-01-27        눈 오는 날

-----------------------------------------------------------------------
메인 메뉴: 1.Create | 2.Read | 3.Clear | 4.Exit
메뉴 선택: 2

[게시물 읽기]
bno: 4
#############
번호: 4
제목: 여름에 가장 시원할 때
내용: 에이컨이 나오는 강의실에서 자바 공부할 때입니다^^.
작성자: summer
날짜: 2022-01-27
#############
```

메인 메뉴에서 '2.Read'를 선택했을 때 호출되는 read() 메소드를 다음과 같이 수정한다.

>>> BoardExample5.java

```
1     //이상 동일
...   ...
129
130     public void read() {
131       //입력 받기
132       System.out.println("[게시물 읽기]");
133       System.out.print("bno: ");
134       int bno = Integer.parseInt(scanner.nextLine());
135
136       //boards 테이블에서 해당 게시물을 가져와 출력
137       try {
138         String sql = "" +
139           "SELECT bno, btitle, bcontent, bwriter, bdate " +
140           "FROM boards " +
141           "WHERE bno=?";
142         PreparedStatement pstmt = conn.prepareStatement(sql);
143         pstmt.setInt(1, bno);
144         ResultSet rs = pstmt.executeQuery();
145         if(rs.next()) {
146           Board board = new Board();
147           board.setBno(rs.getInt("bno"));
148           board.setBtitle(rs.getString("btitle"));
149           board.setBcontent(rs.getString("bcontent"));
150           board.setBwriter(rs.getString("bwriter"));
151           board.setBdate(rs.getDate("bdate"));
152           System.out.println("#############");
153           System.out.println("번호: " + board.getBno());
154           System.out.println("제목: " + board.getBtitle());
155           System.out.println("내용: " + board.getBcontent());
156           System.out.println("작성자: " + board.getBwriter());
157           System.out.println("날짜: " + board.getBdate());
158           System.out.println("#############");
159         }
160         rs.close();
161         pstmt.close();
162       } catch (Exception e) {
```

```
163            e.printStackTrace();
164            exit();
165          }
166
167          //게시물 목록 출력
168          list();
169        }
170
171      //이하 동일
 ...     ...
```

게시물 수정 기능

게시물 읽기에서 보조 메뉴를 추가하고, 보조 메뉴에서 '1.Update'를 선택했을 때 제목, 내용, 작성자의 수정 내용을 입력할 수 있도록 해보자. 그리고 보조 메뉴에서 '1.Ok'를 선택했을 때 boards 테이블의 해당 게시물을 수정하도록 해보자.

실행 결과

```
[게시물 읽기]
bno: 3
#############
번호: 3
제목: 봄의 정원
내용: 정원의 꽃이 예쁘네요.
작성자: winter
날짜: 2022-01-27
-------------------------------------------------------------------
보조 메뉴: 1.Update | 2.Delete | 3.List
메뉴 선택: 1

[수정 내용 입력]
제목: 봄이 왔어요.
내용: 들에는 꽃들이 만발했네요.
작성자: spring
-------------------------------------------------------------------
보조 메뉴: 1.Ok | 2.Cancel
메뉴 선택: 1
```

```
[게시물 목록]
-----------------------------------------------------------------------
no    writer     date          title
-----------------------------------------------------------------------
4     summer     2022-01-27    여름에 가장 시원할 때
3     spring     2022-01-27    봄이 왔어요.
2     winter     2022-01-27    크리스마스
1     winter     2022-01-27    눈 오는 날

-----------------------------------------------------------------------
메인 메뉴: 1.Create | 2.Read | 3.Clear | 4.Exit
메뉴 선택:
```

read() 메소드에서 보조 메뉴 '1.Update|2.Delete|3.List'를 추가하고, 보조 메뉴에서 '1.Update'를 선택하면 update() 메소드가, '2.Delete'를 선택하면 delete() 메소드가 호출되도록 한다. update() 메소드는 매개값으로 받은 Board 객체를 수정해서 boards 테이블의 게시물 정보를 수정하도록 한다.

>>> BoardExample6.java

```
1      //이상 동일
…      …
129
130    public void read() {
…        …
152      System.out.println("#############");
153      System.out.println("번호: " + board.getBno());
154      System.out.println("제목: " + board.getBtitle());
155      System.out.println("내용: " + board.getBcontent());
156      System.out.println("작성자: " + board.getBwriter());
157      System.out.println("날짜: " + board.getBdate());
158      //보조 메뉴 출력
159      System.out.println("----------------------");
160      System.out.println("보조 메뉴: 1.Update | 2.Delete | 3.List");
161      System.out.print("메뉴 선택: ");
162      String menuNo = scanner.nextLine();
163      System.out.println();
164
165      if(menuNo.equals("1")) {
```

```
166            update(board);
167          } else if(menuNo.equals("2")) {
168            delete(board);
169          }
 …           …
180        }
181
182        public void update(Board board) {
183          //수정 내용 입력 받기
184          System.out.println("[수정 내용 입력]");
185          System.out.print("제목: ");
186          board.setBtitle(scanner.nextLine());
187          System.out.print("내용: ");
188          board.setBcontent(scanner.nextLine());
189          System.out.print("작성자: ");
190          board.setBwriter(scanner.nextLine());
191
192          //보조 메뉴 출력
193          System.out.println("-----------------------------------------------------------");
194          System.out.println("보조 메뉴: 1.Ok | 2.Cancel");
195          System.out.print("메뉴 선택: ");
196          String menuNo = scanner.nextLine();
197          if(menuNo.equals("1")) {
198            //boards 테이블에서 게시물 정보 수정
199            try {
200              String sql = "" +
201                "UPDATE boards SET btitle=?, bcontent=?, bwriter=? " +
202                "WHERE bno=?";
203              PreparedStatement pstmt = conn.prepareStatement(sql);
204              pstmt.setString(1, board.getBtitle());
205              pstmt.setString(2, board.getBcontent());
206              pstmt.setString(3, board.getBwriter());
207              pstmt.setInt(4, board.getBno());
208              pstmt.executeUpdate();
209              pstmt.close();
210            } catch (Exception e) {
211              e.printStackTrace();
212              exit();
213            }
214          }
```

```
215
216         //게시물 목록 출력
217         list();
218       }
219
220     //이하 동일
 …      …
```

게시물 삭제 기능

게시물 읽기의 보조 메뉴에서 '2.Delete'를 선택했을 때 boards 테이블에서 해당 게시물을 삭제하도록 해보자.

실행 결과

```
[게시물 목록]
-----------------------------------------------------------------------
no    writer      date            title
-----------------------------------------------------------------------
4     summer      2022-01-27      여름에 가장 시원할 때
3     spring      2022-01-27      봄이 왔어요.
2     winter      2022-01-27      크리스마스
1     winter      2022-01-27      눈 오는 날

-----------------------------------------------------------------------
메인 메뉴: 1.Create | 2.Read | 3.Clear | 4.Exit
메뉴 선택: 2

[게시물 읽기]
bno: 4
#############
번호: 4
제목: 여름에 가장 시원할 때
내용: 에이컨이 나오는 강의실에서 자바 공부할 때입니다^^.
작성자: summer
날짜: 2022-01-27
-------------------------------------------------------------------
보조 메뉴: 1.Update | 2.Delete | 3.List
메뉴 선택: 2
```

```
[게시물 목록]
-----------------------------------------------------------------------
no    writer      date            title
-----------------------------------------------------------------------
3     spring      2022-01-27      봄이 왔어요.
2     winter      2022-01-27      크리스마스
1     winter      2022-01-27      눈 오는 날

-----------------------------------------------------------------------
메인 메뉴: 1.Create | 2.Read | 3.Clear | 4.Exit
메뉴 선택:
```

게시물 수정 기능을 구현할 때 보조 메뉴에서 '2.Delete'를 선택했을 때 delete() 메소드가 호출되도록 하였다. delete() 메소드를 다음과 같이 수정해 매개값으로 받은 Board 객체에서 bno를 얻어 boards 테이블에서 해당 게시물을 삭제하도록 한다.

>>> **BoardExample7.java**

```java
1     //이상 동일
...   ...
219
220     public void delete(Board board) {
221       //boards 테이블에 게시물 정보 삭제
222       try {
223         String sql = "DELETE FROM boards WHERE bno=?";
224         PreparedStatement pstmt = conn.prepareStatement(sql);
225         pstmt.setInt(1, board.getBno());
226         pstmt.executeUpdate();
227         pstmt.close();
228       } catch (Exception e) {
229         e.printStackTrace();
230         exit();
231       }
232
233       //게시물 목록 출력
234       list();
235     }
236
237   //이하 동일
...   ...
```

게시물 전체 삭제 기능

메인 메뉴에서 '3.Clear'를 선택하고 보조 메뉴에서 '1.Ok'를 선택했을 때 boards 테이블의 전체 게시물 정보를 삭제하도록 해보자.

실행 결과

```
[게시물 목록]
-------------------------------------------------------------------
no    writer      date              title
-------------------------------------------------------------------
3     spring      2022-01-27        봄이 왔어요.
2     winter      2022-01-27        크리스마스
1     winter      2022-01-27        눈 오는 날

-------------------------------------------------------------------
메인 메뉴: 1.Create | 2.Read | 3.Clear | 4.Exit
메뉴 선택: 3

[게시물 전체 삭제]
---------------------------------------------------------------
보조 메뉴: 1.Ok | 2.Cancel
메뉴 선택: 1

[게시물 목록]
-------------------------------------------------------------------
no    writer      date              title
-------------------------------------------------------------------

-------------------------------------------------------------------
메인 메뉴: 1.Create | 2.Read | 3.Clear | 4.Exit
메뉴 선택:
```

메인 메뉴에서 '3.Clear'를 선택했을 때 호출되는 clear() 메소드를 다음과 같이 수정한다.

>>> BoardExample8.java

```
1    //이상 동일
...  ...
236
```

```
237     public void clear() {
238       System.out.println("[게시물 전체 삭제]");
239       System.out.println("-----------------------------------------------------");
240       System.out.println("보조 메뉴: 1.Ok | 2.Cancel");
241       System.out.print("메뉴 선택: ");
242       String menuNo = scanner.nextLine();
243       if(menuNo.equals("1")) {
244         //boards 테이블에 게시물 정보 전체 삭제
245         try {
246           String sql = "TRUNCATE TABLE boards";
247           PreparedStatement pstmt = conn.prepareStatement(sql);
248           pstmt.executeUpdate();
249           pstmt.close();
250         } catch (Exception e) {
251           e.printStackTrace();
252           exit();
253         }
254       }
255
256       //게시물 목록 출력
257       list();
258     }
259
260   //이하 동일
...   ...
```

종료 기능

메인 메뉴에서 '4.Exit'를 선택해 Connection을 닫고 프로그램을 종료시켜 보자.

실행 결과

```
[게시물 목록]
-----------------------------------------------------------------------
no    writer      date              title
-----------------------------------------------------------------------


-----------------------------------------------------------------------
메인 메뉴: 1.Create | 2.Read | 3.Clear | 4.Exit
```

```
메뉴 선택: 4

** 게시판 종료 **
```

메인 메뉴에서 '4.Exit'를 선택했을 때 호출되는 exit() 메소드를 다음과 같이 수정한다.

>>> BoardExample9.java

```
1     //이상 동일
...   ...
259
260     public void exit() {
261       if(conn != null) {
262         try {
263           conn.close();
264         } catch (SQLException e) {
265         }
266       }
267       System.out.println("** 게시판 종료 **");
268       System.exit(0);
269     }
270
271   //이하 동일
...   ...
```

NOTE ▸ 전체 코드는 예제 소스 파일을 참조한다.

게시판 구현은 여기에서 마무리를 짓고, 사용자 가입 기능 및 로그인 기능은 확인 문제를 통해 배운 내용을 토대로 상상력을 발휘해서 구현해보길 바란다.

1. JDBC에 대한 설명으로 틀린 것은 무엇입니까?

❶ java.sql에서 제공하는 표준 라이브러리를 말한다.

❷ DBMS의 종류와 상관없이 사용할 수 있는 클래스와 인터페이스로 구성되어 있다.

❸ JDBC 인터페이스들을 구현한 것이 JDBC Driver이다.

❹ JDBC Driver는 DBMS의 종류와 상관없이 동일한 것을 사용할 수 있다.

2. JDBC가 DB와 연결할 때 필요한 정보가 아닌 것은 무엇입니까?

❶ DBMS가 설치된 컴퓨터의 IP 주소와 Port 번호가 필요하다.

❷ DBMS에 생성된 DB의 이름과 사용자 및 비밀번호가 필요하다.

❸ DB에 생성된 테이블 이름을 알아야 한다.

❹ DBMS별로 제공되는 JDBC Driver 클래스 이름을 알아야 한다.

3. JDBC로 SQL 실행 결과를 얻기 위한 코드 작성 순서는? ( ) → ( ) → ( ) → ( )

❶ DriverManager부터 Connection을 얻는다.

❷ Class.forName() 메소드를 이용해서 JDBC Driver 클래스를 로딩한다.

❸ ResultSet에서 SQL 실행 결과를 얻는다.

❹ PreparedStatement를 얻고 SQL 문을 실행한다.

4. PreparedStatement에 대한 설명으로 틀린 것은 무엇입니까?

❶ 매개변수화된 SQL 문을 사용할 수 있다.

❷ INSERT, UPDATE, DELETE 문은 executeUpdate() 메소드로 실행한다.

❸ SELECT 문은 executeQuery() 메소드로 실행한다.

❹ 매개변수화된 SQL 문의 ? 순번은 0번부터 시작한다.

5. ResultSet에 대한 설명으로 틀린 것은 무엇입니까?

❶ ResultSet은 executeQuery의 리턴값이다.

❷ next() 메소드로 afterLast로 이동할 때 true를 리턴한다.

❸ ResultSet은 한 번에 하나의 행만 읽을 수 있다.

❹ ResultSet은 다음 행으로 커서를 이동할 때 next() 메소드를 사용한다.

확인문제

6. 프로시저와 함수를 실행하는 방법으로 틀린 것은 무엇입니까?

❶ CallableStatement를 이용한다.

❷ 프로시저 호출 문자열로 "{ call 프로시저명(?, ?, …) }"을 사용한다.

❸ 함수 호출 문자열로 "{ ? = 함수명(?, ?, …) }"을 사용한다.

❹ 리턴값인 ?을 지정할 때에는 registerOutParameter() 메소드를 이용한다.

7. 트랜잭션에 대한 설명으로 틀린 것은 무엇입니까?

❶ 기능 처리의 최소 단위를 말한다.

❷ 커밋(commit)은 내부 작업을 모두 성공 처리한다.

❸ 롤백(rollback)은 내부 작업 중에서 성공한 작업까지 되돌린다.

❹ 트랜잭션을 코드로 제어하려면 setAutoCommit(false) 메소드를 먼저 호출해야 한다.

8. 20.12절에서 구현한 게시판에서 다음 내용과 같이 새 사용자를 가입하는 기능을 추가해 보세요.

[실행 내용]

1. 메인 메뉴에 '4.Join' 메뉴를 다음과 같이 추가한다.

```
메인 메뉴: 1.Create | 2.Read | 3.Clear | 4.Join | 5.Exit
메뉴 선택:
```

2. '4.Join' 메뉴를 선택했을 때 새 사용자 정보를 입력받도록 하고, 보조 메뉴를 다음과 같이 출력한다.

```
[새 사용자 입력]
아이디: java
이름: 김자바
비밀번호: 12345
나이: 26
이메일: java@mycompany.com
-----------------------------------------------------------------------
보조 메뉴: 1.Ok | 2.Cancel
메뉴 선택: 1
```

3. User 클래스를 다음과 같이 선언하고, 입력된 새 사용자 정보를 User 객체에 저장한다.

```
import lombok.Data;

@Data
public class User {
  private String userId;
  private String userName;
  private String userPassword;
  private int userAge;
  private String userEmail;
}
```

4. 보조 메뉴에서 '1.Ok'를 선택하면 새 사용자는 데이터베이스 users 테이블에 저장된다. 새 사용자를 users 테이블에 저장하는 방법은 20.6절을 참고한다. 성공적으로 가입되면 다시 목록으로 되돌아온다.

5. 보조 메뉴에서 '2.Cancel'을 선택하면 새 사용자 정보를 무시하고 다시 목록으로 되돌아온다.

9. 8번 문제에서 만든 결과물에 다음과 같이 로그인 기능을 추가해 보세요.

[실행 내용]

1. 메인 메뉴에 '5.Login' 메뉴를 다음과 같이 추가한다.

```
메인 메뉴: 1.Create | 2.Read | 3.Clear | 4.Join | 5.Login | 6.Exit
메뉴 선택:
```

2. '5.Login' 메뉴를 선택했을 때 로그인에 필요한 사용자 정보를 입력받도록 하고, 보조 메뉴를 다음과 같이 출력한다.

```
[로그인]
아이디: java
비밀번호: 12345
------------------------------------------------------------------------
보조 메뉴: 1.Ok | 2.Cancel
메뉴 선택: 1
```

확인문제

3. 보조 메뉴에서 '1.Ok'를 선택하면 입력된 아이디로 데이터베이스 users 테이블에서 비밀번호를 가져온다. 사용자 정보를 가져오는 방법은 20.9절의 사용자 정보 읽기를 참고한다.

4. 입력된 비밀번호와 DB에서 가져온 비밀번호가 일치한다면 목록으로 돌아오는데, 로그인한 사용자 아이디를 [게시물 목록] 옆에 출력한다. 그리고 메인 메뉴에 다음과 같이 '4.Logout'이 나오도록 재구성한다.

```
[게시물 목록] 사용자: java
-----------------------------------------------------------------------
no    writer     date              title
-----------------------------------------------------------------------
3     winter     2022-01-27        봄의 정원
2     winter     2022-01-27        크리스마스
1     winter     2022-01-27        눈 오는 날

-----------------------------------------------------------------------
메인 메뉴: 1.Create | 2.Read | 3.Clear | 4.Logout | 5.Exit
메뉴 선택:
```

5. 입력된 아이디 또는 비밀번호가 맞지 않을 경우에는 "아이디가 존재하지 않습니다." 또는 "비밀번호가 일치하지 않습니다."를 출력하고 [새 사용자 정보]를 다시 입력하도록 해준다.

```
아이디가 존재하지 않습니다.

[새 사용자 정보]
아이디: java
비밀번호: 12345
-----------------------------------------------------------------------
보조 메뉴: 1.Ok | 2.Cancel
메뉴 선택: 1
```

6. 보조 메뉴에서 '2.Cancel'을 선택하면 로그인 정보를 무시하고 다시 목록으로 돌아온다.

7. 로그인한 상태에서 메인 메뉴의 '4.Logout'을 선택하면 [게시물 목록] 옆에 사용자 정보가 사라지도록 로그아웃 기능을 구현한다.

10. 9번 문제에서 만든 결과물에 다음과 같은 조건에 맞는 프로그램으로 수정해 보세요.

[실행 내용]

1. 로그인한 상태에서 메인 메뉴의 '1.Create'를 선택했을 때 나오는 [새 게시물 입력] 중에서 작성자는 제거하는 대신 로그인한 사용자 아이디를 작성자로 사용한다.

2. 로그인하지 않은 상태에서 메인 메뉴의 '2.Read'를 선택하고, 게시물을 읽었다면 다음과 같은 보조 메뉴를 출력하지 않고 바로 목록으로 되돌아간다. 로그인한 상태에서도 로그인한 사용자 아이디와 작성자가 동일할 경우에만 보조 메뉴가 출력되도록 한다.

```
보조 메뉴: 1.Update | 2.Delete | 3.List
메뉴 선택:
```

3. 보조 메뉴의 '1.Update'를 선택했을 때 나오는 [수정 내용 입력] 중에서 작성자는 제거해서 수정할 수 없도록 한다.

Part 05

최신 자바의 강화된 언어 기능

자바는 꾸준히 버전을 업데이트하면서 언어 및 라이브러리를 강화하고 있다. 강화된 기능을 본문 중간에 포함시키면 최신 자바 버전의 내용만 확인하고 싶을 때, 일일이 본문을 찾아봐야 하는 불편함이 생길 수 있어 학습의 편의를 돕기 위해 이번 파트에서 정리하고자 한다.

Chapter 21

자바 21에서 강화된 언어 및 라이브러리

21.1 자바 21 버전에서 강화된 내용

자바는 새로운 버전이 출시될 때마다 확정된 기능과 미리 보기(시험적) 기능을 포함하고 있다. 미리 보기 기능은 향후 변경될 여지가 있으므로 우리 책에서는 확정된 기능만을 다루도록 한다. 가능하면 본문의 Part 04 '데이터 입출력'까지 학습을 마친 뒤에 21장을 학습하길 권장한다. 최신 자바 버전에서 강화된 내용 중에는 자바 17까지의 내용을 알아야 이해되는 것이 있기 때문이다.

자바 21에서 강화된 언어 및 라이브러리 기능을 요약하면 다음과 같다.

로컬(지역) 변수 타입 추론

생성자나 메소드에서 선언되는 로컬(지역) 변수는 명시적 타입 대신 var를 사용해서 컴파일 시에 타입 추론을 할 수 있다. 이 기능의 도입으로 복잡한 코드가 간결해졌다. 이 기능은 자바 11부터 사용할 수 있지만, 우리 책에서는 21장에서 처음 소개한다.

switch 문의 null 처리 및 패턴 매칭

자바 17까지는 표현값이 null일 경우 switch 문에서 NullPointerException이 발생했지만, 자바 21부터는 레이블에 null을 지정해서 예외를 발생시키지 않고 null 처리를 할 수 있게 되었다. 또한 레이블에 패턴과 가드를 작성해서 표현값과 매칭시킬 수도 있다.

레코드 패턴

자바 21에서 지원하는 레코드 패턴Record Patterns은 레코드의 필드값을 분해해서 변수에 대입하는 기능을 제공한다. 레코드의 필드값을 얻기 위해 Getter를 호출할 필요 없이 바로 매개변수로 받을 수 있어 매우 편리해졌다.

가상 스레드

자바 21부터 사용할 수 있는 가장 주목해야 할 기능은 가상virtual 스레드이다. 가상 스레드는 처리량이 높은 동시 애플리케이션을 개발할 때 사용할 수 있는 경량lightweight 스레드이다.

순차 컬렉션

자바 21은 순서가 있는 컬렉션을 묶고 공통 API를 제공할 목적으로 순차 컬렉션SequencedCollection, 순차 셋SequencedSet, 순차 맵SequencedMap 인터페이스를 추가하고, 기존 인터페이스의 상속 관계를 수정했다.

기본 문자셋 변경

자바는 JVM이 실행될 때 운영체제 환경에 따라 자바 기본 문자셋이 결정되었다. macOS는 UTF-8을 기본 문자셋으로 사용했고, 한글 Windows는 x-windows-949(MS949)를 사용했다. 자바 21에서는 자바 기본 문자셋이 UTF-8로 통일되었다. 이로써 운영체제 환경에 의존하지 않고 어떤 실행 환경에서든 모두 UTF-8 문자셋을 사용한다.

21.2 로컬(지역) 변수 타입 추론

자바 11부터는 로컬(지역) 변수를 위한 타입 추론type inference for local variables 기능을 사용할 수 있다. 로컬 변수를 선언할 때 예약된 타입reserved type인 var를 사용하면 컴파일 시에 로컬 변수에 대입되는 값을 보고 컴파일러가 추론inference해서 타입을 결정한다.

전통적으로 자바는 로컬 변수를 선언할 때 대입되는 값에 따라서 다음과 같이 구체적인 타입을 사용해야 한다.

```
void method() {
  String name = "홍길동";
  int age = 25;
}
```

위 코드를 예약된 타입인 var로 변경하면 대입되는 값에 상관없이 다음과 같이 작성할 수 있다.

```
void method() {
  var name = "홍길동";
  var age = 25;
}
```

name에는 문자열이 대입되었고, age에는 정수가 대입되었기 때문에 컴파일 시에 각각 String과 int 타입으로 최종 결정된다.

로컬 변수 타입 추론 기능은 개발자들 사이에서 다소 논란이 있다. 코드의 간결성을 중요시하는 사람들은 환영하지만, 코드의 가독성을 중요시하는 사람들은 중요한 타입 정보가 없어짐에 따라 가독성이 떨어져서 나쁜 코드가 작성될 수 있다고 말한다. 필자도 가독성이 떨어진다는 생각에는 동의하지만, 변수 이름만 잘 지어 준다면 var를 사용하더라도 가독성을 크게 해치지 않는다. 다음 코드를 보자.

>>> **VarExample1.java**

```
1    package ch21.sec01;
2
3    public class VarExample1 {
4      public static void main(String[] args) {
5        String name = getData();
6        var userName = getData();
7    }
8
9      public static String getData() {
10       return "홍길동";
11     }
12   }
```

5라인에서 String 타입으로 선언한 변수 name에는 분명히 이름의 문자열이 대입될 것이라는 것을 알 수 있다. 그리고 6라인에서 var로 선언된 변수 userName에는 어떤 타입의 값이 대입될지 알 수 없지만, 변수의 이름을 보면 사용자 이름에 해당하는 문자열이 대입될 것이라는 것을 쉽게 예측할 수 있다.

여기서 잠깐

예약된 타입 var 제한

예약된 타입 var는 생성자constructor 또는 메소드method 안에서 로컬 변수를 선언할 때만 사용할 수 있다. 클래스나 인터페이스의 필드를 선언할 때는 사용할 수 없다.

```
class 클래스명 {
    var 필드명;
}

interface 인터페이스명 {
    var 상수명 = 값;
}
```

로컬(지역) 변수 타입 추론은 자바 11부터 사용할 수 있지만, 16.3절 '매개변수가 있는 람다식'에서 var를 사용할 수 있다고 설명한 것 외에 추가로 관련 내용을 수록하지는 않았었다. 그 이유는 자바의 장점인 타입 안정성을 해치기 때문이었다. 하지만 명시적 타입으로 인한 복잡한 코드는 var를 사용함으로써 확실히 간결해진다.

예약된 타입 var를 사용하면 어떻게 코드가 간결해지는지 우리 책 660쪽에 있는 예제 HashMapExample.java를 통해 이해해 보자.

>>> **VarExample2.java**

```
1    package ch21.sec01;
2
3    import java.util.HashMap;
4    import java.util.Iterator;
5    import java.util.Map;
6    import java.util.Set;
7
8      public class VarExample2 {
9        public static void main(String[] args) {
10         method1();
11         method2();
12       }
13
14     public static void method1() {
15       Map<String, Integer> map = new HashMap<String, Integer>();
16       map.put("신용권", 85);
17       map.put("홍길동", 90);
18       map.put("동장군", 80);
19
20       Set<Map.Entry<String, Integer>> entrySet = map.entrySet();
21       Iterator<Map.Entry<String, Integer>> entryIterator = entrySet.iterator();
22       while(entryIterator.hasNext()) {
23         Map.Entry<String, Integer> entry = entryIterator.next();
24         String key = entry.getKey();
25         Integer value = entry.getValue();
26         System.out.println(key + " : " + value);
27       }
28     }
29
```

전통적 방식대로 키와 값의 타입을 명시적으로 작성한 메소드

```
30    public static void method2() {
31      var map = new HashMap<String, Integer>();
32      map.put("신용권", 85);
33      map.put("홍길동", 90);
34      map.put("동장군", 80);
35
36      var entrySet = map.entrySet();
37      var entryIterator = entrySet.iterator();
38      while(entryIterator.hasNext()) {
39        var entry = entryIterator.next();
40        var key = entry.getKey();
41        var value = entry.getValue();
42        System.out.println(key + " : " + value);
43      }
44    }
45  }
```

예약된 타입 var를 사용한 메소드

실행 결과

```
홍길동 : 90
신용권 : 85
동장군 : 80
홍길동 : 90
신용권 : 85
동장군 : 80
```

method1()은 키와 값 타입을 명시적으로 작성해서 Map에 저장된 성적을 출력한다. 키와 값의 타입을 정확히 알 수는 있지만, 코드가 매우 복잡하고 난해하다. 반면에 method2()는 var를 이용해서 복잡한 타입을 감춤으로써 코드가 훨씬 간결해지고 오히려 가독성이 좋아지는 것을 볼 수 있다.

전통적 방식대로 변수를 선언할 때 명시적 타입을 사용하면 잘못된 값의 대입을 막아 오류 발생을 줄일 수 있기 때문에 무작정 모든 코드에서 var를 사용하는 것을 추천하지는 않는다. 타입으로 인한 복잡성이 증가될 경우에만 var를 사용하는 것이 좋다.

21.3 switch 문의 null 처리

우리 책 124쪽에서 switch 문의 표현식expressions에 대해 살펴보았다. 표현식을 사용하면 간결한 코드를 만들 수 있고, 단일값을 변수에 대입할 수도 있다. 다음은 switch 문의 세 가지 작성 방식을 보여 준다. 전통적 방식과 강화된 방식이 사용하는 switch 문의 표현식이다.

<table>
<tr><th>전통적 방식</th><th>강화된 방식 1(자바 17부터)</th><th>강화된 방식 2(자바 17부터)</th></tr>
<tr><td><pre>switch(표현값) {
case 레이블:
    실행문; ...
    [break;]
...
default:
    실행문; ...
    [break;]
}</pre></td><td><pre>switch(표현값) {
case 레이블 [, 레이블] -> {
    실행문; ...
}
...
default -> {
    실행문; ...
  }
}</pre></td><td><pre>타입 변수 = switch(표현값) {
case 레이블 [, 레이블] -> 리턴값;
...
case 레이블 [, 레이블] -> {
    실행문; ...
    yield 리턴값;
}
    ...
    default -> 리턴값
};</pre></td></tr>
<tr><td>레이블에는 리터럴(값) 또는 상수가 주로 사용됨</td><td>case 블록이 한 개의 실행문을 가질 경우 { } 생략 가능</td><td>리턴값에는 단일값 또는 단일값을 리턴하는 연산식 및 메소드 호출 코드가 올 수 있음</td></tr>
<tr><td colspan="3">표현값에는 정수 타입(byte, char, short, int, long)과 String 및 enum 타입의 값이 오거나 이 값들을 리턴하는 연산식 및 메소드 호출 코드가 올 수 있음</td></tr>
</table>

자바 17까지는 표현값이 null일 경우 switch 문에서 NullPointerException이 발생했지만, 자바 21부터는 다음과 같이 레이블에 null을 지정해서 예외를 발생시키지 않고 null을 처리할 수 있게 되었다.

```
switch(object) {
  ...
  case null          -> { ... } //object가 null일 경우 선택
  case null, default -> { ... } //object가 null이거나 위의 case가 선택되지 않은 경우 선택
}
```

>>> Java21SwitchExample.java

```
1    package ch21.sec02.exam01;
2
3    public class Java21SwitchExample {
4      private static void method1(String s) {
5        switch (s) {
```

```
6        case null -> System.out.println("null");
7        case "a", "b" -> System.out.println("a or b");
8        case "c" -> System.out.println("c");
9        default -> System.out.println("unkown");
10     }
11   }
12
13   private static void method2(String s) {
14     switch (s) {
15       case "a", "b" -> System.out.println("a or b");
16       case "c" -> System.out.println("c");
17       case null, default -> System.out.println("unkown");
18     }
19   }
20
21   public static void main(String[] args) {
22     method1(null);
23     method2(null);
24   }
25 }
```

실행 결과

```
null
unkown
```

위 예제를 자바 17과 자바 11, 자바 8로 작성하면 다음과 같다. 자바 21에 비해 switch 문 바깥에서 null 처리를 해야 하므로 코드의 가독성이 좋지 않고, 간결하지도 않다.

>>> Java17SwitchExample.java

```
1  package ch21.sec02.exam01;
2
3  public class Java17SwitchExample {
4    private static void method(String s) {
5      if (s == null) {
6        System.out.println("null");
7        return;
8      }
```

```
9        switch (s) {
10         case "a", "b" -> System.out.println("a or b");
11         case "c" -> System.out.println("c");
12         default -> System.out.println("d");
13       }
14     }
15
16     public static void main(String[] args) {
17       method(null);
18     }
19   }
```

>>> Java8Java11SwitchExample.java

```
1    package ch21.sec02.exam01;
2
3    public class Java8Java11SwitchExample {
4      private static void method(String s) {
5        if (s == null) {
6          System.out.println("null");
7          return;
8        }
9        switch (s) {
10         case "a":
11         case "b":
12           System.out.println("a or b");
13           break;
14         case "c":
15           System.out.println("c");
16           break;
17         default:
18           System.out.println("d");
19       }
20     }
21
22     public static void main(String[] args) {
23       method(null);
24     }
25   }
```

21.4 switch 문의 패턴 매칭

자바 21부터는 다음과 같이 switch 레이블에 패턴과 가드를 작성해서 표현값과 매칭시킬 수도 있다. 이 방식은 표현값이 객체를 참조하는 변수일 경우에만 사용할 수 있다.

<table>
<tr><th>강화된 방식 1 (자바 21부터)</th><th>강화된 방식 2 (자바 21부터)</th></tr>
<tr><td><pre>
switch(표현값) {
  case 패턴 [가드] -> {
    실행문; ...
  }
  ...
  case null [, default] -> {
    실행문; ...
  }
  default -> {
    실행문;. ..
  }
}
</pre></td><td><pre>
타입 변수 = switch(표현값) {
  case 패턴 [가드] -> 리턴값;
  case 패턴 [가드] -> {
    ...;
      yield 리턴값;
  }
  ...
  case null [, default] -> 리턴값;
    default -> 리턴값
};
</pre></td></tr>
</table>

- 패턴: 참조 변수 선언
- 가드: when + boolean을 리턴하는 조건식 또는 메소드 호출 코드

레이블에 패턴 사용

표현값이 참조 타입 변수일 경우 패턴을 사용해서 타입 검사를 수행하고, 자동 타입 변환해서 패턴 변수를 초기화시킨다. 그리고 패턴 변수를 중괄호{} 블록에서 사용할 수 있다.

```
switch(object) {
  case Integer i -> {  //i 변수 사용  } //object가 Integer 타입인 경우 매칭(자동 타입 변환)
  case String s  -> {  //s 변수 사용  } //object가 String 타입인 경우 매칭(자동 타입 변환)
}
```

표현값은 패턴 중 하나와 반드시 매칭되도록 해야 한다. 만약 매칭할 패턴이 없을 경우에는 나머지 매칭을 위해 default를 포함해야 한다. 이것을 표현값과 실행문의 완전성exhaustiveness이라고 하는데, 표현값이 반드시 실행문에서 처리되어야 함을 뜻한다.

```
switch(object) {
  case Integer i       -> {  ...  }
  case String s        -> {  ...  }
  case null, default   -> {  ...  }  //object가 null이거나 그 이외의 타입일 경우 매칭
}
```

다음 예제는 자바 21에서 switch 표현값을 패턴 매칭을 이용해서 타입별로 처리하는 방법을 보여준다.

>>> Java21SwitchExample.java

```
1   package ch21.sec03.exam01;
2
3   import java.util.Date;
4
5   public class Java21SwitchExample {
6     public static void method1(Object obj) {
7       switch(obj) {
8         case Integer i -> System.out.println(i);
9         case String s -> System.out.println("\"" + s + "\"");
10        case null, default ->  System.out.println("unknown");
11      };
12    }
13
14    private static void method2(Object obj) {
15      String data = switch(obj) {
16        case Integer i -> String.valueOf(i);
17        case String s -> "\"" + s + "\"";
18        case null, default -> "unknown";
19      };
20      System.out.println(data);
21    }
22
23    public static void main(String[] args) {
24      method1(10);
25      method1("10");
26      method1(null);
27      method1(new Date());
```

```
28
29        method2(10);
30        method2("10");
31        method2(null);
32        method2(new Date());
33      }
34    }
```

실행 결과

```
10
"10"
unknown
unknown
10
"10"
unknown
unknown
```

위 예제를 자바 17, 자바 11, 자바 8 코드로 작성하면 다음과 같다. 자바 21에 비해 코드 가독성이 좋지 않고, 간결하지도 않다.

>>> Java17SwitchExample.java

```
1   package ch21.sec03.exam01;
2
3   import java.util.Date;
4
5   public class Java17SwitchExample {
6     public static void method1(Object obj) {
7       if(obj == null) {
8         System.out.println("unknown");
9       } else if(obj instanceof Integer i) {
10        System.out.println(i);
11      } else if(obj instanceof String s) {
12        System.out.println("\"" + s + "\"");
13      } else {
14        System.out.println("unknown");
```

```
15          }
16      }
17
18      private static void method2(Object obj) {
19        String data;
20        if(obj == null) {
21          data = "unknown";
22        } else if(obj instanceof Integer i) {
23          data = String.valueOf(i);
24        } else if(obj instanceof String s) {
25          data = "\"" + s + "\"";
26        } else {
27          data = "unknown";
28        }
29        System.out.println(data);
30      }
31
32      public static void main(String[] args) {
33        method1(10);
34        method1("10");
35        method1(null);
36        method1(new Date());
37
38        method2(10);
39        method2("10");
40        method2(null);
41        method2(new Date());
42      }
43    }
```

>>> **Java11Java8Example.java**

```
1   package ch21.sec03.exam01;
2
3   import java.util.Date;
4
5   public class Java8Java11SwitchExample {
6     public static void method1(Object obj) {
```

```
7         if(obj == null) {
8           System.out.println("unknown");
9         } else if(obj instanceof Integer) {
10          int i = (Integer) obj;
11          System.out.println(i);
12        } else if(obj instanceof String) {
13          String s = (String)obj;
14          System.out.println("\"" + s + "\"");
15        } else {
16          System.out.println("unknown");
17        }
18      }
19
20      private static void method2(Object obj) {
21        String data;
22        if(obj == null) {
23          data = "unknown";
24        } else if(obj instanceof Integer) {
25          data = String.valueOf((Integer) obj);
26        } else if(obj instanceof String) {
27          data = "\"" + (String)obj + "\"";
28        } else {
29          data = "unknown";
30        }
31        System.out.println(data);
32      }
33
34      public static void main(String[] args) {
35        method1(10);
36        method1("10");
37        method1(null);
38        method1(new Date());
39
40        method2(10);
41        method2("10");
42        method2(null);
43        method2(new Date());
44      }
45    }
```

가드 사용

패턴과 함께 좀 더 상세한 일치 조건을 만들기 위해 when으로 시작하는 가드guard를 사용할 수 있다. when 다음에는 패턴 변수를 사용해서 boolean을 리턴하는 조건식 또는 메소드 호출 코드가 올 수 있다. true를 리턴하면 레이블이 선택되고 중괄호가 실행된다.

```
Switch(object) {
  case Integer i when i > 0 -> {          //object가 Integer 타입이면서 양수일 경우 선택
    ...
  }
  case String s when s.equals("a") -> {  //object가 String 타입이면서 "a"일 경우 선택
    ...
  }
}
```

다음 예제는 매개값이 Integer일 경우 if문으로 다시 1, 2, 3을 검사하고, 매개값이 String일 경우 if문으로 다시 "a", "b", "c"인지를 검사해서 실행문을 선택한다.

>>> Java21SwitchExample1.java

```
1   package ch21.sec03.exam02;
2
3   public class Java21SwitchExample1 {
4     private static void method(Object obj) {
5       int score = switch (obj) {
6         case Integer i -> {
7           int value;
8           if (i == 1)
9             value = 90;
10          else if (i == 2)
11            value = 80;
12          else
13            value = 70;
14          yield value;
15        }
16        case String s -> {
17          int value;
```

```
18            if (s.equals("a"))
19              value = 90;
20            else if (s.equals("b"))
21              value = 80;
22            else
23              value = 70;
24            yield value;
25          }
26          case null, default -> 0;
27        };
28        System.out.println("score: " + score);
29      }
30
31      public static void main(String[] args) {
32        method(1);
33        method(2);
34        method(3);
35        method("a");
36        method("b");
37        method("c");
38        method(null);
39      }
40    }
```

실행 결과

```
score: 90
score: 80
score: 70
score: 90
score: 80
score: 70
score: 0
```

위 예제는 가드를 사용하지 않았기 때문에 코드 복잡성이 높다. 가드를 사용해서 수정하면 다음과 같이 코드의 간결성이 좋아진다.

>>> Java21SwitchExample2.java

```
1     package ch21.sec03.exam02;
2
3     public class Java21SwitchExample2 {
4       private static void method(Object obj) {
5         int score = switch (obj) {
6           case Integer i when i == 1 -> 90;
7           case Integer i when i == 2 -> 80;
8           case Integer i -> 70;
9           case String s when s.equals("a") -> 90;
10          case String s when s.equals("b") -> 80;
11          case String s -> 70;
12          case null, default -> 0;
13        };
14        System.out.println("score: " + score);
15      }
16
17      public static void main(String[] args) {
18        method(1);
19        method(2);
20        method(3);
21        method("a");
22        method("b");
23        method("c");
24        method(null);
25      }
26    }
```

레이블 통과

레이블에 패턴이 사용되면 기본적으로 다음 레이블로 통과가 금지된다. 단, 다음이 default라면 통과할 수 있지만 화살표가 사용되면 무조건 통과가 금지된다.

```
switch (object) {
  case String s:
    ...
    break;            //생략하면 컴파일 에러 생김(다음 레이블로 무조건 통과 금지)

  case Integer i:
    ...
         break;  //명시적 통과 금지

  default:
    ...
}
```

```
switch(object) {
case Integer i   -> {  ...  }

case String s    -> {  ...  }

default          -> {  ...  }
}
```

>>> **Java21SwitchExample.java**

```
1    package ch21.sec03.exam03;
2
3    public class Java21SwitchExample {
4      private static void method1(Object obj) {
5        switch (obj) {
6          case String s:
7            System.out.println("String: " + s);
8            break;  //생략하면 컴파일 에러 생김(다음 case 레이블로 통과 금지)
9          case Integer i:
10           System.out.println("Integer: " + i);
11         case null, default:
12           System.out.println("null or unknown");
```

```
13      }
14    }
15
16    private static void method2(Object obj) {
17      switch (obj) {
18        case String s -> System.out.println("String: " + s);
19        case Integer i -> System.out.println("Integer: " + i);
20        case null, default -> System.out.println("null or unknown");
21      }
22    }
23
24    public static void main(String[] args) {
25      method1("a");
26      System.out.println();
27
28      method1(1);
29      System.out.println();
30
31      method2(1);
32    }
33  }
```

실행 결과

```
String: a

Integer: 1
null or unknown

Integer: 1
```

레이블 작성 순서

레이블이 패턴일 경우에는 좁은 범위의 패턴을 먼저 작성하고, 넓은 범위의 패턴을 나중에 작성해야 한다. switch 문은 위에서부터 순차적으로 표현값과 패턴을 매칭하기 때문에 위쪽 패턴이 먼저 매칭되면 아래쪽 패턴은 검사하지 않는다.

```
Integer data = 3;
switch (data) {
  case 0 -> System.out.println("0");                                        ①
  case Integer i when i > 0 -> System.out.println("0 or positive number");  ②
  case Integer i -> System.out.println("negative number");                  ③
}
```

정수의 범위를 비교하면 ①보다 ③이 넓고, ②보다 ③이 넓다. 따라서 레이블을 작성할 때 ①, ② 뒤에 ③이 오도록 작성해야 한다. 순서를 바꾸면 컴파일 에러(label is dominated by one of the preceding case labels)가 발생한다.

부모와 자식 관계, 인터페이스와 구현 관계에도 범위가 있다. 부모는 자식 클래스보다 항상 넓은 범위를 가지며, 인터페이스는 구현 클래스보다 항상 넓은 범위를 가진다. 다음 코드를 보자.

```
class A  {}
class B extends A {}
------------------------------------------------------------------------------------------
Object obj = new A();
switch (obj) {
  case B b  -> System.out.println("B type");        //자식 패턴 작성 ①
  case A a  -> System.out.println("A type");        //부모 패턴 작성 ②
  default   -> System.out.println("unknown type");  //그 이외의 패턴 ③
}
```

A가 B의 부모이므로 A가 더 넓은 범위를 가진다. 따라서 ①보다 ②를 먼저 작성하면 컴파일 에러가 발생한다.

>>> **Java21SwitchExample.java**

```
1    package ch21.sec03.exam04;
2
3    public class Java21SwitchExample {
4      private static void method1(Integer obj) {
5        switch (obj) {
```

```
 6            case 0 -> System.out.println("0");
 7            case Integer i when i > 0 -> System.out.println("positive number");
 8            case Integer i -> System.out.println("negative number");
 9          }
10        }
11
12        private static class A {
13        }
14
15        private static class B extends A {
16        }
17
18        private static void method2(Object obj) {
19          switch (obj) {
20            case B b -> System.out.println("obj is B type");
21            case A a -> System.out.println("obj is A type");
22            case null, default -> System.out.println("obj is null or unknown type");
23          }
24        }
25
26        public static void main(String[] args) {
27          method1(5);
28          method2(new A());
29        }
30      }
```

실행 결과

```
positive number
obj is A type
```

인터페이스 타입의 표현값과 enum 레이블

자바 17까지는 표현값과 레이블에 enum 타입을 사용해야 하는 경우, 하나의 enum 타입만 사용해야 했다. 다음은 자바 8과 자바 11에서 enum 타입을 표현값으로 사용한 예제이다. 레이블에는 표현값과 동일한 enum 타입의 상수가 와야 한다.

>>> **Shape.java**

```
1   package ch21.sec03.exam05;
2
3   public enum Shape {
4     LINE,
5     TRIANGLE,
6     RECTANGLE
7   }
```

>>> **Java8Java11SwitchExample.java**

```
1   package ch21.sec03.exam05;
2
3   public class Java8Java11SwitchExample {
4     private static void method(Shape shape) {
5       String result;
6       switch(shape) {
7         case LINE:
8           result = "선을 그립니다.";
9           break;
10        case TRIANGLE:
11          result = "삼각형을 그립니다.";
12          break;
13        case RECTANGLE:
14          result = "사각형을 그립니다.";
15          break;
16        default: //result 변수를 초기화시켜야 하기 때문에 default가 있어야 함
17          result = "도형을 그리지 않습니다.";
18          break;
19      }
20      System.out.println(result);
21    }
22
23    public static void main(String[] args) {
24      method(Shape.TRIANGLE);
25    }
26  }
```

실행 결과

```
삼각형을 그립니다.
```

다음은 자바 17에서 enum 타입을 표현값으로 사용한 예제이다. 마찬가지로 레이블에는 표현값과 동일한 enum 타입의 상수가 와야 한다.

>>> **Java17SwitchExample.java**

```
1   package ch21.sec03.exam05;
2
3   public class Java17SwitchExample {
4     private static void method(Shape shape) {
5       String result = switch(shape) {
6         case LINE -> "선을 그립니다.";
7         case TRIANGLE -> "삼각형을 그립니다.";
8         case RECTANGLE -> "사각형을 그립니다.";
9       };
10      System.out.println(result);
11    }
12
13    public static void main(String[] args) {
14      method(Shape.TRIANGLE);
15    }
16  }
```

실행 결과

```
삼각형을 그립니다.
```

자바 21에서는 패턴 매칭을 사용할 수 있기 때문에 표현값에 인터페이스 타입이 올 수 있다. 인터페이스는 여러 가지 enum을 그룹핑할 목적으로 사용할 수 있다. 예를 들어 도형(Shape)과 이미지(Image)는 모두 그릴 수 있기 때문에 다음과 같이 Drawable 인터페이스로 그룹핑할 수 있다.

>>> **Drawable.java**

```
1   package ch21.sec03.exam05;
2
3   public sealed interface Drawable permits Shape, Image {
4   }
```

Drawable은 자바 17부터 제공되는 봉인된 인터페이스로 선언했다. 우리 책 332쪽 7.11절에서 봉인된 클래스에 대한 설명이 있으므로 참고하자. 인터페이스도 비슷하게 봉인시킬 수 있는데, 위 코드는 Shape와 Image만 Drawable을 구현할 수 있도록 봉인했다.

이 경우에 Drawable 그룹에 포함되는 Shape와 Image를 선언할 때는 다음과 같이 Drawable 인터페이스를 구현해야 한다.

>>> **Shape.java**

```
1    package ch21.sec03.exam05;
2
3    public enum Shape implements Drawable  {
4      LINE,
5      TRIANGLE,
6      RECTANGLE
7    }
```

>>> **Image.java**

```
1    package ch21.sec03.exam05;
2
3    public enum Image implements Drawable  {
4      JPEG,
5      PNG
6    }
```

자바 21에서는 switch 문의 표현값이 Drawable 타입이라면 Drawable로 그룹핑된 모든 enum 상수를 레이블로 작성할 수 있다. 다음 예제를 보면서 이해해 보자.

>>> **Java21SwitchExample.java**

```
1     package ch21.sec03.exam05;
2
3     public class Java21SwitchExample {
4       //그룹핑된 enum 타입을 레이블로 사용
5       private static void method1(Drawable drawable) {
6         String result = switch(drawable) {
7           case Shape s when s == Shape.LINE -> "선을 그립니다.";
8           case Shape s when s==Shape.TRIANGLE -> "삼각형을 그립니다.";         ①
9           case Shape s when s==Shape.RECTANGLE  -> "사각형을 그립니다.";
10          case Image i when i ==Image.JPEG -> "JPEG 이미지를 그립니다.";
```

```
11          case Image i when i==Image.PNG -> "PNG 이미지를 그립니다.";
12          //Drawable이 봉인되지 않았다면 default 필수
13          //default -> "도형을 그리지 않습니다.";
14        };
15        System.out.println(result);
16      }
17
18      //그룹핑된 enum 타입의 상수를 레이블로 사용
19      private static void method2(Drawable drawable) {
20        String result = switch(drawable) {
21          case Shape.LINE -> "선을 그립니다.";
22          case Shape.TRIANGLE -> "삼각형을 그립니다.";
23          case Shape.RECTANGLE -> "사각형을 그립니다.";                ②
24          case Image.JPEG -> "JPEG 이미지를 그립니다.";
25          case Image.PNG -> "PNG 이미지를 그립니다.";
26          //Shape와 Image 타입 패턴이 없기 때문에 필수로 작성
27          default -> "도형을 그리지 않습니다.";
28        };
29        System.out.println(result);
30      }
31
32      //그룹핑된 enum 타입과 상수를 혼용해서 레이블로 사용
33      private static void method3(Drawable drawable) {
34        String result = switch(drawable) {
35          case Shape.LINE -> "선을 그립니다.";
36          case Shape.TRIANGLE -> "삼각형을 그립니다.";
37          case Shape.RECTANGLE -> "사각형을 그립니다.";                ③
38          case Image i -> "이미지를 그립니다.";
39          //Shape 타입 패턴이 없기 때문에 필수로 작성
40          default -> "도형을 그리지 않습니다.";
41        };
42        System.out.println(result);
43      }
44
45      public static void main(String[] args) {
46        method1(Shape.TRIANGLE);
47        method2(Image.JPEG);
48        method3(Image.PNG);
49      }
50    }
```

실행 결과

```
삼각형을 그립니다.
JPEG 이미지를 그립니다.
이미지를 그립니다.
```

① method1()은 타입 패턴을 이용해서 표현값 drawable이 Shape와 Image 타입인지를 우선 검사하고, 해당 타입으로 변환시킨다. 그리고 가드에서 상수와 비교해서 최종 매칭한다. 만약 Drawable이 봉인되지 않았다면 그 이외의 타입에 대한 매칭이 필요하므로 default를 작성해야 한다.

② method2()는 타입 패턴을 생략하고 바로 상수와 비교해서 매칭한다. 이 경우에는 default를 반드시 작성해야 하는데, 표현값이 인터페이스 타입일 경우에는 타입 패턴이 반드시 요구되기 때문이다.

③ method3()은 타입 패턴과 상수를 혼용해서 사용한다. 이 경우에도 사용되지 않는 타입 패턴이 있다면 default를 반드시 작성해야 한다.

21.5 레코드 패턴

우리 책 507쪽에는 자바 14부터 사용할 수 있는 레코드record에 대한 설명이 있다. 레코드는 불변의 값 객체Value Object이다. 레코드가 생성될 때 전달받은 매개값은 필드값으로 세팅되고, 사용 중일 때는 필드값을 바꿀 수 없다. 레코드는 주로 데이터 전달을 위한 DTOData Transfer Object용으로 사용한다.

자바 21에서 지원하는 레코드 패턴Record Patterns은 레코드의 필드값을 분해해서 변수에 대입하는 기능을 제공한다. 레코드의 필드값을 얻기 위해 Getter를 호출할 필요 없이 매개변수로 바로 받을 수 있어 매우 편리해졌다.

레코드 패턴은 instanceof 연산자와 switch 문의 레이블에서 다음과 같이 작성될 수 있다.

```
If(obj instanceof 레코드(타입 변수, 타입 변수)) {
                  레코드 패턴
  //변수 사용
}
```

```
switch(obj) {
  case 레코드(타입 변수, 타입 변수) -> {
              레코드 패턴
  //변수 사용
  }
}
```

다음과 같이 width와 height를 필드로 가지는 Rectangle 레코드가 있다고 가정해 보자.

>>> **Rectangle.java**

```
1    package language.feature02.exam01;
2
3    public record Rectangle(int width, int height) {
4    }
```

사각형의 면적을 구하기 위해 자바 17에서는 다음과 같은 코드를 사용할 수 있다. 먼저 Object 타입의 매개값을 instanceof 연산자로 체크하고, Rectangle로 타입 변환(캐스팅)한다. 그리고 Getter를 통해 width와 height를 얻고 면적을 계산한다.

>>> **Java17RecordExample.java**

```
1    package ch21.sec04;
2
3    public class Java17RecordExample {
4      private static void area(Object obj) {
5        if (obj == null) {
6          System.out.println("null");
7        } else if(obj instanceof Rectangle rect) {
8          int width = rect.width();
9          int height = rect.height();
10         System.out.println("area:  " + (width * height));
11       } else {
12         System.out.println("unknown");
13       }
14     }
```

```
15
16      public static void main(String[] args) {
17        Rectangle rect = new Rectangle(10, 5);
18        area(rect);
19      }
20    }
```

실행 결과

```
area:  50
```

위 예제를 자바 21의 레코드 패턴으로 변경하면 Getter를 통해 width와 height를 얻는 코드를 줄일 수 있다.

>>> **Java21RecordExample1.java**

```
1     package ch21.sec04;
2
3     public class Java21RecordExample1 {
4       private static void area(Object obj) {
5         if (obj == null) {
6           System.out.println("null");                 레코드 패턴
7         } else if(obj instanceof Rectangle(int width, int height) ) {
8           System.out.println("area:  " + (width * height));
9         } else {
10          System.out.println("unknown");
11        }
12      }
13
14      public static void main(String[] args) {
15        Rectangle rect = new Rectangle(10, 5);
16        area(rect);
17      }
18    }
```

실행 결과

```
area:  50
```

위 예제를 switch 문으로 변경하면 다음과 같다.

>>> Java21RecordExample2.java

```
1   package ch21.sec04;
2
3   public class Java21RecordExample2 {
4     private static void area(Object obj) {
5       switch(obj) {          레코드 패턴
6         case Rectangle(int width, int height) -> System.out.println
              ("area:  " + (width * height));
7         case null, default -> System.out.println("unknown");
8       }
9     }
10
11    public static void main(String[] args) {
12      Rectangle rect = new Rectangle(10, 5);
13      area(rect);
14    }
15  }
```

실행 결과

```
area:  50
```

21.6 가상 스레드

자바 21부터 사용할 수 있는 기능 중 가장 주목해야 할 것은 가상virtual 스레드이다. 가상 스레드는 처리량이 높은 동시 애플리케이션을 개발할 때 사용할 수 있는 경량lightweight 스레드이다.

가상 스레드 개요

지금까지 자바 개발자들은 서버 애플리케이션에서 사용자 요청을 동시에 처리(요청별 스레드)하기 위해 스레드풀링을 사용했다. 여기서 풀링이란 제한된 개수로 스레드를 운용하는 것을 말한다. 우리 책에서는 627쪽 14.9절 '스레드풀'에서 스레드풀링에 대한 내용을 학습했다.

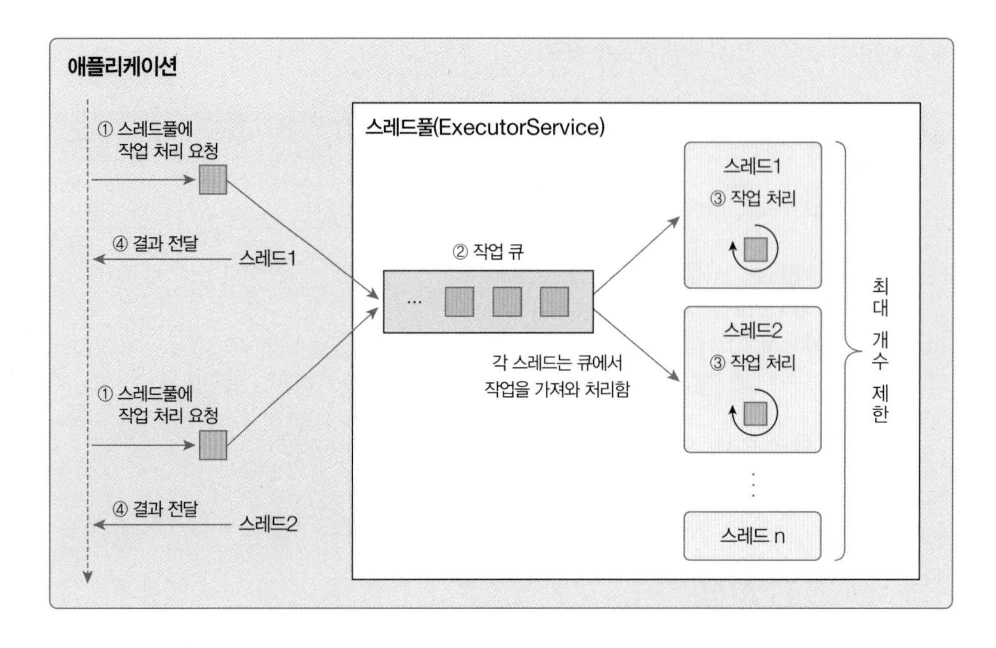

스레드풀에서 초당 200개의 요청을 동시에 처리할 때 10개의 스레드를 사용했다면, 초당 2000개의 요청을 동시에 처리하려면 스레드풀에는 100개의 스레드가 풀링되어야 한다.

자바 17까지의 스레드는 운영체제가 제공하는 플랫폼platform 스레드를 래핑했기 때문에 스레드와 플랫폼 스레드가 1:1로 매핑되었다. 플랫폼 스레드는 비용(CPU 또는 메모리 사용량)이 많이 들기 때문에 애플리케이션은 스레드의 수를 제한해서 사용해야 했었다. 따라서 초당 처리되어야 할 요청 수가 늘어나면 스레드풀의 스레드를 무작정 늘릴 수가 없었다.

이러한 단점을 해결하기 위해 자바 21에서는 CPU를 효율적으로 이용하면서 동시 처리량을 확장할 수 있도록 가상 스레드를 제공한다. 스레드가 플랫폼 스레드와 1:1로 매핑된다면 가상 스레드는 플랫폼 스레드와 n:1로 매핑된다. 다수의 가상 스레드가 한 개의 플랫폼 스레드와 매핑되기 때문에 플랫폼 스레드의 부족 문제를 해결할 수 있게 된다.

버전	JVM	운영체제
자바 8 자바 11 자바 17 자바 21	스레드1 스레드2	플랫폼 스레드1 플랫폼 스레드2

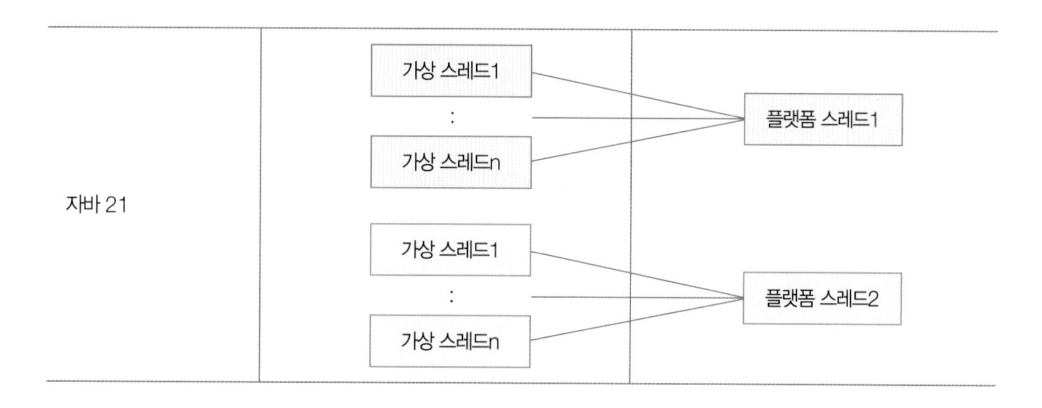

가상 스레드는 CPU에서 계산을 수행하는 동안만 플랫폼 스레드를 사용한다. 가상 스레드가 블로킹 I/O 작업(파일 입출력, 네트워킹)을 수행할 경우 가상 스레드는 일시 중지되지만, 플랫폼 스레드는 일시 중지되지 않고, 다른 가상 스레드의 작업을 처리한다. 그렇기 때문에 CPU 활용도는 최적으로 끌어올리면서 높은 동시 처리량을 달성할 수 있다.

여기서 잠깐

플랫폼 스레드 용어 정리

지금부터는 스레드와 가상 스레드를 구분하기 위해 스레드를 플랫폼platform 스레드라고 부르겠다. 스레드가 플랫폼 스레드와 1:1로 매핑되기 때문에 스레드를 생성하는 것은 곧 플랫폼 스레드를 생성하는 것과 같기 때문이다. 자바 API 도큐먼트에서도 스레드를 플랫폼 스레드라고 부르고 있다.

가상 스레드풀 생성

가상 스레드는 메모리가 부족하지 않다면 개수를 무제한으로 사용할 수 있기 때문에 스레드풀에서 최대 개수를 제한할 필요가 없다. 실제로 가상 스레드풀을 생성하는 Executors의 메소드는 최대 개수를 입력받지 않는다.

구분	스레드풀 생성
플랫폼 스레드풀	`ExecutorService platformExecutor = Executors.newFixedThreadPool(최대 개수);`
가상 스레드풀	`ExecutorService virtualExecutor = Executors.newVirtualThreadPerTaskExecutor();`

다음 예제는 10,000건의 작업을 플랫폼 스레드로 처리하는 경우와 가상 스레드로 처리하는 경우의 처리 시간을 측정한다. 플랫폼 스레드 100개를 생성해서 풀링할 경우, 100개씩 순차적으로 작업이 처리되기 때문에 모든 작업을 완료하는 데까지는 오랜 시간이 걸린다. 반면, 가상 스레드는 작업 건 수만큼 10,000개가 생성되고 동시 처리하기 때문에 작업 처리 시간이 짧다.

>>> **VirtualThreadPoolExample.java**

```java
1   package ch21.sec05;
2
3   import java.util.concurrent.ExecutorService;
4   import java.util.concurrent.Executors;
5   import java.util.concurrent.TimeUnit;
6
7   public class VirtualThreadPoolExample {
8     public static void main(String[] args) throws Exception {
9       //작업 내용 정의
10      Runnable task = new Runnable() {
11        @Override
12        public void run() {
13          try {
14            //비블로킹 작업: 1~1000까지 누적
15            long sum = 0;
16            for (int i = 1; i <= 1000; i++) {
17              sum += i;
18            }
19            //블로킹 작업: I/O 작업이 10ms 있다고 가정
20            Thread.sleep(10);
21          } catch (Exception e) {
22            e.printStackTrace();
23          }
24        }
25      };
26
27      //작업 건수 설정
28      int taskNum = 10000;
29
30      //플랫폼 스레드 100개를 풀링해서 사용하는 스레드풀 생성
31      ExecutorService threadExecutor = Executors.newFixedThreadPool(100);
```

```
32          //작업 처리 요청
33          work(taskNum, task, threadExecutor);
34
35          //가상 스레드를 사용하는 스레드풀 생성
36          ExecutorService virtualThreadExecutor =
              Executors.newVirtualThreadPerTaskExecutor();
37          //작업 처리 요청
38          work(taskNum, task, virtualThreadExecutor);
39      }
40
41      private static void work(int taskNum,
42              Runnable task, ExecutorService executorService) throws Exception {
43          //시작 시간 측정
44          long start = System.nanoTime();
45
46          //작업 처리
47          try (executorService) {
48            for (int count = 0; count < taskNum; count++) {
49              executorService.execute(task);
50            }
51          }
52
53          //모든 작업이 종료될 때까지 최대 1시간까지 기다림
54          executorService.shutdown();
55          executorService.awaitTermination(1, TimeUnit.HOURS);
56
57          //끝 시간 측정
58          long end = System.nanoTime();
59          //작업 처리 시간 계산
60          long workTime = end - start;
61          System.out.println("작업 처리 시간: " + workTime + " ns");
62      }
63  }
```

실행 결과

```
작업 처리 시간: 1525032700 ns    //플랫폼 스레드를 사용했을 경우
작업 처리 시간: 70843100 ns      //가상 스레드를 사용했을 경우
```

가상 스레드는 플랫폼 스레드에 비해 생성 비용이 저렴하고(하드웨어 자원을 적게 사용하고), 개수에 제한을 받지 않는 풍부한 스레드이다. 그렇기 때문에 가상 스레드는 스레드풀에서 풀링되어서는 안 되고, 작업 건수별로 새로운 가상 스레드를 생성해서 처리해야 한다. 개발자가 가상 스레드들이 몇 개의 플랫폼 스레드를 사용하고 있는지까지는 알 필요가 없다.

가상 스레드 생성

개발자는 가상 스레드와 플랫폼 스레드 중에서 하나를 선택해서 작업을 처리할 수 있는데, 자바 21부터는 가상 스레드를 생성하기 위해 새로운 정적 메소드 2개가 추가되었다.

리턴 타입	정적 메소드
Thread	Thread.startVirtualThread(Runnable task)
Thread.Builder.OfVirtual	Thread.ofVirtual()

여기서 잠깐

가상 스레드와 플랫폼 스레드 선택 기준

가상 스레드는 수명이 짧고, 얕은 호출 스택(메소드 호출 → 메소드 호출 → ...과 같이 중첩된 메소드 호출 수가 적음)을 가지는 작업을 처리할 때 사용하면 좋다. 예를 들어 단일 JDBC 쿼리만 수행하거나 단일 네트워크 통신을 하는 경우이다.

플랫폼 스레드는 비용이 많이 들기 때문에 수명이 길고, 호출 스택이 깊은 작업을 처리할 때 권장된다. 예를 들어 서버 애플리케이션을 24시간 구동시키는 스레드는 플랫폼 스레드여야 한다. 대신 개별 요청 처리는 가상 스레드가 맡는다.

다음 코드는 람다식으로 작성된 Runnable 구현 객체를 매개값으로 해서 startVirtualThread() 메소드를 호출한다. startVirtualThread() 메소드는 가상 스레드를 생성하고 바로 작업 내용을 실행한다. 그리고 생성된 가상 스레드 객체를 리턴한다. 리턴된 객체를 사용할 필요가 없다면 변수에 대입할 필요는 없다.

```
Thread thread = Thread.startVirtualThread(() -> {
  //작업 내용
});
```

여기서 잠깐

가상 스레드와 플랫폼 스레드의 객체

가상 스레드와 플랫폼 스레드의 객체는 모두 Thread 타입의 객체이다. 따라서 기존 방식대로 Thread의 메소드를 통해 스레드 상태 제어가 가능하다.

다음 코드는 ofVirtual() 메소드로 빌더 객체를 생성하고, 람다식으로 작성된 Runnable 구현 객체를 매개값으로 해서 start() 메소드를 호출한다. start() 메소드는 가상 스레드를 생성하고 바로 작업 내용을 실행한다. 그리고 생성된 가상 스레드 객체를 리턴한다. 리턴된 객체를 사용할 필요가 없다면 변수에 대입할 필요는 없다.

```
Thread thread = Thread.ofVirtual()
                      .start(() -> {
                          //작업 내용
                      });
```

다음 코드는 빌드 객체의 name() 메소드로 스레드 이름을 설정하고, 마지막으로 start() 메소드를 호출해서 가상 스레드를 생성하고 실행한다.

```
Thread thread = Thread.ofVirtual()
                      .name("threadName")    //스레드 이름 설정
                      .start(() -> {
                          //작업 내용
                      });
```

>>> VirtualThreadExample.java

```
1   package ch21.sec05;
2
3   public class VirtualThreadExample {
4     public static void main(String[] args) {
5       //자바 21: 방법1
6       Thread.startVirtualThread(() -> {
```

```
 7            System.out.println("virtualThread1 실행");
 8        });
 9
10        //자바 21: 방법2
11        Thread.ofVirtual()
12            .start(() -> {
13              System.out.println("virtualThread2 실행");
14            });
15
16        //자바 21: 스레드 이름 설정
17        Thread virtualThread3 = Thread.ofVirtual()
18            .name("downloadThread")
19            .start(() -> {
20              System.out.println("virtualThread3 실행 ");
21            });
22        System.out.println("virtualThread3 이름: " + virtualThread3.getName());
23      }
24    }
```

실행 결과

```
virtualThread1 실행
virtualThread2 실행
virtualThread3 실행
virtualThread3 이름: downloadThread
```

플랫폼 스레드 생성

개발자는 작업을 처리하기 위해 가상 스레드와 플랫폼 스레드 중에서 무엇을 생성할지 선택할 수 있다고 설명했다. 우리 책 596쪽 14.3절 '작업 스레드 생성과 실행'에서 설명한 대로 스레드를 생성하면 모두 플랫폼 스레드로 생성된다.

```
Runnable task = ...;
Thread thread = new Thread(task);
```

자바 21부터는 플랫폼 스레드를 생성하는 또 다른 방법으로, Thread 클래스에 ofPlatform() 정적 메소드가 추가되었다.

리턴 타입	정적 메소드
Thread.Builder.OfPlatform	Thread.ofPlatform()

다음 코드는 ofPlatform() 메소드로 빌더 객체를 생성하고, 람다식으로 작성된 Runnable 구현 객체를 매개값으로 해서 start() 메소드를 호출한다. start() 메소드는 플랫폼 스레드를 생성하고 바로 작업 내용을 실행한다. 그리고 생성된 플랫폼 스레드 객체를 리턴한다. 리턴된 객체를 사용할 필요가 없다면 변수에 대입할 필요는 없다.

```
Thread thread = Thread.ofPlatform()
                    .start(() -> {
                        //작업 내용
                    });
```

다음 코드는 빌드 객체의 name() 메소드로 스레드 이름을 설정하고, 마지막으로 start() 메소드를 호출해서 플랫폼 스레드를 생성하고 실행한다.

```
Thread thread = Thread.ofPlatform()
                    .name("threadName")
                    .start(() -> {
                        //작업 내용
                    });
```

다음 코드는 빌드 객체의 daemon() 메소드로 데몬 스레드로 설정하고, 마지막으로 start() 메소드를 호출해서 플랫폼 스레드를 생성하고 실행한다.

```
Thread thread = Thread.ofPlatform()
                    .daemon()
                    .start(() -> {
                        //작업 내용
                    });
```

>>> **PlatformThreadExample.java**

```
1   package ch21.sec05;
2   
3   public class PlatformThreadExample {
4     public static void main(String[] args)  {
5       //전통적 방식
6       Thread platformThread1 = new Thread(() -> {
7         System.out.println("platformThread1 실행: ");
8       });
9       platformThread1.start();
10  
11      //자바 21
12      Thread.ofPlatform()
13        .start(() -> {
14          System.out.println("platformThread2 실행: ");
15        });
16  
17      //자바 21
18      Thread.ofPlatform()
19        .name("copyThread")
20        .start(() -> {
21          System.out.println("platformThread3 실행: ");
22        });
23  
24      //자바 21
25      Thread platformThread4 = Thread.ofPlatform()
26        .name("downloadThread")
27        .daemon()
28        .start(() -> {
29          System.out.println("platformThread4 실행: ");
30        });
31      System.out.println("platformThread4 이름: " + platformThread4.getName());
32    }
33  }
```

실행 결과

```
platformThread1 실행:
platformThread2 실행:
platformThread3 실행:
platformThread4 실행:
platformThread4 이름: downloadThread
```

21.7 순차 컬렉션

기존 컬렉션 프레임워크에서는 순서를 갖는 컬렉션들의 공통 상위 인터페이스가 없었기 때문에 순서가 있는 컬렉션들이 여기저기 흩어져 있었다. 예를 들어 순서가 없는 Collection 하위에는 순서가 있는 List가 있고, 순서가 없는 Set이 있다. 마찬가지로 순서가 없는 Set 하위에는 순서가 있는 SortedSet이 있고, 순서가 없는 HashSet이 있다.

자바 21은 순서가 있는 컬렉션을 묶고, 공통 API를 제공할 목적으로 순차 컬렉션(Sequenced Collection), 순차 셋(SequencedSet), 순차 맵(SequencedMap) 인터페이스를 추가하고 기존 인터페이스의 상속 관계를 수정했다.

다음은 수정된 컬렉션 프레임워크의 인터페이스 상속 관계를 보여 준다.

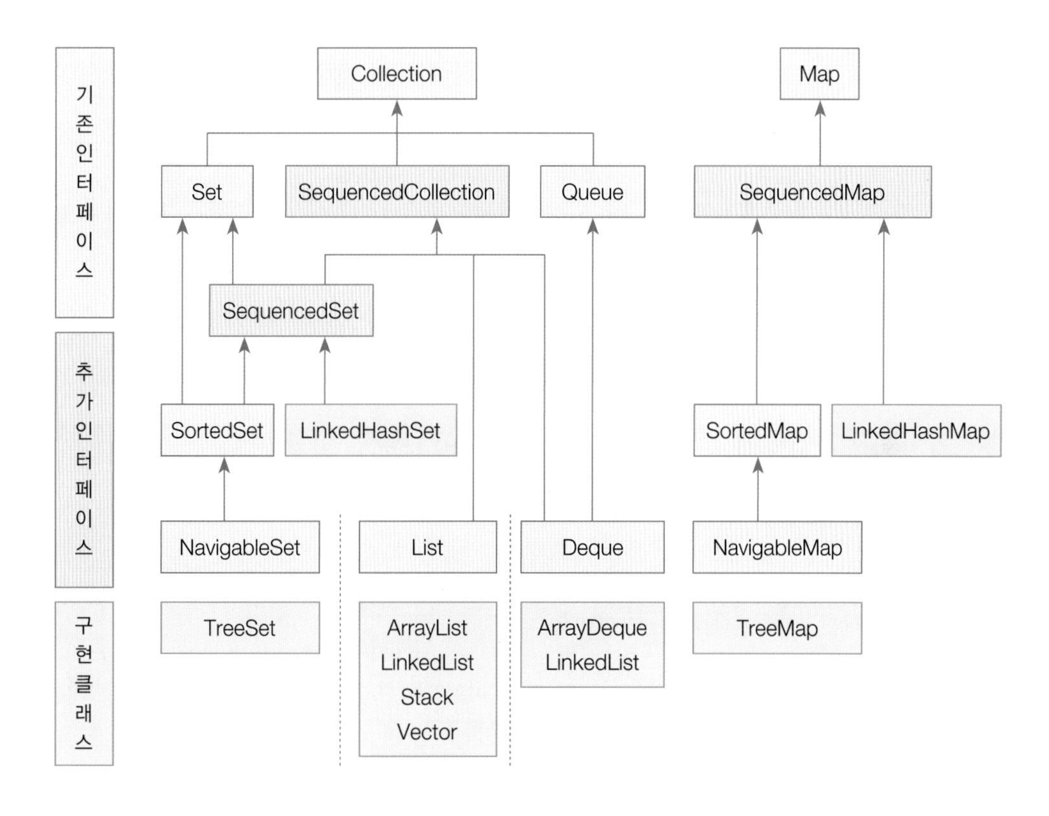

순차 컬렉션

SequencedCollection은 순서가 있는 List와 Set 컬렉션의 최상위 인터페이스이다. SequencedCollection에는 다음과 같은 메소드가 선언되어 있다. 이들 메소드는 순서가 있는 List와 Set 컬렉션에서 모두 사용할 수 있다.

리턴 타입	메소드 이름	설명
void	addFirst(E e)	첫 번째 요소로 추가
void	addLast(E e)	마지막 요소로 추가
E	getFirst()	첫 번째 요소를 가져오기
E	getLast()	마지막 요소를 가져오기
E	removeFirst()	첫 번째 요소를 제거하기
E	removeLast()	마지막 요소를 제거하기
SequencedCollection〈E〉	reversed()	요소의 순서를 뒤바꾸기

순서가 있기 때문에 첫 번째와 마지막 요소 위치에 요소를 추가하거나 제거할 수 있고, 요소의 순서를 뒤바꾸는 기능도 포함되어 있다.

다음 예제에서는 List의 구현 클래스인 ArrayList를 생성하고, SequencedCollection에 선언된 메소드를 사용해 보았다.

››› **SequencedCollectionExample.java**

```
1    package ch21.sec06;
2
3    import java.util.ArrayList;
4    import java.util.SequencedCollection;
5
6    public class SequencedCollectionExample {
7      public static void main(String[] args) {
8        //순서 있는 중복 허용 컬렉션 생성
9        SequencedCollection<String> nameList = new ArrayList<>();
10
11       //첫 번째 요소로 저장
12       nameList.addFirst("김길동");
```

```
13        nameList.addFirst("박길동");
14        nameList.addFirst("이길동");
15
16        //마지막 요소로 저장
17        nameList.addLast("조길동");
18        nameList.addLast("탁길동");
19        nameList.addLast("홍길동");
20
21        //첫 번째 요소 제거
22        nameList.removeFirst();
23
24        //마지막 요소 제거
25        nameList.removeLast();
26
27        //요소 출력
28        System.out.println(nameList.toString());
29
30        //요소의 순서를 뒤바꾸기
31        nameList = nameList.reversed();
32
33        //요소 출력
34        System.out.println(nameList.toString());
35    }
36 }
```

실행 결과

```
[박길동, 김길동, 조길동, 탁길동]
[탁길동, 조길동, 김길동, 박길동]
```

순차 Set

순서가 있으면서 요소의 중복 저장을 허용하지 않는 순차 Set 컬렉션은 SequencedCollection의 자식인 SequencedSet 인터페이스를 별도로 상속받는다. SequencedCollection의 메소드를 그대로 물려받고, reverse() 메소드만 리턴 타입을 변경해서 다음과 같이 재정의했다.

리턴 타입	메소드 이름	설명
SequencedSet<E>	reversed()	요소의 순서를 뒤바꾸기

다음 예제에서는 SequencedSet의 구현 클래스인 LinkedHashSet을 생성하고, SequencedCollection와 SequencedSet에 선언된 메소드를 사용해 보았다.

>>> SequencedSetExample1.java

```
1   package ch21.sec06;
2
3   import java.util.LinkedHashSet;
4   import java.util.SequencedSet;
5
6   public class SequencedSetExample1 {
7     public static void main(String[] args) {
8       //순서 있는 중복 제거 컬렉션 생성
9       SequencedSet<String> nameSet = new LinkedHashSet<>();
10
11      //첫 번째 요소로 저장
12      nameSet.addFirst("김길동");
13      nameSet.addFirst("김길동");
14      nameSet.addFirst("이길동");
15
16      //마지막 요소로 저장
17      nameSet.addLast("탁길동");
18      nameSet.addLast("홍길동");
19      nameSet.addLast("홍길동");
20
21      //첫 번째 요소 제거
22      nameSet.removeFirst();
23
24      //마지막 요소 제거
25      nameSet.removeLast();
26
27      //요소 출력
28      System.out.println(nameSet.toString());
29
30      //요소의 순서를 뒤바꾸기
31      nameSet = nameSet.reversed();
```

```
32
33          //요소 출력
34          System.out.println(nameSet.toString());
35        }
36      }
```

실행 결과

```
[김길동, 탁길동]
[탁길동, 김길동]
```

주의할 점은 SequencedSet의 자식인 SortedSet을 구현한 TreeSet 클래스는 Comparable 또는 Comparator를 이용해서 요소들을 비교한 후, 위치가 결정되고 저장되기 때문에 addFirst(), addLast() 메소드를 사용해서 직접 해당 위치에 요소를 저장할 수 없다. 이들 메소드를 사용하면 UnsupportedOperationException 예외가 발생한다.

>>> **SequencedSetExample2.java**

```
1     package ch21.sec06;
2
3     import java.util.SequencedSet;
4     import java.util.TreeSet;
5
6     public class SequencedSetExample2 {
7       public static void main(String[] args) {
8         //순서 있는 중복 제거 컬렉션 생성
9         SequencedSet<String> nameSet = new TreeSet<>();
10
11        //첫 번째 요소로 저장
12        //nameSet.addFirst("이길동"); //예외 발생
13
14        //마지막 요소로 저장
15        //nameSet.addLast("탁길동"); //예외 발생
16
17        //요소 저장
18        nameSet.add("김길동");
19        nameSet.add("이길동");
```

```
20          nameSet.add("김길동");
21          nameSet.add("홍길동");
22          nameSet.add("탁길동");
23          nameSet.add("홍길동");
24
25          //첫 번째 요소 제거
26          nameSet.removeFirst();
27
28          //마지막 요소 제거
29          nameSet.removeLast();
30
31          //요소 출력
32          System.out.println(nameSet.toString());
33
34          //요소의 순서를 뒤바꾸기
35          nameSet = nameSet.reversed();
36
37          //요소 출력
38          System.out.println(nameSet.toString());
39      }
40  }
```

실행 결과

```
[이길동, 탁길동]
[탁길동, 이길동]
```

순차 Map

SequencedMap은 순서가 있는 Map 컬렉션의 최상위 인터페이스이다. SequencedMap에는 다음과 같은 메소드가 선언되어 있다. 여기서 순서란 키의 순서를 말한다.

리턴 타입	메소드 이름	설명
Map.Entry<K, V>	firstEntry()	첫 번째 엔트리를 가져오기
Map.Entry<K, V>	lastEntry()	마지막 엔트리를 가져오기
Map.Entry<K, V>	pollFirstEntry()	첫 번째 요소를 가져오고, Map에서 제거

Map.Entry<K, V>	pollLastEntry()	마지막 요소를 가져오기, Map에서 제거
V	putFirst(K k, V v)	첫 번째 요소로 추가하기
V	putLast(K k, V v)	마지막 요소로 추가하기
SequencedMap<K, V>	reversed()	엔트리의 순서를 뒤바꾸기
SequencedSet<Map.Entry<K,V>>	sequencedEntrySet()	엔트리를 요소로 하는 SequencedSet 얻기
SequencedSet<K>	sequencedKeySet()	키를 요소로 하는 SequencedSet 얻기
SequencedCollection<V>	sequencedValues()	값을 요소로 하는 SequencedCollection 얻기

순서가 있기 때문에 첫 번째와 마지막 요소의 위치에 요소를 추가하거나 제거할 수 있고, 요소의 순서를 뒤바꾸는 기능도 포함되어 있다.

다음 예제에서는 SequencedMap의 구현 클래스인 LinkedHashMap을 생성하고, SequencedMap에 선언된 메소드를 사용해 보았다.

>>> **SequencedMapExample1.java**

```
1   package ch21.sec06;
2
3   import java.util.LinkedHashMap;
4   import java.util.Map;
5   import java.util.SequencedMap;
6
7   public class SequencedMapExample1 {
8     public static void main(String[] args) {
9       //순서 있는 Map 컬렉션 생성
10      SequencedMap<Integer, String> map = new LinkedHashMap<>();
11
12      //첫 번째 요소로 저장
13      map.putFirst(1, "김길동");
14      map.putFirst(2, "박길동");
15      map.putFirst(3, "이길동");
16
17      //마지막 요소로 저장
18      map.putLast(2, "마길동");
19      map.putLast(4, "탁길동");
20      map.putLast(5, "홍길동");
```

```
21
22        //첫 번째 엔트리 가져오기
23        Map.Entry<Integer, String> firstEntry = map.firstEntry();
24        System.out.println("첫 번째 엔트리: " + firstEntry.getKey() + ", " +
              firstEntry.getValue());
25
26        //첫 번째 엔트리를 가져오고, 제거
27        firstEntry = map.pollFirstEntry();
28        System.out.println("첫 번째 엔트리: " + firstEntry.getKey() + ", " +
              firstEntry.getValue());
29
30        //마지막 엔트리 가져오기
31        Map.Entry<Integer, String> lastEntry = map.lastEntry();
32        System.out.println("마지막 엔트리: " + lastEntry.getKey() + ", " +
              lastEntry.getValue());
33
34        //마지막 엔트리를 가져오고, 제거
35        lastEntry =map.pollLastEntry();
36        System.out.println("마지막 엔트리: " + lastEntry.getKey() + ", " +
              lastEntry.getValue());
37
38        System.out.println();
39
40        //순서대로 엔트리를 일괄 처리
41        for(Map.Entry<Integer, String> entry : map.sequencedEntrySet()) {
42          System.out.println(entry.getKey() + ", " + entry.getValue());
43        }
44
45        System.out.println();
46
47        //엔트리의 순서를 뒤바꾸기
48        SequencedMap<Integer, String> reversedMap = map.reversed();
49
50        //순서대로 엔트리를 일괄 처리
51        for(int key : reversedMap.sequencedKeySet()) {
52          System.out.println(key + ", " + reversedMap.get(key));
53        }
54      }
55    }
```

실행 결과

```
첫 번째 엔트리: 3, 이길동
첫 번째 엔트리: 3, 이길동
마지막 엔트리: 5, 홍길동
마지막 엔트리: 5, 홍길동

1, 김길동
2, 마길동
4, 탁길동

4, 탁길동
2, 마길동
1, 김길동
```

주의할 점은 SequencedMap의 자식인 SortedMap을 구현한 TreeMap은 Comparable 또는 Comparator를 이용해서 키들을 비교한 후, 위치가 결정되고 저장되기 때문에 putFirst(), putLast() 메소드를 사용해서 직접 해당 위치에 엔트리를 저장할 수 없다. 이들 메소드를 사용하면 UnsupportedOperationException 예외가 발생한다.

>>> **SequencedMapExample2.java**

```
1    package ch21.sec06;
2
3    import java.util.Map;
4    import java.util.SequencedMap;
5    import java.util.TreeMap;
6
7    public class SequencedMapExample2 {
8      public static void main(String[] args) {
9        //순서 있는 Map 컬렉션 생성
10       SequencedMap<Integer, String> map = new TreeMap<>();
11
12       //첫 번째 요소로 저장
13       //map.putFirst(3, "이길동");  //예외 발생
14
15       //마지막 요소로 저장
16       //map.putLast(3, "서길동");  //예외 발생
17
```

```
18        //요소 저장
19        map.put(3, "이길동");
20        map.put(2, "박길동");
21        map.put(1, "김길동");
22        map.put(5, "홍길동");
23        map.put(2, "마길동");
24        map.put(4, "탁길동");
25
26        //첫 번째 엔트리 가져오기
27        Map.Entry<Integer, String> firstEntry = map.firstEntry();
28        System.out.println("첫 번째 엔트리: " + firstEntry.getKey() + ", " +
              firstEntry.getValue());
29
30        //첫 번째 엔트리를 가져오고, 제거
31        firstEntry = map.pollFirstEntry();
32        System.out.println("첫 번째 엔트리: " + firstEntry.getKey() + ", " +
              firstEntry.getValue());
33
34        //마지막 엔트리 가져오기
35        Map.Entry<Integer, String> lastEntry = map.lastEntry();
36        System.out.println("마지막 엔트리: " + lastEntry.getKey() + ", " +
              lastEntry.getValue());
37
38        //마지막 엔트리를 가져오고, 제거
39        lastEntry =map.pollLastEntry();
40        System.out.println("마지막 엔트리: " + lastEntry.getKey() + ", " +
              lastEntry.getValue());
41
42        System.out.println();
43
44        //순서대로 엔트리를 일괄 처리
45        for(Map.Entry<Integer, String> entry : map.sequencedEntrySet()) {
46          System.out.println(entry.getKey() + ", " + entry.getValue());
47        }
48
49        System.out.println();
50
51        //엔트리의 순서를 뒤바꾸기
52        SequencedMap<Integer, String> reversedMap = map.reversed();
53
```

```
54          //순서대로 엔트리를 일괄 처리
55          for(int key : reversedMap.sequencedKeySet()) {
56            System.out.println(key + ", " + reversedMap.get(key));
57          }
58        }
59      }
```

실행 결과

```
첫 번째 엔트리: 1, 김길동
첫 번째 엔트리: 1, 김길동
마지막 엔트리: 5, 홍길동
마지막 엔트리: 5, 홍길동

2, 마길동
3, 이길동
4, 탁길동

4, 탁길동
3, 이길동
2, 마길동
```

수정할 수 없는 순차 컬렉션

자바 21에서는 요소를 변경할 수 없도록 수정할 수 없는 순차 컬렉션을 만들기 위해 Collections 클래스에 다음 정적 메소드가 추가되었다.

```
Collections.unmodifiableSequencedCollection(sequencedCollection)
Collections.unmodifiableSequencedSet(sequencedSet)
Collections.unmodifiableSequencedMap(sequencedMap)
```

위 세 가지 메소드 이외에도 Collections에는 unmodifiableXXX() 메소드들이 정의되어 있다. 컬렉션은 객체를 넘나들며 전달될 수 있다. 이때 원본 컬렉션의 요소를 보호하고 싶다면 unmodifiableXXX() 메소드를 이용해서 불변 복제 컬렉션을 만들고 전달하면 된다.

다음은 method1()에서 생성한 순차 컬렉션을 method2()의 매개값으로 전달할 때 불변 복제 순차 컬렉션을 사용한다. 그렇게 되면 method2()에서는 읽기만 가능하고 요소를 제거하거나 추가할 수 없게 된다.

>>> **UnModifiableExample.java**

```
1   package ch21.sec06;
2
3   import java.util.ArrayList;
4   import java.util.Collections;
5   import java.util.SequencedCollection;
6
7   public class UnmodifiableExample {
8     public static void method1() {
9       //순차 컬렉션 생성
10      SequencedCollection<String> collection = new ArrayList<>();
11
12      //요소 추가
13      collection.addFirst("데이터1");
14      collection.addFirst("데이터2");
15      collection.addFirst("데이터3");
16
17      //다른 메소드로 수정할 수 없는 순차 컬렉션 전달
18      method2(Collections.unmodifiableSequencedCollection(collection));
19    }
20
21    public static void method2(SequencedCollection<String> collection) {
22      //모든 요소를 일괄 처리
23      for(String data : collection) {
24        System.out.println(data);
25      }
26
27      //첫 번째 요소를 제거 (실행 예외 발생: UnsupportedOperationException)
28      collection.removeFirst();
29    }
30
31    public static void main(String[] args) {
32      method1();
33    }
34  }
```

실행 결과

```
데이터3
데이터2
데이터1
Exception in thread "main" java.lang.UnsupportedOperationException
  at …$UnmodifiableSequencedCollection.removeFirst(Collections.java:1212)
  at ch21.sec06.UnmodifiableExample.method2(UnmodifiableExample.java:28)
  at ch21.sec06.UnmodifiableExample.method1(UnmodifiableExample.java:18)
  at ch21.sec06.UnmodifiableExample.main(UnmodifiableExample.java:32)
```

21.8 기본 문자셋 변경

자바는 JVM이 실행될 때 운영체제의 환경에 따라 자바 기본 문자셋이 결정되었다. 맥OS는 UTF-8을 기본 문자셋으로 사용했고, 한글 윈도우는 x-windows-949(MS949)를 사용했다. 자바 21부터는 자바 기본 문자셋이 UTF-8로 통일되었으며, 이로써 운영체제의 환경에 의존하지 않고 어떤 실행 환경에서든 모두 UTF-8 문자셋을 사용한다.

바이트 수

기본 문자셋이 달라지면 숫자와 영어 문자는 문제가 되지 않지만, 한글 문자는 처리 바이트 수가 달라진다. MS949는 한글 문자를 2byte로 처리하지만, UTF-8은 한글 문자를 3byte로 처리하기 때문이다.

다음 예제는 자바 기본 문자셋의 종류를 출력하고, 한글 데이터를 바이트로 변환했을 때의 바이트 수, 그리고 한글 데이터를 파일로 저장했을 때의 파일 크기를 조사한다.

>>> DefaultCharsetExample.java

```java
1	package ch21.sec07;
2	
3	import java.io.File;
4	import java.io.FileWriter;
5	import java.nio.charset.Charset;
6	
```

```
7  public class DefaultCharsetExample {
8    public static void main(String[] args) throws Exception {
9      //자바 기본 문자셋 확인
10     Charset javaCharset = Charset.defaultCharset();
11     System.out.println("Java 기본 문자셋: " + javaCharset.toString());
12
13     //한글을 byte[] 배열로 변환할 때의 한 글자당 바이트 수 확인
14     byte[] bytes = "자바".getBytes();
15     System.out.println("바이트 수: " + bytes.length + " bytes");
16
17     //한글을 파일에 저장할 때의 한 글자당 바이트 수 확인
18     File file = new File("C:/Temp/file.txt");
19     FileWriter writer = new FileWriter(file);
20     writer.write("한글");
21     writer.flush();
22     writer.close();
23     System.out.println("file size: " + file.length() + " bytes");
24   }
25 }
```

윈도우 자바 21 실행 결과

```
Java 기본 문자셋: UTF-8
바이트 수: 6 bytes
file size: 6 bytes
```

윈도우 자바 17 실행 결과

```
Java 기본 문자셋: x-windows-949
바이트 수: 4 bytes
file size: 4 bytes
```

이 예제를 이클립스에서 실행하면 자바 기본 문자셋은 항상 UTF-8이 된다. 그 이유는 이클립스가 실행될 때 자바 기본 문자셋을 UTF-8로 변경하기 때문이다. 기본 문자셋의 영향을 제대로 확인하려면 명령 프롬프트(cmd) 또는 터미널(Windows PowerShell)에서 실행해야 한다.

명령 프롬프트와 터미널에서 사용하는 자바 버전은 환경 변수 Path에 추가된 JDK 경로에 따라 달라진다. 우리 책 1장에서 환경 변수 Path에 '%JAVA_HOME%\bin'을 추가했고, 환경 변수 JAVA_HOME에 'C:\Program Files\Java\jdk-21'로 설정했기 때문에 현재는 자바 21을 사용한다.

컴파일과 실행을 위해서 다음과 같이 ThisIsJava 프로젝트 경로까지 이동한다.

```
cd C:\ThisIsJava\workspace\thisisjava
```

다음과 같이 예제 소스 파일인 DefaultCharsetExample.java를 컴파일한다. '-d bin' 옵션은 컴파일 결과(패키지와 바이트코드 파일)를 bin 폴더에 저장하도록 컴파일러에게 알려 준다.

```
javac -d bin src/ch21/sec07/DefaultCharsetExample.java
```

컴파일이 성공하면 다음과 같이 실행한다. '-cp bin' 옵션은 패키지와 바이트코드 파일이 bin 폴더에 있다고 컴파일러에게 알려 준다.

```
java -cp bin ch21.sec07.DefaultCharsetExample
```

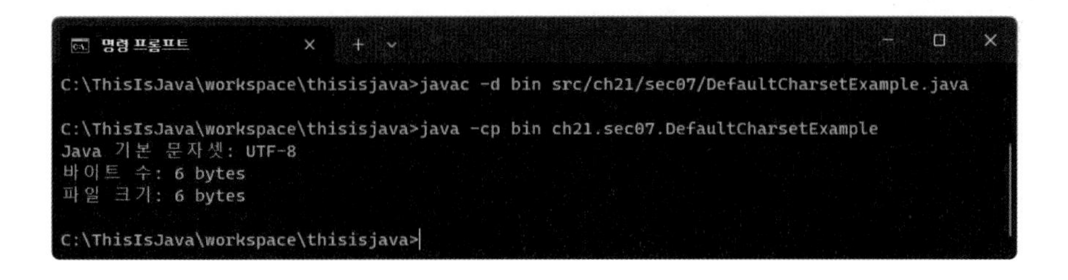

명령 프롬프트가 자바 17을 사용하도록 하려면 우리 책 6쪽 1.2절 '운영체제별 JDK 설치'를 참고해서 자바 17을 먼저 설치해야 한다. 설치 위치는 'C:\Program Files\Java\jdk-17'이 될 것이다. 그리고 환경 변수 JAVA_HOME을 'C:\Program Files\Java\jdk-17'로 변경한다.

현재 실행 중인 명령 프롬프트 또는 터미널은 변경된 환경 변수를 적용할 수 없기 때문에 다시 실행해야 한다. 그리고 나서 자바 버전을 확인하기 위해 다음 명령어를 실행해 보자.

```
javac -version  //자바 컴파일러 버전
java -version   //자바 버전
```

```
명령 프롬프트

Microsoft Windows [Version 10.0.22621.2428]
(c) Microsoft Corporation. All rights reserved.

C:\Users\blueskii>javac -version
javac 17.0.8

C:\Users\blueskii>java -version
java version "17.0.8" 2023-07-18 LTS
Java(TM) SE Runtime Environment (build 17.0.8+9-LTS-211)
Java HotSpot(TM) 64-Bit Server VM (build 17.0.8+9-LTS-211, mixed mode, sharing)

C:\Users\blueskii>
```

버전을 확인했다면 다음과 같이 ThisIsJava 프로젝트 경로까지 이동한다.

```
cd C:\ThisIsJava\workspace\thisisjava
```

```
명령 프롬프트

C:\Users\blueskii>cd C:\ThisIsJava\workspace\thisisjava

C:\ThisIsJava\workspace\thisisjava>
```

다음과 같이 예제 소스 파일인 DefaultCharsetExample.java를 컴파일한다. '–encoding UTF–8' 옵션은 컴파일러에게 소스 파일이 UTF–8 문자셋으로 작성된 것임을 알려 주는 역할을 한다. 만약 이 옵션이 생략되면 JDK 17의 컴파일러는 MS949 문자셋으로 소스 파일을 읽기 때문에 컴파일 에러가 발생한다.

```
javac -d bin -encoding UTF-8 src/ch21/sec07/DefaultCharsetExample.java
```

컴파일이 성공하면 다음과 같이 실행된다.

```
java -cp bin ch21.sec07.DefaultCharsetExample
```

```
명령 프롬프트

C:\ThisIsJava\workspace\thisisjava>javac -d bin -encoding UTF-8 src/ch21/sec07/DefaultCharsetExample.java

C:\ThisIsJava\workspace\thisisjava>java -cp bin ch21.sec07.DefaultCharsetExample
Java 기본 문자셋: x-windows-949
바이트 수: 4 bytes
파일 크기: 4 bytes

C:\ThisIsJava\workspace\thisisjava>
```

호환성 있는 코드

이처럼 자바 기본 문자셋이 다르면 바이트 수와 파일 크기가 달라진다. 바이트 수에 민감한 애플리케이션일 경우 문제를 야기할 수 있다. 이런 애플리케이션들은 자바 기본 문자셋과 상관없이 호환성 있는 코드로 수정할 필요가 있다. 예제에서 문제가 될 수 있는 코드는 다음과 같다.

```
byte[] bytes = "자바".getBytes(); •-------------------------- ①
FileWriter writer = new FileWriter(file); •---------------- ②
```

①은 바이트 수가 다르고, ②는 파일 크기가 다르게 나온다. 이는 다음과 같이 호환성 있는 코드로 수정할 수 있다.

```
byte[] bytes = "자바".getBytes(Charset.forName("UTF-8"));
FileWriter writer = new FileWriter(file, Charset.forName("UTF-8"));
```

코드가 사용해야 하는 문자셋 정보를 주기 위해 매개값으로 Charset 객체를 주었다. Charset.forName() 메소드는 주어진 문자셋에 대한 Charset 객체를 리턴한다. 이와 같이 수정된 코드는 자바 기본 문자셋과 상관없이 항상 UTF-8 문자셋을 사용한다.

여기서 잠깐

프로젝트가 사용하는 자바 버전 변경하기

프로젝트가 사용하는 자바 버전을 변경해서 코드의 호환성 문제를 검사하는 경우가 많다. 현재 Thisisjava 프로젝트는 자바 21을 사용하고 있으므로, 이를 자바 17로 변경하는 방법을 알아보자.

01 우리 책 1장에서 설명한 JDK 21 설치 방법과 동일하게 JDK 17을 설치한다.

02 이클립스의 [메뉴] – [Window] – [Preferences] – [Java] – [Installed JREs]에서 [Add] 버튼을 클릭하면 나오는 [Add JRE] 대화상자에서 'Standard VM'을 선택하고 [Next] 버튼을 클릭한다.

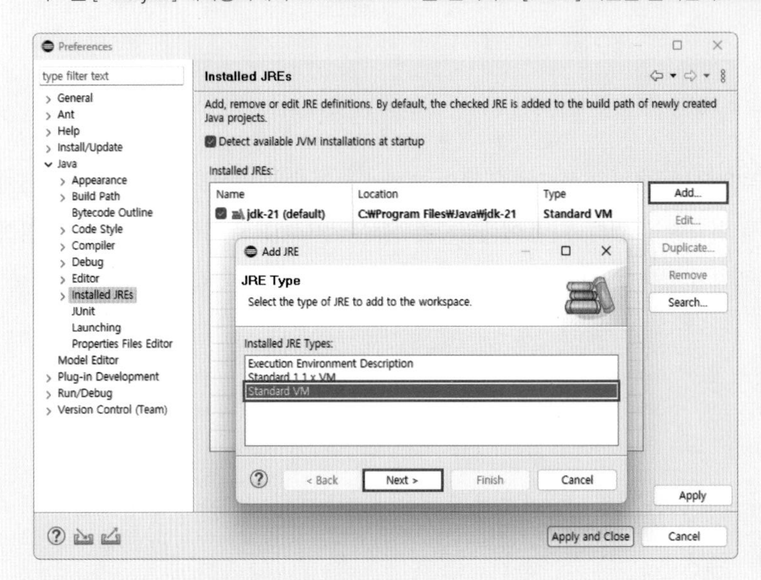

03 [Directory] 버튼을 클릭해서 jdk-17이 설치된 폴더를 선택하고, [Finish] 버튼을 클릭한다.

04 다음과 같이 jdk-17이 추가된 것을 확인하고, [Apply and Close] 버튼을 클릭해서 대화상자를 닫는다.

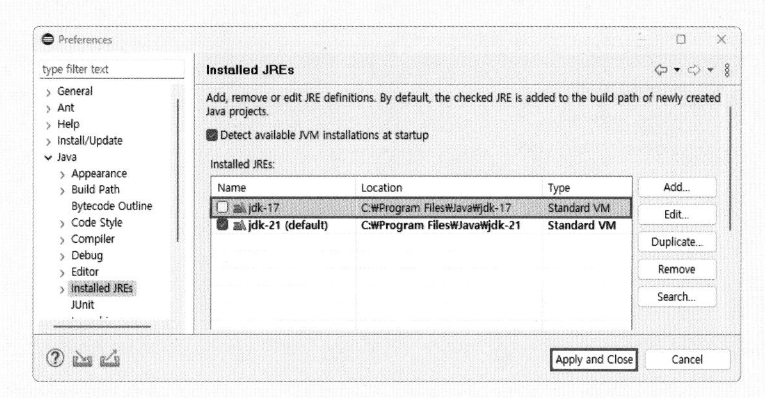

05 다시 [Package Explorer]에서 'thisisjava' 프로젝트를 마우스 오른쪽 버튼으로 클릭해 [Properties]를 선택한다.

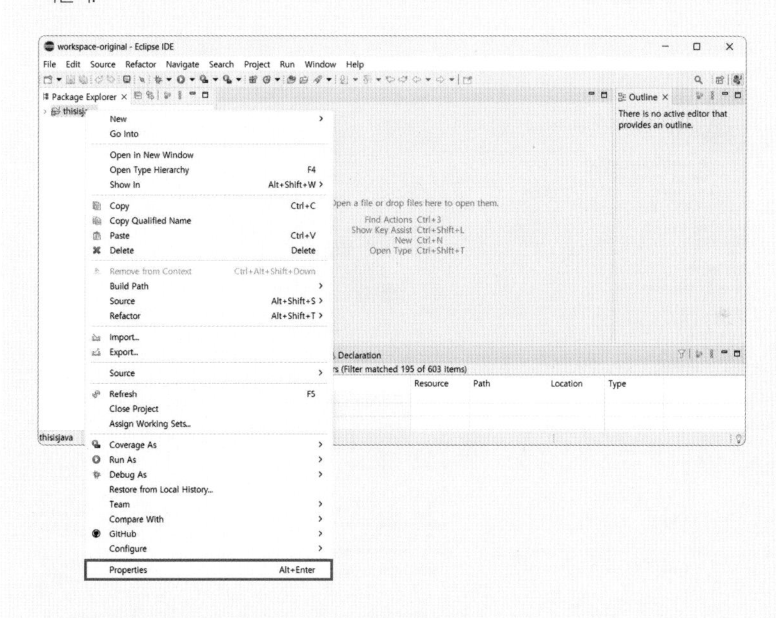

06 [Properties for thisisjava] 대화상자의 [Java Build Path] 항목을 선택하고 [Libraries] 탭을 클릭하면 [Modulepath]에 추가되어 있는 'JRE System Library [Java SE-21]'을 볼 수 있다. 이를 선택하고, 좌측에 있는 [Remove] 버튼을 클릭한다.

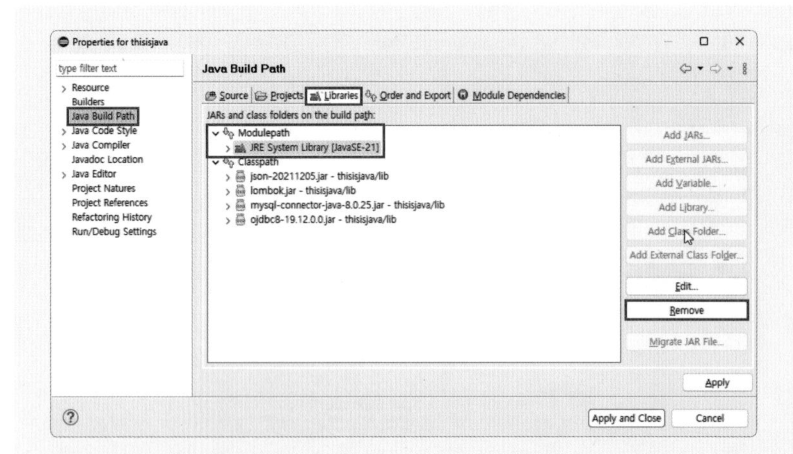

07 다시 [Modulepath]를 선택하고 [Add Library] 버튼을 클릭해 나타나는 대화상자에서 [JRE System Library]를 선택하고 [Next] 버튼을 클릭한다.

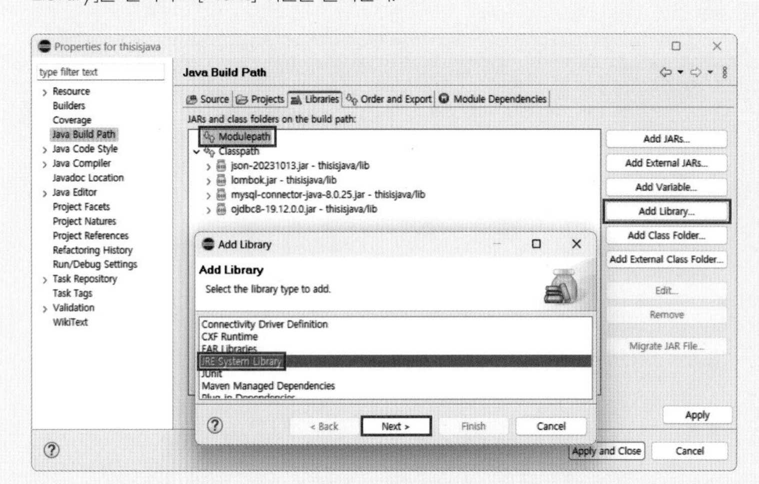

08 그리고 [Add Library] 대화상자에서 [System library]의 'Execution environment'를 'JavaSE-17 (jdk-17)'로 선택하고 [Finish] 버튼을 클릭한다.

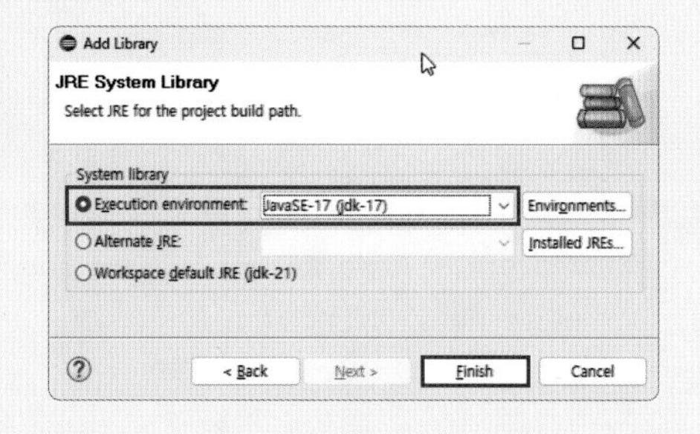

09 라이브러리가 성공적으로 추가되면 다음과 같이 [Modulepath]에 'JRE System Library [JavaSE-17]'이 추가된 것을 볼 수 있다. 마지막으로 [Apply and Close] 버튼을 클릭하면 프로젝트에서 사용하는 자바 버전이 변경된다.

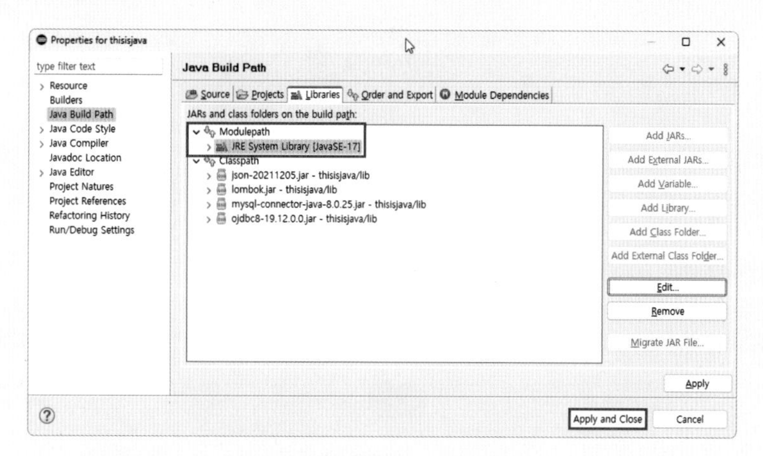

프로젝트에서 사용하는 버전을 자바 17로 변경하면 Thisisjava 프로젝트의 일부 코드에서 컴파일 에러가 발생한다. 프로젝트가 자바 17과 호환되지 않기 때문이다. 프로젝트의 자바 버전을 다시 21로 변경하려면 **05**번부터 동일한 방법으로 진행하면 된다.

찾아보기

기호

A

B

C

G~H

I

J~L

M~N

O

T

U~Y

ㅁ

ㅂ

찾아보기

ㅋ~ㅌ

ㅍ

ㅎ